MIŁOŚĆ nad rozlewiskiem

TRYLOGIA MAZURSKA

Dom nad rozlewiskiem
Powroty nad rozlewiskiem
Miłość nad rozlewiskiem

Małgorzata Kalicińska

MIŁOŚĆ
nad rozlewiskiem

ZYSK I S-KA
WYDAWNICTWO

Wydawnictwo składa podziękowania Właścicielom praw autorskich za wyrażenie zgody na wykorzystanie i opublikowanie wyżej wymienionych utworów.

Projekt okładki
Agnieszka Herman

Zdjęcia
Agnieszka Herman
Marek Leskier (s. 94)
Pixelstock (s. 236)

Redakcja
Jan Grzegorczyk
Tadeusz Zysk

Opracowanie graficzne i techniczne
Jarosław Szumski

Wydanie I

ISBN 978-83-7506-266-3

Zysk i S-ka Wydawnictwo
ul. Wielka 10, 61-774 Poznań
tel. (0-61) 853 27 51, 853 27 67, fax 855 06 90
Dział handlowy, tel./fax (0-61) 855 06 90
sklep@zysk.com.pl
www.zysk.com.pl

Tym, którzy potrafią wybaczać,
i tym, którzy wybaczenia potrzebują

Część pierwsza

ZIMA

Dwie Kronikarki

Jakaś całkiem inna ta zima od tych, które pamiętam.

Miejskie zimy zresztą są inne od wiejskich, mama mi mówiła — i z tym faktem nie ma polemiki. To trzeba sprawdzić, przeżyć samemu.

Tu, u mamy nad rozlewiskiem, zaliczyłam osobiście dwie zimy. Każda inna. Jedna naśnieżona, jakby na pokaz ładna. Taka, aż się prosiła zdobień — lampek, choinki, Bożego Narodzenia, obrzędu. Moja pierwsza Wigilia tu i zima też. Urzekła mnie — białe łąki, biały las, cichy i dostojny, zaciszny — dający znakomite miejsce na zimowe spacery. Raz nawet drzewa pokryła szadź. To dopiero był widok! W Warszawie — nie pamiętam czegoś podobnego, a przecież do parku Paderewskiego chodziłam bardzo często.

A ta druga zima, jakaś... skisła, bezśnieżna, szara. Akurat dla Żeromskiego, on by ją opisał! Od świąt nie było właściwie śniegu, a jak już, to mało i zaraz topniał. Lodowate dni były wilgotne, wietrzne i brzydkie. Po Nowym Roku ścisnął mróz na kilka dni, w lutym też. Bez śniegu to takie ponure i brzydkie, surowe, smutne. I te noce zapadające w środku dnia! Okropność.

Jaka będzie ta następna?

Siedzę przy biurku i piszę te moje wspominki znad Rozlewiska.

Ależ się nadziało! Całe moje życie wywróciło się do góry nogami. Nie sądziłam, że sobie poradzę z takimi zmianami. Przecież nie planowałam tego, nie dążyłam! Po prostu przyjechałam tu odnaleźć mamę i to, jak efekt motyla, uruchomiło lawinę zdarzeń.

Teraz jesteśmy tu dwie kronikarki — ja i Paula. Paula zamieszkała u nas zaraz po... Hola! Po kolei.

O tym, jak tu się zakorzeniłam (w koniecznym skrócie i z małą dywagacją)

Zadomowiłam się tu, na Mazurach.

Mama przepisała mi dom nad rozlewiskiem, geranium i psa, i pensjonat... Mieszkam tu teraz, opiekując się Kaśką, niepełnosprawną umysłowo siostrą mamy, a ze mną mieszka Janusz — mój zielonooki dentysta, i czasem Wacuś — jego tatko — sucharek stareńki i miły. Ale on jest tu tylko wtedy, jak „słabuje", a to zdarza mu się coraz częściej. Miewa migotanie przedsionków, to je umiarowiają mu w Olsztynie, w szpitalu, ale czasem też pokasłuje, miewa zasłabnięcia, wtedy swoje mieszkanie, to w Pasymiu obok gabinetu Janusza, zamyka na kłódkę i pomieszkuje u nas, pozwalając się sobą opiekować. Właśnie teraz jest z nami, bo w lutym, jakoś tak pod koniec, znów był w szpitalu. Miał dość groźne zapalenie płuc, bardzo osłabł po nim. Wolimy go mieć na oku, a on chyba też lubi być z nami.

Ponad rok temu wykończyłyśmy pensjonat przerobiony ze zwykłej obory.

Kilka lat temu, gdyby mi ktoś zasugerował, że będę wiejską oborę przebudowywać na hotelik, i to własny, odesłałabym go na odwyk albo kazała wziąć coś na przywrócenie trzeźwości myślenia. Byłam copywriterką, szefową działu, kobietą reklamy w markowych kostiumach i na obcasach... ale nie budowlańcem i hotelarką! Byłam też skwaszoną żoną, niespełnioną i na pół zwiędłą. A tu... Zmiany, zmiany, zmiany!

Pensjonat piękny jest i już drugi sezon daje nam dochód! A w zeszłym roku, jeszcze późną jesienią miałam gości, bo pogoda była piękna, i okazjonalnie, aż do listopada wpadali grzybiarze, rybacy, zaprzyjaźnieni fotografowie. Ostatni byli jacyś filmowcy szukający obiektów do realizowania filmu.

W pensjonacie, w kuchni pomaga mi Ania Wrona. Matka zmarłej tragicznie Karolinki. Wrona straciła ją, bo sama była pijana. Dzisiaj nie pije, jest zapracowana, milcząca i surowa. Ja i mama pomagałyśmy jej dojść do siebie, aż w końcu zaproponowałyśmy pracę sezonową. Lżej mi. Ona jest zaradna i obrotna. Gdy w pensjonacie jest ona, mama i Kaśka, ja mogę poświęcić się swojej nowej pasji. Podpisałam umowę z wydawnictwem na pisanie dla dzieciaków. Lekko mi idą opowiadanka, a ostatnio nawet napisałam wierszem całą historyjkę biurka, które uciekło do lasu.

Zimą pensjonat stoi pusty. Wtedy Janusz ma mnie trochę więcej dla siebie, częściej wyjeżdżamy do Olsztyna, Trójmiasta albo do Krakowa. Do Warszawy jeżdżę sama, Janusz się wykręca, że źle się czuje na warszawskich ulicach. Prawda jest taka, że się nie dogaduje z Konradem, moim byłym mężem, i nie ma w tym niczego dziwnego. Nie lubią się i już.

Zimą mam więcej pracy z wydawnictwa, redaguję też prace dyplomowe i doktorskie. „Zrobiłam" pracę doktorską naszemu politykowi. Znaczy oprawiłam w stosowną formę. Dość znany, młody, szalenie konkretny. Dobrze płacący!

W tym roku śniegu mało, cały czas za to padało i padało. Drogi rozjeżdżone — masa kałuż i dosłownie zwały błota. Żaden normalny samochód nie daje rady jeździć naszą drogą. Karolakowie jeżdżą na okrętkę — lasem. Tam drogi piaszczyste i twarde. Mnie się nie opłaca, bo nadkładałabym, a ponadto moja terenówka jeździ jak hummer. Koła z mlaskiem pokonują breję, fontanny rzadkiej mazi chlustają mi spod kół, samochód ma kolor — po prostu brudny. Ale jedzie, nie grzęźnie!

Wiktor, dzięki któremu go mam, puszy się i cieszy. Najbardziej, gdy mu posłałam swoje zdjęcie w tej mojej toyocie, upapranej jak nieszczęście. Ja sama na tym zdjęciu mam wielkie piegi z błota, nawet na włosach.

To się stało, gdy wyciągałam z błocka taką paniusię, która ugrzęzła na naszej drodze. Dziennikarka — jechała do Karolaków.

Kiedyś bym się załamała, zapłakała po takim zapadnięciu się w breję. A dzisiaj — wyjmuję filcokalosze zza siedzenia, linkę zaczepiam o drzewo lub o coś, o co można, wrzucam pracę wyciągarki delikatnie, bez szarpania i... wyciągam się z błocka! Tym razem nie wyciągnęłam się sama z błocka, ale gościa Karolakowej. Zaczepiam linkę, wrzucam wsteczny delikatnie i wolno wyciągam jej samochód z błocka. Wyglądałam potem śmiesznie, bo pani zabuksowała kołami, zanim jeszcze wsiadłam do mojej toyoty. Wryła się tak swoim autkiem, że babrałyśmy się z pół godziny, w tym błociszczu. Ale nic to! Mam prysznic w domu! No, tak.

Gdy na naszym podwórku wysiadłam z samochodu po tej akcji, mama aż zaniemówiła z wrażenia, a Kaśka dostała czkawki ze śmiechu. Pani dziennikarka wyjęła aparat i zrobiła furę zdjęć. Potem pojechała do Bartka, bo to jego znajoma.

I właśnie to zdjęcie mnie całej w błocku Wiktor oprawił w ramki i postawił na regale. Że też Monika się zgodziła! No, ale fakt — ja tam wyglądam jak Błotna Rusałka. Wik wsiąkł w życie rodzinne tak, że rzadko kiedy się odzywa. Wysłał mi serwis fotograficzny synka i... szlus! No i dobrze! Jak będzie potrzeba, to się znajdziemy!

Dwa tygodnie temu przymroziło na kilka dni zaledwie i puściło. Znów chlapa, szaruga i ziąb. Wszystko jakieś... brudne. Nawet niebo. Kaśka zaczęła powoli wywoływać wiosnę. Za wcześnie, ale widać tęskni za ciepłem. Wiąże zielone kokardki z krepiny na drzewach. Na krzakach — białe i żółte. Czasem coś śpiewa — mruczy. Postanowiłam i ja przywołać wiosnę. Pojechałam po coś kwitnącego do kwiaciarni, a kiedy wróciłam, wybrałam się do mamy spacerem, żeby się poruszać i dotlenić.

— Mamo? — zawołałam od progu, kiedy tylko weszłam do leśniczówki Tomasza. — Mamo!

Zdjęłam buty i kurtkę, otrzepałam je ze śniegu. Chyba nawet trochę zmarzłam, mimo że jest zaledwie minus dwa.

Pozornie, w taką pogodę nie powinno się marznąć, ale jednak ten chłód z wilgocią przenika bezczelnie i dotkliwie — wszędzie. Gdy szłam przez las, postawiłam kołnierz, chociaż nie było wiatru, a zimne dłonie trzymałam w rękawach.

Powiesiłam kurtkę i wstrząsnęły mną dreszcze.

— Ale ziąb — powiedziałam ni to do siebie, ni to do mamy.

— Stało się coś? Mam akurat gorący barszczyk, chodź! — mój Gnom w zielonym dresie wyszedł z kuchni, trzymając w ręku talerz i ścierkę. Ma wysoko związane włosy w swoją kulkę-koczek i pytający wyraz twarzy. Na czubku nosa okulary z tym rzemyczkiem pełnym koralików i piórek.

Patrzy badawczo znad szkieł, moja śmieszna mama, i czeka — jaką sensację przyniosłam.

Od kiedy mieszka tu, u Tomasza, już na stałe, biegam do niej z jakimiś problemami, gdy akurat nie ma jej u mnie. Teraz jest zima, więc wpada tylko raz, dwa razy w tygodniu. Latem bywa u mnie, nad rozlewiskiem, właściwie codziennie. Pensjonat prowadzimy obie.

Podczas wakacji mamy pełno gości, wtedy mama wie, że trzeba pomóc. Wymyśla menu, deliberuje z Wroną nad kluseczkami do gulaszu, robi plany zakupów i tworzy atmosferę, rozmawiając z letnikami, śląc każdemu swój czarowny uśmiech. Panuje nad pieniędzmi i wgryza się w księgowość, chociaż chyba się w tym roku zdecydujemy na „zewnętrzną" księgową. Przepisy coraz trudniejsze i mamy mi żal. Papierologia nie jest fajna, a kluseczki — są!

A ja? Mieszkam już tu, na Mazurach, na stałe i znalazłam pracę, którą mogę wykonywać dzięki netowi. Po tym, jak popracowałam w wydawnictwie dziecięcym jako korektorka, a wkrótce też i autorka kilku opowiadań dla dzieci, wzięłam udział w konkursie wydawniczym na opowiadanie-pamiętnik.

Zajęłam czwarte miejsce i wtedy jeden z szefów znanego wydawnictwa zasiadający w jury spytał, czy nie spróbowałabym pisarstwa.

To akurat praca dla mnie. Czas — wtedy, kiedy mi pasuje, pieniądze już teraz z dwóch źródeł — źle?

Latem jestem hotelarką, w chwilach wolnych — pisarką. Jeszcze mam nadgodziny jako kobieta domowa. To wtedy, gdy nie ma letników i leniwieje czas, czyli późną jesienią i zimą.

Janusz czasem sarka, że wsiąkłam w pracę tak, że dla niego mam za mało czasu, ale rozumie, że życie wymaga, żeby je złapać za rogi... Sądzę, że się tak droczy i domaga uwagi. Sam zresztą też ma teraz więcej pracy. Mają z Mariuszem opinię dobrych protetyków, i w lecie przyjechało specjalnie do nich kilkoro Niemców od Piernasia robić sobie nowe zęby.

Teraz, zimą, mam więcej czasu dla domu, siebie i dla Janusza, ale dziś musiałam wpaść do mamy.

— Nie! Żadne tam problemy, ale wiesz co? Aż musiałam tu przyjść, bo mnie małpa zezłościła!

— Kto taki? — Mama wycierała talerz uspokojona, że nie przyniosłam żadnej hiobowej wieści. Przede mną już paruje kubek barszczu.

— Lady Karolina, księdzowa matka. Spotkałam ją koło kwiaciarni, bo akurat kupiłam sobie jaśminka w doniczce, żeby przywołać wiosnę. Wiesz, jak on pachnie? Jakby w stężeniu. Super — westchnęłam na samo wspomnienie jego zapachu.

— A co ma jaśminek do Lady Karoliny, kochanie?

— No, wychodzę z nim, wącham zadowolona, i natykam się na nią. A ta od razu do mnie z lisim uśmiechem: „O! Kwiaty pani kupuje, pani Małgorzato?

Okazja jakaś?" „Nie — odpalam. — Tak sobie kupiłam kwiatka, bo tęsknię już do wiosny, bo... jest mi wesoło i to jaśminek ładnie pachnący, w ogóle, tak jakoś, pani Karolino, poczułam się szczęśliwsza!" „O... — powiedziała czujnie. — Szczęśliwsza? A czy w ogóle istnieje takie coś jak szczęście? To, że ma pani dom, matkę, zdrowie i konkubenta, daje pani asumpt do tego, by czuć się... szczęśliwą? Czy to nie egzaltacja, brak pokory?" Zawsze jak indaguje (tak, bo ona nie pyta, ona indaguje!), przechyla głowę i mruży oczy, jakby niedowidziała. „Daje. Jako kobieta jestem szczęśliwa!"— rzuciłam, bo nie chciałam ciągnąć tej dyskusji. „O, to i minimalizm... a myślałam, że pani jest bardziej uduchowiona, wymagająca... Ale skoro takie życie w nieformalnym związku panią satysfakcjonuje, pani Gosiu, i jeszcze... (zniżyła głos) przecież to osoba uzależniona, wybaczy pani, ale mówię jak matka..." Wyobrażasz sobie, jaka wykrętna?! „Jak matka"! — sarknęłam.

— Wiesz... — skomentował Gnom, siadając przy kuchennym stole. — Ona przeżyć nie może, że ty z Januszem niezaślubieni żyjecie, ich to w oczy kłuje. A ty masz z tym problem?

Mama miała poważny wyraz twarzy, ale zaraz, jak tylko to powiedziała, zrobił jej się filuterny nos. On jej się marszczy tak śmiesznie, że zaraz wiadomo, że się uśmiechnie.

— Jaka matka, taka córka — rzekłam filozoficznie i uśmiechnęłam się, sięgając po makaronika. Zrobiłyśmy sobie po kawie i gadałyśmy, pogryzając ciasteczka, gdy mama spytała:

— Ale jakbyś tak miała się określić, nie przed Karoliną, a w ogóle — szczęśliwa jesteś? Zostawiłam ci na głowie tyle, że aż mi głupio, przecież nie tego chciałaś?

— Oj, mamo. Myślałam tylko o pensjonacie i Januszu, a dostała mi się, fakt, Kaśka i... caaaała reszta. Sporo tego, ale tylko w sezonie. Ale jest Wrona, ty pomagasz, i radzimy sobie. I jeszcze mam czas na pisanie! Nie martw się! Raczej popatrz, jak ja powtarzam twój scenariusz! Pierwszy mąż — niezbyt udany związek, wyjazd na wieś, rozwód, przejęcie gospodarstwa... Tylko z Januszem mam inaczej. Nie chodzimy do siebie, jak ty z Tomaszem. Mieszkamy w szczęściu i spokoju. Amen!

— Dobrze ci z tym wszystkim? Naprawdę?

Mama oparła się łokciem o stół i nadstawiła dłoń. Opieram się o nią policzkiem i patrzymy na siebie z radością w oczach. Mogłabym tak siedzieć cały dzień. To najczulszy maminy gest. I ten jej zapach. Wyczuwam go jak zwierzak. Mama nie używa pachnideł. Jakieś delikatne perfumy okazjonalnie, a na co dzień francuski talk i jakiś dezodorant bez zapachu. W tle to jej geranium, które lubi dotykać albo wręcz wciera sobie roztarty listek za uszy i pod nosem — gdy ją kręci katar. Jej ubranie pachnie nią. To zapach spokoju.

Teraz pełna niepokoju upewnia się, czy jestem szczęśliwa albo chociaż zadowolona.

— Naprawdę? — dopytywała się, chcąc się po raz kolejny upewnić, że zapisując mi rozlewisko, zrobiła dobrze, że to akceptuję i daję radę. Sama przeniosła się wreszcie do Tomasza, bo i on się uspokoił, osadził. Jest już na emeryturze, w swoim ukochanym domu, który wykupił na własność, z ukochaną kobietą, a dookoła jest jego ukochany las — czego mu więcej trzeba?

— Dobrze, mamo. Czuję się potrzebna, Wrona się realizuje jako gosposia, i jest OK!

— A... tatko Janusza ci nie przeszkadza?

— Nie, mamo. Wacuchna jest jak dziecko — wesoły i miły. Czyta albo coś reperuje. Ostatnio klatkę na ptaki, tę ze strychu.

— Chcecie kupić ptaszki?

— Nie. Ale zreperował...

— Aaaa — powiedział Gnom, chyba nie rozumiejąc. — A... Janusz? — mama rzuca to pytanie swobodnie, ale wiem, ile w nim troski. Janusz ma chwiejny charakter... W lecie znów miał „drobny incydent alkoholowy", ale Mariusz, jego wspólnik, dość szybko zapanował nad sytuacją. Znaczy Janusz zapanował pod okiem Mariusza.

— Mamo, już go od tamtej pory nie nosi. Rozczytał się w sensacjach Krajewskiego o Wrocławiu. Tych, które dostał na Gwiazdkę od Tomasza, a od kiedy kupił dekoder, siedzą obaj z Wackiem w National Geographic i Discovery Chanel, właściwie stale. Teraz Janusz snuje plany zwiedzania świata.

— Nie popija? Nie ciągnie go? Wybacz, że pytam.

— Może i ciągnie, ale nie daje żadnych znaków i się trzyma. Jest dobrze!

Zadzwonił Tomasz, że już wraca ze Szczytna.

— Pójdę, mamo. Wyżaliłam ci się. I wiesz, co jeszcze Lady Karolina powiedziała? Że „szczęście jako stan duszy, nie istnieje" — powiedziała to, jakby mnie oświecała. I że „szczęście to ułuda, do której się dąży, ale nigdy nie jest nam dane zaznać go". Jak dla mnie — idiotyzm, bo wiele razy czułam się szczęśliwa.

— Widocznie nie zaznała niczego, co mogłaby zdefiniować jako szczęście, więc sobie ukuła taką teoryjkę i z nią jej łatwiej. Żal mi jej... — powiedziała mama.

— Nawet za młodu? Gdy była świeżo po ślubie? Gdy urodziła swojego syneczka?

— Gosiaczku, z tego, co wiem, to ona nie była zamężna, a jego poczęcie było przykrym zajściem. Chyba ci mówiłam...

— Żartujesz? — zdumiałam się.

Nie znałam dziejów pani Karoliny aż tak głęboko.

— Skąd wiesz? — dopytywałam się.

— Od Piernackiego.

— A on?!

— Henio? Nie wiem, ale on wie wszystko. Jak go spytasz, to ci powie, że „baby we wsi gadały" i tyle twego... Może to plotka, ale nie sądzę. Więc nawet teraz nie umie czuć szczęścia. No, idź. Masz obiad? Wycałuj Kaśkę, jak ona?

Aż dziwne, bo Kasisko jakoś żyje ze mną, bez Basi. Najpierw się trochę niepokoiła, dziwiła, pytała stale: „Gdzie Basia?", ale teraz wszystko wróciło do normy. Jest dobrze. Zaakceptowała fakt, że zamiast Basi ma mnie, a Basia mieszka u Tomasza.

Ją, Kaśkę — trzeba kochać i zauważać, wtedy jest spokojna i często się uśmiecha, nie ma napadów złości na tle lękowym. Właściwie mam dwoje pensjonariuszy — ją i Wacka. Kaśka się bardzo posunęła, szczególnie po tej boreliozie. Posiwiała... Lubi, jak jej buzię nacieram kremami i opowiadam, jak one dobrze robią na zmarszczki. Potem siedzi w pokoju i kontempluje się w lusterku.

— Ucałuję! — obiecuję mamie, a także to, że włożę czapkę (wkładam ją!) i wychodzę. Na podwórku daję buziaka Tomaszowi, który właśnie nadjechał i wytaszcza paczki z samochodu, i pokazuję język Bobkowi, który nie lubi nikogo obcego w obejściu, więc wydziera się ze swej budy na cały las. Stary cap! Złośliwe bydlę.

— Odwieźć cię? — pyta Tomasz.

— Niee! Się przejdę, pa!

Wracam. Śnieg leży i cicho jest. Drzewa całkiem jak martwe — nieruchome. W powietrzu czuję wilgoć, chyba idzie odwilż. Szkoda, bo mało śniegu było w tym roku. Mrozu też jak na lekarstwo. Oj, będzie więcej robactwa, myszy...

Idę szybko, bo się ściemnia, zdjęłam czapkę.

Mama dobrze wygląda. To było dobre posunięcie, ta jej wyprowadzka do Tomasza, bo i on się jakiś taki zrobił... mniej kostropaty. Złagodniał. Mama zadziwia mnie umiejętnością tak diametralnej zmiany życia. Mówi się, że „starych drzew się nie przesadza", a ona, proszę — „się przesadziła" sama, i puszcza listki. Są szczęśliwi. Jak oni się kochają!

Od kiedy rozczytała się w dalajlamie, nabrała dystansu do wszystkiego, co materialne. Śmieszna moja filozofka! Czyta czasem Tomaszowi na głos fragmenty, a on rzuca znad gazety:

— Mądrze gość gada! Pozdrów go ode mnie!

Już widzę zakręt, a za nim to już kilka kroków do naszych łąk. Ta część drogi leśnej jest szeroka i porośnięta po bokach bardzo wysokimi sosnami. Przypomina mi jakąś kolumnadę, z której wychodzi się na nasze pola i po prawej stronie, za chaszczami widać rozlewisko, a dalej nasz staw kąpielowy. Nasze St. Tropez — jak żartuje Tomasz.

Dalej droga prowadzi prosto do naszego domu, a jak pójść jeszcze dalej — aż do szosy. Jakieś sto pięćdziesiąt metrów za nami można skręcić w lewo do tych sąsiadów pod lasem, co się palili parę lat temu.

Wtedy przyszli podziękować za pomoc, ale nadal żyją jakoś w odosobnieniu. Piernacki kiedyś węszył, co oni za jedni, ale niewiele wywęszył. Tylko to, że do kościoła nie chodzą ani do katolickiego, ani do ewangelickiego. Ale tyle to każdy wie. Miasteczko huczało, jak się sprowadzili pięć lat temu, że może to zielonoświątkowcy albo jehowi, ale ucichło. Oj, lubią sobie nasi drobnomieszczanie podnieść ciśnienie plotami!

Nas — mnie i Janusza, też początkowo wzięto na języki, a jakże! Gdy Janusz się wprowadził do mnie, nad rozlewisko, zaszumiało w miasteczku potężnie, aż się przestraszyłam, jak to zniesie Wacuś — tatko Janusza.

Spytałam go, gdy był w szpitalu, i siedział sobie w pościeli, taki malutki, w niebieskiej piżamce, i jadł zacierkę na mleku:

— Panie Wacku? Nie złości to pana, że sobie baby używają na mnie i Januszu, że bez ślubu żyjemy? Że takiego ładnego chłopaka im sprzątnęłam sprzed nosa — ja — przyjezdna, i starsza od niego?

A on, nasz sucharek, tylko się uśmiechnął i powiedział do mnie:

— Dzieciaku kochany! Janusio nie pije, szczęśliwy, bo ja to widzę!, to co mnie reszta obchodzi? Ty rozwiedziona, on rozwiedziony, żyjecie sobie zgodnie, ładnie. Za rączkę chodzicie na spacerek... Pan Bóg nie jest formalistą i uśmiecha się, gdy tak na was patrzy, bo jesteście dobre dzieci... — tu wzruszył się i musiałam mu podać chusteczkę, jako że owo wzruszenie skropliło mu się na końcu nosa.

Ale mi się porobiło.

Taka ze mnie była kiedyś dama, pani Gosia — menedżer w agencji reklamowej, a teraz wieśniaczka, opiekunka Kaśki i czasem Wacka. Czasem, bo jak Wackowi się poprawia — wraca do siebie, do Pasymia. Chce się jeszcze czasem czuć samodzielny. Wtedy hardzieje i mówi:

— No, dość tego! Wracam pomieszkać u siebie!

Wówczas wiadomo, że wpadam do niego ja albo Ania Wrona. Opierze, posprząta, mimo że Wacuś ją goni.

— Pani Aniu, pani mnie zostawi, ja — sam! O, Janusio ma gabinet obok, sam nie jestem!

— O, sam, sam! A potem słabuje pan i państwo się zamartwiają! Tylko mopem oblecę, panie Wacku! Uparty jaki!

Ona mi przypomina Żarnecką z *Nocy i dni*, tyle że zawsze trzeźwa. Od śmierci Karolinki Wrona nie pije twardo. Jej mąż — właściwie stale. Ale ja się nie wtrącam. Ona jakoś to znosi, a jak się na niego obraża, mieszka u nas przez kilka dni. Gdy on trzeźwieje — myje się i przychodzi ją przepraszać. Stoi za płotem i woła:

— Anka! Aaaanka!

Ona wychodzi po jakiejś szóstej, siódmej „Ance" i podchodzi do płotu z założonymi rękoma. On jej coś gada cicho, ona na niego nie patrzy, coś gmera w piachu czubkiem buta, słucha, wreszcie macha ręką i goni go, że jej się obiad przypala albo co, i wiadomo, że wróci do domu.

Wtedy Wrona jakiś czas ma spokój, bo chłop prawie nie pije, stara się, reperuje coś albo kopie ogród. Potem znów zapija, a jak się nachleje jak śmieć (bo przykładowo zarobił gdzieś jakie grosze), Wrona znów się nadyma i nie wraca do domu przez kilka dni.

Nie zostawi go. Nie lubi o nim rozmawiać. Nigdy się nie dała wyciągnąć na spytki — czemu go nie rzuci? Może, mimo wszystko, kocha? Nikt nie rozumie Wrony — po co go jeszcze trzyma? Ale i nikt nie polemizuje, widać im to odpowiada. Od śmierci Karolinki, od czasu, gdy Wrona przestała pić, bo przysięgła w kościele, a przysięgę przypieczętowała wielogodzinnym leżeniem krzyżem — Wroński boi się jej. To ewidentne. Patrzy z podziwem, choć udaje, że taki sam jak zawsze, ale postawa żony go urzeka. Sam nie umie przestać pić, ale pije mniej, i jakoś zaczął dbać o obejście, o siebie, o nią.

Wrona ma u nas pensję, Piernackiemu czasem pomoże przy łapaniu ptactwa, gdy trzeba odstawiać do skupu. W tym roku są to bażanty. Piernacki kilka lat temu założył hodowlę bażantów, jak mu się gęsi znudziły.

Tak więc Ania Wrona radzi sobie. Zreperowała sobie zęby w Szczytnie (nie chciała u Janusza. Mówi, że by się źle czuła, bo to znajomy, a zęby to intymna sprawa). Kupuje jakieś lepsze ubrania dla siebie i dla tego swojego pijaka, i coś tam odkłada, bo nie wszystko idzie na opał i światło. Na wiosnę chce ocieplić dom i postawić Karolince ładny pomnik.

Jak jej nie szanować?

No. Już jestem w domu. Słyszę jakiś program o podróżach. Chyba Cejrowski opowiada o Boliwii.

— Janusz! Jestem już! — wołam z kuchni.

Wychodzi do mnie z pokoju i się uśmiecha. Ciągle lubi, kiedy się do niego tulę. Kołysze mnie w ramionach i całuje po twarzy. Pieszczoch.

— Zmarzłaś? — szepcze.

— Trochę, powietrze jest lodowate. Patrz, już ciemno. A przecież to środek dnia...

— Po sylwestrze, to już z gó...górki. Zaraz wiosna przyjdzie, to coś w kuchni za...zakwitło!

— To jaśminek, dopiero co go kupiłam.

— Aha, moja Gosia przynosi wiosnę. Chcesz zupy?

— Nie. Jadłam u mamy, idź!

— OK — kiwa głową i wraca do programu Cejrowskiego.

Mój Janusz.

Jak on pachnie sobą! W jego domowym swetrze miesza się zapach jego potu i wody D&G, i ciut tego czegoś, co przynosi ze sobą z gabinetu. Januszowy zapach spokoju. Zapach mojej miłości.

Jestem szczęśliwa, pani Karolino, czy to się pani podoba czy nie. Kocham i jestem kochana. W nocy lubię, gdy mój mężczyzna senny, śpiący, szepcze czasem w mój kark:

— Moja czarownica, kluseczka.

Lady Karolinie nikt nie pachniał całym światem, nie kołysał jej w ramionach, nie zasypiał zmęczony miłością z nosem w jej grzywce. Nie czekał wieczorem z herbatą... albo zupą.

Biedna pani Karolina. Zrobiło mi się głupio za ten wybuch u mamy. Biedna ona. Może nie umiała nigdy sięgnąć po lepsze życie? Lepszy los? Nie miała nawet odwagi pomyśleć, że dla niej Pan Bóg też przeznaczył kawałek tortu, ale ona i takie jak ona sądzą, że im się już nic nie należy, skoro los je skrzywdził.

Los?! Ja wiem, że on jest w naszych rękach. Czasem trzeba wbrew wszystkiemu i wszystkim zrobić coś, co nas uszczęśliwi. Na przykład żyć z alkoholikiem i na dodatek — jąkałą. Patrzeć, jak od zamieszkania tu uspokoił się i jak mnie się serce ukoiło. Nareszcie oddycham pełną piersią i jest mi dobrze, a ona, Lady Karolina? Zawsze w jakichś kleszczach wewnętrznych, barierach, zasadach, kanonach i obwarowaniach i... w tym wszystkim taka nieszczęśliwa! Niespełniona jako kobieta, więc spełnia się jako nadmatka. Hipermatka.

Łatwo oceniać innych. Oj! Za łatwo! Mama mi to uprzytomniła. Moja empatyczna mama, gdy podałam w wątpliwość sens takiego życia, jakie wiedzie Lady Karolina.

— Gosiu, nie uszczęśliwisz innych na siłę. Zostaw!

Na ekranie komputera mail od Marysi:

Mamcik!
W domu wszystko w porządku.

Paula dba o kuchnię i żebyśmy jedli na ciepło (zupełnie jak babcia Zosia), ja sprzątam, bo umiem i wolę to od gotowania. Sporo mnie nauczyła Ula i jednak... Kuba. Ten to miał talent! Jak się ma porządny sprzęt i środki — właściwie sprzątanie samo idzie. Włączam sobie starego, dobrego rocka i jadę! Uli oddaliśmy stary odkurzacz i pojechałam z ojcem po nowy. Jaka maszyna! Kosmiczna technologia, a wygląd, jak ze Star Treka, *19 sezon... Powinien ziać laserowym światłem. Jest lekki i wciąga jak czarna dziura — wszystko. Wora nie ma! Można go myć wodą (może nawet prać w pralce?) i zjada alergeny.*

Mopy, wsiąkliwe ścierki z mikrofibry i cała chemia nie mają już dla mnie tajemnic. Od jutra mogę jechać do Stanów jako wykwalifikowana sprzątaczka. I to jeszcze grająca na fortepianie!!!

Nie bój się — nie pojadę. Ja i Kuba to za dużo na jedne Stany!

Musiałam się lekko przeleczyć na zapalenie jajnika. Nie wiem, skąd się wzięło. Bolało, więc poszłam, bo sądziłam, że to nerka i... okazało się, że stan zapalny.

Już jest OK. W moim byłym pokoju — tym obok Twojego pokoju, czasem mieszka Olo. Ten z mojej kapeli, który miewa kłopoty mieszkaniowe. Na kumpelskich zasadach!

Twój pokój stoi nietknięty. Przysięgam!

Chodzę na kurs tanga z Adasiem. I to chyba koniec ciekawostek.

Mamo. A Tobie dobrze jest? Na zdjęciach wyglądasz super.

Będziemy w maju, na długi weekend, bo na Wielkanoc Paula chce skoczyć do Francji z Janne, a ja z Adasiem do Koniakowa do jego dziadków.

1000 buziaków — Marynia.

Mój Boże! Jak ona sobie znakomicie radzi! Jest taka... pełna optymizmu, bezproblemowa, lekka. Mądra. Jak dobrze umie postępować z Konradem! On jako ojciec też spisuje się świetnie. Jakoś sobie radzą po moim odejściu tu na wieś... Dobrze. Zawsze mi lżej po takim jej mailu. Zresztą kontaktujemy się często, ale krótko. Taki mail bywa zawsze po dłuższym okresie milczenia pokrzepiający. Długi, konkretny! Cała moja Mania!

Późną kolację zjedliśmy we czwórkę — Wacuś, Kaśka, ja i Janusz.

Wacuchna zrelacjonował nam pogodę, bo zawsze ogląda, a Kasisko było jakieś milczące. Czasem tak ma.

Stanęłam do zmywania, Janusz wyciera i opowiada mi, co usłyszał od Cejrowskiego na temat Boliwii.

— Pojechałabyś w taką dzi...dzicz?

— Nie.

— Czemu?

— Bo ja się boję robaków i pająków i... Nie. Wolałabym coś pięknego, ciepłego i bez robaków.

— To nie ma tak.

— Jest! Na Teneryfie, Seszelach i Mauritiusie, nie ma drapieżników ani robaków.

— Muszą być.

— Na Mauritiusie nie ma, bo są gekoniki, które zżerają robaki i pająki!

— Gekoniki?

— Takie jaszczurki małe.

— Aha. A ja bym wolał A...Amazonię...

Teraz zimą Janusz ma mniej pracy. Gabinet w Nartach zamknięty. Już rok temu Janusz przyjmował tam na zmianę z internistą. Potem zlikwidował tamtejszą praktykę i skupił się tylko na gabinecie w Pasymiu, czasem w Olsztynie.

W tych Nartach, w byłym pokoju przy kuchni, internista zrobił drugi gabinet — zabiegowy, w kuchni poczekalnię, i w lecie ma ruch. Januszowi kapie stały pieniądz, za wynajem.

— Na naszą wielką podróż — mówi Janusz.

Nie wtrącam się. To jego kasa. Jego plany. Widzę, jak cieszy go nagły zwrot losu. Wyremontowanie chatki po dziadkach w tych Nartach miało sens, a pożyczkę już spłacił. Teraz ma stałe źródełko z wynajmu. Swoje pieniądze zarabiane w gabinecie w Pasymiu obaj z Mariuszem inwestują w sprzęt. Strasznie drogi, ale warto. Klientów przybywa, bo zęby w Polsce wciąż robi się taniej niż w Niemczech, Holandii.

Cieszę się, że ma takie plany podróżnicze, że w ogóle jakieś. Odżył. Nie pije. „Wyprostował się" — jak mówi. Niestety zawsze, kiedy tu u mnie, nad rozlewiskiem, pojawiają się moi — czuje się obco. Łazi z kąta w kąt i jak tylko może, ucieka do tatki, do Pasymia, że niby będzie nam, kobietom, i całej mojej rodzinie lepiej bez niego. Mój dzikus.

Kompletnie ogłupiał, gdy przyjechał kiedyś Wiktor z Moniką. Wik, jak to Wik, opowiadał, jak się do mnie zalecał, Monikę to bawiło, a Janusz pochmurniał i nie rozumiał, czemu Wiktor o tym mówi z taką radością.

— Janusz?

Leży w łóżku z książką *Rio Anaconda* i jest pochłonięty treścią albo udaje.

— Januuuuusz! — nawołuję i odkręcam pudełeczko z kremem.

Podnosi na mnie wzrok, ale milczy. O, urażony!

— Janusz, przestań! Sam przecież mówił, że zanim poznał Monikę!

— No... mówił.

— Nie masz, o co... Przestań!

— Nie ro...rozumiem gościa! Je...jest się czym chwalić? Że startował do ciebie? To, takie...

— Daj spokój, zabawne!

— Jak dla kogo. Nie musi się popisywać. Ko...kogut!

Jąka się bardziej — znaczy zły.

Późno już. Wklepuję pod oczy jakiś cud na zmarszczki i zwiotczałą skórę. Opuszkami palców, delikatnie. Potem inny krem, jakiś „zagęszczający skórę i nadający jej jedwabisty blask". Reklamowy bełkot. Wklepuję go, bo po myciu mam przesuszoną skórę, ale nie widzę, żeby była „zagęszczona i miała blask i jedwabisty połysk". Za to ma ładny zapach i szybko się wchłania, bo Janusz nie lubi takich, co mu się rozmazują na ustach. Polski, niedrogi krem dla... Janusza.

Wiem, że lekko nabzdyczony, ale czeka na mnie. Gdy wychodzę z łazienki, jeszcze sprawdzam dom — czy pozamykany, pogaszone, wyłączone. Krem już się wchłonął, pozostawiając miłe pachnidełko na mojej twarzy i dekolcie. Zielonooki Potwór już na mnie czeka, łagodnie się uśmiecha, zapomina o fochach i robi miejsce. Śpię po lewej stronie łóżka, które ustawiliśmy prawie pośrodku szczytowej ściany pokoju. Za oknem jest kawałek podwórka, także sadzik śliwkowy, ale ja, leżąc, widzę gwiezdne zagony. Czasem wielki księżyc jak japoński lampion zagląda do nas wścibski, niebieską poświatą. Wtedy utrudniam mu tę ciekawość roletą. Zaciągam ją do połowy okna, bo wtedy nie daje po oczach.

— Niech nas ły...łysy nie podgląda! — burczy Janusz.

Jako wiedźma nie mogę spać, gdy jest pełnia. W ogóle zdarzają mi się problemy ze snem. Wystarczy jednak, że wstanę, wiercę się albo siadam, Janusz mnie dotula. Ma lekki sen. Lekko się budzi, ale i lekko zasypia.

Czasem wystarczy, że mnie przytuli, czasem nie, wtedy poddaje się moim palcom, zaczepkom, budzi się i gryzie mnie w szyję. Mam bardzo czuły kark, więc od razu czuję wzdłuż kręgosłupa taki łagodny prąd. Kończy się jakąś eksplozją na koniuszku i już wiem, czego chcę. Powoli się odwracam i wtedy dwoje oczu, dwie zielone sadzawki — głębokie, grząskie, z ognikami — mamią mnie w krainę czułości, gry w zdobywanie przyczółków ciała. Szmatki nam niepotrzebne, zdejmujemy z siebie bawełniane zbroje. Moją — szarą z koroneczką i Kangurzycą, i jego — z Tygryskiem na bokserkach.

Mój zdobywca całuje czule i coraz niecierpliwiej, finezyjniej, jego dłoń głaszcze, pyta, zagląda, pieści, aż wreszcie czuję go w sobie, obejmuję kolanami jego biodra i powoli, powoli suniemy do finiszu. Janusz nagradza siebie i mnie gorąco, długo, mocnym szczytowaniem. Potem zasypiamy bez problemu, a rano...

Janusz budzi się przed budzikiem, jak skowronek, daje mi buziaka i wstaje. Ja zimą, gdy bywa ciemnica poranna, wstaję ziewająca, leniwa, na półobrotach, gdy wszyscy są już po śniadaniu, wchodzę do kuchni i zastanawiam się — na jakim świecie żyję, gdzie jestem?

— Nie wyspałaś się? — pyta czasem mama, gdy przypadkiem wpadnie raniutko, wracając z badań. — Trzeba było napić się melisy albo wziąć kalmsy. Za dużo myślisz, Gosiaczku, a do łóżka myśli brać nie trzeba! Wystarczy koszula.

— Taaak, racja! Jasne! — odpowiadam i chowam wzrok. Mama przecież czyta między wierszami. Z moich oczu, uśmiechu...

Janusz, widząc to, posyła mi buziaka i spojrzenie, po którym pąsowieję. Kocham go. I już. Niech sobie ma skazę, niech sobie inni wycierają pyski naszym „konkubinatem" (jak ja nie cierpię tego słowa!). Jest dobrze tak bardzo, że czasem aż się boję. Jestem taka szczęśliwa!

Druhna Anna powtarzała często: „Los bywa zazdrosny o szczęście".

Wszystko ułożyło się tak jakoś sprawnie, dobrze, spokojnie. Tak, że to, co zdarzyło się później, w marcu, odebrałam jako złośliwość losu, chichot Lady Karoliny? Druhny Anny? Nie wiem, ale długo nie umiałam tego ogarnąć, zrozumieć.

Było tak:

Kaśka złapała grypę jakąś zjadliwą i długotrwałą. Po niej długo dochodziła do siebie. Marzec przekasłała. Zaraz po świętach zawiozłam ją do przychodni, a sama zaszłam na pocztę i do składu budowlanego po brykiety na opał, do palenia w piecu, bo jednak nasz piec, jak się nagrzeje od nich, to dłużej trzyma niż od zwykłego drewna. Była kolejka i czekałam. Kaśka miała wyjść wcześniej i zaczekać na krzyżówce, bo nie chciałam, żeby czekała w przychodni. Tam tylu chorych, powietrze gęste od bakterii.

— Kasiu, nie siedź w przychodni, dobrze? Ubierz się i poczekaj na krzyżówce, koło młyna. Tak?

— Taaak, poczekam ja! — kiwa głową.

Kilka nocy było mroźnych i dżdżystych, a tego dnia, ciepło stopiło nocny lód na tej uliczce, co zjeżdża brukiem z rynku, od kościoła i ścieka stromizną koło młyna. Na kamieniach był lód pokryty wodą... Nasza Kasia stała i patrzyła, czy jadę.

Gdy podjeżdżałam, już poczułam, że stało się coś złego.

Kupa ludzi — wszyscy tak dziwnie na mnie patrzyli. Rozstąpili się w milczeniu, niektórzy ze strachem w oczach. Za nimi, w poprzek drogi stała ciężarówka z przyczepą, z której spadły bale drewniane. A na samej krzyżówce, otulona już kocami, leżała Kaśka w kałuży krwi, a nad nią Lucyna — pielęgniarka z ośrodka. Zdyszana z nerwów opowiadała mi, co się stało i że karetka już jedzie. Kierowca, blady jak papier, rwał włosy z głowy, klął, płakał z nerwów.

Wszystko było jak zwolniony film.

O mój Boże! Upadłam na kolana obok Kaśki... Złapałam kontakt ze światem dopiero w Olsztynie, w szpitalu. Nie wiem, skąd Janusz się tam znalazł, a później mama z Tomaszem.

Kiedy już Kasia leżała na OIOM-ie, podłączona do aparatury oddychającej za nią, i nie odzyskiwała przytomności, stałam nad nią cały czas, głaszcząc ją i przepraszając. Szlochałam i milkłam, i znów szlochałam. Nigdy jeszcze nie byłam tak poruszona, pełna poczucia winy i wstrętnej, lepkiej rozpaczy. Janusz trzymał mnie wpół i szeptał jakieś uspokajające słowa. Znów naszym aniołem stróżem okazała się jego była żona — Lisowska. Chłodna, przytomna, zdecydowana, zajęła się Kaśką natychmiast. Zespół lekarzy tańczył nad nią, bo stan był bardzo ciężki. Kilka razy „uciekała". A to oddech, a to serce.

— Ma bardzo uszkodzony mózg — szeptała Lisowska do Janusza.

Słyszałam. Dygotałam z przerażenia. Błagałam Kasię o przebaczenie. Niechby sobie czekała na mnie w poczekalni pełnej bakterii, ale by żyła! Miałam żal do siebie. Głupia, głupia!

Znów odbierało mi oddech od szlochu. W końcu Lisowska przyszła z pielęgniarką i dostałam zastrzyk. Janusz stał za mną i trzymał mnie mocno.

— Janusz, bądź obok niej stale, nie spuszczaj z oka i melduj, gdyby cokolwiek się stało — rzuciła mu, wychodząc.

— Z Kaśką? — upewnił się.

— Nie, z Gosią! — fuknęła Lisowska.

— Ja...jasne — szepnął i kiwnął głową, nie wypuszczając mnie z objęć. Dopóki się nie uspokoiłam na tyle, że mi wrócił normalny oddech.

Mówiłam do Kasi, żeby została z nami, że już nigdy jej nie zostawię samej. Że ją kocham bardzo. Spała? Słyszała mnie? Czy jej nie było? Nie wiem.

Wreszcie Tomasz przywiózł Basię. Wpadła jak rozpędzona kula. W przelocie ścisnęła mnie mocno. Wyszłam i zostawiłam je same. Patrzyłam z korytarza, jak Basia nachyla się nad Kasią i mówi do niej, całuje ją po rękach, a sama ociera łzy. Tomasz stał kamienny za szybą. Ja siedziałam wsparta o Janusza. Czułam, że opadam z sił.

Koczowaliśmy w tym szpitalu — nie wiem, jak długo. Czas mi umknął — rozmazał się, zatracił. Aż wyszła pielęgniarka, prowadząc złamaną wpół mamę. Wiedziałam...

Tomasz podskoczył i przejął Baśkę. Dopiero teraz schowała głowę w jego sweter i rozpłakała się bezgłośnie. Widziałam tylko jej drgające ramiona. Żadnego dźwięku. Staliśmy tak na tym korytarzu, tacy... połamani, szarzy i kompletnie oszołomieni. Tomasz pierwszy się odezwał:

— Chodźmy.

I tylko tyle.

Jechałam oparta o Janusza, już nie mając na nic sił. Czułam się jak pusty worek. Nie umiałam pozbierać myśli. Koło Tylkowa szepnęłam:

— Zabiłam ją.

Wtedy Janusz zjechał na pobocze, usiadł twarzą do mnie i ujął moją głowę w dłonie.

— Ma...Małgoś. Patrz na mnie. Zabił ją bal drze...drzewny. To był nie... nieszczęśliwy wypadek. Nie ma w tym twojej winy! Chodź tu.

I mocno, mocno mnie przytulił.

Mama z Tomaszem byli już w domu. Mama stawiała na stole kubeczki, czajnik wrzał już, zawiadamiając wszystkich kłębami pary, że da herbaty, a Tomasz rozpalał w piecu, bo było zimno jak w psiarni. Wychodząc, nie przestawiłam ogrzewania z pieca na kaloryfer.

Stałam naprzeciw mamy i milczałam. Czułam taki odpływ sił, że przytrzymałam się krzesła. Mama dotknęła mojej twarzy i szepnęła:

— Córeńko, co ci? Janusz, połóż Gosię do łóżka — zobacz, jaka jest zielona!

W pokoju, wystudzonym bardzo, trzęsło mną nieludzko, więc dałam sobie zdjąć spodnie tylko, i wpakowałam się do łóżka, zwijając się pod kołdrą w rogalik. Janusz siedział obok i gładził mnie po włosach. Nie mam pojęcia, kiedy zasnęłam.

Obudziłam się w nocy. Księżyc w nowiu, niebo ciemne i zima za oknem, i we mnie jakiś ziąb. Przypomniałam sobie wszystko i pociekły mi łzy. Zabiłam ją! Naszą Kaśkę, swoją bezmyślnością. Swoim głupim pomysłem, żeby nie czekała na mnie w przychodni! Może wolałam ją zabrać z krzyżówki z lenistwa? Żeby nie parkować pod przychodnią? (Bo tam zawsze miejsca mało). Naprawdę zależało mi na tym, żeby nie złapała bakterii czy... na własnej wygodzie?

Ostatnio dbałam o nią jakoś intensywniej, bardziej po matczynemu, bo po tej boreliozie zrobiła się delikatna i ciągle łapała jakieś infekcje.

— Janusz — szepnęłam odruchowo.

Obudził się, jak zawsze — nie do końca, i podał mi swoje ramię pod głowę.

On tak ma, że potrafi być w takim... czuwaniu. Niby nie śpi, ale drzemie. Chyba jednak się przecknął.

— Przestań już, Gosieńko — szepnął.

— Mama z Tomaszem, kiedy poszli?

— Zaraz, jak zasnęłaś.

— Mama... — zakwiliłam dziwacznie jak dzieciak.

— Przestań się obwiniać. Ona się o ciebie martwi, że się za...zabijasz tymi eks...ekspiacjami. Powiedziała też, że wi...widocznie nadszedł Kaśki czas.

— Tak powiedziała? Niemożliwe...

— Śpij. Strasznie się bałem, że ci się coś sta...stanie.

— Mi?

— Ci, ci! Bo w szpitalu zemdlałaś i wtedy na ulicy, i ba...bałem się, że ci jakaś żyłka pęknie... Że mi odfruniesz. Boję się o ciebie.

Wzruszył mnie. Trzymał mnie w ramionach, mój Janusz. Zwariowałabym bez niego. Muszę zasnąć. Rano trzeba będzie coś robić, gdzieś dzwonić... Załatwiać. Żyć...

Spać. Pośpię. Jeszcze trochę snu.

Janusz musiał rano do gabinetu. Obiecał, że szybko się sprawi. Ja zostałam w łóżku. Kompletnie nie wiedziałam, co robić? od czego zacząć? gdy zadzwonił Tomasz:

— Gosiu, Basia taka kiepska jest. Trzymała się wczoraj, ale nie spała, łaziła... Do rana się tłukła...

— Coś z sercem?

— Nie. Nie narzeka na serce, ale dopiero co zasnęła. Posiedzę z nią i jakbyś mogła — nie dzwoń, aż dam ci znać, że wstała. Co?

— Jasne... Dbaj o nią. Pa. Ja to ogarnę.

Co ja mam robić? Stałam w kuchni, w szlafroku i myślałam. Marysi nie mogę teraz zawracać głowy, bo ma zaliczenia i to ważne. Piernacki? Nie, sam jest nerwus. Wrona? No, niby tak, ale co ona załatwi? Gdzie? Karolakowie? Nie wypada. Hmm. Wiem! Paula!

No, jasne, że tak! Ściągnę tu Paulinę i ona nam jakoś pomoże, rozgoni tę pustkę, marazm. Mariusz ma jakieś swoje sprawy i wziął urlop, więc gabinet na głowie Janusza. Ja jakoś nie bardzo wiem, co, gdzie i jak. Mamę trzeba oszczędzać. Paula jest młoda i rodzinna. To dobry pomysł!

I zadzwoniłam...

Skąd się wzięłam nad rozlewiskiem

Mam na imię Paula.

Każdy powinien teraz wznieść oczy do nieba i sarknąć: „I co z tego?”. Nic. Jakoś trzeba zacząć, bo i ja postanowiłam spisać to, co się wokół mnie dzieje.

Mieszkam teraz u Gosi na wsi, więc obie piszemy historię Domu nad Rozlewiskiem.

Gosia miała łatwiej, bo jej to pisanie, tak po prostu — wyszło. W ogóle, jej życie jest akurat do takiej opowieści. To historia kobiety w średnim wieku, która odnalazła szczęście koło pięćdziesiątki, na mazurskiej wsi.

A ja? Jak ja mam kontynuować, skoro jestem młodsza, z gruntu — inna, i mieszkam nad rozlewiskiem od niedawna? Dotąd mieszkałam w Warszawie, kończyłam ASP, więc co ja mogę powiedzieć o życiu? Kilka wyjazdów, lekko zwichrowane życie...

Gosia powiedziała mi, że powinnam wszystko opisać, bo to jest szalenie terapeutyczne i wtedy widzi się życie z odpowiedniej perspektywy. Może...?

Właśnie skończyłam studia.

Za sobą mam przedszkole, szkołę podstawową i liceum. Co ja przeżyłam? Leżakowanie, którego nienawidziłam? Apel, na którym zostałam postawiona przed całą podstawówką, bo przykręciłam wkrętami fizykowi buty do podłogi? Liceum, w którym urządziłam aferę białymi kaloszami? Studia nudnawe i bez wystrzałów? No co? Co ja takiego mam do opisania?

Dobrze, dobrze! Opiszę tę historię z kaloszami.

Podczas wakacji dyrektor odnowił posadzki. Zestrugane, spolerowane i wylakierowane świeciły nowością. Pierwszego września przyszliśmy do szkoły — ubrani odświętnie i ładnie, bo w ogóle jako młodzież to byliśmy mili, grzeczni i ładni.

Okazało się, że nikt nie może wejść do szkoły, bo mamy na nogach — jak co roku, buty! Nikt nie pomyślał, że na rozpoczęcie szkoły trzeba kapci. Nigdy tak nie było. A teraz, sam dyrektor cerberował i kazał zdejmować sandałki, pantofle, buty, czółenka, adidasy — wszystko! Przed szkołą stał już spory tłum i falował, bo nauczyciele wchodzili — oczywiście, w butach, szpilkach pantoflach itd.

Cała nasza klasa odwinęła z kopytka i do domu! Reszta podobno łaziła w skarpetach... Następnego dnia wpuszczono nas w kapciach, ale na apelu dyro zapowiedział obniżenie ocen tym, co wczoraj poszli, i nie byli na inauguracji, i to, że wszyscy od dziś muszą pod karą chłosty albo i śmierci mieć kapcie na białych spodach. Wyłącznie. I oczywiście, nie mogą to być ani adidasy, ani klapki. Sugerowano nam białe tenisówki.

Naturalnie cała Warszawa została zaatakowana przez uczniów naszej szkoły w poszukiwaniu takich kapci lub tych tenisówek. Jedyne, jakie znalazłam, to były klapki Scholla, drogie, ale białe, bo wszystkie tenisówki, nawet z elementami białego, miały... czarne spody!

Rano znów czujka i przesiew — białe drewniaki — won! Białe lekarskie klapki — won! Tenisówki — won! (Miały ciemne spody).

Jakaś paranoja! Opuściliśmy kolejny dzień nauki, bojkotując chodzenie w skarpetach.

I znów rano pod szkołą staliśmy z niechcianymi przez dyra drewniakami, kapciami, trampkami, ale na innych niż białe spody... Na szczęście było już kilka rozjuszonych matek. Dyrektor o postawie rzymskiego wodza i donośnym głosie przyjął je na parterze, pokazał podłogi i powiedział dramatycznym tonem nieznoszącym sprzeciwu, że nie zmarnuje włożonych tu pieniędzy i już!

— Ale ważniejsza jest higiena i zdrowie! — krzyczała jedna z matek.

— Niechby klapki ortopedyczne zmieniane, drewniaki, proszę bardzo, ale białe spody? Nie ma takich na mieście i poza tym, co to jest?! Podłoga dla naszych dzieci czy dzieci na usługach podłóg? — matki były zgorszone.

Stary pozostał nieugięty. Ci, co nie mieli białych papci na białych, najlepiej gumowych spodach (żeby nie rysować tych podłóg, ale i nie pozabijać się poślizgami), łazili w skarpetach. Dyro zapomniał, że białe pepegi były tylko w PRL-u...

Pomyślałam, pogadałam z kolegami i załatwiłam to tak.

Mojego kolegi ojciec pracował w hurtowni rolniczej i załatwił nam kalosze stosowane w przemysłowych oborach udojowych — bielutkie!

Stosownego dnia pół szkoły, no, jedna trzecia, zjawiła się szkole w tych kaloszach, udowadniając, że zmienia je w szatni — z butów.

Dyrektorowi nabrzmiała żyła główna, ale nie stracił zimnej krwi i zaczął swoje wywalanie nas z korytarza i z szatni. Wtedy, jak spod ziemi wyrosła kamera i pani z mikrofonem, z Warszawskiego Ośrodka Telewizyjnego (siostra jednego z maturzystów), i się zaczęło.

Piekło było nieludzkie, bo odwiedzono z tą kamerą także kuratorium. Wcześniej nikt stamtąd nie chciał z nami rozmawiać, tłumacząc przez telefon, że jak świat światem, kapcie były, są i będą i że histeryzujemy, a przecież mamy takie piękne, nowe podłogi, i że jesteśmy niewdzięczni.

Ja do kamery powiedziałam tylko, że nie widziałam, żeby po korytarzu, po nowej podłodze choć jedna nauczycielka szła w rajstopach, na bosaka, a przecież to też jej podłoga i że żadna z nauczycielek nie nosi do spódnic i kostiumów białych papci... Że stary chodzi w czarnych butach, niszcząc swoją krwawicę, i ksiądz, i pan od fizyki też. A nauczycielki mogą paradować nawet w szpilkach i nic...

Tydzień później, jak sprawa przyschła, dyrektor przeprowadził śledztwo i zostałam wyciągnięta na apelu ja i koleś-maturzysta, jako prowodyrzy. Fakt. Nakręciłam to wszystko ja, ale wszyscy wzięli w tym udział.

Jak tylko dyro zaczął na nas najeżdżać, posypały się oklaski i żadne uciszanie na nic się zdało. Klaka nie dała mu dojść do słowa. Wyszedł z sali wściekły i żądny krwi.

Klasówkom nie było końca. Bańki ze sprawowania mieli chyba wszyscy. Kapciom dano spokój, byleby były i już. Miałam ciężko u profesorek — zaufanych dyrektora, ale wiedzieliśmy, że słuszność mieliśmy — my!

Skąd? Od księdza. Na religii, spojrzał za drzwi, czy nikogo tam nie ma, i powiedział do nas:

— No, to daliście piękny popis! Gandhi byłby z was dumny! Oj, Paula, Paula!

— Co, proszę księdza? — spytałam niewinnie.

— Nic, dzieciaku. Lubię cię. Otwórzcie śpiewnik. Szymon, wyjmij gitarę z pokrowca, a ja sprawdzę obecność.

Noooo. Tak było.

To już koniec mojego życiorysu. Nic więcej godnego uwagi! Chyba że opowiem, co robię teraz. Aktualnie.

Otóż jestem po studiach i mieszkam... na Mazurach, u Gosi i Janusza. No dobrze, po kolei:

Przyjeżdżałam tu, nad rozlewisko wcześniej, z Marysią, moją przyjaciółką, bo jej mama, Gosia — Małgosia osiadła tu u swojej mamy — Basi. No, trochę to skomplikowane, ale właśnie tak to było.

Mańka też nic nie wiedziała o istnieniu tej babci, dopóki Gosia, jej mama, nie odnalazła jej po jakichś zadymach życiowych. A ponieważ mama Marysi, czyli Gosia, właśnie straciła robotę w agencji reklamowej, pobyła u tej swojej mamy dłużej, poznały się lepiej i zaiskrzyło! Zostawiła dom w Warszawie i nudnawego męża, i tu poznała faceta i teraz są razem i mieszkają na stałe nad rozlewiskiem, prowadząc pensjonat.

Gosia go prowadzi, bo Janusz, jej facio — rwie zęby miejscowej ludności w gabinecie w Pasymiu.

Babcia Basia, mama Gosi, oddała jej dom i w ogóle wszystko, bo przeprowadziła się do leśniczówki. Bynajmniej nie po to, żeby zostać leśniczym, ale żeby być z leśniczym — Tomaszem, z którym żyła od lat, na kocią łapę.

Przeczytałam to, co napisałam. Nie mam talentu...

Brzmi fatalnie, jak opowieść o jakichś marginesach, dziwadłach, co wszystkich porzucają i żyją w grzechu. To nie tak! Jak się przeczyta jej pamiętnik, wszystko jest jasne, i normalne. Są przyczyny i skutki. Cholera! Jak Gośka to opisała, że wszystko jest przejrzyste?

Nie umiem jak ona, ale próbuję!

Gosia jakoś dramatycznie nie szurnęła rodziną. Nie porzuciła ich. Mańka już była dorosła, jak to się stało, ona jest i była taka... stoicka, spokojna, rozważna. Też uważała, że lepiej mieć starych osobno, ale szczęśliwszych. Rozmawiałyśmy o tym nie raz.

Gosia wkleiła się w te Mazury, zobaczyła dla siebie szansę i zbudowała pensjonat. Poznała Janusza — dentystę, buchnęła miłość i... no, są razem.

Pan Konrad, jej mąż, początkowo był szoknięty tym wszystkim, ale pojawiła się niejaka Ada, starsza od niego i dostojna koleżanka z pracy, i umila mu życie.

Znaczy Adę pan Konrad znał już dawniej, ale są razem już oficjalnie, od rozwodu pana Konrada i Gosi, którzy rozstali się pogodnie i bez większego żalu. Gosia mi to wyjaśniła, że jej mąż i ona byli zimnym małżeństwem i coraz bardziej się od siebie oddalali, wtedy pan Konrad już znał Adę, bo razem pracowali, i on pomagał jej opiekować się umierającym mężem. A potem ona się zaopiekował nim — panem Konradem właśnie. Więc piekła nie robili, bo o co? Gosi to było na rękę, a jemu — tym bardziej. Majątkiem się podzielili bez problemów. Szczegółów nie znam.

Marynia i ja jeździmy nad rozlewisko często, z naszym przyjacielem Jannem — słodkim gejaszkiem, i umilamy życie Gosi i babci Basi.

Jak tu osiadłam na stałe? Zwyczajnie. Jeszcze dojdę do szczegółów:

Poślizg

To było jakoś tak w marcu, pod koniec. Zadzwonił telefon.

— Halo! Paula? Paula... To ja. Małgorzata. Gosia. Wiesz, Paula... Kaśkę zabiło. Przyjedź! Janusz ma masę pracy, pacjentów, Marynia ma zaliczenia. Basia cierpi. Tomasz ją pociesza. Chcę załatwić jakoś to wszystko, ale nie daję rady.

— O Jezus! Kaśkę?! — spytałam i zaraz dodałam: — Będę za kilka godzin! Spoko, Gosiu, już do was jadę!

Jasne, że pojechałam. Są dla mnie jak druga rodzina. W ogóle, jak rodzina, bo własnej przecież prawie nie mam.

Małgosia rzeczywiście bardzo rozstrojona. Nie dziwię się jej. Sama do niedawna miała taki pieprznik w swoim życiu. Strata pracy w agencji, przyjazd do mamy tu, na Mazury, Janusz i te problemy z jego piciem. Ledwo to wszystko ogarnęła, a tu masz! Kaśka?! Zabiło ją?! Biedna Gosia.

Myślałam, że nie potrzebuję mamy, skoro moja taka głupia. Ojca nigdy nie znałam i właściwie sama się wychowałam. Ona — moja biologiczna mama, sama potrzebowała nieraz opieki. Kompletnie nie przystosowana do życia, egzaltowana idiotka. Jeszcze jak żyła babcia i mieszkałyśmy z nią, jakoś to było. Potem ten jej francuski eksperyment, życie na stałe w Reims, obecnie motocyklista Serge (młodszy od niej) i mój mały braciszek — André. Szaleństwo.

Jak tylko Mańka nas poznała, mnie ze swoją mamą Małgosią — od razu ją polubiłam. Taka... normalna, ciepła. No i babcia Basia — fantastyczna! Obie mnie potraktowały jak córcię. Nowe, nieznane, słodkie uczucie. Za romans z żonatym Francuzem Jeanem Philippe'em Gosia zmyła mi łeb wiadrem zimnej wody. Nie! Tym wiadrem dała mi w łeb. Mocno, porządnie. Wreszcie komuś na mnie zależy! No i... zamieszkałam z nimi.

Ale zanim to się stało...

W pasymskim kościele chowaliśmy Kaśkę.

Ksiądz Karol mówił o Kaśce, jakby ją dobrze znał. Widocznie rozmawiał o niej ze starym księdzem, zresztą sam też zagadnął ją kilka razy w kościele i na cmentarzu. Kaśka lubiła rozmawiać z księżmi, bo się ich nie bała. Od starej Felicji dużo wiedziała o życiu w niebie, o świętych i Panu Bogu. Mieli więc wspólne tematy...

Mimo paskudnej pogody, znów wilgotnej, zimnej i chmurnej, do kościoła przyszło dużo ludzi. Właściwie wszyscy, którzy jako tako znali Kaśkę, Basię, Gosię i pamiętali Bronię.

Na sosnowej, ładnej trumnie, oczywiście od Karolaków, leżał piękny i wielki bukiet czerwonych gerber, obramowanych drobnymi, białymi goździkami. Taki z pewnością podobałby się Kasi.

Za trumną siedziałyśmy my: ja, Mańka, mama — Gosia, Basia i Tomasz, a także Karolakowie — Bartek, Krzysiu i Stefan, Henio Piernacki, no i Ania Wrona. Dziwne. Prawie nie odzywały się do siebie, chociaż pracowały bardzo harmonijnie. Ania dość szybko zrozumiała, że Kaśka tylko gabarytowo jest duża. W środku to była dziewczynka...

Włożyłyśmy kapelusze. Ja, Mania, Gosia i Basia. Oczywiście my z Manią — bardzo modernistyczne, z koronką i ciemnymi piórami. Moje dzieło sprzed kilku godzin. Gosia i Basia — zwykłe, filcowe z woalkami. Kaśka byłaby dumna, że tak uroczyście ją żegnamy. Bardzo uroczyście.

W pierwszych ławkach po lewej tutejsze parafianki — pani Karolina, księdzowa matka, i jej podręczne — miejscowe plotkary. Ania Wrona mi wyszeptała na ucho, bo pytałam, czy to rodzina. Bardzo przejęte pogrzebem i oplotkowaniem każdego.

— Każdy pogrzeb lubią, bo siadają w pierwszej ławce i każdego potem obgadują.

Widać było, że pani Ania nie jest członkinią tutejszego Kółka Wzajemnej Adoracji. A księdzowa matka patrzyła na nas, albo na te nasze kapelusze, ze zbytnim zainteresowaniem i dezaprobatą. Małe miasteczko...

Zadzwoniło i wstaliśmy.

Zaczęła się msza.

Ksiądz mówił z jakąś wielką tkliwością o cichym i dobrym życiu Kaśki i jej podobnych. O tym, że są obok nas i że rzadko trafiają na taką rodzinę, na taką miłość, która by ich rozumiała i akceptowała w całości. Później zagrały skrzypce tak, że aż mnie coś ścisnęło w dołku.

— Co to? — szepnęłam do Gosi.

— Taki młodziaczek stąd. Chodzi do szkoły muzycznej i dorabia sobie.

— Ale to, co on gra. Takie ładne i znane?

— *Ave Maria.*

Sam pogrzeb, złożenie do grobu, było dość pośpieszne z powodu zimna i wiatru. Zresztą Kaśka nie znosiła takiej pogody i sama popędzałaby nas do domu.

Na kupie wiązanek została metalowa tabliczka, bo facet od nagrobków nie wyrobił się z literami na tablicy.

Śp. Katarzyna Król
Córka Marianny i Józefa

Janusz zabrał swojego tatkę do nas, do domu, w którym Wrona zadbała o obiad i resztę. Znów, jak w Wigilię, w kuchni było nas sporo. Na rozgrzewkę Ania podała żałobnikom po kieliszku ziołówki Tomasza, po małej kanapeczce z jajkiem i smażony boczek zawijany ze śliwką. Po takim zimnie to dobry pomysł.

Do stołu siedliśmy w dużym pokoju. Myślę, że Kaśka byłaby zachwycona faktem, że jej nieobecność zdołała zgromadzić całą rodzinę i że to dla niej ta uroczystość.

Ania całkiem zdjęła nam z głów troskę o stypę.

Stypa.

Okropne słowo. Kiedyś nawet buntowałam się, że moja noga na czymś takim nie postanie. Że to stary, ale głupi, prymitywny zwyczaj żarcia na koszt żałobników. Zmarły jeszcze ciepły, a my tu myślimy: skrzydełko czy nóżka? Teraz jednak zmieniłam zdanie. Jesteśmy tu — mówi Gosia, bo życie toczy się dalej. Jesteśmy wszyscy razem w domu, w którym Kaśka była szczęśliwa.

Zmarzliśmy na pogrzebie, a ona gdyby żyła, zrobiłaby nam gorącej herbaty. Rozmawiamy cicho. Rozgrzewamy się talerzem pysznych flaków (których nie lubiła) i wspominamy ją — każdy po swojemu i po prostu: jesteśmy.

W końcu to taka sama uroczystość jak urodziny, imieniny, wesele czy chrzciny. Teraz to rozumiem i doceniam. Teraz właśnie bardzo potrzebuję takiego spotkania, wspomnienia Kasi każdym niemal gestem, spojrzeniem. Nigdy nie miałam dużej rodziny, nie znam rodzinnych obyczajów, ale podobają mi się te, w których tu uczestniczę.

My wszyscy i Karolakowie ledwo pomieściliśmy się przy stole. Janusz dyskretnie pomaga Małgosi. Czasem obejmuje ją i przytula. On znał Kaśkę najmniej. Mieszka w tym domu od niedawna i stale przyzwyczajał się do tego, że Kaśka, taka niby stara, a jednak jak dziecko. Że czasami potrafiła zaskoczyć swoją opiekuńczością, pomysłem, a czasem była nieporadna.

Janusz zamieszkał z Gosią i Kaśką jesienią poprzedniego roku, po wyprowadzce babci. Myślę, że babcia Basia przekonała się, że ona i leśniczy wieczni nie są i nie mają przed sobą długich lat... Szkoda. Dla mnie mogliby żyć jeszcze wiek.

O ślubie nic nie mówią, ale chyba im to niepotrzebne. Wystarczyły im zaręczyny — dwa lata temu — podczas których Tomasz dał Basi pierścionek. Uczestniczyłam w nich już jako członek rodziny.

Są podobno ze sobą tyle lat, w szczęściu i niekoniecznie w zdrowiu i w chorobie, że dali stokrotny dowód na to, że papierek nie stanowi o stadle i dobrym pożyciu. No i babcia jest ewangeliczką, a Tomasz niepraktykującym katolikiem. Gdyby wreszcie były u nas śluby ekumeniczne, może by się zdecydowali? Przecież Boga mają wspólnego, reszta to spory patriarchów.

Pusto, cicho...

Po pogrzebie Kaśki i wyjeździe Marysi i Pauli siedziałam często u mamy, w leśniczówce. Janusz miał robotę z Mariuszem, a w domu pusto bez Kaśki, bez niego.

— Mamo, o czym tak rozmawiałaś z Lady Karoliną podczas pochówku Kaśki? — spytałam.

— A, składała mi afektowane kondolencje. Przygotowała całe przemówienie. Wiesz, córeńko? Czasem to naprawdę żałuję w jej imieniu, że u nas w kraju kobiet nie wyświęcają. Byłaby księdzem. Oj! Byłaby!

— Chyba bym straciła wiarę, gdybym ją miała — sarknęłam.

Mama popatrzyła na mnie z filuternym uśmiechem.

Szyła w ręku spodnie Tomasza, a ja czytałam na głos jakieś kawałki z damskiego czasopisma o żałobie, właśnie, i jej odczuwaniu.

„Żałoba nie wymaga ostentacji, chociaż bywa pomocna w uzewnętrznieniu naszych odczuć, jeżeli potrzebujemy kiru i pokazania, że utraciliśmy bliską osobę..."

— Mamo, powinnam nosić żałobę?

— Daj spokój, Gosiu. Jak chcesz. Przecież obie wiemy, że nie o to chodzi.

Marysia wyjechała nazajutrz po pogrzebie, za nią, po paru dniach Paula. Zostałam sama. Najpierw zrobiło mi to dobrze. Taka cisza w domostwie. Słychać pracę komputera w moim pokoju. Tylko. W kuchni — zegar stojący na kredensie pracuje spokojnie. Miarowe cykanie. Normalne to go nie słyszę. A teraz, cyka! Cyk, cyk, cyk, cyk i tak w kółko.

W sypialni w ogóle cisza absolutna. I gdyby nie Blanka i Funio, uważałabym, że mój film zatrzymał się w miejscu, w stop-klatce.

Dzisiaj chodziłam z pokoju do kuchni i z powrotem i zdałam sobie sprawę, że słyszę ciszę... Mój czas zwolnił. Prawie się zatrzymał. I kiedy weszłam w taki trans, w taki miły letarg, w takie wyczuwanie sekund, właśnie wtedy Funio postanowił wrócić z dworu z głośnym ujadaniem, towarzysząc listonoszce.

— Witam, pani Gosiu! Przyniosłam rachunki i jakiś list, ale to do pani Bachny, to jej zaniosę do leśniczówki.

— Jak się pani chce, pani Ziutko, ale ja się tam wybieram może jutro, to zaniosę.

— Tak? To dobrze, bo to nie żaden polecony ani ekspres, to może być i jutro. Zagraniczny! Dziś już mało kto listy pisze. Rachunki i reklamy... Patrzy pani, jak to poszło! Na naszych oczach tyle zmian!

— No... Pani siądzie, pani Ziutko, czy jeszcze do Karolaków?

— No, niby też, ale to rachunki. Mogę jutro... Bo już padam dzisiaj. Strasznie mnie żylaki rwą. Może to na zmianę pogody?

— Zrobię pani herbatę z cytryną. A rachunki pani zostawi. Bartek będzie wieczorem jechał po Krzyśka do Kałęczyna, to mu dam.

— Krzysiu to dobry dzieciak! Że mu pani wbiła do głowy ten angielski! Ona podobno, ta Murzynka, dobrze uczy! Chwalą ją! Pani powie, co oni tu znaleźli w tej Polsce, że się osiedlili? Prześladowali ich w tej Afryce czy jak?

— Mówi pani o doktorze Mamadou i Mariam? Nie, żadne tam „prześladowali", słodzi pani?

— Tak, poproszę dwie, jak z cytryną.

— Oni są z Mali. Tam nie ma tak dobrej uczelni jak nasza olsztyńska i Mamadou przyjechał tu na weterynarię. Tam nie miał szansy na dobrobyt, bo ich w domu sporo, więc osiadł tu, w Polsce po studiach, a Mariam, okazało się, znakomicie uczy języków.

— Aż się wierzyć nie chce, co? Murzynka uczy na polskiej wsi angielskiego...

— ...i francuskiego — wtrąciłam.

— No, a listy ludzie sobie ślą internetem... Pani Gosiu! Przecież, jakby mi kto powiedział to jeszcze z dziesięć lat temu, to bym kazała mu wpierw wytrzeźwieć — no tak? I że zamiast latać do sąsiada albo na pocztę, telefon siedzi w kieszeni i można gadać z Ameryką bez zamawiania międzymiastowej.

Pani Ziutka rozpięła kurtkę i wywinęła ją na oparcie krzesła. Postawna, zmęczona życiem. Przejęła rewir po mężu. On, długoletni listonosz, miał udar i sparaliżowało go. Chodzi, powłócząc nogą, i krzywo się uśmiecha.

Zamienili się rolami. On teraz jest dobrotliwym dziadkiem i gosposią, a ona wozi pocztę ich małym „tikulcem", jak tu mówią na daewoo Tico. Postawiłam makaroniki i ciasteczka z cukrem na talerzu.

— Proszę, pani Ziutko, bo zanim pani do domu...

— Dziękuję. Dzisiaj mąż czeka z pierożkami. Z wnuczką lepili. Ma osiem lat, a taka zmyślna! Jak pójdę na emeryturę, a ona będzie starsza, może też bym ją na angielski woziła do tej Mariam? Pani słyszała, że ona uczyła w Dźwierzutach?

— Słyszałam, ale teraz ma chyba lepiej. Zresztą nie wiem, dawno ich nie widziałam. Słabo się znamy, bo mnie Janusz z nimi poznał jakoś jesienią. Byli tu raz przejazdem, na kawce.

— Dziwny ten świat, nie?

Pani Ziutka wstała i otrzepała okruszki z biustu w garstkę. Położyła je na stole i zamyśliła się.

— Wie pani co? Dzieci to się teraz dziwić nie umieją. Pamięta pani? Myśmy się dziwili nieustannie, a oni wszystko kupują w ciemno. Pierwszy kalkulatorek pani pamięta? Bo ja tak! „Bolek" — polski był i miał czerwone ledziki. Nie mogłam uwierzyć, że to prawda, że takie pudełeczko jak od fajek, a całą matematykę w sobie ma! Mąż na magazynie siedział w pegeerze, to ten „Bolek" zbawieniem był, jak liczyć trzeba było! Pamięta pani... Matko Boska! Pralkę automatyczną, zmywarkę, mikrofalę...! Ja za każdym razem czułam się jak w Krainie Baśni! A dzieciakowi się teraz daje gwiazdkę z nieba, a ono narzeka, że za mała... Pójdę już! Do widzenia, pani Gosiu, pan Janusz dziś później?

— Ano później!

Zostałam sama. Janusz zadzwonił, Funio zdecydował się na pozostanie w domu, Blanka już od godziny spała na Kaściynym łóżku. Znów cisza mnie zaskoczyła i wywołała melancholię.

Wychowałam się w mieście. W stolicy! Byłam Miejskim Zwierzakiem, chwytałam w lot wszystko, co nowe. Nie przyznałam się pani Ziutce, że byłam dzieckiem, które pierwsze w szkole miało kalkulatorek i to... japoński Sanyo. Tatko mi przywiózł z jakiegoś wyjazdu. Z zielonymi ledzikami, maleńki był...

Miksery i wyciskacze do soków to dla mnie była norma... Tatko zwoził je z Rosji i ustawiał w domu. Kolejna gosposia dostawała stary, a nowy lądował na blacie, obok lodówki. Także maszyna do szycia wieloczynnościowa z Tuły, na której tylko Honorata, nasza gosposia, umiała szyć i szyła mi cuda, cuda, cuda. Surowa, ale miła pani Honorcia przychodziła co drugi dzień i dbała o mnie, tatkę i o dom. Owa maszyna wyzwoliła w niej pasję. Odkryła w sobie talent. Ojciec zwoził jej „Burdy", a ona szyła i szyła, aż do wyjazdu do Krakowa.

Jako odprawę dostała tę Tułę, i moje westchnienie, że „kto mi tak uszyje?".

Byłam wtedy najmodniej ubrana!

Pralka też pojawiła się w naszym domu wcześnie. I żelazko na parę, i grill z opiekaczem. Ojciec uwielbiał takie nowinki. Czuł, że skoro zwozi to do domu — ja jestem szczęśliwsza, i lepiej wyposażona. Kolejna gosposia nie umiała używać grilla z opiekaczem, więc tylko w niedziele grillowaliśmy sobie kiełbasę podwawelską, a w pozostałe dni pani Tamara gotowała nam bezbarwne krupniki i grochówki „bardzo pożywne".

Teraz mam wielki dom, sprzęty wszelkie i... tę cholerną ciszę.

Poszłam do mojego pokoju, do biurka i usiadłam. Wklikałam moją ostatnią pracę — korektę książki o polskiej emigracji. Ciężka, nudna. Nic mnie nie motywowało do pracy, pogmerałam w tekście, ale nie umiałam się skupić. Przejrzałam pocztę, kilka maili z dowcipami i żartami od Wiktora, jakieś reklamy banków.

Może posprzątam? Jak nakręcany manekin wykonałam kilka gestów, mających na celu „posprzątanie", ale sprzątaniem nie były, zamierały w pół gestu, nie skończyłam ścierania kurzu, bo podniosłam czasopismo, i przekartkowałam je... Co ja wyczyniam?!

Zadzwoniłam do Maryni:

— Halo, buziak, moja maleńka!

— Mamo, przepraszam, nie mogę teraz rozmawiać, zadzwonię później, co?

Jasne. Ma jakieś swoje sprawy i nie musi reagować na każde moje: „Halo, buziak...".

Tłukę się jak Marek po piekle — tak mawiała Zofia — moja teściowa. Znów jestem w kuchni, wyglądam przez okno... Po co? Za oknem stop-klatka z martwym pejzażem. Na drodze pusto.

Robię sobie kanapkę z serem i pomidorem, też nie wiem po co. Nie jestem głodna. Jak wróci Janusz, zjem z nim późny obiad.

Janusz jest mało wymagający i sporo pracuje. Kaśki nie ma. Jestem sama.

To... po co mi to wszystko? Jednak w Warszawie zawsze w domu ktoś był! Nigdy nie wracałam do pustego, nie siedziałam w pustym.

Kiedy żył mój teść, byli zawsze oboje, on i teściowa, gdy zmarł, została Zofia — westalka naszego domowego ognia, cicha, rozsądna, pomocna i nienamolna.

Przyzwyczaiłam się, że dom zawsze jest z kimś w środku, a tu...

Gdy było mi smętnie, szłam do parku Paderewskiego albo po prostu Saską na wprost, skręcałam gdzie bądź, w lewo w głąb Saskiej Kępy. Oglądałam od lat znane mi domy, ogródki i wracałam. Tu, jak pójdę, to wszędzie pusto... W lesie, na łąkach śpiących jeszcze po zimie, w obejściu. Nikogo...

Do niedawna, gdy mama przeprowadziła się do Tomasza, zawsze słychać było Kaśkę — czy choćby włączony telewizor, radio... Byłam jej potrzebna, ostatnio nawet bardziej niż ona — mnie. A teraz? Poza sezonem, gdy „nie wiem, gdzie mam przód, a gdzie tył", ta nagła cisza i zastój życia w domu mnie zaskoczył. Przeraził.

— Halo? Mamo?

— Co tam, kochanie?

— Mamo... Tak tu cicho jest i pusto.

— Coś znów z Januszem?

— Nie, dłubią z Mariuszem jakieś pilne zamówienie, dzwonił. Tylko, wiesz, nigdy nie byłam tyle czasu sama. Telewizja jest do bani, nie mogę się skupić na czytaniu, korektę właściwie mam skończoną, ale jakoś mi się nie pracuje... lenia hoduję czy co?

— Chcesz przyjść?

— Nie, to nie to. Mamo?... Jestem nieprzystosowana do bycia samej.

— Wacek u siebie jest? No tak, nie narzekałabyś... Nie wiem, co ci poradzić, córeńko. Może... lokator by ci odpowiadał? Miły ktoś, na stancji? Jakaś studentka czy coś w tym rodzaju?

— Coś ty! Chyba nie w tym rzecz... ktoś obcy w domu? Nieee! Nie! To nie to!

— Może więc... nieobcy?

— Mówisz zagadkami.

— Przepraszam cię. Tomasz mnie woła, oddzwonię!

Ale jestem memła! Zawracam mamie głowę moimi humorami, a to pewnie hormony. I właśnie wtedy wrócił zmęczony Janusz.

Podczas kolacji opowiedziałam mu o moim dzisiejszym uczuciu.

— Nigdy nie bywałam tak długo sama. Od rana, aż do teraz. To okropne uczucie. Całe obejście puste, rozlewisko puste, dom pusty...

— Wiem, przepraszam cię. — Janusz pochylił się i pocałował mnie w dłoń.

— Coś ty! To nie twoja wina, masz pracę — ja to rozumiem, tylko tak gadam!

— Wiesz co, Go...Gosiaczku? Niedługo Wielkanoc, to się cha...chałupa napełni!

— Jasne! Na jak długo?

Niegdysiejsza Wielkanoc

Wielkanoc kwietniowa, a mimo to chłodno.

Pamiętam, jak byłam mała i tatko raz jeden zawiózł mnie na święta wielkanocne do swojej dalekiej rodziny do Wisły.

Ponieważ ojciec musiał wyjechać na kilka dni, więc zostawił mnie pod opieką gospodyni i jej córki. Był tam jeszcze chłopak, ale duży, mógł mieć ze szesnaście lat, i prychał na nas. W ogóle go nie było w domu.

Nie było mi łatwo zostać tam samej, ale musiałam być dzielna. Druhna Anna miała w tym czasie sanatorium po złamaniu nogi. Chciała zrezygnować, żeby być ze mną, ale ojciec się sprzeciwił.

— Córeczko, to daleka rodzina mojej matki. Miłka zgodziła się, poznasz obyczaje, pooddychasz górskim powietrzem, szybko zleci, zobaczysz!

— Jak „Miłka"?

— Dobromiła Redlak. Jej matka Elżbieta, krakowianka z krwi i kości, wyszła za chłopaka z Kościeliska i tam osiedli. A Miłka wyszła za Janka z Wisły. Janek zginął w górach pod lawiną, bo pracował w GOPR-ze. Po jego śmierci dostała pracę jako recepcjonistka w domu wczasowym. Będzie ci tam dobrze. Miłka ma córkę w twoim wieku. No! Będzie fajnie, zobaczysz!

— Tato, ale ja może zostanę? Ciocia Misia mnie popilnuje czasem...

— Pietra masz, Gapciu?

— Nie mów do mnie Gapciu! Nie mam pietra! Jestem już wystarczająco duża, żeby mieszkać sama przez tydzień!

— Nie i już!

Tatowe „nie i już" było wiążące. Wiadomo, że po „nie i już" nie ma żadnych dyskusji... Pojechaliśmy do tej Wisły.

Duża chałupa wiejska nie wzbudziła mojego zachwytu. Tym bardziej że miała dziwny zapach. Za to ciocia Miłka okazała się sporą i piękną kobietą. Miała długi koński ogon i malowała usta na czerwono. Ubrana była w spodnie i ładny, czerwony sweter. Nie wyglądała, moim zdaniem, na góralkę.

— Witojcie! — pozdrowiła nas i usadziła za stołem w wielkiej kuchni. Zaraz drzwi się uchyliły i popatrzyła na mnie uważnie dziewczynka w moim wieku.

— Jaguś, chodźże tu! — ciocia zawołała córkę.

Ta weszła z uśmieszkiem niepewności na ustach i podała mi rękę sztucznym gestem.

— Jagna.

— Jasiek poszedł gdzieś z chłopakami. Nima go! — sumitowała się ciotka i postawiła na stole wielki talerz pierogów. Ojciec się rozczulił, ja mniej, bo były dziwne. Zjadłam kilka na siłę.

— Nie smakują ci? — pytał ojciec, zajadając się. — To pierogi ruskie, ale z bryndzą, tak, Miłka?

— Ano! Michałowa je robi, ja nie mam czasu! Dobrze, że dziś wolne wzięłam, to przynajmniej i pocte załatwiłam i wos się docekałam!

Mówiła dość hałaśliwie i dziwnie. Wiedziałam, że to gwara, ale takiej jeszcze nie słyszałam.

Ojciec pojechał, mimo późnej pory. Spieszył się, więc nie było ceregieli przy pożegnaniu, tym bardziej że ta Jagna nam się przyglądała. Gdy tak patrzyłam za odjeżdżającym tatą, pociekły mi łzy, ale zaraz je obtarłam rękawem.

— Nie bec, fajnie będzie — usłyszałam obietnicę Jagny.

I było!

Najpierw, gdy się okazało, że mam spać z Jadzią, o mało znów się nie rozpłakałam. Spać z kimś?! Nigdy z nikim nie spałam!

Jagna zaprowadziła mnie do dużej izby, w której stał spory staroświecki tapczan.

— Teros je mój, bo mama sobie wersalke kupiła. Pomieścim się!

Niepotrzebnie stroiłam fochy. Już tej pierwszej nocy było tajemniczo i wesoło. Jagna kazała sobie opowiedzieć jak najwięcej o Warszawie, i wszystko ją zachwycało. Śmiała się i pytała, aż weszła ciocia w koszuli i zgasiła nam lampkę.

— Śpijciez! A to jutro się wos niedobudzi!

— A Jasiek?

— Nima go, nugusa jednego! Oj, dostanie w dupe jutro!

Obśmiałam się z tej „dupy", bo tato nigdy w domu tak nie mówił.

Zasnęłam.

Ta Wielkanoc w Wiśle, u ciotki Miłki, była najbarwniejszym wspomnieniem z wyjątkiem... wychodka, którego nie lubiłam. Stał koło stodoły i śmierdziało w nim. Za każdym razem, gdy musiałam z niego skorzystać — tęskniłam do warszawskiej łazienki pachnącej i czyściutkiej.

Ale tuż po wyjściu zapominałam! Tyle tu było ciekawych rzeczy, a Jagna taka wesoła i zwinna, bardzo przyjacielska. Janek — zupełnie nie. Mało bywał w domu i ciągle się wykłócał z matką albo Michałową — starą dość babką przychodzącą do domu pod nieobecność ciotki Miłki. Michałowa gotowała i sprzątała. Wieczorem drugiego dnia Jagna usadziła mnie i siebie do malowania jajek. Michałowa nagotowała dwa tuziny. Jaga i ona, a także ciotka, sprawnie i pięknie krasiły jajka gorącym woskiem, a ja... szkoda gadać!

Okazało się, że one robiły to już od stycznia dla Cepelii, więc mają wprawę. Najładniej to robiła Michałowa. Następnego dnia pomagałyśmy trochę w domu, ale była tak piękna pogoda, że Jaga i ja urwałyśmy się na duży spacer w górę Wisły. Nawet nie musiałam brać kurtki i zdumiona patrzyłam na Jagę, która włożyła... podkolanówki. Poszłam jej śladem, ciesząc się, że nikt nam nie zwraca uwagi!

Teraz ona mi opowiadała mnóstwo ciekawych rzeczy, a ja słuchałam, coraz lepiej rozumiejąc gwarę.

Pamiętam też wyprawę do kościoła ze święconką (w Warszawie nigdy nie byłam...) i samo śniadanie wielkanocne — takie odświętne, dostojne i... pyszne!

Rano zobaczyłam ciotkę Miłkę i oniemiałam. Miała na sobie piękny strój ludowy i całkiem poważnie zamierzała w nim wyjść. Jaga się wykręciła ze strojenia w swój, bo „Gosia nie ma stroju, pójdę, mamo, jak ona!".

Pod kościołem dopiero zobaczyłam, że większość ludzi przyszła w strojach kolorowych i dokładnie takich, jakie wisiały na manekinach w Cepelii na Marszałkowskiej. Samej mszy nie pamiętam. Za to później okazało się, że na śniadanie przyszła rodzina Michałowej, jakieś stare wujki i ciotki. Jasiek był ulizany i grzeczny i do jednej nadętej babki mówił grzecznie „matko krzesna”.

Byłam bardzo zajęta jedzeniem i myślałam, że pęknę. U nas w domu nie obchodzono chyba Wielkanocy?

Obżarstwo było wielkie i jadłam, jakby mnie na co dzień głodzono. Ciotka i Michałowa zaśmiewały się i cieszyły. W życiu nie jadłam takiego żuru!

Podczas mojego pobytu w Wiśle Jagoda prowadziła mnie w dziwne zakątki i miejsca, tam opowiadałam jej o aktorach i aktorkach, o piosenkarkach i festiwalach, o zwyczajach w mojej szkole, a ona śmiała się i była wdzięczną słuchaczką. Miałyśmy już swoje sprawy i tajemnice, a nade wszystko uwielbiałyśmy śledzić Jaśka, jak szedł z chłopakami w górę, daleko za opuszczony i zawalony dom, palić papierosy.

W świąteczną niedzielę biegałyśmy do nocy z innymi koleżankami Jagi i musiałam im opowiadać wszystko to, czego Jaga już się ode mnie dowiedziała. A w poniedziałek... Miałyśmy plan, ale zawiódł, bo Jasiek nas uprzedził. Spałyśmy sobie ciepłym snem, gdy ten potwór wszedł cichaczem do naszego pokoju, zerwał pierzynę z nas i chlusnął wodą z garnka! Zimną! Wrzasnęłyśmy wniebogłosy, ale nie było kogo prosić o sprawiedliwość, bo ciotka miała dyżur na recepcji, a Michałowa jeszcze nie przyszła. Jasiek się obśmiał, jakby miał czkawkę, i poszedł na wieś brać udział w dyngusie.

Byłam zachwycona tym wyjazdem, ale we wtorek, gdy wróciłyśmy roześmiane z Jagą ze wsi i zobaczyłam ojca — nie byłam szczęśliwa.

— Juuuuż? — powiedziałam z zawodem w głosie.

— No, ładnie mnie witasz! — Tatko był w dobrym humorze i podał nam zawiniątka. Dostałyśmy śliczne kolorowe podkolanówki i wielkie okrągłe broszki z trójwymiarowym obrazkiem z Disneya, ja z Goofym, a Jaga z Myszką Miki. Przy poruszaniu broszką Goofy znikał i pokazywał się napis „I'am Goofy from Disneyland!” A u Jagi: „I'am Mickey”.

Jaga była zachwycona i oniemiała z zachwytu. Ja mniej, bo takimi prezentami ojciec obsypywał mnie zawsze i szczerze mówiąc, z Goofy'ego już wyrosłam! Pożegnania były pełne obietnic i łez, bo Jaga popłakała się szczerze, ale tak się jakoś stało, że nigdy już u nich nie byłam...

Przypomniały mi się te moje pierwsze w życiu prawdziwe święta wielkanocne i pomyślałam, że właściwie to żadne inne nie były już takie — wesołe, barwne, smaczne, beztroskie.

— Janusz — leżałam obok niego wieczorem — a jakbyśmy trzasnęli takie fajne, duże święta w tym roku?

— Mmmmm — odpowiedział, czytając coś.

— Takie klasycznie kolorowe... Pomalujemy mnóstwo jajek, zaprosimy całą rodzinę, co?

— Naturalnie — usłyszałam i zostałam nawet cmoknięta w głowę.

— Janusz! Co ty tak czytasz, pokaż?

— Cejrowskiego, ależ ten gość ma pióro!... — mruknął.

Trudno. Nie chciał uczestniczyć w głosowaniu, to nie! Zrobimy wielkie święta! Wielkanoc, jakiej tu jeszcze nie było!

Nie do końca mi ona wyszła, bo Konrad z Adą pojechali jak zwykle do Wiednia, Marynia z zespołem — do Wilna. Byliśmy właściwie sami — naturalnie mama i Tomasz, Henio Piernacki. I znienacka przyjechała z francuskiej trasy Paula z Jannem. Stanęła w kuchni z podróży, w jeansach, szczupła jak gazela, z włosami w ogonek i z nieśmiałym, ale zawadiackim uśmiechem.

— Jesteśmy!

Gdy wieczorem Paulina wypłakała mi swój zawód matką, żal i zwykłe zmęczenie, współczułam jej. Przytuliłam ją i starałam się pocieszyć, ale co to da, tak na krótko? Wtedy wypaliłam:

— Paula? A co byś powiedziała...

Moja mała historia i skąd się wzięłam nad rozlewiskiem na stałe

Miałam to szczęście, że urodziłam się na Bednarskiej. Co by nie powiedzieć, to pępek Warszawy. Tak zawsze mówiła babcia. Moja babcia Malwina, mama mojej zwariowanej mamy.

Od kiedy pamiętam, byłyśmy same — ja, moja mama i babcia Malwina. „Babska załoga". Babcia była piękną kobietą, a na dodatek artystką. Malowała portrety na zamówienie, była świetną kopistką i miała zawsze jakieś pieniądze.

Po wojnie babcia należała do grona pięknych, niezależnych. Mieszkała u dalekiej rodziny w Konstancinie. Później, gdy studiowała na ASP, mieszkała w Dziekance. Niewysoka szatynka, szczupła, ale z wydatną pupą. Zazdrościłam jej tej talii osy, tej ósemkowej budowy ciała. Wypychałam sobie biust szalikami zwiniętymi sprytnie i ściskałam w pasie białym paskiem mamy. Był ze sztucznej skóry i miał ładną klamrę. Robiłam przed lustrem miny i kręciłam zadkiem jak ona twista na tańcach w ośrodku narciarskim w Białce. Faceci wyli podobno, a moja mama umierała ze wstydu. Już wtedy babcia była uznaną malarką-portrecistką. Prowadziła dość szumne, artystyczne życie — kawiarnie, spotkania taneczne, dancingi, kluby studenckie. Wszędzie było jej pełno.

Na zdjęciach babcia zachwyca mnie tą szczupłą talią zadzierzgniętą szerokim, gumowym paskiem, spódnicą na halkach, czarnym sweterkiem w łódeczkę, i końskim ogonem albo kokiem. Dojrzała, śliczna...

W latach pięćdziesiątych poznała uroczego budowlańca — Antka. Stanowili dziwaczną parę. Ona wykształcona artystka, Antek — stawiający „mury, co się pną do góry". Mimo że na pozór brakowało mu szkół, ten młodziak (był sporo młodszy od niej) podbił jej serce manierami wyniesionymi z domu, temperamentem i pędem do nauki. Uczył się zaocznie. Był duszą towarzystwa, wywijał z babcią boogie na parkietach i wreszcie zrobił jej dziecko — moją mamę. Zamieszkali na Bednarskiej.

Żarli się na tematy polityczne, bo Antek był przodownikiem pracy socjalistycznej, zbierał odznaczenia i pokazywano go w gazetach, a babcia miała w nosie tamtejszą władzę. To jedyne, co ich różniło.

Wzięli ślub na Nowym Świecie w Urzędzie Stanu Cywilnego. Babcia nie przywiązywała wagi do „takiego papierka", dla niej wciąż żyli na kocią łapę.

Na czarno-białym zdjęciu widać, jak wysiadają z autobusu, jak stoją przed urzędem w dość cywilnych ciuchach. Ona w szmizjerce w wielkie kwiaty, i z goździkami w garści, on w garniturze dwurzędowym, z szerokimi barami, bez kwiatów. Dookoła nich jacyś ich znajomi — wyluzowani, weseli. Budowlańcy i artyści. Niektórzy to znane dziś nazwiska. Niektórzy już nie żyją. Podobno wesele odbyło się w Hybrydach, przy winie i papierosach.

W sześćdziesiątym roku urodziła się moja mama.

W sześćdziesiątym drugim zginął Antek. Spadł z rusztowania i... zostały same — moja babcia i mama. Babcia rozpaczała i rozpaczała, aż zabrakło im forsy na życie. Wtedy się otrząsnęła. Urodziła się nowa kasta społeczna — prywaciarze, którzy właśnie przeżywali okres prosperity. Ortaliony, elastiki, plastikowa biżuteria i okulary przeciwsłoneczne. Prywatni szewcy robiący buty na zamówienie i krawcy. Handlarze z bazaru Różyckiego, właściciele pawilonów handlowych na Marszałkowskiej. Wielu z nich odbiło. Zaczęli tworzyć nową arystokrację. Budowali wille-koszmarki i dorabiali sobie przeszłość. Babcia wstrzeliła się im w tę przeszłość idealnie. Malowała portrety ich przodków i ich portrety, do gabinetów, nad biurka, na salony. Wtedy powstała jej mała fortunka.

Dużo później babcia opowiadała mi pewną historię takich nowobogackich. Kiedyś w „Kulturze" opisał ją niejaki Megan — felietonista. W małym miasteczku dorobkiewicz chciał uchodzić za arystokratę i do swojej nowej willi zamówił u malarza (kolegi babci) portrety swoich przodków. Dużo. Bo ściana była duża. Obrazy wyszły super! Z patyną, w odpowiednich barwach, namalowane zgodnie z obowiązującymi kanonami panującymi w określonych wiekach.

Były i damy w krynolinach i faceci w perukach z harcapem i żaboty, i koronki. Cała galeria w tym tonie. Goście — miejscowi notable, czyli: ksiądz, komendant posterunku, nauczyciele, lekarze, adwokat i notariusz z miasteczka, popijając szampana, podziwiali galerię przodków gospodarza. Aż jeden z nich bliżej przyjrzał się damie z pieskiem. Za nią na toaletce namalowany był... zegar z cyferkami na wyświetlaczu! Obok jakiś pradziad w czamarze miał na przegubie ręki kwarcowy zegarek (lata siedemdziesiąte), udatnie wtopiony w kolorystykę obrazu, a na portrecie chłopca w żabocie i w białej peruce na dole znany i charakterystyczny napis: FIAT 126P. Na każdym było coś z naszej epoki. Ludzie pokładali się ze śmiechu, a durny arystokrata z bożej łaski — podał malarza do sądu!

Babcia nie robiła nikomu takich szpasów. Smarowała przodków na płótnie, robiła nawet portrety trumienne, „strasznie stare". Wszystko *legae artis*!

Moja matka była żeńskim odpowiednikiem *bon vivanta*. Wyrastała w zasobności i wydawało jej się, że nic nie musi. Na zdjęciach z czasów młodości poststudenckiej moja mama wygląda jak wszystkie wówczas piękności: trwała na grzywie, ogon z boku głowy, krótka marynarka z wywiniętymi rękawami, legginsy i botki. No, i papieros! O Jezu! Jaki makijaż! Tęcza cudownej urody na całej powiece albo asymetryczne błyskawice à la Ostrowska.

Za młodu była imprezowiczką, uczyła się fatalnie i paliła jak wściekła, za co babcia Malwina lała ją ścierką. Z trudem zdała maturę, i robiła jakieś studium pomaturalne, coś zaocznego i w międzyczasie dwie albo i trzy skrobanki.

Raz za późno się zorientowała, no i jestem! Ojciec N.N.

Od kiedy pamiętam, mama paliła i była nerwowa. Na szczęście babcia wszystko ogarniała żelazną ręką, dopóki żyła...

Jak byłam w podstawówce, mama i babcia pracowały obie w sklepie, takiej jakby galerii — Cepelii. Babcia już nie malowała tyle. Zmarła dość nagle, na wylew. Świat mi się zawalił. Kto teraz będzie się troszczył o mamę? Ja?!

Po śmierci babci mama jakoś nie umiała pogodzić kolejnej swojej burzy uczuciowej ze sklepem. Znów została bez pracy, z nowym pomysłem na życie. Z tego, co zostawiła dla mnie babcia, matka kupiła mi mieszkanie na Chomiczówce, wytykając co rusz, że to jej krwawica. Gówno prawda. Jeśli już, to babci, dlatego tak się zaparłam, i jak chciała je z powrotem — nie oddałam.

Jeszcze przed moją maturą związała się z szalonym Francuzem i po moich egzaminach — czmychnęła do kochasia, do Paryża.

To było mi na rękę.

Byłam i tak sama, samodzielna i dawałam sobie radę. Początkowo żyłam z wynajmu Bednarskiej, ale oczywiście mojej matce potrzebny był kapitał na nowe życie we Francji. Rzuciła paryskiego żigolaka i osiadła w Reims u znajomych i właśnie zakładała interes swojego życia — biuro podróży. Bez pytania mnie o zdanie sprzedała Bednarską razem z meblami, firankami i obrazami babci. Zapewne mnie też by sprzedała.

W ostatniej chwili uratowałam kilka obrazów, albumy zdjęć babci i moich, porcelanowy zestaw do mycia z przełomu wieków z pięknie wymalowanymi chryzantemami, komodę, szafkę i biurko.

Jakoś w tym czasie, już na studiach, poznałam Marysię. Mało było dziewczyn w moim życiu, tak zwanych „przyjaciółek od serca". Właściwie — żadnej. Jestem zbyt kostropata na takie tam... Wolałam towarzystwo chłopaków, a i tak żadnego blisko nie dopuszczałam do siebie. I nagle spotkałam Maryśkę na jakimś koncercie. Podobało mi się, jak grała na pianinie, jak się porozumiewa z chłopakami z zespołu. Jest ładna, i jakby o tym nie wiedziała. Zeszła skromnie ze sceny i usiadła w kącie z herbatą, podczas gdy inni już się rozprawiali z kolejnym piwem. W końcu piwniczny pub... a ta skromnie — herbatkę.

— Cześć, jestem Paula, można?

Potem się wyjaśniło, że jest zaziębiona i dlatego ta herbata. Ciekawie się z nią rozmawiało, i nie było w niej nic z gwiazdki. Popisywałam się, bo ona taka młoda, więc wzięłam na kieł kilka nazwisk z show-biznesu i dałam popis wiedzy oraz krytyki. Plotłam coś i klęłam, aż Marysia roześmiała się i powiedziała:

— Jesteś sfrustrowana jak dziewczynka.

— Proszę?! — jakbym dostała kopa. To ja tu z sercem...!

— Od pół godziny najeżdżasz i krytykujesz... Tak robiły w moim liceum panny z pierwszych klas, żeby dodać sobie animuszu. Wchodziły do kibla na papierosa albo żeby się umalować i zaczynały, kto jest beznadziejny, kto jest wkurzający, i tak się nakręcały, że w końcu zapominały, że coś, ktoś może się podobać. Zdawało mi się czasem, że „beznadziejna/beznadziejny" to jedyne słowo, które znają. Strasznie dziecinne, bo łatwe.

Siedziałam zła, że przysiadłam się do niej. Gówniara i jeszcze mi dała po łapach! Nie wiedziałam, co powiedzieć.

— Co robisz? — spytała.

— ASP — burknęłam, przypalając papierosa.

— Artystka! Tworzysz czy chałturzysz?

— Sorry, ale... — chciałam wstać i odejść.

— Przestań, powiedz jak człowiek, co tworzysz, bo twórczość jest z serca, a chałturki — równie ładne, ale z potrzeby kieszeni — jak my dzisiaj. Graliśmy za kasę, co nie znaczy, że źle — prawda?

Tak się zaczęło i dalej poszło normalnie, ciekawie. Polubiłam ją za szczerość, a u mnie to niełatwe. Na roku nie miałam koleżanek, z którymi można było mówić o bliskości. Żadna nie miała takich problemów z życiem jak ja — kompletna samotność i wieczny problem z pieniędzmi. Wyhodowały w sobie poczucie, że są artystkami wielkiej klasy (albo lada chwila będą), że są odkrywcze i mają coś do powiedzenia w sztuce, a ja... Nie. Czułam, że artystka ze mnie żadna, ale mam wystarczający warsztat, zdolności, żeby je zamienić na pieniądze. Mania zrozumiała to w lot bez moralizowania.

„Lepiej być dobrym rzemieślnikiem niż do dupy artystą", powiedziała mi podczas spaceru po parku koło Cytadeli.

Już wtedy wiedziałam, że ona to moja bratnia dusza. Siostrzana. Mimo że pochodzi z zamożnej rodziny i nie musi myśleć o jutrze. Pierwszy raz w życiu właśnie jej opowiedziałam wszystko o sobie, na tym długaśnym spacerze. Tylko babcia Malwina umiała mnie tak słuchać i tak dobrze mnie rozumiała. Marynia siedziała i słuchała jak ona... Zaprzyjaźniłyśmy się niezauważalnie.

Wkrótce też poznałam całą jej rodzinkę i Gosię — jej mamę, i akurat to okazało się ważne. Początkowo nie zdawałam sobie sprawy, że potrzebuję tego ich rodzinnego nastroju. Dobrze mi się siadywało z Mańką w salonie, gdy ona grała, ćwiczyła coś na fortepianie, a ja, zwinięta na sofce, szyłam coś albo wyszywałam, dziergałam jakieś koronki na sprzedaż. Żyjąca jeszcze wtedy pani Zofia, babcia Marysi, przynosiła nam rosołek w kubeczku i kanapki albo wołała nas na obiad, Gosia wracała z pracy i rozmawiała z nami, żartowała. Z nią też lubiłam pogadać, tak wyflaczyć się. Mądra jest! Sama była wtedy na rozstaju dróg. Potem wyjechała na Mazury do babci Basi i tam osiadła.

Nie umiałam pojąć, jak ona mogła zamienić Warszawę na taki grajdoł?! Pięknie tam — myślałam, ale żyć na stałe?! Nosić drewno do pieca, odpalać w łazience gazowy piec, co buczy i widać w nim płomienie. A jak wybuchnie? Internet też mają radiowy, bo neostrada tam nie działa... Dzicz, panie.

Po drugim przyjeździe do nich na Mazury już wiedziałam, że też chcę stale tam bywać. Już rozumiałam Gosię, tym bardziej że widziałam, jak ona się tam łatwo wkleiła. Ją samą to zaskoczyło. Ja sądzę, że to zasługa babci Basi. Jest niesamowita! Kiedy zostaliśmy zaproszeni — ja i Janne (nasz, mój i Mani przyjaciel Fin), na święta Bożego Narodzenia, całą sobą wiedziałam, że kocham ich i jestem akceptowana. Janne był tego samego zdania — fantastycznie ciepła rodzina.

Zaproszenie do nich, nad rozlewisko, przyszło dla mnie w najlepszym momencie... Nieoczekiwanie dla mnie samej, zamiast spędzić Wielkanoc tak, jak zaplanowałam — u matki w Reims (żeby się jakoś dogadać), wylądowałam nad rozlewiskiem.

Było tak:

Pojechaliśmy z Jannem do Francji razem, na zaproszenie mojej stukniętej matki, na Wielkanoc. Myślałam, że pora już się pojednać. Chcieliśmy połączyć to z podróżą do Prowansji, bo Janne tęsknił do Gastona — swojego letniego kochanka, a ja chciałam pożegnać się już na amen z Jeanem Philippe'em (moim letnim kochankiem). Gosia tłumaczyła mi, że to absurd, ale ja chciałam go zobaczyć ostatni raz i już!

Kiedy na mnie spojrzał, twarz mu się rozjaśniła jak słońce. Mnie przyspieszył puls. Janne był zawiedziony, bo dowiedział się, że Gaston jest w Stanach, więc poszedł do hotelu upić się i spać, a ja z Jeanem Philippe'em też, ale bynajmniej nie spać. Wyjaśnialiśmy sobie wszystko spokojnie i ze zrozumieniem. Wyczułam, że wcale nie myśli o rozwodzie. Gośka miała rację.

Rozmowę skończyliśmy w łóżku. Było fantastycznie, burzliwie i wielokrotnie, a późno w nocy Jean Philippe poszedł do domu... Trochę było mi żal, bo gdzie ja znajdę takiego szczodrego i bezpruderyjnego kochanka? No, gdzie?

Rano, późno po śniadaniu wsiedliśmy z Jannem do samochodu i pojechaliśmy w kierunku Reims — do mojej matki.

Jechaliśmy właśnie uliczką obok zielarni „Margerite" i zobaczyłam, jak mój rudy kochanek z uśmiechem pomaga swojej pięknej żonie kręcić korbą od krat. Swoją drogą, jak on się jej tłumaczył z nieobecnych nocy? Czy sprała go po pysku? Nie wiem...

Ich widok, ich spojrzenia, śmiech uświadomiły mi, do jakiego stopnia.

Małgosia wszystko zobaczyła intuicyjnie. Miała rację, potrząsając mną porządnie i wybijając z głowy mrzonki o romansie z Jeanem Francuzem. Byłabym idiotką!

Janne pluł sobie w brodę, że nie zadzwonił do Gastona i niespodzianka mu nie wyszła. Jechaliśmy do Reims, robiąc wiwisekcje naszych nieudanych romansów.

Następnego dnia podczas kolacji z moją matką poszło na udry. Oczywiście o pieniądze. Już kiedyś było dobrze, kiedy przyjechała z moim małym bratem do Warszawy. Jakoś dogadałyśmy się na fali czułości i bleblania o rodzinie. Teraz ją przycisnęło, bo motocyklista zaproponował rozszerzenie usług ich biura i potrzebna jest forsa. Obiecała podpisanie umowy z moim procentowym udziałem w zyskach tej jej firmy i już bym się złamała, bo wszystko brzmiało rozsądnie, kiedy matka wysypała się, że potrzebna im kasa na nowe biuro.

Nawrzeszczałyśmy na siebie tak, że obudziłam Jannego i pojechaliśmy nocą do Polski. Prowadził, bo ja beczałam i wściekałam się.

Przenocowaliśmy w Niemczech w jakimś moteliku.

Na polskiej granicy zastanawialiśmy się, którędy pojechać na Warszawę, gdy Janne spytał:

— A jakby strzelić prosto, na Mazury?

— Trzeba by zadzwonić, uprzedzić...

— No to dzwoń.

Tak oto pojawiłam się z Jannem w Wielką Sobotę w kuchni u Basi i Gosi, nad rozlewiskiem. Zostaliśmy przywitani jak utęsknione dzieci z drogi. Babcia Basia i Gosia wyprzytulały nas, nakarmiły i pogoniły spać.

Gosia przyniosła mi do pokoju napar z melisy i usiadła na łóżku.

— Za dużo wrażeń. Jesteś taka rozedrgana. Śpij tak długo, jak się da, zioła cię uspokoją.

Powiedziała to tak, jak babcia Malwina. Po głowie też głaskała jak ona.

— To do ciebie powinnam mówić: mamo — powiedziałam już całkiem rozmemłana.

— Mów, jak chcesz, tylko już wyluzuj. Mogę mieć dwie córki. Śpij już!

Zasypiając, czułam zmęczenie i taki spokój, że jestem z nimi, że mi tu dobrze i wszystko jutro Gosi opowiem na spokojnie...

Po niedzielnym obiedzie dojadaliśmy makowce pana Henia Piernackiego, sernik babci Basi i dziwaczną szarlotkę według przepisu Mani, na spodzie z płatków owsianych. „Ekologiczną". Janne i Funio poszli odprowadzić babcię i Tomasza do lasu, do leśniczówki, a my w kuchni wspominałyśmy Kaśkę, gadałyśmy o wszystkim i nagle Gosia powiedziała:

— Paula, właściwie mogłabyś wynająć Chomiczówkę i zamieszkać tu. Miejsce jest, warsztat tkacki stoi bezrobotny, a twoje sztalugi i maszyna do szycia — to kwestia transportu. Po co masz się tam szarpać sama w tej Warszawie? Niedojadasz i o — chuda jesteś jak pająk kosarz. Co?

— Może ma a...anoreksję? — sugeruje Janusz, czytając gazetę.

— Sam masz anoreksję! — burczę.

— Przestańcie — Gosia zamyśla się. — Masz tam jakieś zobowiązania? Jest coś, czego nie możesz tu robić? Skończ wszystko na uczelni, pakuj manele i przyjeżdżaj. Ja i Janusz zajmujemy pół domu, bo po śmierci Kaśki przerobiliśmy jej pokój na sypialnię. Drugie pół stoi puste. Możesz się wprowadzić choćby dziś...

Zadzwoniłam do Marysi, w końcu to jej mama...

— Mania, a ty, co o tym sądzisz? — spytałam, relacjonując jej całość spraw.

— Będziesz trochę dalej, ale myślę, że to w porządku. Ja i Adaś sporo gramy z chłopakami i wiem, że ostatnio mniej ci poświęcaliśmy czasu, chociaż ty też byłaś zajęta. Paula, sama zdecyduj. Ja myślę, że mama rzeczywiście trochę cię dożywi, a pracować możesz tam, gdzie ci dobrze. Dobrze ci tam?

— Nooo...

— To dobrze ci tak!

— Dzięki, Mańka!

Postanowione! Poszłyśmy z Gosią do tej drugiej części domu, gdzie dotąd mieszkała ona, zanim nie wyprowadziła się babcia, i od razu wzięłyśmy się do przestawiania mebli i palenia w piecu.

— Łazienką podzielimy się, mam nadzieję, bez problemu — powiedziałam.

— Na razie tak. Jak się zrobi cieplej, chcemy z Januszem w naszej części domu zrobić taką małą, z prysznicem. Janusz upiera się, żeby w piwnicy założyć piec dwufunkcyjny i podpisać umowę na zamontowanie zbiornika na płynny gaz w ogrodzie. Byłaby ciepła woda i ciepło w ogóle...

— To ja się dołożę! — zawołałam ochoczo.

Eko–szarlotka Mańki

Żadnej mąki, cukru ani proszków!

W misce zalać owsiane muesli ze szklanką płatków owsianych — ciepłą wodą. Mogą być same płatki, ale my dodajemy bakalie:

wióry kokosowe, rodzynki i orzechy. Wody tyle, żeby nawet nie przykryła powierzchni. Dać czas — niech wsiąka. Do tak napuchłej masy wlać filiżankę stopionego masła. Mnóstwo jabłek (najlepsze antonówki. Zresztą, każde, byle kwaskowe) zetrzeć na tarce — „psa z budą", czyli ze skórą i ogryzkiem. Tak! Tam jest najwięcej pektyn i witamin. I duuużo błonnika! Dodać cynamon wedle uznania i pokrojone migdały.

Formę maznąć tłuszczem i wysypać bułką. Włożyć masę z płatków tak na półtora centymetra. Ona nie urośnie. Na nią jabłka — dużo.

Piec w piekarniku, w niskiej dość temperaturze, długo. Jakąś godzinę lub lepiej. Zgodnie z zasadami makrobiotyki jabłka długo prażone same „oddają cukier". Robią się słodkie i nie potrzeba cukru!

Po tym zaproszeniu poczułam się dziwnie. Nie spodziewałam się tak nagłego zwrotu akcji. Ale, w końcu, to nie Syberia! Zawsze mogę wrócić do Warszawy, a forsa z wynajmu mieszkania zawsze się przyda. Teraz, choćby na ten piec...

W lany poniedziałek byłam już właściwie urządzona. Wiedziałam, gdzie ulokuję maszynę do szycia, gdzie powieszę obrazy babci Malwiny i gdzie postawię porcelanową miskę i dzban do wody w złote chryzantemy — mój ukochany bibelot.

Gosia przyniosła mi odnóżkę geranium i odszczepkę paproci. Mam więc swoje kwiatki na oknie! Swój pokój i sypialnię, i pracownię z krosnami i sztalugami. Mam swój nowy dom, mieszkam nad rozlewiskiem!

Coś takiego!

Część druga

WIOSNA

Wiosna, ach to ty! Czyli ukokosiłam się u nich

Wiosna ma swój zapach! Gosia ma rację. Czuć dookoła życie. Ziemistą wilgoć i młodą zieleń. W Warszawie tego nie czułam i chyba w ogóle o tym nie myślałam, że coś poza mną, kwiatami i perfumami może mieć tak intensywny zapach. Gdy rano otwieram szeroko okno, żeby odetchnąć pełną piersią, ten mokry zapach wdziera się do środka i cieszy. Jak zwierzak merdam ogonem z radości, bo czuję, że wiosna w pełni i zaraz się zrobi cieplej.

Obserwuję zza firanki werandę. Tam, w fotelu, siedzi Janusz i czyta gazetę. Pogoda ładna i ciepła. Wchodzi Małgosia z filiżankami i kubkiem, stawia na stole, wtedy Janusz łapie ją za rękę i przyciąga do siebie. Siedzą przytuleni, a Gosia nachyla się i całuje go. Zazdroszczę im. Tak patrzył na mnie Jean. Ciepło, zachłannie... A może udawał? Janusz nie udaje. Kocha ją — to widać. Powinna mieć więcej dzieci. Tylko chyba biologia już powiedziała stop... Gosia wstała i weszła do domu.

— Paula! — słyszę pukanie do drzwi. — Wstałaś? Śniadanie na werandzie, chodź! Jest ciepło!

— Idę! — odkrzykuję.

Na Chomiczówce — niemożliwe. Śniadań na balkonie nikt tu nie jada i rzadko który balkon się do tego nadaje. Zresztą widoki dookoła są takie okropne, że nawet wyglądać przez okno nikomu się nie chce. Betonowa dżungla wysokościowców, na dole parkingi, pętla tramwajowa, ulice i trochę sklepów. Z ostatnich pięter widać bloki Bemowa, supermarkety na horyzoncie. Koszmar. Bywało, że miałam taką zwiechę, że żaden Prozac by mnie nie uratował... Czyniłam starania o zamianę w innej dzielnicy, ale jakoś nie wyszło.

— Chcesz kawy czy coś innego? — pyta Gosia.

— Kakao zrobię sobie sama, usiądź, mamo Gosiu — śmieję się.

Gdy wróciłam, Janusz spytał:

— Gosik? Mamy taką dużą córkę, a ja o tym nic nie...nie wiem? Dlaczego nie mówisz mi „tatusiu", dzie...dziecko?

— Sam jesteś dziecko. Odczep się.

— Dobrze. Robimy re...remont, dziewczynki?

— Tę drugą łazienkę, waszą? — pytam.

— No, nie tylko. Piec obsłuży też ka...kaloryfery na parterze i da ciepłą wo...wodę do kuchni i łazienek na parterze.

— Dobrze. Ja muszę posprzątać, bo zaraz przyjedzie doktor Kubiaczyk, odrobaczyć i zaszczepić Funia i kotkę, a potem jadę do Szczytna po zakupy — Gosia wstała i przeciągnęła się.

— Jadę z tobą! — zawołałam i pomogłam w sprzątaniu.

Jest słonecznie. Bardzo. Pierwszy chyba taki dzień, bo ogólnie to wiosna była chłodna. Teraz buchnęła końcówka kwietnia i jak tylko zakwitły drzewka w sadziku, mirabelki, wysypała się reszta — prymule szaleją, i trawa taka soczysta. Nawet sweter mi niepotrzebny... W ogóle nie muszę tu specjalnie się stroić, a zresztą moje ubrania miejskie nie sprawdzają się tu. Ani kolorowe legginsy, pończochy, kiecki, wystarczają mi moje piękne zielonozłote trampki (Francjo, dzięki!) i jeansowe ogrodniczki, chustki i apaszki na głowę, à la turban — lata dwudzieste, zawsze mile widziane — lubię i już!

Wygoda nade wszystko!

W moich apartamentach zlikwidowałam firanki i zasłony. Nie cierpię kurzu, a szmatki to samo zbiorowisko. No i lubię okna pełne światła. Najwyżej żaluzje, ale tu są szyby zespolone, więc „po ptokach"... Kupię ładne rolety, łatwe do mycia. Na jednej ze ścian chcę przykleić tapetę, jakąś wzorzystą — ciemną. To ładna, słoneczna ściana, będzie pasować!

Pojechałyśmy z Gosią po tapety.

Kupiłam ich trochę. Ładne są. Wykleję nimi szafki. Później zaliczyłyśmy skład budowlany i Gosia kupiła drzwi do tej ich łazienki.

W majowy długi weekend miała już pierwszych w tym roku gości w pensjonacie. Jakieś trzy rodziny na wyraju. Palili ogniska albo siedzieli przy grillu, łazili do lasu i nad rozlewisko, mimo że było chłodno. Mieszczuchy — jak ja do niedawna. Kasa się przydała, i drzwi są ładne.

— Gosiu, oddzielisz tę część pokoju tuż za kuchnią? Tam, gdzie babcia Basia miała biblioteczkę?

— Tak. Tam jest łatwy dostęp do rur od wody i kanalizy. Trzeba wstawić ściankę z regipsu wodoodpornego i przebić się do piwnicy, żeby przeciągnąć rurkę do gazu. Muszę pomyśleć o podłodze...

— Wiesz co? Może zamiast tego regipsu, postawiłabyś normalny murek z cegieł, tak na pół metra i wyżej luksfery? Będziesz miała w łazience naturalne światło, bo przecież w tym pokoju jest duże okno? Nie myślałaś o tym, że skoro tam będzie łazienka, to w tym pokoju powinnaś zrobić sypialnię?

— Ty masz łeb, Paula! Super! Tak zrobimy! W przyszłym tygodniu pojedziemy do Olsztyna po płytki. Jutro wpada pan Adam z jakimiś facetami i rozpoczną remont.

Super! Lubię, jak coś się dzieje.

Do wieczora kleiłam wzorki na szafkach. Wycinałam pasy tej okleiny żakardowej i naklejałam na drzwiczkach między listewkami, na szufladach też. Nożykiem do tapet wycięłam dziurki na zameczki i uchwyty.

Moje szafki nabrały uroku i patyny. W Warszawie zupełnie nie przyszło mi do głowy, żeby je tak przerobić. No, ale tam stały w innym wnętrzu. To szafka i komoda po babci Malwinie. Reszta tutejsze — babci Basi. Tylko łóżko jest nowe, od tego Sławka Maja, co hoduje strusie.

Dobrze się czuję w tym pokoju. W tym domu. Poza tym bardzo lubię się urządzać. Jutro tapetuję ściany!

Wszedł Janusz, pukając.

— Ładnie? — spytałam, pęczniejąc z dumy.

— Pięknie — westchnął z zachwytem, i dodał: — Jak w Lipcach na weselu u Bo...Borynów...
— Znasz się jak kura na pieprzu. To eklektyzm barwiony folkiem. Profanie, indolencie!
— Twoje kąty, twój cy...cyrk, i ma...małpy twoje! Kaloryfer chcesz jeden czy wię...więcej?
— Jeden. Jak będzie zimno, dopalę piecem.
— OK — powiedział i poszedł. Zawsze musi mi dopiec!
Wieczorem siedzieliśmy w kuchni, rysując projekt łazienki, gdy Funio zawiadomił nas o czyimś przyjeździe. Gosia wprowadziła do kuchni wysokiego, przystojnego faceta.
— Poznajcie się — to Paula, moja druga córka, i Janusz, mój chłopak, a to Mirek Książkiewicz — autor i wykonawca naszego stawu kąpielowego. Wy się jeszcze nie znacie?
— Wykonawca tak. Autorka jest za skromna. Gosiu, to był twój niezły pomysł! Ja tylko zrobiłem dziurę w ziemi! Witam!
„Fajny" — przemknęło mi przez myśl. Bez obrączki. Ale nieee. Na pewno już usidlony. Nie za szczupły, krótko ostrzyżony, ładne duże brązowe oczy i misiowaty typ. Mówi starannym językiem i uśmiecha się często. Za to śmiech ma dziecinny.
— Skąd drogi prowadzą? — pyta Gosia.
— Wracam z Legionowa do siebie, i wstąpiłem, bo muszę z kimś pogadać, a z żoną na razie nie chcę. Nie chcę jej straszyć.
— Coś się stało? Dawaj — Janusz zaprasza Mirka.
— Tylko nie śmiejcie się. Musicie mi powiedzieć, co o tym myślicie. Tydzień temu załatwiałem interes z facetem z Klebarka. Normalne biznesy — sprzedawałem mu żwir, gadu-gadu. Następnego dnia chłop dzwoni do mnie i mówi, żebym się nie śmiał, ale że śniłem mu się.
— Temu z Klebarka — biznesmenowi? Śniłeś się? Podobasz mu się? — uściśla Gosia, niby poważnie.
— Tak powiedział, że śniło mu się, że mam guz na tarczycy...
Zamilkliśmy.
— I co ja mam teraz robić? — spojrzał na nas poważnie.
— Na mnie nie patrzcie. Ja jestem od zębów — żachnął się Janusz i zamieszał zamieszaną już kawę.
— Źle się czujesz? — spytała Gosia.
— Nie!
— No to odpuść sobie! „Sen mara, Bóg wiara", jak mówią — wtrąciłam, bo zaniepokoił mnie poważny ton Mirka.
Wariat, chyba nie uwierzył w te sny... Nie lubię facetów hipochondryków. Jakiś czub po dużej whisky strzelił mu tekstem o tej tarczycy, a ten już się maca. Mazgaj.
— Wiesz co? — Gosia patrzyła na Mirka poważnie i badawczo. — Ja

bym na twoim miejscu poszła na USG. Takich sygnałów się nie lekceważy. Moja mama potwierdziłaby to, nie zlekceważyłaby czegoś takiego. Sprawdź dla świętego spokoju.

— Goniu! Nie przesadzasz? — roześmiałam się. — Jak facet we śnie mógł... No nie! Dajcie spokój. Mirek, nie masz innych problemów?

— Mam. Mój problem nazywa się Ola i ma dwa miesiące...

— I...?

— Wybaczcie. Podpuściłem was trochę. Proszę, moje USG — wyjął papierek i położył przed Gosią.

— Co tam jest? — dopytywałam się, kiedy Gosia czytała.

— O matko! Masz guza! — szepnęła.

— Może głupi jestem, ale poszedłem od razu. Nie znacie go. Tego gościa z Klebarka. To, co mówił i jak mówił, brzmiało tak, że poszedłem zaraz na Waryńskiego i zrobiłem USG tarczycy. Tak pro forma. Co teraz?

Janusz przejął kartkę.

— Jedziesz do Centrum O...onkologii — to chyba jasne. Dam ci namiar na fajnego do...doktorka. Nazywa się Jakub i jest fachowy, i rozrywkowy. Znamy się jeszcze ze studenckich cza...czasów.

— Dzięki — powiedział Mirek. — To ja lecę.

— Po rozmowie z Kubą wpadnij i wszystko za...zamelduj! — Janusz uścisnął mu rękę.

— Jasne! Jeszcze raz — dziękuję!

Kiedy odjechał, poczułam się głupio.

— Trochę niesamowite, co? — zagadnęłam Gosię i Janusza.

— Może coś w tym jest? — mruknął Janusz.

— Mama mi mówiła, że niektórym z nas nie zanikły wszystkie zwierzęce cechy. Instynkty. To umiejętność diagnozowania z takich maleńkich i jakby niedostrzegalnych szczegółów. Barwa skóry, coś w oczach, no, takie detale. Gdzieś w podświadomości składa się to w całkowity obraz i ci wybrani widzą choroby albo im we śnie uwalnia się ta „całość". To właśnie tacy bioenergoterapeuci, wizjonerzy... Ale numer!

Gosia, tłumacząc to nam, patrzyła na nas równie zdumiona jak my.

Moja babcia Malwina i matka całe życie wkładały mi do głowy, żeby się oderwać od zabobonów, nie wierzyć w bajdy-niedorajdy i te tam, różne.

Od kiedy znam babcię Basię, mój światopogląd przykucnął i już nie jestem taka pewna, że tylko medyczna diagnostyka, farmacja itd. Babcia Basia przykłada ręce na bolące jajniki tak, jakby dawała ibuprom. Ból znika, a jej dłoń, ta, co jest z przodu, rozgrzewa się jak żelazko. Ból głowy zdejmuje inaczej. Ta dłoń, co z tyłu leży na „podkarczu", jest chłodna, a ta grzejąca krąży, nie dotykając czaszki, i powoli ból odchodzi. Słabnie. No, nie mówiłabym, gdybym sama nie korzystała... O jej ziołach to już i tak wszyscy wiedzą, o bańkach chińskich i świecowaniu uszu — to normalka.

Świecowanie to bardzo fajny obrzęd. Dla niektórych higieniczny tylko.

Kuba nic nie odczuł, tylko ulgę po tym, jak mu korek woskowiny sam wylazł pod świecą. Za to Piernacki i Ania Wrona czują się po tym „czyści jak po spowiedzi”. No i Piernacki uważa, że to świecowanie właśnie sprawiło, że już nie zapada na żadne zaziębienia ani nawet katary.

Basia zawsze nastawia fajną muzykę i świecuje w skupieniu. Janusz jako lekarz od razu dał naukową wykładnię o cieple i podciśnieniu, dał się wyświecować i teraz chodzi dumny, że taki z niego nowoczesny i otwarty lekarz. Karmiony co rano bułką z miodem i po tym świecowaniu zdrowy jest i coroczna grypa go nie wzięła!

W Warszawie owszem są takie ośrodki, takie przychodnie medycyny Wschodu, jakieś gabinety, w których się to wszystko dzieje, ale tu nad rozlewiskiem to codzienność, te zioła babci Basi, bańki, miód i świece Hopi.

Na strychu, na przygórku niedaleko komina, w lnianych woreczkach suszą się kwiaty bzu, rumianek, dziurawiec, mięta, olchowe szyszki i jakieś inne. Jedne są z ogródka, inne z pól i lasu. No, jest w Warszawie ktoś taki? Taka babcia?

Gosia jest ciut inna, ale też jakoś nasiąkła tymi czarami, miodem, ziołami i spokojem. Kiedy ją poznałam, szukała siebie. Widać tu znalazła, bo jest pogodna i wyluzowana. Nie odeszła od cywilizacji. Pracuje z komputerem, myszkuje w internecie, kupuje piec dwufunkcyjny i nawet wie, co to jest, a jednocześnie parzy zioła i uczy się od babci Basi nakładania rąk. (Podobno każdy to może robić!). No, i uwierzyła Mirkowi w tego jasnowidza. Mnie sieknęło. Ale numer!

Dziwne wieści z Warszawy

Poranne, wczesne śniadanie. Paula śpi.

Kwietniowe słońce wiele obiecuje. W kuchni otwarte okno i leniwa Blanka na parapecie siedzi dostojnie i wygląda na zewnątrz. Jajka już są dobre, akurat na miękko. Parząc palce, wybijam jajka do filiżanek i nalewam kawę z ekspresu. Janusz wchodzi, pachnąc ładnie świeżością i wodą po goleniu, którą dostał na Gwiazdkę. Zapina zegarek i spogląda na mnie, myśląc o czymś.

— Janusz, o której wracasz dzisiaj?

— Wcześnie, a co?

— Pojechałabym może... do Warszawy?

— Dzisiaj...? Ale co ze mną?

— Sam zostaniesz. Paula jest, dom można zostawić. Muszę porozmawiać z Manią. Co?

Mój mężczyzna robi minę męczennika.

— Tak się z Ma...Mariuszem spinamy, Małgoś, żeby wrócić wcześniej, aż mnie ple...plecy bolą. Chciałem po...pobyć z tobą. *Alaskę* pooglądalibyśmy... — patrzy na mnie z wyrzutem. — Może w sobotę? — dodaje z nadzieją.

— Janusiu... Muszę, Mania ma jakiś problem. I... dawno nie byłam, proszę cię. Dobrze?

— Jedź.

Janusz jest zgodny. Zjada jajko i uśmiecha się. Dobrze, że jest „niefochliwy" jak Konrad. On zaraz by się zaciął w sobie i był nad wyraz grzeczny, ale po minie byłoby widać, jak jest rozczarowany. Mimikę to on miał wyrazistą!

Zaniepokoił mnie ostatni telefon Marysi.

— Mamo? Jak się robi zrazy nelsońskie?

— Zrazy?! A co cię naszło?

— Chcę zrobić na niedzielę. Tatki ulubione, a babci Zosi nie ma. Do nieba mam dzwonić? Po kolei — powiedz!

— Na niedzielę? Przecież ojciec zawsze jest u Ady, a wy macie próby.

— ...

— Mańka?

— Nie chcę się wtrącać, ale pożarli się chyba. Ojciec teraz jest w domu częściej niż ostatnio, ale jakiś nadęty. Nie wiem, może ma do mnie żal? Teraz mamy próby w soboty w takim klubie, gdzie lepsza akustyka. W niedziele ojciec koczuje w domu!

— Nie rozumiem, Marysiu.

— Oj, mamo, nie na telefon. Przyjedź, trzeba pogadać.

Ha! „Źle się dzieje w państwie duńskim!"

Spakowałam kilka rzeczy i pojechałam. Jechałam dość szybko i byłam bardzo skupiona na drodze. Nudzi mnie już ta trasa Nidzica—Warszawa. Znam ją i chcę pokonać najszybciej jak można. Każdy billboard, zakręty, ograniczenia... Zatrzymuję się tylko na stacji, koło Mławy. Tankowanie i toaleta. Wychodzę. Koło mojej toyotki stoi oparty o swój cud — nowego chryslera, siwawy facet. Uśmiecha się i pyta:

— Przepraszam, ile to pali?

— Nie wiem — odpowiadam zgodnie z prawdą.

— Twarda kobieta w takim samochodzie, aż miło popatrzeć!

Uśmiech ledwo mi pełgnął na ustach. Głupia zaczepka. Czy oni muszą?!

— Proszę się nie gniewać! — dodaje przepraszająco i uśmiecha się. — Naprawdę ładny samochód!

Oj! „Amator kwaśnych jabłek!" (Jak mawiała babcia Malwina o tanich podrywaczach).

— Skąd pewność, że twarda?

— Bo kobiety szpanujące terenówkami mają je nawoskowane i błyszczące, a pani toyota, tak? Toyota? Upaprana, aż miło!

Zrobiło mi się na chwilę głupio. Fakt. Nie dbam o mój samochód tak, jakbym żyła w mieście. Tam zawsze raz na dwa tygodnie zahaczałam o myjnię. Tu, szkoda mi, bo zaraz po myjni muszę jechać naszą polną drogą i całe mycie na nic!

— No, upaprana, do widzenia!

Pan nie daje za wygraną, mówi ni to do mnie, ni to do siebie:

— No, jak tu ładnie zaczepić interesującą babkę, skoro tak się od nas oganiacie?

— Przepraszam, ale spieszę się. Miły pan jest, ale ja nie szukam fartu. Niczego samochodem sobie nie rekompensuję, mam dom, psa, paprotkę, córkę i świetnego mężczyznę. Co mi pan może zaproponować? Coś, czego nie mam?

Pan patrzy z uśmiechem. Kręci głową.

— Noo, właśnie! Z podrywu nici? Szczęśliwej drogi!

Robi w tył zwrot i wchodzi do baru. W drzwiach jeszcze odwraca się i macha mi. Może i miły, ale ja nie poluję! Jestem zablokowana. Żaden najprzystojniejszy nawet Bon Jovi nie ma do mnie dostępu.

Bon Jovi! Przystojny jak diabli, ale niech się zajmie muzyką, bo ostatnio coś chałturzy.

Faktycznie, gdzie spotkać kogoś fajnego, w moim wieku? Bo zakładam, że jestem fajna. No, gdybym nie miała Janusza, to gdzie? Do pubów nie chadzam, do knajp, kawiarenek, zresztą, tam spotkany ktoś wskazywałby na amatora takich miejsc, a to kiepskie źródło. Knajpa...

Rozmawiałam o tym z Bianką, koleżanką z liceum. Złapała mnie na portalu Nasza klasa i tak czasem ciągniemy korespondencję w długie wieczory. O życiu, o nas... Bianka mnie spytała, co sądzę o tym, że ona chce się zapisać na taki portal towarzyski...

Kochana Gosiu,

Mam szczerze dość samotni. Ile można, a przecież praca — dom, dom — praca, gdzie ja mam spotkać onego „Jego"?

U nas w instytucie same kobiety, a faceci... szkoda gadać, żonaci albo gej (jeden). Byłam już raz zobaczyć — to taki portal dla samotnych. Może... Ale głupio, co?

Odpisałam jej:

Bia! Czemu „głupio"? Próbuj, ale bądź ostrożna. Anonimowość stwarza pokusę. Daje pole do popisu a przecież Ty z założenia chcesz szczerości. Uważaj i bądź czujna. Jak Cię znam, już się zalogowałaś!

Bianka:

Bingo!

Zalogowałam się. A co? Na razie bez zdjęcia. Tak tylko, żeby sprawdzić, jak to jest. Proszę, nie śmiej się, Gocha. To taki sam deptak jak w Ciechocinku, Sopocie, na Krupówkach. Popatrzę i spadam! A przecież znajomy zarekomendowany mi przez kolegę z pracy też może się okazać balonem, oszustem, fujarą... No, racja?

Oj, Bianeczko! Racja! Gdzie masz spotkać kogoś, kto jest twoim marzeniem? Pięćdziesięciolatkowie wolni, fajni to jak czterolistna koniczyna! Pięćdziesięcioletni kawaler...?! Zaraz zapaliłaby mi się lampka w głowie. Czerwona. Kawaler?! Tyle lat sam, albo co gorsza, u mamusi albo z mamusią w tle. Nie. A żonaty? Nie mają nalepek na ubraniu ani tatuażu na czole, oznaczającego stan małżeński i że chwilowo szuka fartu. Żonatym mówimy — nie! A samotni po rozstaniach? Tacy z odzysku? Jak mają tacy samotnicy trafić na siebie?

Dałam Biance rozgrzeszenie w zamian za kablowanie. Miewam teraz od niej różne zabawne historie.

O, już Łomianki!

— Halo, Marysiu, jestem już w Łomiankach, będę za pół godziny. Buziak. W domu jesteś?

— O tej porze, mamo, to z godzinę ci zejdzie!

— Jest tata?

— Będzie dziś później, ma dentystę.

— OK!

Już późno. Czwarta. Wyjechałam po południu, ale musiałam objazdem koło Płońska, bo był jakiś wypadek.

Marysia czekała już z obiadem.

W hallu uderzył mnie inny niż zwykle zapach mojego kiedyś domu.

— Marysiu, co to? — wciągnęłam powietrze.

— To...? A! Bo domieszkuje tu Olo z mojego zespołu! Pali...

— „Domieszkuje"? Ładne...

Trudno, to już nie mój dom, nie moje pokoje. Olo domieszkuje. Eeee! Dowiem się wszystkiego po kolei. Mój dawny pokój sprzątnięty, powleczona pościel na mój przyjazd. Miło. Moja córka! Jak dorosła!

— Zejdziesz do kuchni, dobrze? — zawołała Marynia z dołu.

Zajrzałam z ciekawości do pokoju Konrada. Żadnych zmian. Na szafie wiszą świeże koszule. Ciekawe, kto prasował — Ula? Przychodzi jeszcze do sprzątania? Czy Marysia? Na biurku papiery, poukładane, ale widać używane stale, hmmm. Rzeczywiście, Konrad nadal mieszka tu, a u Ady znaczy — tylko bywa. Dziwne.

W kuchni siadłam przy stole w moim swetrze, który leży od mojego wyjazdu w szafie. Stary i jeszcze go mole nie pożarły?! Uprzejme mole!

— Bo ma domieszkę sztucznego włókna! — Marysia mnie oświeca, nalewając kapuśniaku. Ale pachnie! Aż mnie kręci w śliniankach.

Marysia nalewa sobie i siada.

— No, to mów! — zachęca mnie.

— Ja? U mnie nudy na pudy! Zima... Maryniu, co tu się dzieje, no? Dawaj!

Westchnęła i zaczęła powoli, „ogródkami" jak to ona, gdy temat ma ciut cięższy kaliber.

— Mamo, przecież ja babci nie prosiłam o ten dom, prawda?

— Nie, a co to ma do rzeczy? Tato chce go sprzedać? Marysiu...?

— OK. Dom jest mój i na mnie. Nie jest to może cud architektury, ale nasze gniazdo. W dodatku jak mnie oświeciła Paula, dom w prestiżowej dzielnicy, bo Saska Kępa, mamo... I właśnie o to poszło!

Marysia stuka łyżką o zęby, a ja odsuwam jej rękę. Robi tak z nerwów od lat, a ja od lat jej tłumaczę, że szkliwo...

Milczę wyczekująco, bo teraz właśnie nie można jej popędzać.

— Ja jestem dorosła i może ciut naiwna, ale nie głupia. I wiesz co? Dałam się Adzie podejść! Pamiętasz, jak ci mówiłam, że jest fajna? Jak mnie urzekła tymi kanapkami podczas prób tutaj, w domu, jak byli chłopacy, gdy rozmawiała o Mahlerze. Zagrała nawet *Małą Nieporadną* i dała się zaprowadzić do salonu kosmetycznego z takimi, wiesz, drogimi zabiegami i radziła się, co ma zrobić z twarzą, bo tak staro wygląda, a „ty jesteś taka śliczna, Maryniu"!

— Ojej — skomentowałam złośliwie, już czując, co wisi w powietrzu. — Czyli „Zostańmy przyjaciółkami"?

— No, nie dosłownie, ale tak, ten kierunek. Kobieca koalicja. Mamo, dałam się. Zjadła mnie lekko, łatwo i przyjemnie. Bywała tu u nas często i wprowadzała swoje rządy, pomysły. Kiedyś po powrocie z zajęć zastałam w moim pokoju firanki i zasłony! Była z siebie taka dumna, a zasłony drogie, ciężkie, że nawet nie miałam sumienia jej zburczeć. Wiesz, jak nie cierpię szmat w oknach!

— I...?

— Na szczęście ojciec jej wyjaśnił, że to pozostałość po tej alergii na kurz. I przeniosła je do ojca. Przyjął.

— Nie dziwię się.

— Ale się ścięłyśmy po raz pierwszy, gdy się zezłościła, że Olo tu nocuje.

— Ten chłopak z zespołu? — upewniam się, żeby złowić wszystkie szczegóły.

— No! Ola przyjęliśmy do kapeli dość dawno i był jakby rezerwowy, ale okazało się, że zdolniaszek, jakich mało, ale nie o to idzie. Olek nie ma własnego domu, bo się wychował w bidulu, a mieszkanie po babce stracił. To była rudera w Radości.

— I...?

— No, więc Ada się ciskała, że to nie przytułek, że Olo musi sobie sam radzić. Mamo! Takie teksty w naszym domu? Aha! I że pali. No pali, no!

Każdy w bidulu pali. Ale to porządny facet, mamo, jako sierota tak daleko zaszedł! Ma charakter, talent i tylko skąd on ma wziąć na mieszkanie?

— No, ale na stałe ma tu mieszkać? — spytałam.

— Oj, nie bądź jak Kuba! Żeby się jakoś odkuć, odbić, trzeba mieć gdzie i jak. Dom jest duży. Babcia umarła, ciebie nie ma. Co za problem? Za każdy wynajem chcą z góry... No, a on zbiera. To, co miał, wydał na nagrobek dla babki.

— No, jeśli to czasowe — podsumowałam, ale zaraz dodałam, bo postanowiłam być szlachetniejsza od Ady: — No i racja, pomóc trzeba. Zofia by pomogła.

— Prawda? Też tak pomyślałam — Marysi już się zapaliły ogniki.

Pozbierałam talerze i usiadłam. Marysia postawiła filiżanki i nastawiła czajnik.

— Jak to się skończyło? — sonduję, bo widzę, że jest ciąg dalszy.

— To się dopiero zaczęło, mamuś! Spięłyśmy się i ja się z nią, jak ty to mówisz, spyskowałam. Ada się obraziła i pożeglowała do siebie, zabierając swoje lary i penaty.

— Nocowała tu wcześniej? — zdziwiłam się chyba niepotrzebnie, bo niby, co w tym dziwnego?

— Zdarzało się, ale chyba nieszczególnie lubi towarzystwo osób, które są tu zakorzenione. Goście i ona w roli gospodyni — tak, ale ona jako gość — nie! A przecież jest tylko gościem.

— Dziadek, gdyby żył, powiedziałby: „Oba samce, oba rude, oba kotne".

— Który dziadek?

— Mój ojciec, i co dalej?

— Dalej... Spyskowałam się z ojcem, bo go przekręciła.

— O Matko Boska! Tego jeszcze nie było! Ty i ojciec po dwóch stronach barykady?! Mańka!

— Mamo. Ona go tak...

Usłyszałyśmy zgrzyt klucza w zamku.

Marysia syknęła i szepnęła:

— Ja się zmywam, bo mamy z ojcem... na pieńku.

Poszła do siebie, po drodze rzuciła coś do Konrada, a on odmruknął jej niedbale. O, ciche dni! Tego tu jeszcze nie było między nimi! Co innego ze mną. W jego wykonaniu to bywało spektakularne, jakaś ostra różnica zdań albo mój nocny „ból głowy" i ostentacyjna, uprzejma cisza wisiała w domu jak smog nad Śląskiem.

Konrad wszedł do kuchni cichy, obolały i pomięty. Na twarzy.

Taki... jak sztygar po nocnej szychcie, z widocznym siwym zarostem i przez te siwe włosy, które mu się jakoś sypnęły ostatnio — stwierdziłam, że postarzał się. Jakby zapadł w sobie? A może to ząb? On tak nie lubi dentystów! Ma prawo — zaśmiałam się w duszy, bo rzeczywiście, z Januszem jakoś nie ma wspólnych tematów.

— Witaj — powiedział niemrawo. — Przepraszam, miałem zatruwany ząb.

— To nie nalewać ci kapuśniaku?

Zaprzeczył gwałtownie. I usiadł ciężko.

Chyba wie, że przyjechałam ściągnięta przez Marynię pogadać.

— Konrad, co się dzieje? — usiadłam bok niego, stawiając przed nim szklankę z wodą.

— Aaaaa. Ten jakiś Olo tu mieszka. Mania mówi „domieszkuje". I pali!

— No, skoro „domieszkuje", to nie dokuczliwy może, a grają razem, więc Marysia go zna, a że pali... No cóż. Nie ma ideałów!

— I tak już cię nastawiła, więc... — zaczął z rezygnacją.

— Wiesz, ja nie mam już tu nic do gadania, ale istotnie wiem od Marysi, ale bez szczegółów, że coś się tu dzieje dziwnego.

— Co „dziwnego"? Małgorzata, to są normalne sprawy! Ty sobie już urządziłaś życie z tym... Januszem! — Konrad żachnął się i jak już od dawna nazwał mnie pełnym imieniem.

— Ale... ja nie mam nic do twojego życia, Konrad!

Milczał, pił wodę i widać było nerwy napięte jak postronki. Oj! Nie jest to szczęśliwy facet!

Z potoku słów, jaki w końcu z niego chlusnął, dowiedziałam się wszystkiego. Że po pierwsze, pokłócił się z Adą i teraz „odpoczywają od siebie". Sprytna! Bierze go na dystans!

Ze słów Konrada wynika, że on jakoś specjalnie nie zamierzał się wprowadzać do Ady, tym bardziej że jej mieszkanie w bloku jest, co prawda trzypokojowe, ale jednak niewielkie. Wysoko, z windą i balkonem, ale to nie to, w czym się Konrad wychował — willa na cichej Saskiej Kępie i ogródek. Taras... Ada zaczęła więc naciskać na zamianę — oni razem do willi, a Marysia do niej czy też wynająć jej coś. Bo (jak argumentowała Ada) „Marysia potrzebuje autonomii i żyje innym rytmem, więc lepiej — gdyby się wyprowadziła". Tak długo rzeźbiła temat, że wyrzeźbiła i razem z Konradem zaczęli rozmawiać o tym z Marysią. Mania, jak to Mania — dobrotliwie ustąpiła i zgodziła się, ale nagle (jak twierdzi Konrad) zmieniła front. Naturalnie zmiana frontu została przypisana Pauli, jako „złemu duchowi".

— Gosiu, taki dom wymaga kobiecej ręki, troski... Marynia mimo wszystko jest jeszcze dzieckiem i sprawia jej to... trudność. Cóż w tym złego, żeby domem zajęła się Ada?

— Konrad, to jej i twój dom, bo ja się wyprowadziłam na amen, ale... Przecież nikt nie mówi — nie, ale Ada nie chce współegzystować z Marysią, bo za wiele je różni! Nie zgadza się na Olka, ma zupełnie inną wizję... No i czemu Mania ma się wyprowadzać, skoro nie chce?

— Bo Marysia wprowadza straszne zmiany! Już chce na parterze zrobić otwartą przestrzeń, powyburzać ściany, usunąć klepkę i położyć jakieś... zimne terakoty. Przecież to chore!

— To jest dyskusyjne, Konrad, i tyle. To nie jest skansen, klepka jest strasznie stara i wybacz, brzydka, a lakier gruby jak w kiepskim muzeum. Zastanawiałabym się, czy terakotę czy deski, ale otwarta przestrzeń — ciekawe!

— No, wiedziałem!

Konrad najwyraźniej popadał w czarnowidztwo i był już urobiony przez Adę, która chyba chciałaby zrobić z naszej willi senne marzenie, pełne ludwików, koronkowych poduszek i drapowanych firanek. Cóż, i ona ma prawo marzyć, ale jak mawiał hrabia Fredro: „Znaj proporcją, mocium panie".

Jest pod wpływem Ady, i to normalne, ale już widać, że między Marysią i nią nie będzie zgody. A już było tak słodko, że aż mnie to drażniło w wieściach od Mani, jaka ta Ada jest miła.

Rozmawiałam z każdym z osobna i każde miało swoje racje.

— A efektem tych Marysi pomysłów i zacietrzewienia jest to, że Ada się poczuła persona non grata... — Konrad się nadął.

— I pokłóciliście się. Tak? Konrad, to manipulacja. Trzyma cię na dystans, żeby cię wpędzić w poczucie winy. Czeka, aż przyjdziesz do Canossy.

W ogóle nie zareagował. Milczał i był nieobecny myślami — znam to. Patrzy w jeden punkt i przeżuwa jakieś swoje myśli. Za chwilę westchnie i sięgnie po „Businessman Magazine". To sygnał, że skończyliśmy.

Zabawne, bo po takim jego zachowaniu kuliłam się niegdyś w sobie, i szłam do siebie pełna poczucia winy. Teraz mnie to rozbawiło. No przecież ma to swoje szczęście, pasującą do niego kobietę, damę i co?

Ona też ma, co chciała — Konrada dla siebie. I nie umieją z tego skorzystać, a powodem są metry kwadratowe!

— Marysiu? — spytałam podczas kolacji, gdy Konrad poszedł pozamykać drzwi — a twój związek z Adamem? Nie mieszkacie razem...

— Nie, mamcik, i nie zamierzamy.

— I... już? Dowiem się — dlaczego?

— Bo Adam chyba nie jest mężczyzną gotowym na taki związek, jak to ty mówisz „z psem i paprotką", ja chyba... Też nie.

— Aha. Mam nie pytać?

— Nie.

Marysia przestała mówić, wrócił Konrad i zmieniliśmy temat.

W niedzielę pojechałyśmy „w regały".

Tym razem radośniej grzebałam w bieliźnie, gadałyśmy o domu, Adzie, Adamie, ale czułam, że to już nie mój świat. Miałam swoje problemy — naszą nową łazienka, Paulę, która zamieszkała z nami.

— Mamo, jak tam z Paulą?

— Przecież wiesz. Pytałam cię o zdanie, gdy proponowałam jej zamieszkanie u nas.

— Mnie?! Właśnie. Co ja mam do tego? Pytam, czy ona ci się tam komponuje, nie przeszkadza i o co chodzi?

— Komponuje, Maryniu. To duży dom, a zimą tylko ja i Janusz. Po śmierci Kasi... wiesz. Czasem jest Wacuchna, ale on, ambitniaczek, wraca do siebie, jak tylko się lepiej czuje. I jak Janusza nie ma, to pusto jest... A ja marzyłam, żeby tam był taki... gwar rodzinny. Wiesz, co mam na myśli?

— Mówiłaś, ale to dziwne, mamo. Nie wychowałaś się w takiej dużej rodzince, a nagle cię wzięło?

— Ale też nigdy nie bywałam tyle godzin sama w pustym domu, to strasznie przygnębiające. A jesienią, zimą to już okropne, bo ciemno jest już w połowie dnia. Jak tak będę tam sama — zwariuję. I stąd ten pomysł, bo Paula wróciła od matki taka rozczarowana, rozbita...

Siedziałyśmy, milcząc, nad słodkim deserem z kawą, w wielkim centrum handlowym.

Marysia grzebała łyżeczką w owocach.

— Nie pomyślałaś, że ja też bywam sama w tym dużym domu?

Popatrzyła na mnie i spuściła wzrok. Wie, że powiedziała coś, co zabolało. No jasne. Lekko przeszłam nad tym, że zostawiłam wszystko w Warszawie i zaczęłam nowe życie. Zosi nie ma, mnie nie ma... Marysia jest, sądziłam, wśród ludzi — Konrad, Ada (tak się jej ta Ada podobała!), Paula — częsty bywalec naszego domu, Adaś, i ten... Olo.

— Maryniu? Nigdy mi nie pisnęłaś nawet, że ci źle! Kotku, popatrz na mnie!

Marynia podniosła wzrok, ale jej spojrzenie było ciężkie. Bez figlika, bez uśmiechu.

— Córeńko?

— Wiem, wiem... — Marynia westchnęła. — Sądziłam, że to fajne dać ci wolną rękę, a samej być tu gospodynią, dbać o ojca i się szarogęsić. Bardzo mi się podobało, z początku, ale teraz, jak się pożarłam z Adą, gdy widzę, jak tatko się wije między mną i nią... Z Adasiem jest różnie. I bywa, że chciałabym, jak kiedyś, przyleźć do twojego pokoju z maseczką na twarzy, poplotkować, poprzytulać się, obrobić dupę całemu światu. Jak kiedyś... Pamiętasz?

Pobeczałam się. Wzięłam ją za łapkę i pocałowałam.

— Przepraszam cię.

— Oj, mamo! No, coś ty! Takie tam!... Kiedyś trzeba wydorośleć.

Prawda. To słowa Kuby. „Trzeba by wydorośleć" — mawiał.

— Maryniu. Trochę mi głupio, bo tak się zajęłam Paulą, a ty...?

— Ja sobie dobrze radzę, Mamo Muminka, dbam o ojca, wiesz, jaki on się zrobił miękki? Rano mi robi śniadanka, jajo miękkie i „kakauko", a gdy wychodzimy, poprawiam mu krawat i zawożę pod firmę!

— Daje ci prowadzić?

— Mamo!

Jasne. Moja Marysia jest dojrzałą kobietą i chyba Konradowi podoba się, że podwozi go do pracy. To znaczy, że pożycza jej samochód. Mimo wszystko mam jakieś poczucie winy. Mam i już!

— Mamuś, daj spokój. Z czasem wyjdę za ten mąż, porodzę jakieś bachorki, a na razie, jest jak jest. Skoro tęsknię, to znaczy, że cię kocham! Sama mnie tego uczyłaś, że tęsknota jest probierzem miłości. Ale nie zniosłabym, gdybyś „się poświęciła" i tłukła mi się po chałupie jak Marek po piekle — nieszczęśliwa i załamana. Ja, mamcik, cieszę się, że ci się układa z pensjonatem, Januszem i w ogóle. Podobno masz obłożenie na całe lato?

— Mam, Maniu...

— Jest dobrze, i dobrze, że się zajęłaś trochę Paulą, bo ona jakaś taka po powrocie z Francji... popaprana.

Zamieszkanie z nami Pauli uważam za dobry pomysł. Przecież przez to nie kocham Marysi mniej! Lubimy się — ja i Paula. Czujemy taką specyficzną więź między nami od początku. Jest mi bliska, i po licho ma siedzieć sama na tej Chomiczówce? Duży ten mój dom. Mama mówiła, że powinnam go jakoś zagospodarować, studentem, lokatorem... No, to jest Paula, i już!

Wypad na zakupy z Marysią zakończyłyśmy w kinie. I znów stwierdziłam, że to już nie dla mnie. Za blisko ekran, za głośno i ten zapach perfum z wentylatora zmieszany z popcornem... Nie! No! Niente. Nic w tym nie ma fajnego. Wolę oglądać filmy z odtwarzacza, z Januszem i Funiem. Z szarlotką zamiast popcornu.

Było mi fajnie pobyć z Marią, pogadać i pośmiać się. Kupić kilka szmatek, ale jednak miasto, za którym sądziłam, że tęsknię — pokazało mi swoją cywilizowaną twarz i zmęczyło. Konrad miał ważne sprawy po południu (jestem pewna, że Ada, wiedząc, że przyjechałam, umówiła się z nim w „ważnych sprawach". Jest... zazdrosna?! Jednak oceniałam ją inaczej), Wiktor też się kajał, ale nie znalazł ani chwili, więc po co miałam przedłużać? Marynia ma zajęcia i próby.

Wracałam do siebie, na wieś, ponaglona telefonem Janusza. Zadzwonił wieczorem z łóżka i mruczał, że nie może beze mnie zasnąć. Jadąc, zastanawiałam się nad dziwnym układem Mani z Adamem. Za moich czasów — byłaby to nie lada radość zamieszkać z chłopakiem, ot, tak, bez fochów rodziny, bez tych „co ludzie powiedzą?". Mogą zwyczajnie być razem i... nie chcą. Dziwne. A może to poczucie, że to jeszcze nie czas na aż taką bliskość? Ale dlaczego? Nie drążę.

Do domu! Do Janusza.

Moje nowe życie, z nowym mężczyzną stale wydaje mi się bajkowe. Jest w nas tyle spontanicznych gestów, takie pragnienie, świeżość. Czuję, jakby mi lat ubyło, bo tęsknię do jego zapachu, oczu, uśmiechu. To takie dobre uczucie — kochać i być kochaną. Taki banał!

Droga z tartaku w Napiwodzie była jak zwykle piękna. Zleciała szybko wśród zieleni, która z takiej nieśmiałej staje się co raz bardziej widoczna, niepostrzeżenie zmienia las z martwego, pozimowego w taki wiosenny, eksplodujący liści zapachami. Na poboczach łany fioletowych przylaszczek i białych przebiśniegów. Chyba padało, bo szosa mokra. Teraz obsycha w późnym słońcu. Już Pasym i zaraz Janusz. Wprowadzi mi samochód na podwórko, i wyszepcze, że tęsknił.

Próbuję ogrodnictwa

Pod koniec kwietnia Gosia zaprosiła Anię Wronę na plotki, żeby ustalić, jak i co po śmierci Kaśki. Ma już zaklepane miejsca na lato w pensjonacie, nawet na maj. Pomoc w kuchni jest konieczna, ale głównie chodzi o prace ogrodnicze, na których Gosia średnio się zna (ja — wcale), więc potrzebuje się z Anią naradzić.

Ania najpierw szarpnęła się, że ona sama to pociągnie, ale Gosia zapytała wprost, czy warzywa w ogrodzie to konieczność?

— Pani Aniu, widziałam, ile pracy Kasisko wkładało w pielenie — chociażby. A przecież na rynku w Szczytnie tyle tego! I możemy poszukać w pobliżu gospodarstwa ogrodniczego i brać hurt. I tak wyjdzie taniej...

— To co? Skopać ogród i już? — spytała Ania. — Kaśka by się tam na górze wściekła! Ja bym pod ogrodzeniem nasadziła krzaków porzeczek, agrestu, aronii i malin, a w ogrodzie, na miejscu, gdzie marchew była, pietruszka i te tam, buraki Kaśkowe, zostawiłabym tylko zioła i przyprawy — czosnek, natka pietruszki, szczypiorek i te tam — pachnące lubczyki.

— ...tymianek — kontynuowała Gosia — cząber, koper i bazylia. Sałatę też mogłybyśmy, jak rok temu... Tak? Pani Aniu?

— No, dobrze sałatę też. Mówiłam przecież, że dam radę. Jak nie, to jeszcze zmniejszymy, ale ja bym i ogórków trochę posadziła. Widziałam, jak pani Karolina po tyczkach je puszczała, jak fasolę. Takie sałatkowe. Tylko — mówiła, że z nasion tylko idą sklepowych, bo to... chybary jakieś...

— Hybrydy. Taka krzyżówka, że tylko w pierwszym pokoleniu daje taki mięsisty owoc. Później już nie.

— No tak mówiła, jak chciałam nasion dla siebie, bo smaczne były, ale rzeczywiście pestek to wcale... To jakby pani kupiła tych nasion, to i ogórków do sałatek można by nasiać i dynię na jesień do octu, bo ona nic nie potrzebuje, tylko słońca.

Słuchałam kompletnie ogłupiała. Skąd one tyle wiedzą?! Ja zawsze kupowałam jarzyny na bazarku, nie myśląc o tym, gdzie i jak rosną. Zioła z upraw wielkoprzemysłowych, w doniczkach, pędzone kroplówką hydroponiczną

— jak mówiła moja koleżanka, kupowałam w marketach, i już! To, okazuje się, wszystko może samo wyrosnąć w ogródku.

— Pani Aniu — zapytałam — weźmie mnie pani do ogrodu, do pomocy? Nigdy czegoś takiego nie robiłam... Przydam się?

— Pani? — zdziwiła się Ania. — A czemu nie? Chociaż pani to taka chuda słomka, to tylko chyba do siania, bo od łopaty to przewróci się!

— Może zastąpić ty...tyczkę do fasoli — zauważa przytomnie Janusz.

— Gosiu, mogę go prasnąć?

— A praśnij, co to, mam ci dawać rozgrzeszenie?

— O, proszę — sarknął. — Solidarność macic, da...damski pakt. Szkoda, że Tomasza nie ma. Sam sobie z wami nie poradzę, a przyjdzie koza do ka...kapusty, jak będzie potrzebne mę...męskie ramię! Idę wymienić żarówkę w łazience, Gosina, gdzie są?

Po obiedzie pojechałam do Sławka Maja porozmawiać o regałach na książki do mojego pokoju.

Mieszka dziwnie, w takim popegeerowskim budynku — brzydkim jak cholera. Opodal ma te swoje hale stolarskie i trak do cięcia desek. Mieszkanie bardzo męskie w stylu (wiem, bo zaprosił mnie na herbatę), prosto urządzone. Brak śladów kobiecej ręki. W jego psychice — też. Nieśmiały, nerwowy, chociaż wydaje się górą spokoju. Miło wspomina sylwestra u Gośki, mówi ładnie i starannie, ma niski miękki głos, ale czuję, że jest spięty jak guma w majtkach. Gadamy i rysujemy. Staram się go rozbawić. Śmieje się krótko i milknie. Czasem czuję, że jak na niego nie patrzę — przygląda mi się.

— No? — zaskoczyłam go, podnosząc głowę znad rysunku.

— Nnnic. Tak się na ciebie patrzę, bo jesteś młoda, śliczna i wiesz, czego chcesz.

— Studiowałam ASP.

— Ja nie o tym.

— ...a o czym?

— Ogólnie. Taka silna jesteś i świadoma.

— Czego?

— Bo ja wiem? Siebie, świata. Nie każda z was taka jest.

— Znawca!

— Raczej miłośnik. Stęskniony — dodał odważniej, bo właśnie poczęstował mnie i siebie dobrą whisky.

— Stęskniony? Spragniony? Jak rozumiem, kobiety? Mało tu tego?

— Bab na pęczki. Kobiet mało. Może wpadniesz wieczorem?

— A ja cię brałam za nieśmiałego! — roześmiałam się.

Nagle zastanowiłam się. Czemu nie? Mam tak szlochać za Jeanem Philippe'em, który mnie nie do końca chce, to może zatańczyć ze Sławkiem niezobowiązujące tango? Widać, że wygłodniały wilk. Może być miło.

— Dobrze — słyszę swój głos — wpadnę koło ósmej.

Odprowadza mnie do samochodu i całuje w rękę! No... przyjemne.

Wracam nad rozlewisko powoli, boczną drogą, bo wypiłam łyczek whisky. Jadę i myślę sobie o różnych rzeczach.

Ania już pojechała do domu, za to wrócił Janusz z gabinetu na kolację. Jadłam placki ziemniaczane, milcząc i myśląc o moim pomyśle na wieczór. Gosia pewnie nie byłaby zachwycona. Ale czy tu chodzi o jej zachwyt, czy o rozgonienie samotności — Sławka i mojej? Dojrzały facet — takich lubię. Jest potężnie zbudowany i właściwie już myślę ciepło o tym, jak weźmie mnie w ramiona i zniknę w nich! Trochę dobrego seksu tylko poprawi nam nastrój. Pozwoli zapomnieć o Jeanie. Nic nie powiem!

— Gosiu, po kolacji jadę do Sławka pogadać o regałach.

— Tak to się teraz nazywa? — pyta Janusz kpiąco.

— Utop się. Jedz, bo ci wystygnie — opędzam się.

— Myślałam, że już byłaś... — mówi Gosia i uśmiecha się. — Masz klucze? Miłej zabawy!

Gosia mówi to tak, jakby wiedziała, po co jadę. I na pewno wie. To wiedźma!

Pojechałam.

Nie zawiodłam się. Było miło, choć na początku ciut niezręcznie, ale jak ma być, skoro się prawie nie znamy? Sławek ma dobrą muzykę. Nastawił jakiś spokojny jazz, nalał whisky, a że nie wybieram się już nigdzie tego wieczora, wychyliłam łyk na odwagę i humor. Usiadł blisko, świece mrugały baaardzo romantycznie (wie, skubany, jak podejść miastową pannę!), a on ma takie zadbane i ciepłe dłonie... Całuje też ładnie. Powolutku, nienachalnie. Tak, żeby mnie zachęcić. Ładnie pachnie i jest spokojny, chociaż widzę, że podniecony i chętny. Powoli bawimy się na tej jego kanapie w pocałunki i pieszczoty. Zdejmujemy sobie nawzajem ciuchy, powoli, ale mnie gorzej idzie z jego paskiem od spodni, więc mówi zwyczajnie:

— Reszta w sypialni, co?

Nie czekając na odpowiedź, zaniósł mnie do łóżka. Ja też jestem już na szybszych obrotach, niecierpliwa, i aż muszę go hamować, bo jest bardzo chętny i gotowy.

— Mamy czas — szepczę, ale jestem niekonsekwentna, nie czekam i poddaję się jego namiętności.

Żadnych udziwnień. Jakoś mnie szybko rozpalił i wziął tak naturalnie, łagodnie i dbając o mój komfort — a jakże, poczekał na mnie! W nocy, jeszcze raz. Tym razem dłużej, czulej.

Zasnęłam zwinięta przy nim, zmęczona i z poczuciem bezpieczeństwa. Gładził mnie po włosach i... zasnęłam pierwsza. Jak chłop!

Słyszałam, jak rano parzy kawę w kuchni, pewnie przeklinając taki ranek, bo chętnie pospałby do południa. Jest sobota. A tu — dama w łóżku i trzeba jakoś się pokazać! Spojrzałam na zegarek. Siódma?! Dopiero?!

— Nie śpisz już? — spytał uśmiechnięty, ogolony, stojąc w drzwiach, w wiśniowych bokserkach, z nagim torsem. — Zrobię jajecznicę. Takiej nigdy nie jadłaś!

— Ja rano nie jadam! — odpowiedziałam, ale już poczłapał do garów.

— A tam! Zjesz! — odkrzyknął.

Dziwne. Poczułam wilczy głód. Jak nigdy. Nawet po najostrzejszym bzykaniu nie miałam takiego napadu... Zapach z kuchni był smakowity i nie śniadaniowy — rozpoznałam cebulkę i boczek. Boże! Dzięki ci, że jestem chuda jak chart afgański! Mogę jeść wszystko, nie męcząc się wyrzutami sumienia! No, nie jest to makrobiotyka, ale jeść mi się chce tak bardzo, że nieważne, co to jest. Ważne, że pysznie pachnie i już lecę do łazienki, a potem do kuchni.

— Jajecznica po żydowsku! — Sławcio wyraźnie jest z siebie dumny.

— A patelni nie miałeś? — pytam poważnie.

— ...a to co jest według ciebie?

— Antena satelitarna... Jemy z tego, czy dasz talerzyki?

— Możemy z patelni? Wytłukły mi się, i mam tylko duże — mówi skruszony. Wracamy do pokoju.

Usiadł na łóżku, postawił patelnię na „Gazecie Olsztyńskiej" i podał mi łyżkę z pajdą chleba. No, ma chłopak możliwości, ale i ja nie jestem gorsza. Jadłam jak uciekinier z obozu dla skoczków narciarskich.

— Tyle tu cebuli i pieprzu! A boczek?! To ma być po żydowsku?! Chłopie! Świnia nie jest koszerna!

— Przepraszam, ale ona o tym nie wiedziała — mówi rozbawiony. — Fakt. W wersji klasycznej jest masło. Chcesz kawy do mleka?

— Chcę! Wszystkiego i dużo.

Kiedy wsiadam do samochodu, znów całuje moją dłoń, galancik-elegancik!

— Powtórzymy to kiedyś? — pyta na odjezdnym.

— Noooo — mruczę, całując go na do widzenia i zamykam drzwiczki. — Nawet w miarę szybko, bo jesteś faaajny — dodaję, choć on już nie słyszy.

Do spisu ciekawostek:

Jajecznica żydowska

Dużo, bardzo dużo cebuli, tyle, co jajek. No, prawie.

Na łyżce (!) masła lub (jeszcze lepiej) gęsiego smalcu zeszklić cebulę pokrojoną w „piórka". Wbić jaja i zamieszać. Tuż przed końcem posypać pieprzem i solą. Pieprzu nie żałować!

Przyjechałam do domu. Jest wcześnie, w kuchni cisza. Funio tylko szczeknął cicho, ale już poznaje, że to ja, więc tylko patrzy.

Nalałam Blance mleka i siadłam poczytać babskie bzdurki — kto z kim, za ile i dlaczego.

— Fajnie było? — spytała Gosia, wchodząc do kuchni, zawiązując szlafrok i ziewając przeciągle.

— Faaaajnie. Tu masz przepis do twojej kolekcji.

— Co to? „Jajecznica po żydowsku" — no, no... pokroić... czytałaś to?!... Tyle cebuli!

— Nawet jadłam, zrobił mi na śniadanie!

— Przecież nie jadasz?

— Jakoś tak zachciało mi się... a co?

— No nic. Taka ilość cebuli. Będziesz wiatropędna dziś.

Babcia Malwina mówiła, jak gotowała grochówkę: „Duża chata, niech się rozlata".

Siedzimy sobie we dwie. Z moją mamą nigdy tak nie było.

Pijemy poranną kawę. To znaczy Gosia, bo ja dostałam dziurawiec z rumiankiem i kilka ziaren kminku na te wiatry po żydowskiej jajecznicy Sławka.

Zaraz przyjdzie pani Ania, bo umówiłyśmy się do ogródka. Muszę włożyć dres i adidasy. Gosia radzi kalosze.

Babcia Basia z Tomaszem wracali od rybaka z Rum i przywieźli świeże bułki — maślanki, no i naturalnie — ryby. Węgorze. Okropne! Fuj! Janusz je wyniósł do sieni, i Ania się nimi zajmie. Zaraz zrobił się rejwach — jak to tutaj zawsze było, kiedy przyjeżdżałam z Mańką i żyła Kaśka.

— Mamo, likwidujemy ogród... — powiedziała Gosia do babci Basi.

— Czemu?

— Ania ma za dużo pracy i nie poradzi sobie ze wszystkim. Zostawiamy tylko zioła, sałatę i jakieś ogórki sałatkowe, odmian hybrydowych. Zresztą teraz prawie wszystko do ogródka to hybrydy.

— Wiecie co? — babci zabłysły oczy. — Między ziołami zasadźcie kwiaty, i bramkę, no, furtkę obsadźcie pnącymi różami, takimi maleńkimi, różowymi! No i nie zapomnijcie o nasturcjach. Dużo nasturcji!

— Czemu? — pytam, bo czuję, że coś babcia ma na myśli.

— Nasturcje są ulubioną potrawą mszyc. Jeśli chcecie mieć spokój na ziołach i ogórkach — trzeba mszyce zwabić nasturcją i to odpowiednio wcześnie wysianą. Najlepiej wokół ogrodzenia, po zewnętrznej. Poza tym to kapary przecież... Zrobimy je w lecie do słoiczków.

Weszła pani Ania. Chwilę przysłuchiwała się naszej rozmowie.

— Ja bym róż nasadziła dużo. Takich do wazonu. Tam, gdzie był zagon z kapustami i marchwią. Wielki jest i pusty, więc co szkodzi?

— A ja — dodałam — łubin ogrodowy, słoneczniki te rude takie i nagietki.

— Koncert życzeń! — sarknął Tomasz, uśmiechając się.

Zajęcia w ogródku są nowością dla mnie i podobają mi się. Wyrywamy stare, pozimowe chaberdzie — wyjedzone słoneczniki, suche resztki po kapuście, bruksełce, wyschnięte, zeszłoroczne pędy czegoś, czego nawet nie rozpoznaję.

— To chyba rzeżucha tak się przerosła! — komentuje Ania.

Przyjechał Krzysiu po południu, z glebogryzarką. Pierwszy raz widziałam takie narzędzie — super! Nie trzeba kopać łopatą, to coś kopie i rozdrabnia ziemię. My tylko usunęliśmy z grządki suche badyle i rozpaliłyśmy ognisko. Oczywiście poszłam po zeszłoroczne ziemniaki.

Jak już się w ognisku dopiekły, siedzieliśmy na skrzynkach wokół i jedliśmy — ja i Krzysiu. Ania nie chciała. Przypomniałam sobie wyjazdy na kolonie i wieczorne ogniska. Uwielbiałam pieczone kartofle pachnące dymem i tę atmosferę, piosenki...

Później grabiami zaznaczyłyśmy, gdzie co będzie. Gdzie krzewy, gdzie róże i te moje łubiny i nagietki, gdzie zioła i sałaty — wszystkie, jakie są na rynku. Pod wieczór byłam już tak zmęczona, że ledwo się ruszałam i ziewałam nieludzko.

— Dotleniłaś się — powiedziała Gosia. — Połóż się wcześniej, Paulineczko. Źle wyglądasz. Masz cienie pod oczami. Za dużo jak na jeden dzień...

— Pracy? — spytałam.

— Wrażeń, kochana, i nie każ mi zagłębiać się w szczegóły! Weź mleko i spać!

Mówi, jak mamcia! Daję słowo!

Janusz nie byłby sobą, gdyby nie krzyknął za mną w głąb korytarza:

— ...I zjedz coś, Paula!

Węgorz w zalewie octowej

Węgorza sprawić. Normalnie. Pokroić na dzwonka takie, długości palca.

Zagotować w wodzie i ją odlać.

Nastawić wywar: cebula, płatki marchwi, ziele angielskie i listek laurowy.

Jak już zacznie wrzeć, włożyć delikatnie dzwonka ryby i gotować 20 minut.

Posolić, dodać szczyptę pieprzu białego, cukier. Do tego ocet tak, żeby zaprawa wydawała się lekko za mocna.

Wkładać do słoiczków i mocno zakręcać. Stawiać do góry denkiem.

Trzymać w chłodzie (u nas stoi w ziemiance).

Węgorz w zalewie — na zupę

Zagotować w wodzie włoszczyznę. Wyjąć ją i włożyć połówki cebul. Sporo. Ziele angielskie i liść laurowy. Posolić. Zagotować.

W weckach układać ciasno dzwonka sprawionego węgorza, zalać wywarem. W każdym słoju powinien być jeden listek laurowy i trzy ziarnka ziela. Pasteryzować 30 minut.

Znakomita baza do zupy rybnej i białego barszczu.

Pomysły Elwiry i Karolaków

Zdałam sobie sprawę, że ściągnęłam Paulę akurat na ten moment, gdy w pensjonacie goście, gdy Wrona pomaga i dom potrafi pękać w szwach, a miało to być antidotum na moją zimową samotność. Ot, logika!

A przecież... to samo jakoś tak wyszło. Teraz najważniejsze, że się pensjonat napełnia i mamy obłożenie na całe lato, a sądziłam, że będziemy się ze dwa lata rozkręcać. Goście bardzo chwalą nasz „basen" zbudowany przez Mirka Książkiewicza, bo rozlewisko nie nadaje się do kąpieli.

Brzegi ładnie już porosły trawą, a posadzone wierzby rosną jak wściekłe. Trzeba tylko wpuścić narybek roślinożerny, żeby rozlewisko nie porosło za szybko zielskiem i glonami. Tym zajmie się Tomasz. Już rozmawiał z rybakiem.

Na brzegu naszej „glinianki" rozkładają koce nasi letnicy. Z daleka widać kolorowe parasole. Bartek, Stefan, Tomasz i nawet Janusz zbudowali pomost i ładny kibelek typu „sławojka" w mazurskim stylu. Jest też wielkie drzewo, zdaje się lipa, które skutecznie utrudniało pracę Mirkowi, ale daje teraz cień tym, którzy nie lubią nasłonecznienia.

Jestem dumna z tego pomysłu! Mama przyznała po jakimś czasie dopiero, że była sceptyczna. Uważała, że skoro jest rozlewisko, to po co wyrzucać pieniądze na kąpielisko? Dwa kilometry od nas jest wielka Kalwa — jezioro o rozległych plażach. Można tam iść się kąpać.

Tak myślała, a teraz też popatruje na nasze St. Tropez z uśmiechem.

Po południu pojechałam do Pasymia. Zrobiłam trochę zakupów, trzonki do łopat, azofoskę, preparat na mszyce i kilo gwoździ.

Zaszłam do Elwiry.

— O, Gosia! Cześć!

— Cześć, piękna! Ależ ci służy to twoje małżeństwo! Wyglądasz doskonale. Jak jest?

— Jest dobrze! A będzie, jak to ty mówisz? „Jeszcze dobrzej"!

— Niech zgadnę, madame...? Ciąża?

Elwira parska i śmieje się.

— Eeee, zaraz ciąża! No, może... — Elwira czerwienieje. — Chyba tak, ale nie to! Pomysł mam! Bo wiesz, Gosia, Andrzej się wkurza, że ja tu się muszę z tymi gówniarzami użerać. Wiesz, mnie tam to nie zależy, bo se dam radę, no tak? Ale jak tak siedział kiedyś ten mój wariat i kadził o tobie, jaka to zaradna jesteś, jak wzięłaś byka za rogi, to jakeśmy sobie pogadali, pogadali i wiesz co? Stawiam tu w sklepie matkę za ladą, siostra pomoże, a sama idę na kursy. Zapisałam się do Olsztyna. Kosmetyczno-fryzjerskie!

— O, nowość! A Fabiszewska?

— Coś ty! Ona ma swoją klientelę. Ja będę miała swoją. Panny z okolicy i tak jeżdżą do Szczytna, na włosy, solarium, tipsy... To ja im to dam na miejscu! A latem Niemki — turystki tylko kombinują, gdzie tu zrobić urodę...

— Wiesz, jak to zorganizować? Masz jakieś doświadczenie?

— Oj, Gosia, a co to takiego? Sama mówisz, „ma maturę, to sobie poradzi"! No tak?

— A... masz?

— Mam. Robiłam liceum, jak zaszłam w ciążę. Zaczęłam czwartą klasę i stop, przerwałam. Ale rok temu zrobiłam zaocznie, w Biskupcu!

— Nic nie mówiłaś...

— Oj, tam!

Elwira macha ręką, jakby nie było o czym mówić. Ambitna jest. Chce zmian. Łatwo nie jest, ale widać, że ma poparcie Andrzeja.

Do sklepu wszedł Bartek ze Stefanem.

— Witaj, Gosiu, cześć, Elwira! Daj cztery browarki i to słodkie!

— Karmi? Dla Krzysia?

— No. Lepiej, żeby takie pił z nami, niż ma w krzakach, z kumplami prawdziwy browar ciągnąć. Gosia, sprawę mamy.

— Na szybko? Tutaj? Coś poważnego?

Pożegnałam Elwirę i wyszliśmy przed jej sklep.

— No, co się stało?

Pokrótce chłopaki przedstawili mi temat. Mają przyjaciela — Białorusina. Podobno dobry rzeźbiarz, dostał piękne zlecenie tu, w Polsce. Spore pieniądze, ciekawa praca, ale nie ma tu swojej pracowni, a u Karolaków jest tylko nieogrzewany garaż bez okna, w którym mógłby, ale trzeba by okno wybić, ogrzewanie doprowadzić.

— Gosia, wiem, że masz sporo gości, ale mówił Tomasz, że warsztatu nie używasz. Jest interes...

— No to dawaj! Dużo stracę?

— My byśmy w twoim warsztacie wstawili okno, bo otwór jest, pociągnęli gałązkę do kaloryfera, i byłaby pracownia. Orest mógłby poczekać i zacząć po sezonie.

— Co zacząć? Rzeźbić? U mnie?

— No... Może jakoś mieszkać u nas, na przygórku czy jak, ale pracownia to mu potrzebna. W tartaku sama wiesz, jaki młyn, a u nas garaż całkiem do przeróbki byłby, bo przecież oddzielnie stoi. Orest niby mówi, że mu grzanie niepotrzebne, ale sama wiesz...

— Wiem, kilka lat temu było w styczniu minus dwadzieścia osiem. No i jak ma rzeźbić — zgrabiałymi rękoma? Poczekaj, Stefan...

Może racja?

Rozpędziłam się z tym warsztatem, ale używam go jako składu ogrodniczego, a te worki, stół do przebierania cebuli, doniczkowania sadzonek, kosze, łopaty i grabie, mogą sobie stać pod jakąś wiatą. Kaśki nie ma i ogrodnictwo się skurczyło.

— No, dobrze! Pomóżmy artyście! Fajny jakiś?

Po południu byłam u Karolaków i poznałam tego Oresta. Żaden cud, średniego wzrostu w średnim wieku... cały taki średni. Mówi po polsku, bo miał babkę Polkę.

Nieśmiały, a może po prostu skromny, małomówny? Bartek pokazał mi album z jego pracami. Wtedy zdałam sobie sprawę, że to żaden niedzielny dłubak, ale prawdziwy artysta. Najładniejszy był anioł wyrzeźbiony na jakąś mogiłę. Niby taki... wiejski, ludyczny, a jednak w fałdach szaty widać, że Orest potrafi z drzewa wyciąć zwiewny jedwab... A ta twarz! Niezwykła. Orest patrzył na mnie podczas tego oglądania i łykał moje słowa zachwytu — jak tłuste kąski. Artyści potrzebują wiedzieć, że to, co robią, podoba się. Wiem, bo sama chcę słyszeć pochwały za te moje literackie wyczyny! Kiełkuje we mnie artystka! No, w każdym razie — twórczyni.

Porozmawialiśmy o jego potrzebach — skromnych zresztą i Karolakowie obiecali, że tę przeróbkę w moim warsztacie załatwią od ręki. Artysta pytał, czy to aby nie kłopot, bo on może w każdych warunkach... Ale powiedziałam mu, że żaden. On ma wielkie dzieło do zrobienia i to w takim małym kościółku! Jakieś niemieckie stowarzyszenie płaci i zamawia. Ma chłopak szczęście, to czemu mu nie pomóc?

Janusz tylko wzruszył ramionami i popatrzył na mnie z uśmiechem.

— A czy to coś by da...dało, gdybym oponował?

— Nie — odparłam zgodnie z prawdą. — Ale chcę, żebyś wiedział!

— No to już wiem!

Tym sposobem od ręki pojawiło mi się dwoje lokatorów. Paula i Orest. I problem rozwiązany!

Zawieram znajomości, pogłębiam je...

Już wiadomo, że w maju będzie sporo gości. Gosia się cieszy, bo po to jest pensjonat. Ja też się cieszę, bo przyjedzie Mańka. Co prawda z Adamem, ale jednak. Jego nawet lubię, chociaż przecież swatałam ją z Kubą, moim kumplem jeszcze z podstawówki, ale ten matołek zawalił sprawę. Zaszalał w Stanach z jakąś Indianką i Mania tego nie zniosła, chociaż „otworzyli" związek.

To się tak łatwo mówi — „otwarty związek", taka furtka. Nie wiem, czy dałabym radę puścić chłopaka za granicę, dając mu carte blanche. To jak zaproszenie do zdrady. Wiele par tak teraz robi, jak się rozstają na kilka tygodni, miesięcy... Panowie na prawo, panie na lewo... Nie. Nie chciałabym.

A Marynia z Adasiem zawsze razem. Szczęście ich dopadło i trzyma! Chociaż nie wiem... Jakoś go nie czuję. Jest taki... zamknięty.

Janne, nasz Fin, samotnie boryka się z pytaniem — zostać w Polsce czy próbować szczęścia i jechać do Chorwacji? Firma, w której pracuje, otwiera tam filię, ale byłby tam sam, bez nas...

Ma przyjechać i pomieszkać w pensjonacie kilku biologów od Tomasza, bo u niego będą ornitolodzy, z Holandii. A u nas jeszcze jacyś dziadkowie z wnuczką. Podobno ich dzieciaki były u nas rok temu — jesienią, i jakiś Białorusin — rzeźbiarz z polecenia Stefana z tartaku.

Właściwie goście pensjonatu mnie nie obchodzą. „Nie moje buraczki", chociaż pomagałam Gosi urządzać pokoje i salę jadalnianą, i okazało się, że jestem dobra w te klocki!

Cudowny wynalazek — eklektyzm!*

Czyli usankcjonowany bezład. Przyzwolenie na kicz lub bałagan formalny. Janusz wyśmiewa to jak babcia Malwina. Twierdzi, że to wytrych dla tych, co są „gustowni inaczej". Zresztą, jest wielbicielem prostoty i nowoczesnych form. Bez polotu! Chrom, nikiel i szkło.

— Jak gabinet dentysty, brrrr — drażnię się z nim.

— Ale czystość łatwiej utrzymać! Ko...korniki się nie lęgną! — broni się.

— Drewno jest ciepłe, piękne i zawsze modne. Nie można ludzi hodować w gabinetach, to są pokoje! Oni mają tu wypoczywać i czuć się jak u babci, profanie, bezguściu ty!

Babcia Malwina kochała eklektyzm. Mówiła mi, że znając to pojęcie, spokojnie znosiła wnętrza, szczególnie powojenne, umeblowane czym kto miał. Później była epoka gierkowska i meblościanki — koszmar. Niektórzy jednak, na przykład nasz dozorca, zachowali meble antyczne — wyszabrowane z Ziem Odzyskanych.

— Paulisiu, zobacz! Zdobyczny ludwik, koło wiejskiej ławki, secesyjna lampa naftowa na stole, a pod sufitem żarówka w oprawce! Srebrna eklektyczna cukiernica z szabru i butelka samogonu zatkana gazecianą zatyczką. Co za czasy! Taki eklektyzm, jakie czasy! Pożal się Boże!

Wtedy w jej ustach brzmiało to jak przekleństwo.

Teraz wszyscy rzucili się na starocie i pakują je, gdzie się da. Eklektycznie! W pięknym czasopiśmie, na pięknym papierze, artykuł o „wysmako-

---

* Eklektyzm — z greki. Tendencja do łączenia ze sobą różnych, nieraz niezgodnych ze sobą formalnie i treściowo elementów architektonicznych, zdobniczych. Często elektyzmem nazywany jest niemiecki narodowy styl renesansowy z końca XIX w. i początków XX w.

wanych wnętrzach willi pani X" (znana piosenkarka, szczyt kariery — lata dziewięćdziesiąte).

Rzeczywiście przepych i bogato. A to, że meble od Sasa i Lasa, odnowione do błysku, każde w innym odcieniu — to pryszcz! Zasłony z Samarkandy i kryształowy czeski żyrandol. Cudna gablotka-bibelotka, jak młoda kurtyzanka, obok ciężkiego dębowego kredensu. Nawet ten sam wiek, ale gablotka z czeczoty, w sęczki i słoje piękne, a kredens z litego ciemnego drewna o prostej, bezsęcznej fakturze, ciężki i dostojny. To ma być ten „wysmakowany" cud?! Ludzie!

Jako dziecko nie znosiłam starych mebli. Wychowałam się w takich. W moim pokoju była stara, ciemnodębowa sypialnia. Pachniała specyficznie, jakby kurzem, farbą i naftaliną... Łóżko skrzypiące, a właściwie pół łóżka, bo to była sypialnia, więc łoże było typu matrimonio, ale rozłączne. Tę drugą część — drugie łóżko, wstawiła sobie mama do swojego pokoju.

Biurko miałam okropne. Takie PRL-owskie, z jakiegoś biura. Po Antku.

— Daj spokój — mówiła babcia. — Aby lekcje odrobić. Po co nowe? To wytrzyma do następnej wojny!

— Z kim będzie ta następna? — pytałam.

— Z Kozłowskimi, o tego ich kundla, co nam sra pod drzwiami! — pomstowała, bo istotnie srał i był „brzydszy od Hitlera" (słowa babci).

Stało też u mnie wielkie tremo kryształowe, przed którym stroiłam miny i tańczyłam, włączając starocie takie, jak Boney M, ABBA albo nasze Papa Dance. Umieram ze śmiechu. To były czasy! Ta moda!

Teraz jestem z siebie dumna. Moim zdaniem pokoje w Pensjonacie są gustowne, delikatne i ładne. A już sala jadalniana to moje eklektyczne zwycięstwo absolutne! W rogu kominek z wkładem i żaroodporną szybą, na ścianach kilimy i dywaniki. Kilka stołów z miejscowych strychów (nasza wyprawa na Kurpie, z Mańką i Kubą) i krzesła — prawie każde „od innej matki". Kredens spod Świętajna wygrzebany był z komórki. Cały obfajdany kurzym gównem. Gospodarz oddał go za paczkę marlboro i piwo, i dziwił się, po co nam taki szmelc?

Bartek z tartaku odczyścił go z warstw farby i oddał takiego golasa — samo drewno. Jest cudny! Kredens — oczywiście. Pociągnęłam go białą, transparentną, szwedzką bejcą i drzwiczki górnej, przeszklonej części ozdobiłam starą koronką. Oczywiście, ze szmatlandu. Powinni do nas przyjechać z dizajnerskiego czasopisma i podziwiać!

Dobrze. Zapuszczę tu trochę korzonków. Lubię to miejsce. Już jest tutaj kawałek mnie — w meblach, w pokojach. Zresztą, gdyby nie chciała mnie Gosia tutaj, nie zapraszałaby. Jest szczera. Kwitłabym teraz sama w Warszawie, od czasu do czasu widując się z Mańką, Jannem, Mrukiem, Dawidem, Zapałką, Dominiką i resztą naszej byłej paczki. Wszyscy się poparowali i niektórzy nawet poszli do kościołów — ślubować sobie miłość, wierność i coś tam bez granic. Do kiedy? Nie umieli być sobie wierni przedtem, będą umieli potem?

To ja już wolę taką moją prawdę — bez zobowiązań i zaklęć. Ze Sławkiem Majem dzikim stolarzem — obecnie.

Z Jeanem Philippe'em chciałam do ołtarza... Ale Gosia mówi, że skoro mógł za plecami żony, to i za moimi też by mógł... No, coś w tym jest, dlatego tak, jak jest teraz — porządny seks bez obietnic i mydlenia oczu — jest uczciwiej.

Bywam u Sławka w tej jego męskiej gawrze w piątki, soboty i niedziele. Gadamy, kochamy się, łazimy po lesie, wracamy i sprzątamy, bo on ma takie kawalerskie nawyki. Wszystko stoi wszędzie.

Jasno stawiamy sprawę — żadnego przekraczania granic! Niezobowiązujący seks bez wchodzenia sobie w życiorys. Tere-fere! Już je przekraczamy. Po cichu każde sprawdza, na ile moglibyśmy być ze sobą bliżej, dłużej, pełniej. Takie podchody. Ja to wiem!

— Sławek, a ta twoja żona, fajna była? — pytam, leżąc ospale po sprzątnięciu mu korytarza i po miseczce żurku z torebki.

— Ja wiem? Fajna. Do czasu...

— Żałujesz rozwodu?

— Chyba nie. Nie byliśmy sobie pisani. Tak się mówi. Ładnie, co?

— To wytrych. To znaczy, że nie zaiskrzyło. Kochałeś ją do bólu? Walczyłeś o nią?

— ...nie wiem. Byliśmy ze sobą na roku i tak jakoś wyszło. Później się zaczęło sypać i rozpadło się. Co, miałem ją przykuć do kaloryfera? Poszła z innym i już... Nie gadajmy o tym.

— Boisz się takich tematów?

— Nie, tylko to niczego nie zmieni. Takie... żucie szmat... Wasz Tomasz tak mówi. Ten leśniczy.

— Może ona chciałaby zobaczyć w twoich oczach te kajdanki? Może zabrakło żaru w waszym związku? Byłeś zbyt obojętny, oddałeś ją walkowerem.

— No... — mruknął zamyślony. — Oddałem...

— Sławek! Ty wszystko tak traktujesz! Dlatego jesteś sam.

— Jak?

— Uważasz, że wszystko samo się powinno stać, bez twojego wysiłku. Nie ma tak w życiu! O przyjaźń trzeba zabiegać, dbać, a o miłość tym bardziej. Jesteś bierny, poddajesz się na wstępie. Skazujesz się na byle co. Ty się boisz bliskości. Strasznie. Zamykasz się w takim bezpiecznym skafandrze i dajesz siebie tyle, co nic. Ludzie w ogóle cię nie obchodzą, więc czują się przy tobie zbędni.

— To nie tak. Ja nic ludziom nie jestem winien, a jak ktoś chce być ze mną, to przecież nie gryzę...

— O matko!

Nie umiem się przedrzeć przez ten jego pancerz. Tak nie można! On jest jakby w paraliżu uczuciowym. Boi się, że znów ktoś go zrani, więc tylko okazjonalne, luźne układziki. Panienki na raz, żadnych sentymentów... Mimo postury tura i słoniowej skóry jest wrażliwy jak dzieciak. W dodatku introwertyk. Można mu zabrać jego zabawki i on nic nie powie. Pójdzie za krzaczek i tam się wypłacze. Może pozwoliłby mi się dotknąć? Może powoli bym go otworzyła?

Potrzebowałabym czasu, no i sama musiałabym się zastanowić, czy tego chcę. Jak na taki niezobowiązujący seks i miłe wieczory — jest dobry, ale czy to wystarczy? Może facetowi. Mnie — nie. Wspólne sypianie, o właśnie! Sypianie — to wynik pewnej intymności. Samo bzykanie — już niekoniecznie. Co prawda śpimy razem do rana i ja lubię ten rodzaj sennej bliskości. To bardziej intymne niż robienie miłemu koledze laski na piwnej imprezce. (Babcia pewnie w grobie się przewraca, a nasza koleżanka na imprezie zrobiła koledze laskę, bo się jej pożalił, że go kobitka puściła w trąbę. Taka współczująca).

Mam jednak rację. Wspólny sen, taki przytulony, to świadectwo zaufania i czułości. Tylko wtedy Sławek jest cały mój. Mruczy i szepcze. Wielki, ciepły, i kiedy mnie obejmuje łapami, jak wielką kołdrą — czuję się jak w bezpiecznej norze.

Kiedy rano wstaje — wkłada tę swoją zbroję i zamyka się. Ze strachu.

— Wiesz, co powiedział Kundera? — pytam, wychodząc spod prysznica — że „...kochać się z kobietą i spać z nią to dwie namiętności nie tylko różne, co prawie przeciwstawne. Miłość nie wyraża się w pragnieniu spółkowania (to pragnienie dotyczy przecież niezliczonej ilości kobiet), ale w pragnieniu wspólnego snu (to pragnienie dotyczy tylko jednej kobiety)", dobre, co?

— To z *Nieznośnej lekkości*? Nie zwróciłem uwagi...

— Ale co sądzisz? Sen jest takim...

— Paula, to taka ładna filozofia.

— Filozofia?! Wszystko ci jedno, z kim śpisz? Kogo w nocy dotykasz? przytulasz? To okazanie...

— Oj, już dobrze, rozumiem. Ja nie jestem jakimś... Ty mnie bierzesz za kogoś... Ja się chyba nie nadaję...

Mój Boże, ale się plącze!

— Sławek, ja jestem szczera, nie zrobię nic za twoimi plecami. Nie bój się!

— Ale... czego?

— Że cię zranię, coś zrobię złego, bo ja wiem? Jestem szczera.

— Paula, jutro jadę na Litwę i do Kazachstanu. Nie będzie mnie dwa tygodnie, może miesiąc.

No, tośmy się dogadali! Boi się, ucieka od tematu jak diabeł od święconej wody.

Za to SMS-y wysyła cudne!

„Rzadko się odzywam, praca. Ale myślę o Tobie, Paula. Całuję tam, gdzie ostatnio, tylko czulej. Na razie — S." albo: „Tęsknię za twoimi cycuszkami. Kupiłem ci szal z paszminy. Całuję. S."

Z paszminy?! Zwariował? Musi być drogi jak cholera! Paszmina... To lepsze od kaszmiru i na topie. Ostatnio dotykałam takiego szala u ciotki Nelly, w Prowansji. Mięciutki, jedwabisty i delikatny. Stareńki. Mole go, szczęśliwie, nie zeżarły.

— Bo ja, kochanie, silnie się perfumuję — tłumaczyła ciocia. — Nadto u nas w szafach snopy lawendy leżą, to i mole się nie lęgną!

Fakt. Ciotka pachnie specyficznie. Lubi mocne perfumy, ciuszki jej przeszły lawendą i to razem daje taką specyficzną ciociną aurę. Jeszcze ten dym z cygaretek...

Sławcio mi przywiezie taki szal z kózek nepalskich. Drogie to, modne i... niecieszące mnie wcale, bo wiem, że kózka musi zginąć, żeby pozyskać z niej te mięciusieńkie kłaczki. Sławek o tym nie wie. Chce mi pokazać, że... że co? Że mu ze mną w łóżku dobrze? Że się cieszy, bo jestem taka ulotna, jak on by chciał? Że nie pakuję mu się do życia i godzę się na takie niby nic? Lekki, wygodny układzik?

Paszminowy szal. Miły gest, ale ja chcę wiedzieć, jak ma z nami być. Coś jak gosposia na przychodne, lalunia na telefon? Musimy pogadać.

SMS od niego: „Wrócę pod koniec maja. Już chcę być z Tobą. S."

Ja zupełnie inaczej rozumiem słowa: „...chcę być z tobą". Bardziej deklaracyjnie. Znam już na tyle Sławka, że u niego to znaczy: „chcę cię bzyknąć". Niestety, tak to chyba jest. Sławek nie chce, żebym weszła w jego życie tak na poważnie, głęboko. Chyba nie chce. Musimy pogadać.

Trochę prowokacyjnie wysyłam mu SMS-a: „A masz dla mnie miejsce w swoim życiu?". Odpowiedź: „Ile chcesz". I co? Żonglerka słowna, nieznacząca nic. Bo wiem, że on to obróci w żart. Za Boga nie chce angażować się w żaden związek, i okropnie cierpi na samotność. Jakiś absurd.

— Oni tak mają — mówi Gosia w kuchni, gdy gadamy sobie przy zmywaniu — jak ci, co już nie mogą uprawiać ziemi, ale jej za nic nie przepiszą dzieciom, bo się boją, że dzieci się ich pozbędą, zaczną lekceważyć... Zapierają się, kłócą z rodziną. Sławek tak samo. Jak mówisz, ciężko mu samemu, a rękę wyciągnąć do kogoś — nigdy. Tyle panienek zahaczył, a żadnej nie ma na dłużej. Też mu tłumaczyłam: „Sławciu! Nie musi być cud! Dobra, spokojna, mądra i miła. No, ileż to trzeba? Powinniśmy mieć kogoś, szczególnie na stare lata, żeby nam chociaż okularów pomógł poszukać...". A ty, Paula, poważnie myślisz o Sławku?

— Nie wiem, Gosiu — majtam nogami i bawię się cukrem. — Jakoś mi trudno to sobie wyobrazić, ale czasem, jak on tak siedzi pełen niepewności, gdy ta samotność emanuje z niego jak z porzuconego dzieciaka, to mam ochotę wziąć go za ręce i powiedzieć: „Chodź tu do mnie. Chodź, nie bój się".

— Wariatka. Po prostu ci go żal. Nie myl tego z innymi uczuciami.

— Ale chyba można na tym budować. Jest sympatia, porozumienie, dobry seks, samotność po obu stronach i jakaś wspólna powierzchnia...

— Nie igraj, Paula, ze Sławkiem. On, jeśli już by chciał, to na poważnie. Na resztę życia. Nie igraj. Ty wkrótce spotkasz swojego adonisa i co? Znów Sławek byłby opuszczony. Nie rób mu tego.

— Nnnno, masz rację, ale gdybyśmy postawili sprawę jasno? Że zamiast samotnie — będziemy sobie razem tak, wiesz...?

— Rób, jak chcesz. Tylko nie skrzywdź ani siebie, ani jego — powiedziała Gosia dobitnie i popatrzyła na mnie tak, jakby chciała coś dodać. Nawet nabrała powietrza, ale... odpuściła. Może chciała jeszcze pomoralizować?

Napisałam mu tak: „Czekam. Też tęsknię. Musimy pogadać. Paula".

I chyba tak będzie uczciwie. O miłości nie ma mowy, ale nie chcę być tylko panienką do wyra. Warto by zawrzeć jakiś układ...

Muszę skoczyć do Warszawy na uczelnię, i do Mańki, na plotki. Załatwię kilka spraw, dopóki nie ma tutaj wielkiej potrzeby rąk do pomocy. Oderwę się, pomyślę, a Mania jak to Mania — rzuci zimną uwagę.

Paula i Sławek...

Mogłam się spodziewać takiego obrotu spraw. Paula poznała Sławka Maja i to zdaje się poznała go dość dokładnie. Tyle razy chciałam jej powiedzieć, że ja i Sławek... Ale jakoś było mi niezręcznie i głupio.

No, co miałam jej powiedzieć, że kiedy poczułam, że straciłam Janusza, Sławek objawił się jak królik z kapelusza i... „się porobiło"? Jak to wytłumaczyć młodej dziewczynie, której sama kładłam do głowy i moralizowałam na temat Jeana Philippe'a, z którym romansowała we Francji? No, żonaty był, a Sławek — nie.

Nie sądziłam, że oboje — ona i on, wpadną sobie w oko tak szybko. Ale mogłam się domyślać. Paula jest bardzo odważna i bezpruderyjna, a Sławek bardzo czuły na wdzięki panny ładnej i wykształconej. Tu ma marne szanse na taką.

— Sławek — pytałam go kiedyś — dlaczego nie weźmiesz sobie na stałe jakiejś miejscowej, zaradnej, gospodarnej? Przecież samemu ci źle?

— No, przecież mnie nie chcesz — obrócił w żart. A może nie...

— Sławek, ja poważnie pytam!

Chciałam, żeby sam sobie odpowiedział na pytanie, czemu stale jest sam? Może zanadto przebiera, może lęka się prawdziwej bliskości?

— Wiesz — zaczął i westchnął — chciałbym też porozmawiać! — śmieje się.

Wykręt.

Gdyby poszukał, znalazłby niejedną do tańca i różańca, ale on się boi bliskości. Seks — tak, bliskość — nie.

I teraz, kiedy się przyglądam Pauli, kiedy czasem rozmawiamy podczas domowych czynności, widzę w niej podobieństwo do Sławka.

Jean Philippe, nie wiedzieć czemu, wzburzył jej krew do takiego stopnia, że jak sama powiedziała mi ostatnio, „w życiu nie czuła takiego potężnego kopa. Dla niego chciała rzucić wszystko, tylko... On nie bardzo".

— No i — nudziłam — nawet gdyby, czułabyś się tam obco. Nie było szans na nic, Paula.

Teraz pociesza się Sławkiem.

— Mamo — spytałam mojej mamy, która wie wszystko. — Powiedzieć Pauli o mnie i Sławku?

— Co powiedzieć?

— No, że kiedyś... że próbowaliśmy, ale nie wyszło...

— Próbowaliście, czy ty szukałaś?

— Ja...

— Nie wiem. Nie mam pojęcia, co miałaby dać Pauli taka wiadomość? Twoja pomyłka może się okazać jej szczęściem.

— Ona i Sławek? Sądzisz, że on się zdecyduje?

— A co to ja jestem, Gosiu, Pytia? Daj spokój, czy to ważne? Jedziemy z Tomkiem do Wrocławia, zajrzysz czasem? Bobkowi podsypiesz...

— Na długo?

Mama zlekceważyła moje pytanie. Może racja? Przyjdzie stosowna chwila, to może pogadam — ja i Paula. Na razie zaniepokoiła mnie jej szczupłość. No, w ogóle to Paula jest szczupła, ale teraz jakoś tak, przyszarzała. Zaciągnęłam ją do ośrodka zdrowia i zaleciłam zbadanie krwi. Może ma anemię? No, bo jak ona jadała w tej Warszawie? A tu wcina, wcina, a poprawy nie ma. Może to nieżyt żołądka? Anemia, owszem, wyszła, ale to nie tylko to... Coś mnie niepokoiło.

Stanowczo za mało o niej wiem. Musimy pogadać.

Zarządziłam wyjazd na zakupy do Szczytna po jajka i cukier, po buraki na sok i kwas foliowy z żelazem. Wyciągnęłam ją na zwierzenia. Paula siedziała obok mnie i dała się wciągnąć w rozmowę o facetach.

— Z tego, co mówisz, to zawsze miałaś mocno starszych od siebie partnerów? — dopytywałam.

— Tak się składa. Nie umiem się odnaleźć w związku z małolatem.

— Nikt ci nie każe zadawać się ze smarkaczami, ale równolatkowie? Z żadnym nie wychodziło?

— Był może jeden, ale ja lubię starszych i kręcą mnie pokręceni — rozumiesz coś z tego, mamo Gosiu? Wiem, wiem, to dlatego, że wychowałam się bez ojca z mitem Antka w tle.

— Antka?

— Mąż babci Malwiny wcześnie zmarł, ale babcia, opowiadając o nim i ganiąc podrywaczy mojej mamy, zaszczepiła mnie jakoś. Już przerobiłam tę lekcję, proszę pani — zwróciła na mnie wesołe oczy i wtedy to zobaczyłam!

Coś mi w jej twarzy zagrało obcą nutą. Chyba te cienie pod oczami, coś w zarysie ust? Jest taka szczupła, to skąd ta lekko opuchnięta dolna warga? Paula mówiła coś do mnie o swoich facetach, a ja poczułam nagle, że oto wiem coś, o czym jeszcze ona nie wie. Pierwszy raz w życiu mam przeczucie! Jakie silne! A jak się mylę?

Dzień nie był specjalnie piękny, słońce schowane za chmurami, zbiera się na deszcz, ale to nie mogło być powodem tej jej szarości, zmęczenia, ani ta jej mała anemia.

Obie byłyśmy już obładowane siatkami, i szłyśmy do stoiska z jajkami z miejscowej fermy, gdy postawiłam ciężkie pakunki na pustym kramie obok kramu z nabiałem i popatrzyłam na Paulę, która pokazywała sprzedawczyni, które jajka ma nam zapakować. Zawsze bierzemy XL. Zadzwoniłam do mamy, bo to, co poczułam, było zdumiewające. Musiałam zaraz zapytać, co to takiego? Czy się nie mylę, ale mama nie odbierała.

Wracałyśmy z bazarku boczną uliczką, na której jest mała apteka. Kupiłam tam test ciążowy, bo inaczej zwariuję, jak się nie przekonam, czy mam rację? Czy mam po mamie zdolności prekognicji czy tylko mi się zdaje?

Ciekawe?

Henio Piernacki osowiał po śmierci naszej Kaśki. Rzadziej zagląda nad rozlewisko. Do mamy i Tomasza częściej, co jest zrozumiałe, bo są bardziej zaprzyjaźnieni. Spotkałam go u Elwiry.

— O, cześć, Elwira! Witam, panie Heniu!

— Powitać, powitać, skąd to drogi prowadzą?

— A wracam ze Szczytna. Bazarek, papier do drukarki, takie tam... A wy, co tak spiskujecie? Co, Elwira?

— Tak się nam zebrało na psioczenie. Czytałaś, tego lekarza w Elblągu pobili, że czarny?

— Czytałam i aż mnie szarpnęło, bo poznałam naszego doktora Mamadou i jego żonę. Znacie ich?

— Ja znam — Elwira się uśmiechnęła. Ona by kogoś nie znała!

— A ja słyszałem tylko, ale poznać — nie poznałem — fajny?

— Fajny — odpowiadam. — Weterynarz, strasznie wesoły, miły.

— Nie dla wszystkich — burknęła Elwira — pieprzony kraj! Co za naród, powiedz! Każdy im przeszkadza, Żyd, Murzyn, Wietnamczyk, a oni co? Z lepszej gliny? Naziści popierdoleni!

— Kto? — Heniu nie nadążał.

— Ci, co pobili tego w Elblągu. Wczoraj pod sklepem u nas podobni stali i gardłowali, że też by takiego... Jak wyszłam z pyskiem, jak ich pogoniłam, wsiarze! Ja nie wiem, kto ich tego uczy? Mamusia?

— Niestety, ani szkoła, ani kościół się nie przykłada do likwidowania ksenofobii.

— Czego? — Elwira przekrzywiła głowę. — Mów po polsku!

— Tak to się nazywa, ksenofobia, po grecku *kseno* to obcy.

— Po mojemu, to zwykłe prostactwo i słoma, a nie żadne „kseno", Gosia! Chamy i tyle. Królowie świata — Wiśniewski, słyszeliście? Już poszedł w Irlandii do pierdla za kradzieże i rozboje. Pojechał zarobić! Maćkowiak to samo, tyle że go deportowali, za rozboje. Ryje powinni takim poobijać. Wstyd!

Henio kiwał głową i wzdychał. Nie za fajny mamy temat do pogawędek.

— Ta żona naszego Mamadou też już nie pracuje w szkole — wiesz? Elwira ściszyła głos.

— Coś słyszałam, ale nie wiem, co i jak. Gdzie pracowała?

— W Dźwierzutach, ale jak ją dzieci na korytarzu wyzywały, to nikt im do rozumu nie przemówił! Tak pozwalają gnojom na dorosłego gadać! — Elwira wydęła usta i prychnęła: — Ja bym im nagadała, jakbym była dyrektorką.

— Szkoda, że nie jesteś dyrektorką i księdzem! Oj, byłoby!

Aż się roześmiałam, gdy sobie wyobraziłam Elwirę na mównicy w kościele, jak wychowuje krnąbrnych ksenofobów!

— Panie Heniu — pytam — czemu pan nas omija?

— A, pani Gosiu, nie chcę kłopotać, pani ma teraz swoje życie. Nowych gości pod dachem... Ale wpadnę czasem — oczywiście! A... Spytam, ta panna to mówili, że nie córka?

— No nie. To koleżanka mojej córki. Zaproponowałam jej tu dom, bo w Warszawie sama siedzi na brzydkim osiedlu, a u mnie dom duży... Weselej i jej, i mnie. Nam — poprawiłam się.

Henio popatrzyła na mnie badawczo i uśmiechnął się z jakąś melancholią.

— „A... u mnie dom duży" — powtórzył i pokiwał głową i szepnął: — Kto dziś tak myśli, żyje...? Takie macie dobre serduszka!

— Oj, panie Heniu! To normalne! Idę, bo Paula jutro wybiera się do Warszawy, przygotuję wyprawkę dla mojej Marysi. Marynowane grzybki — bo strasznie lubi!

— Oj, to ja może zdążę, i przywiozę miodu? Pani Basia ostatnio nie chciała!

— Jasne, panie Heniu! Poproszę! Cześć, Elwira, pięknie wyglądasz — służy ci!

Uśmiechnęła się szeroko i puściła oczko.

Pożegnaliśmy się i porozjeżdżali.

Cienka, różowa linia...

W Warszawie właściwie szybko załatwiłam wszystko, co tylko było do załatwienia. Zawiozłam Mańce dary od mamci i pojechałam na uczelnię.

Profesor mój ukochany, stary dziad, długo namawiał mnie do pozostania i prób podjęcia studiów na etnografii. Uważa, że powinnam połączyć moje zdolności z wiedzą o innych kulturach i wtedy dam czadu! Może ma rację? Też mnie to korciło, a zakładanie rodziny teraz, jak to robi większość moich koleżanek, nie grozi mi wybitnie.

Nawet początkowo, gdy kończyłam studia, zastanawiałam się, czy chociaż zaocznie czy jakoś tak... Ale Małgosia tak wyskoczyła z tymi Mazurami, że rzuciłam w kąt ten pomysł. Zdążę! Teraz profesor znów pytał.

No, nie wiem... Pomyślę.

Koleżanka z firmy Jannego zapałała chęcią wynajęcia ode mnie Chomiczówki, więc wszystko potoczyło się supersprawnie. Tylko ze zdrowiem coś mi się porobiło. Osłabłam jakoś. Może awitaminoza? Anemia? Ostatnio nie dbałam o komfort zdrowego jedzenia.

Jak spotykaliśmy się na Saskiej Kępie, jak jeszcze był Kuba i po jego wyjeździe — szalałyśmy z Manią w kuchni. Zwariowaliśmy na punkcie sushi. Skokietowałyśmy Japończyka z naszego ulubionego sushi baru na Francuskiej i nauczył nas zwijać „maki" i robić „nigiri". Kuba fantastycznie robił ten taki dziwny, japoński omlet, a Marynia kupowała koło klubu, w którym grywała, imbir marynowany. Żarliśmy więc sushi i sahimi, aż do obrzydzenia.

Ileż to wieczorów, kolacyjek! Typowa domówa u Marysi na Saskiej Kępie w tym zacisznym i miłym domku. Razem przerobiliśmy kuchnię! Staliśmy się popularni w towarzystwie, bo jak się szło do nas na sushi, wkupnym było wasabi, surowa ryba, jakiś tani kawiorek albo zasadowe japońskie piwo.

Ja zdecydowanie bardziej lubię zielone wodorosty nori. Mania też. Kuba wolał te śmierdzące — czarne. On mówił: „aromatyczne".

Wynajdowałyśmy nowe trendy, nowe sklepiki z azjatycką żywnością, książki...

Był też okres makrobiotyczny — wyważony i pełen filozoficznej treści i sporo go zostało w moich smakach. Kiełki, soczewice, fasole, orzechy i rzepa. Pieczone jabłka albo ekologiczna szarlotka Mańki.

Jednak te spory z moją matką i tęsknota (dzika wprost!) za Jeanem Philippe'em, przeprowadzka nad rozlewisko, wszystko spowodowało, że jakoś mniej jadłam i schudłam. Niby chude modne, ale koło szyi nad obojczykami porobiły mi się „solniczki", miedzy piersiami (piersiami?! Ja już prawie nie mam piersi!) „kaloryfery" z żeber, i ogólnie lecą ze mnie jeansy. Tyłek mi wsiąkł...

Sławek śmiał się, że mnie zgniecie na placek albo mi połamie kosteczki, w pozycji misjonarskiej, więc kochaliśmy się inaczej. Lubiłam dosiąść go, na tej jego kanapie, jak ogiera. Miałam tempo pod kontrolą... Tralala!

W Warszawie sądziłam, że się „odjem" po skończeniu zajęć, ale jakoś kiepsko mi szło. Dopiero u Małgosi nad rozlewiskiem dostałam apetytu! Bezkarnie wcinałam chleb ze smalcem babci Basi, z ogórkami kwaszonymi, gęstą fasolówkę siorbaliśmy z Januszem aż huczało, a już zarzutka kapuściana z ziemniakami — poemat kwaśny jak diabli i ozdobiony skwarkami — uśmiechała się do mnie z miseczki...

Odetchnęłam. Jem normalnie. Znaczy — jestem zdrowa, ale nic mi nie przybywa, i taka jestem przezroczysta — jak mówi babcia Basia...

Któregoś dnia Małgosia popatrzyła na mnie badawczo i zarządziła wyjazd do ośrodka zdrowia, do Dźwierzut. Tamtejsza pani doktor, o szerokich horyzontach, jest holistką, no i podobno bardzo fajna. A jakże! Fantastyczna! Pogadałyśmy o cudach makrobiotyki, o głodówkach i homeopatii. Badała moje tętno, zaglądała do gardła, w oczy...

Tak czy siak, dałam krew do badania na „cito" i... wyszła anemia.

Przy następnej wizycie Gosia i pani doktor poszeptały coś tam, a później pojechałam z Gośką po zakupy na targ do Szczytna. Kupiłyśmy buraczki, czerwoną kapustę i szpinak — młody i drogi, bo spod folii zapewne. Pogrzebałyśmy w szmatlandii, zaliczyłyśmy aptekę i wio — do domu.

Oczywiście od razu dostałam szklankę soku z buraków i falvit i kwas foliowy i jakiś preparat witaminowy z tych „Naturapia".

— Walisz do mnie jak z dwurury, mamo Gosiu — powiedziałam, łykając jak indyk te wszystkie pastylki. — Daj mi czerwonego wina, zobaczysz, jakich dostanę rumieńców!

— Nie. Wina nie. Nie teraz. Teraz to — położyła przede mną jakieś pudełeczko.

— Co to? — spytałam.

— Masz maturę? Wiesz coś o miesiączkach? Mówiłaś, że masz ostatnio zaburzony rytm.

— No... mam, ale ja tak zawsze, jak nie dojadam, a już w czasie sesji, nerwówki, to zupełnie potrafię się zatrzymać.

— Tak? Teraz nie masz sesji. Weź to. Chyba wiem, co ci jest.

— „Test ciążowy" — przeczytałam ogłupiała. — Gosiu, no coś ty!

— Zabezpieczałaś się, jak byłaś teraz, przed Wielkanocą, z Jeanem Philippe'em?

— ...idę — odpowiedziałam głucho i poszłam na siusiu.

Czarodziejskie pudełeczko z oczkiem, a właściwie dwoma, przyniosłam jak grzeczna uczennica do kuchni i położyłam przed Gosią.

— Kropla moczu — spytała.

Podałam jej pipetkę.

— Już... — szepnęła, nanosząc kroplę na znacznik.

Patrzyłyśmy na siebie, uśmiechając się tajemniczo. To znaczy Gosia tajemniczo, a ja raczej głupkowato, bo wciąż nie wierzyłam, że to robię. Ciąża?! Absurd! Nie. Nie. Nie. No nie! To nie był mój płodny czas... no i... Nie. To absolutna bzdura, jakby co.

Małgosia sięgnęła po czarodziejskie pudełko.

— Hmmm — mruknęła. — Basia byłaby ze mnie dumna! — powiedziała z satysfakcją.

— Czemu „dumna"? Pokaż... O kurwa! Przepraszam! O cholera! Co to? Gosiu! Gosiu, tak? To jest, co to? — gadałam jak umysłowa.

— Tak. To jest to. Dwie kreski różowe. Ciąża, kochaneczko, a ja ją zobaczyłam w... w twoich oczach, ustach, rysach. Sama nie wiem... Ale wiesz, Paulineczko, ja od jakiegoś czasu po prostu wiem, że jesteś w ciąży.

Nic nie mówiłam, żeby nie eksplodować.

„Kurwa mać!", klęłam w duchu. „Na cholerę mi ten pasztet? Gdzie usuwać? Bo na postinor już za późno". Usuwać, bo byłam pewna, że trzeba usunąć ten kłopot. Jak wyrostek czy migdałki. Natychmiast!!!

— No i...? — zapytała Gosia, kładąc mi rękę na głowie. — Już wiesz, skąd to osłabienie, anemia? Teraz odżywimy cię... was porządnie i wszystko będzie OK.

— Nas?! Gośka! Ja nie chcę! Nie przewiduję! To trzeba jakoś usunąć! Janusz mi pomoże?

— Janusz? On tylko zęby usuwa.

— Bardzo śmieszne. To dla mnie katastrofa! Może Janusz ma kolegę ginekologa?

— Poczekaj, Paula. Uspokój się. To szok. To normalne, że czujesz się zaskoczona, ale pomyśl...

— O czym?! Nie i już! — histeryzowałam.

— Paula, możesz urodzić. Co ci w tym przeszkadza? — Gosia spokojnie przytuliła moją głowę. — Przecież młodociana nie jesteś, studia skończyłaś, masz gdzie mieszkać, co jeść i za co żyć.

— Ale... Nie mam rodziny, męża... Jestem sama!

— Zaraz cię prasnę w pysk, za to „sama". A my? Ja, babcia Basia, Marynia, Janusz, Janne? Tomasz? Zobacz, ilu nas. Jesteśmy twoją adoptowaną rodziną. Pamiętasz Gwiazdkę? Przy stole ledwo się wszyscy pomieściliśmy, a ty mi tu... Paulinko, kochanie, jest dobrze. Tak na to popatrz. Mąż? No cóż, mąż to rzecz nabyta. Znajdzie się. Nie tobie jednej nie wyszło z mężem. Nie masz go. Ale zawsze możesz! Ciąża to zrządzenie losu! Dar. To dopełnienie kobiety.

— Ja kompletnie tego nie przewidywałam! Jestem niegotowa, nie przygotowana do lekcji! — tłumaczyłam się histerycznie.

— Masz trochę czasu... Policz, który to może być miesiąc?

— ...O Boże!

Poszłam do siebie i położyłam się na łóżku. Jak zwykle w takich chwilach objęłam poduszkę i przycisnęłam ją do siebie. Miałam pretensje do całego świata. Do siebie, do nadaktywnych plemników Jeana Philippe'a. Klęłam i złościłam się. Ułożyłam cały plan, żeby za plecami Gosi pozbyć się problemu, raz a dobrze. Co to? Gabinetów brakuje?

Pomogło. Uspokoiłam się. Jakoś się to załatwi! Jest wyjście, tylko muszę w konspiracji, bo jest ta ustawa, a potem powiem, że samo się stało...

Teraz tylko znaleźć adres cichego skrobacza. Ufff! Trudno, ale przecież zupełnie nie komponuje mi się bachor teraz! Ledwo znalazłam się tutaj. Jakoś się aklimatyzuję, nie mam pomysłu na stałe dochody, chociaż w mojej rodzinie rzadko miewałyśmy stałe. Zawsze było to płynne i już do tego przywykłam, że kasę mam albo nie. Obiecałam sobie niedawno, że zacznę ją kumulować, a nie wywalać na przyjemności. Wystarczy szaleństw. No, ale dziecko? Stanowczo — nie. Nie w tym projekcie, nie w tym roku, nie teraz!

Kogo pytać o ginekologa?

Ania Wrona tylko prychnęła i powiedziała, że ona nie chodzi do lekarzy, to i nie wie. Kopała zawzięcie grządkę pod szpinak i szczaw i zrzędziła:

— A na co pani Paulinie ginekolog? Pani młoda jest! I jeszcze pieniądze im dawać za grzebanie. Zaraz coś wymyślą i leć do apteki kupuj! A skąd na to brać? Najlepiej to jak coś tam się dzieje, naparzyć rumianku, wlać do miski i siedzieć tak, aż wystygnie. Po tygodniu — jak ręką odjął! Można też taką maść kupić bez recepty i sobie nacierać. Propolisowa, taka z pszczół. Dobra! Teraz pani tu przyjdzie z grabkami, o tu!

— Pani Aniu, niech mi pani mówi po imieniu — poprosiłam, żeby wreszcie przerwać jej to doradzanie.

Ania nie wie, jaki mam problem, i nie pomaga. A rumianek na ciążę nie pomoże za nic! Pszczoły też. Już wiem! Będę harować jak wół! To poronię! Samo zleci od wysiłku. Przecież mam anemię!

Ania mnie hamowała, ale orałam jak wół po siódme poty. Zadyszki dostawałam jak mysz w połogu, miałam zakwasy i... był efekt! Ogród wyglądał jak z pisma, a ja wylądowałam w łóżku z objawami grypy i bólem kręgosłupa. Początkowo myślałam, że ten ból to skurcze macicy i radosne poronienie, ale tylko myślałam. Zarodek wczepił się we mnie, okopał, wzmocnił straż i nie daje się!

Właśnie Gosia natarła mi plecy maścią i postawiła kubek soku z buraków na anemię. (Kiedyś baby wierzyły, że sok z buraków powoduje poronienie. Hi, hi! Będę piła, a jakże! Może...? A nuż...?). Leżałam obolała i zastanawiałam się, kogo tu jeszcze zapytać o gabinet ginekologa skrobacza? Nikogo więcej nie znam! Pan Henio Piernacki zrobiłby oczy jak słoiki. Nie, on nie... Już słyszę, jak babcia Malwina parska z nieba: „No i czego? Czego? »Sam chciałeś, Grzegorzu«. Trzeba było kupić gumkę i byłby spokój! Teraz tyle tego i taki wybór! Wiesz, że za moich czasów były tylko takie okropne, jak lateksowe rękawice, talkowane? Zero poślizgu, i ten talk się sklejał jak zaprawa z mąki i grube to było i ohydne! A teraz? Cieniutkie, kolorowe i z wypustkami, i smakowe... Było kupić! Widocznie pisane ci dziecko. Nie szukaj wykrętów! Nie kombinuj, nie ingeruj w boski plan! Widocznie obie z matką tak macie...”

No nie, babciu! Mój ojciec był kompletnie nieznany, bo mama zaszalała na imprezie i nawet nie pamiętała, na której to się stało. W willi na Żoliborzu czy w Radości. U rękawicznika czy tego od sztucznej biżuterii. Karnawał był! A ja wiem, że to plemniki-nadgorliwce Jeana Philippe'a szukały spełnienia, bo jego żona jest bezpłodna. Czytałam w *Wojnie plemników*, że jak się uprą, to nie ma zmiłuj. Nawet lateks przegryzą.

Się uparły...

Gosia patrzyła na mnie, uśmiechając się świętoszkowato. No jasne!

— Dziecko to wspaniałe doświadczenie — przekonasz się — mówiła, gładząc mnie po ręce.

Jezu! Ale ględzenie. Nie wierzę. Nie w mojej sytuacji! Tak, jak się je zaplanuje, a gdy wyskakuje jak niechciana krosta, to potrafi zrujnować życie! Przesada...

— Nie jestem gotowa, Gosiu — warknęłam i odwróciłam się, że niby chcę spać.

— Pośpij i pamiętaj: „Co nagle, to po diable”.

Gosia wyszła, a ja rozpłakałam się z żalu i z tego, że nikt mnie nie rozumie i nic mi się nie udaje i taka jestem nieszczęśliwa w ogóle. Zadzwoniłam do Mańki z tą cholerną rewelacją. Gadałyśmy krótko, ale... nie mogłam jej tego powiedzieć. Kręciłam, bo nie umiem powiedzieć tego na głos, „jestem w ciąży”. Nie jestem, i nie chcę być!

Już Maj...

Sławek wrócił z wyjazdu zadowolony i pełen optymizmu. Zaprosił mnie na kolację, żeby wszystko opowiedzieć. To dobry znak, bo w zasadzie jest mrukiem i woli słuchać, niż paplać.

Pojechałam. Czekał na mnie na podwórku, chwycił jak piórko i zaniósł na górę, radosny, roześmiany — jak nie on! Przywiózł mi ten cudny szal, koniak gruziński i kawior. Zapowiedział carską ucztę, bo jest się z czego cieszyć. Są nowe kontakty, rysuje się jakaś współpraca, jest dobrze!

Byłam zaskoczona jego nową twarzą. Zawsze taki powściągliwy, ostrożny, nie wylewny, teraz jawi się jako orędownik współpracy polsko-kazachskiej, a w zasadzie Sławkowo-kazachskiej. Drewno z naszych lasów i z Litwy, przerób i handel z Kazachstanem. On i jeszcze dwóch jego kolegów spod Pisza.

— To moja robota, mój pomysł i nikomu nic do tego! Mój i moich kumpli.

— Ale państwu daninę i tak musisz zapłacić.

— Cholera — muszę. Zobacz, jaki pyszny ten kawior, Paulina, inaczej smakuje niż te z marketów. Ja może nie jestem koneserem, ale tam wszędzie nas fetowali takimi delikatesami. Mój kolega Marian, starszy jegomość, to tak jadł, zobacz. — Sławek wziął kromkę naszego razowca, obłożył śmietaną i położył na to łyżeczkę kawioru. — Masz, spróbuj, jaki smak!

— Dziękuję, ale koniaku mi nie lej. A mnie to przypomina dziadka Kuby, byłego chłopaka mojej przyjaciółki, który jadał bliny gryczane ze śmietaną i z kawiorem — właśnie.

— Jadłem! — ucieszył się Sławek. — Chcesz whisky?

— Nie.

— Szampana! Otworzę ci szampana! Do kawioru — w sam raz!

Szampan jest lekki jak sfermentowany sok — może być. Zresztą potrzebowałam bąbelków, czegoś na odwagę, bo chciałam pogadać ze Sławkiem poważniej. Na razie jednak dawałam mu się wygadać.

Jak niesamowicie oni są zależni od pracy! Jak jest kiepsko, jak kuleje dopływ pieniędzy — kompletnie potrafią się załamać. Kombinują i kombinują, a jak czują opór — zaraz depresja albo zawał. No przecież taki był do wyjazdu. Szło mu ciężko, długi rosły, raz były większe, raz mniejsze, ale jednak ciągle pod górkę.

Teraz poczuł ciąg, zobaczył pracę i perspektywy — już konkretne i namacalne i macha grzywą! Poprzednio moje damskie ramiona były jakby ścianą płaczu, odreagowaniem. Teraz uśmiecha się zalotnie, zwycięsko i oko mu błyszczy triumfalnie. Teraz chce się ze mną kochać zwycięzca. Tak mają...

— Paula, czemu ty stale w tych ogrodniczkach? Takie jak ze starszego brata. Masz świetne nogi! Powinnaś jakieś szpilki, ja wiem... Chodź!

Jest wesoło i radośnie. Rozbiera mnie, owija — nagą, w paszminowy szal.

— Super! Jesteś piękna!

Jest uwodzicielski, natarczywy, spragniony. Król po wygranej bitwie.

Robię wszystko, żeby nie zmącić mu tej radości. Niesie mnie na łóżko i rozwija z szala. Pieści namiętnie, natarczywie. Reaguję głośniej i ostrzej niż zawsze, chociaż nie mam specjalnie rozbuchanych zmysłów. Do orgazmu mam jak stąd do Chin. Jestem rozproszona, myślami gdzie indziej. Cały czas myślę — powiedzieć mu czy nie?

Udaję szczytowanie. Dobra szkoła Meg Ryan z filmu *Kiedy Harry poznał Sally* (ona siedzi w barze vis-à-vis Billy'ego Cristala i pokazuje mu, jak kobieta udaje orgazm). Naśladowałyśmy ją jako młode studentki, siedząc w pubie, a chłopaki byli wściekli, że robimy taki cyrk:

— Jesteście źli, bo nie wiecie, kiedy udajemy! A wy nie możecie udawać!

— My też możemy — kłócił się Rocho, jak zwykle trafiając jak kulą w płot.

— Rocho! Przeczytaj *Układ* Kazana. To stara rzecz, ale kultowa. On tam udowadnia tezę, że wasz Kozak to najdemokratyczniejsza część waszego ciała. Najuczciwsza. Jak nie, to choćbyś mu pistolet do napletka przystawił — nie stanie! I możesz sobie nafiukać z dyszeniem i jękami, bo go nawet nie umieścisz w strategicznym punkcie!

I Roch skapitulował.

Sławek jest upojony swoim wyczynem. Nalewa mi szampana i już zamyka oczy, masując mi kręgosłup opuszkami palców. Jest taki delikatny, dumny.

Teraz!

— A jak to będzie z mieszkaniem i w ogóle, gdzie będziesz, częściej tu czy w Kazachstanie?

— Jak to? — mruczy. — Zostaję tu, a gdzie mam się wynosić? A z Kazachstanem rozmawiam przez internet, moja śliczna. Mój Pająćzku. Czemu pytasz?

— Tu? Przecież to... prowizorka, nora.

— Wystarcza mi! Jak posprzątam, jest nawet przytulnie — prawda? Zawsze sprzątam, jak masz przyjść. Przynajmniej skarpety, buty... Co ci, Paula?

— Nie wiem, tak sobie pytam. Bo przychodzę tu jak panna do sprzątania... Może czasem w weekendy, chociaż, pobylibyśmy jakoś razem, dłużej? — mówię spokojnie.

— Też o tym myślałem. Ale co stoi na przeszkodzie? Możesz przecież przyjechać w piątek i zostać kilka dni... Tak?

— No... Tak.

Nie mam odwagi. Za wcześnie. Nigdy dotąd nie był w takim maślanym nastroju. Spróbować?

— Jest jeszcze coś, Sławek...

— Noooo? — mruczy.

— Nie chciałbyś mieć życia takiego bardziej stabilnego? Mieć normalny dom z firankami i że jak wracasz, to światło widzisz już z samochodu i ktoś czeka?

— Ty? Czekałabyś? Coś nie wyglądasz mi na domową kurkę. Paula, co ci chodzi po głowie? Chcesz mnie usidlić?

— Usidlić?! Co za terminologia! To leci przymusem, niewolą. A mnie chodzi o wsparcie, pomoc, wspólne dni...

— ...Noce i dni... — śmieje się ze skojarzenia i ma na myśli tylko bzykanie... Nie chce domu ewidentnie. Wolny ptaszek. A jak mu źle, to w deprechę: „Paula, taki się czuję wypalony, zmęczony".

No tak. Nie dogadamy się dziś. Jest zanadto rozeuforyzowany. Niech ma temat do przemyślenia.

Rano wracam nad rozlewisko doglądać ogrodu — mojej nowej pasji.

Znów poszalałam w ogrodzie. Ania też uważa, że powinnyśmy sadzić i siać mnóstwo kwiatów, i zdobić nimi pensjonat. Jest już po „zimnych ogrodnikach", czyli Pankracym, Bonifacym i Serwacym. Brzmią raczej jak imiona dla kotów niż świętych. Jeszcze tylko piętnastego „zimna Zośka" i można sadzić flance.

Przekora we mnie nie dowierza, że co roku na „ogrodników" są oziębienia i nawet przymrozki, ale babcia Basia tak mi powiedziała:

— Córeńko, to wieki doświadczeń. Zawsze tak było, stąd porzekadło i żaden szanujący się ogrodnik nie wyrywa się z rozsadą przed piętnastym maja, szczególnie tu, na Mazurach.

Pojechałyśmy na rynek do Olsztyna, po sadzonki kwiatów. W Szczęsnem zatrzymałam samochód przed sklepem ogrodniczym, po lewej stronie szosy. Z dala wygląda ciekawie. Drewniana wiata imitująca chatę i widać w koło mnóstwo krzaków — iglaków — jak piszą w czasopiśmie ogrodniczym.

Plac ładnie utrzymany, zadbany i właścicielka też — w czapce z daszkiem na głowie, czarnym dresie, adidaskach, szczupła i z werwą. Od razu poczułyśmy do siebie sympatię, bo powiedziałam jej, że chcę piękności, ale się kompletnie nie znam.

Wypytała nas o ziemię, o słońce i cień, oprowadziła i pokazała wszystko, co ma. Ania upierała się przy sadzonkach drzewiastych peonii o nowych, pełnych żółtych kwiatach, innych niż mamy kolorach.

— Resztę wysiejem z torebek — szepnęła mi do ucha. — Tu drogo jak cholera!

— Ale szybciej zakwitną! Dobrze — zwróciłam się do właścicielki. — Poproszę po dziesięć sadzonek wszystkiego, co zakwitnie.

— Aksamitki też?

— Nie! — zawołała oburzona Ania. — Zasiejem!

W Olsztynie kupiłyśmy mnóstwo nasion.

Bardzo mnie porwało to zajęcie. Ogród do niedawna wyglądający jak śmietnik, po zimie już nabiera kształtów i jest tajemniczy. Już ma w sobie sadzonki, nasiona, a ciągle prawie nic nie widać!

— Ogród to wielka sztuka cierpliwości — powiedziała babcia Basia.

Chyba ma rację, a ja nie mogę się doczekać, żeby wyglądał już jak ze zdjęć z kolorowego pisma.

Myślę o Sławku.

To taka moja i jego szansa na normalność. Czemu on tak dziwnie reaguje? Najpierw łapie mnie, jak szczęście za nogi, tuli, robi śniadanie do łóżka, a jak napomykam coś o byciu razem — wierzga, robi unik? Bo złapał ten kontrakt z Kazachstanem? Wiatr w żagle? Już nie jest biednym misiem?

A ja? Gdybym nagle przestała być w tej ciąży? Może też odrzuciłabym Sławkowe amory?

Pojechałam do niego. Muszę wiedzieć.

— Sławek, musimy pogadać.

Całuje mnie w szyję i wsuwa dłonie pod bluzę.

— Gadaj. Nie przeszkadzaj sobie — mruczy w mój kark.

— Sławek, może posłuchasz. To ważne.

Siadam prosto na kanapie i walę prosto z mostu:

— Jesteśmy sami ty i ja, źle nam z tym, więc się spotykamy i... I co, tak ma być już ciągle? Może pomyśleć o jakiejś wspólnocie? Związku? Nie mówię, żeby od razu do ołtarza, ale nie ciągnie cię mała stabilizacja? Wspólny dom?

Patrzy mi w oczy z uśmiechem, który powoli spełza mu z ust.

— Paula, ty poważnie? Źle ci tak, jak jest bez zobowiązań? Po co się wiązać? Mało się znamy. Może się nie uda...?

— Dlaczego ma się nie udać? Jeśli każdemu z nas jest smutno samemu, a razem weselej, milej... Wiem. Jeszcze nie mówiliśmy o miłości. Ty jesteś po przejściach i się jej boisz i ja też.

— No właśnie. Na tym budować? Paulina, związek to zobowiązanie.

— Boisz się zobowiązań?

— ...to odpowiedzialność za kogoś. Nie. Nie boję się. W zasadzie mógłbym spróbować. Czemu nie... ale ja nie wierzę. Próbowałem i coś nie mam szczęścia. Jakoś kobiety się mnie nie trzymają.

— A ty robisz coś, żeby je utrzymać?! Pokazujesz, że ci zależy? To poważne, Sławek. Jeśli już się zwiążemy, to naprawdę. Bez skoków w bok, z pełnym rozmysłem i konsekwencjami. I nie ma „anuluj", „cofnij", skruchy.

— Ty to mówisz poważnie — prawda? OK. Kupuję to, ale... no dobrze, może na próbę? I żadnych dzieci, psów, kotów.

— Żadnych dzieci... bo?

— Bo ja już mam dorosłą córkę i już koniec! Żadnych dzieci! Po co nam to?

Powiedział to tak, że zrobiło mi się zimno. Idiotyzm. Mam się prosić o bycie razem pod warunkami? Wstałam i wyszłam.

Zbiegł za mną.

— Paula — dyszał nerwowo — przecież to proste. To rzeczywiście dobry układ. Będziemy uważać, i dzieci nie będzie. Po co komplikować sobie życie?!

— Za późno — szepnęłam i otworzyłam samochód.

— Co?! Jak to „za późno"?

— Nie krzycz. Nie twoje. Jestem w ciąży z tym Francuzem. Wiem od niedawna... Cześć. Nie było tematu.

We wstecznym lusterku widziałam, jak kopnął starą donicę. Chyba klął. Głupia. Facet nie będzie się przecież pchał w niewolę i cudzego bachora — sam z własnej woli!

— No, to maj się skończył — powiedziałam na głos do siebie.

Problem Pauli

Słowo ciałem się stało, chociaż nie miałam z tym nic wspólnego, bo nie ja jestem sprawcą ciąży Pauli. Ja tylko wieszczyłam.

Mój Boże, ale reakcja! Jest spanikowana, jak ja kiedyś. Tyle że ja miałam gniazdo i męża, a ona nie. Rozumiem ją, ale jednocześnie, jakbym wyżej leciała i widziała więcej — gdyby cokolwiek z tą ciążą zrobiła — żałowałaby. A tak — los zadecydował za nią. Jest niby taka dojrzała, samodzielna, a jednak reaguje jak wystraszony dzieciak. Biedna!

Stało się chyba dobrze. Naturalnie szkoda, że bez partnera, ale teraz są inne czasy i żadna kobieta już nie płaci za dziecko bez ojca ceną niesławy, banicją, wytykaniem palcami. Chociaż rozumiem, że dobrze jest, najlepiej, gdy partner jest. Może Sławek? On jest taki spragniony ciepła, domu, kobiety. Tak się już nażył w samotni, że może Paula go przekona do związku i zaakceptowania dziecka. Genetycznie nie jego, ale czy to ważne? Dziecko to dziecko... No. Ja tak myślę, ale mężczyźni są pod tym względem uparci. Ten manewr z dzieckiem może nie przejść...

Muszę być blisko Pauli i trzymać ją jakoś. Miota się i jeszcze głupstw narobi.

Na razie jednak muszę się zabrać za normalne życie pensjonatu. Zaczynamy sezon, a na dodatek obiecałam, że dam pomieszczenie temu... Orestowi. Ma stać puste? Pomóżmy artyście. To tylko rok. A ja tak narzekałam, że mi tu pusto! Janusz przedpołudniami w pracy i czasem chłopska ręka potrzebna. No i Bartek sam zapewniał, że Orest jest fajny i niekłopotliwy.

— Janusz — spytałam przy śniadaniu — pamiętasz, obiecałam Bartkowi, że damy pomieszczenie to, obok garażu, temu rzeźbiarzowi?

— Gosiu, to twój dom, ro...robisz, co chcesz. Mam nadzieję, że fajny gość i nie będzie przeszkadzał. Płaci nie...niewiele, ale ty już masz takie serduszko... Kocham cię. Wrócę wcześnie i wpadnę do taty.

— Masz dzisiaj Olsztyn?

— Tak. Będę u Mariusza do południa pod te...telefonem.

Wychodzi. Śle mi całusa z samochodu, bo stoję w oknie i patrzę na niego, macham dłonią i cieszę się. Ciągle mam w sobie tę radość, że jest Janusz, że mi z nim dobrze i że on też się osiadł, uspokoił się. Kiedy go poznałam, a miał wtedy te rozprawy z Lisowską o majątek — bywało, że drżały mu ręce. A teraz nie!

— Gosiu — wchodzi Paula. Jest szara na buzi i smutna.

— Co, kochanie?

— Nie mów nic Mańce na razie — dobrze? Kurczę! Wszystko się spieprzyło! Sławek mnie nie chce.

Robię jej śniadanie i głaszczę. Tyle mogę.

Na podwórku właśnie wysiadali z samochodu jacyś letnicy, Gosia rozmawia z nimi, więc minęłam ich i wycięłam prosto do leśniczówki. Niestety. Babci Basi i Tomasza nie było. Mogłam zadzwonić! Zawróciłam. Trudno. A może i dobrze, że muszę sama stawić czoło rzeczywistości?

— Muszę stawić czoło rzeczywistości — wyskandowałam w lesie na głos, zła. Cały czas zbiera mi się na płacz.

Wróciłam i schowałam się u siebie. Myłam podłogi, żeby wyładować całą złość za swoją głupotę, za rozczarowanie i durnowaty optymizm. Klęczałam obok wiadra z brudną wodą i nagle poczułam potężny spazm żalu. Że jestem w jakiejś idiotycznej ciąży, że dlaczego właśnie ja, że inne, na przykład Marysia, z chłopakami grają teraz dobry jazz w Opolu albo Lublinie i w dupie mają takie rozterki. I że ona tego swojego Adasia ma... klarnecistę, a ja, nikogo... I że Sławek mnie nie chce.

No i się rozryczałam!

Właśnie wtedy zapukała i weszła Gosia z jakimś facetem.

— Poznaj... — urwała, widząc mnie. — Paula! Co ci?

Podbiegła, kucając przy mnie.

— Paulineczko, co jest, kochanie? Boże! Czemu takie łzy? Ktoś ci zrobił przykrość?

Rozmazywałam łzy łokciem, kiedy ten gość podał mi chusteczkę.

— Proszę. Ja pojdu do kuchni — powiedział cicho i wyszedł.

— Kto to?

— Rzeźbiarz. Bartek Karolak go przywiózł. Obiecałam go zameldować u nas na miesiąc albo na kilka. Z Białorusi. Orest mu na imię — ładnie — prawda? W warsztacie zrobi sobie pracownię. Ma zamówienie z kościoła ewangelickiego w jakiejś mieścinie koło Ornety. To znajomy Stefana i Bartka, chcą być blisko, więc będzie u nas. Bartek będzie mu pomagać.

— Co pomagać? — pytałam przez łzy, chociaż wcale mnie to nie obchodziło.

— Montować ołtarz. Orest wyrzeźbi, a Bartek zmontuje. Jakieś wielkie zamówienie! — Gosia opowiada i głaszcze mnie po twarzy.

Szczerze mówiąc, miałam to gdzieś. Nie chciałam pytań, więc sama pytałam. Co mnie obchodzi jakiś Białorusin? Tam jest dyktatura. Nie mogłam pozbyć się także rodzinnej ansy do Ruskich. Do nich wszystkich. Babcia Malwina miała tę niechęć we krwi. Jej brat zginął w Starobielsku... Ja wiem, że... blablabla... to inne pokolenie, inny lud, inna historia. Nie lubię i już! Wolno mi?

— Już dobrze, Gosiu — powiedziałam przez łzy. — Przepraszam. Tak mnie wzięło.

— To hormony, Paulineczko. Ukołyszą się.

— Nie hormony, tylko życie i... Sławek. O nic nie pytaj. Znów błąd. Mam pecha... Jestem głupia.

Mail od Mańki:

Paula, szkoda, że Cię tu nie ma!
Siedzimy w knajpie z internetem, stąd mój mail. Dają tu boską mieszankę — wino z rumem i sokiem z ananasa. Lepsze od sangrii. Gramy z jakąś niewymowną pasją. Idzie nam świetnie i nawet koledzy z Krakowa kiwają przyjaźnie głowami. To do wczoraj. Wieczorem zrobiła się Aura. Zagraliśmy wszyscy — tu w tej knajpie. Nie masz pojęcia, jaki klimat! Adaś dał popis klarnetu na żydowską nutę i krakusy zaprosili nas do swojej zaprzyjaźnionej knajpki na krakowskim Kazimierzu. Czujesz?!
Trochę padam ze zmęczenia, ale odeśpię w Warszawie.
Co u Was? U Ciebie? Zaniedbałam Cię. Przyjadę. Obiecuję. Pa!

Mail do Mani:

Mania, nie chce mi się pisać. Zwiechę mam.
Wprowadził się do nas rzeźbiarz z Białorusi, znajomy tych z tartaku. Orest ma na imię. Dziwnie — prawda? Jest średniego wzrostu, mocno zbudowany, klatę ma jak sportowiec. Jasnowłosy, choć krótko ostrzyżony. Ma jakieś trzydzieści parę lat. Mocne, męskie rysy. Oczy niebieskie i dość miłe, nienachalne usposobienie. Ma zlecenie na ołtarz w drewnie. Właściwie, mało mnie obchodzi. Tak sobie piszę, żebyś wiedziała. Muszę ci powiedzieć, że życie to nie jest sprawiedliwe.
Zerwałam z Majem, ale olewam to.
Tak mi jakoś... Pa.

Oni tam sobie grają i weselą się, a w moim brzuchu rośnie Obcy i zawalam przez niego życie...

Kiedy powiedziałam to Gosi, zabrała mnie po południu na spacer, nad rozlewisko. Szłyśmy trawiastą ścieżką wśród poletek ziół do kładki. Nie moralizowała, tylko głaskała mnie i uśmiechała się, powtarzając, że „wszystko się ułoży". Szczerze mówiąc, chciałam ją udusić za tę świętoszkowatość, ale wtedy właśnie powiedziała:

— Popatrz. Tam za tym badylem. Widzisz? To coś, to gęsiak naszych łabędzi. Maluch. O, a tam następne... Wiesz, Paula, że nawet babcia Basia nie wie, jak długo one tu gniazdują? Wiele lat. Łabędzie są sobie nieziemsko wierne. Mają partnera na całe życie. Wspierają się, przylatują wiosną i razem odbudowują, remontują swoje gniazdo. Potem się kochają, składają jajka i gniazdują. On i ona karmią te swoje gęsiaki-łabędziaki i czują się spełnieni dopiero wtedy, kiedy młode zaczynają latać. Właściwie na tym polega cud życia. Budować coś razem, żyć razem i odchować dzieci razem. Wiosną zaczynają od nowa. Chyba tylko to się liczy w kosmosie. Miłość, dzieci, budowanie... Spełniasz się. Sama — ja wiem, to smutne. W tobie kiełkuje wynik waszej szaleńczej miłości. Twojej i Jeana. Coś się musiało stać takiego w wyższym rozumieniu tego słowa, że tak was pchnęło ku sobie i że z tego jest dziecko. Widocznie taki był boski plan. Może to nadzwyczajne geny? Spójrz na to tak. Nosisz w sobie coś, co powstało z wielkiej namiętności. Nie karm tego dziecka niechęcią. Jest niewinne. Kochaj je, bo w życiu łonowym kształtujesz jego charakter.

— Skąd wiesz?

— Od Basi. Bronia jej to zawsze powtarzała. „Jaka ciąża — mówiła — jakie macierzyństwo, taki będzie dzieciak".

— Zarodek nic nie wie...

— Bzdura. Wie. Już wie, że się na nie, na to dziecko złościsz, że nie lubisz... A co ono winne? Wyskoczyło z namiętności. Miłości. Paula! Nie pamiętasz?

— Miało być inaczej.

— Nie miało! Nikt ci nic nie obiecywał, a dziecko to nie zbiór komórek, to zbiór uczuć! To ktoś, komu masz zapewnić jakąś przyszłość. Urządzić życie. Daj mu komfort! Rozmawiaj z nim, tym dzieciakiem! Głaszcz, kochaj już teraz! Niechciane, niekochane będzie od początku neurasteniczne, ze skazą.

— Gaaadasz...

— Naprawdę! Popatrz, jak ta łabędzica otula te podrostki. Kocha je, bo to jej geny. One muszą być mocne i mądre, żeby przeżyć, a mądre będą tylko mądrze kochane. Myśl, Paula. Różowy paseczek to chłopczyk albo dziewczynka spragniona mamusi. Mamci. Jesteś nią. Już „po ptakach".

Obserwowałam mamę — łabędzicę. Mama Gosia gładziła mnie po głowie.

Czego się rzucam? Rzeczywiście, czasu nie cofnę. Poczętego Rudzielca nie cofnę. O tak! Rudzielca! Z buzią nakrapianą piegami, jak Jean. Będę musiała chronić malucha przed rówieśnikami, bo będą go przezywać „Filip, indycze jajo!".

Roześmiałam się i powiedziałam Gosi o tych piegach.

— Czemu Filip?

— Nie wiem... bo ładne.

— Widzisz? Już mu dałaś imię! Będzie miał aureolę czerwonych loczków wokół głowy i będzie mówił „kici" do Blanki, Pulineczko.

— Będzie sikał w pieluchy i darł się po nocach — powiedziałam trzeźwo.

— Albo spał jak anioł, jeśli będzie spokojny, jak jego mama podczas ciąży.

— Nie jestem spokojna — burczałam.

— A powinnaś. Życie prenatalne kształtuje osobowość dziecka w wielkim stopniu. Czytałam o tym nawet w ostatnim „Newsweeku". Położę ci na szafce.

Gosia patrzyła na mnie wyczekująco. I chyba wtedy stał się cud. Kiedy wyobraziłam sobie tego amorka z czerwonymi loczkami i piegami jak Jean Philippe. Pulchną, różową istotę z jego uśmiechem, z tymi zielonkawymi oczami pełnymi radosnych ogników. Wtedy właśnie się stał!

Dotąd był kłopotem, problemem. Kłębkiem niepotrzebnych komórek, a teraz miał nóżki i rączki, i siusiaczka, i buźkę z tymi piegami. Poczułam, bardzo wirtualnie, jak go biorę na ręce. Już zachciało mi się go przytulić. Fala nieznanego, dziwnego wzruszenia zakotłowała mi w gardle.

— Posiedzisz tu jeszcze, Paulineczko, czy wracasz ze mną? — Gośka stała wyczekująco.

— ...posiedzę... — odparłam zamyślona.

Babacia Malwina wychowała mamę sama. Antek już nie żył. Mama próbowała mnie wychować sama. Ojca nawet nie miałam. Był jakiś dawca na prywatce... I co? Mam powtarzać tę durną tradycję? Widocznie... Może jednak uda mi się poznać faceta, który też chciałby... Eeee tam! Który chciałby? No, który? Co mi tak odbija? Zawsze byłam sama, a teraz tęsknię do związku? Gosia powiedziałaby za babcią Basią: gniazduję. Może właśnie tak?

Część trzecia

LATO

Jak ja narzekałam wiosną na samotność. A teraz nie mam chwili dla siebie. Dłonie jak wyrobnica, paznokcie byle jak opiłowane i zarośnięte, włosy bez wyrazu, bez ładnego koloru, fryzjera nie widziały dawno, a pracy — mnóstwo, bo gości dużo.

Najbardziej mnie wykańcza wożenie pościeli do pralni. No i kosztuje to. Piernacki mnie oświeca:

— Pani Gochno, ja sam piorę! Przychodzi kobieta do maglowania i już. Trzeba mieć tylko taki płyn, co go Sanepid wymaga. Niemiecki taki i większą pralkę.

— Panie Heniu, nie stać mnie na zakup nowej pralki!

— Z ogłoszenia się kupuje, z demobilu. Ja się rozejrzę, pani Gosiu. Się sprowadzi lekko używaną z Niemiec!

— Nie mam pieniędzy teraz!

— Pieniądze — rzecz nabyta! Rozłożę pani na raty! Jak będzie okazja — oczywiście, to ściągnę pani. Znam takiego, co jeździ po flomarkach, to przy okazji przywiezie.

Codziennymi zakupami, gotowaniem, sprzątaniem zajmuje się Wrona, pitrasi zazwyczaj mama, ale jak wyjeżdża z Tomaszem — ja. Lubię to. Radzimy sobie z Anią, ale Kaśki nam brakuje. Niby taka dziecinna, ale była pomocna i zawsze pod ręką. Pauli nie angażuję, bo ma swoje sprawy. Od przyjazdu gości nie mam już wolnej chwili, ciągle coś...

Wieczorami Janusz ciągnie mnie na rower albo na kładkę na ryby posiedzieć z kijkiem w wodzie, ale nie mam siły.

— Idź sam, kochanie. Posiedzę troszkę, nogi mnie bolą, bo dzisiaj puściłam Anię wcześniej do domu.

— A mama gdzie?

— Też w domu, ciśnienie jej skoczyło.

— Nie możesz tak sama i sama... — ma pretensje.

— Janusz, nie ma wyjścia. Praca to praca i czasem tak już jest. Nie nudź!

Jest wieczór. Nasi goście wracają ze spaceru, z rowerów. Słońce już za lasem, powietrze gorące, wonne, letnie. Oni wypoczywają po całorocznej pracy, ja pracuję na to, żeby w zimie wypocząć. Aha, i marudzić, że mi samej źle. Przypomniałam sobie moje samotne dni w pustym domu, sarkania na nieobecność Janusza. Sama chciałam!

Teraz oddałabym wiele za jeden taki cichy, pusty dzień.

Siedzę na werandzie. Paula sprząta po kolacji. Janusz siedzi nadęty.

— Ca...cały dzień siedzę nad paszczą pa...pacjenta, plecy mnie bolą. Chodź, poruszamy się!

— Proszę cię, Janusiu! Śpię w środku! Daj mi spokój. Nałaziłam się dzisiaj, ledwo siadłam!

Konflikt interesów. Wiem. Co mam zrobić? Zmuszać się? Wieczorem też rozczarowanie, bo zasypiam prawie natychmiast i oganiam się od Januszowych dłoni. Ofukuję go. Spać!

Rano Janusz wstaje mniej czuły, zamknięty w sobie.

— Proszę cię — mówię przepraszająco — Janusinku... Wiem, wczoraj padłam jak kawka, ale jak przyjdzie mama, skończę wcześniej i skoczymy na rowery, OK?

— OK.

Odpowiedź jest krótka i wciąż nadęta. Przykro mi, ale nie mam zamiaru zmuszać się, gdy całe moje ciało wyje wyłącznie o odpoczynek. Nie mam dwudziestu lat, a praca w pensjonacie to dwa etaty!

Naturalnie nie udało mi się skończyć wcześniej.

Kiedyś, siedząc wieczorem na werandzie, zauważyłabym, że mało jest tego roku komarów, że nocami piękny bywa księżyc, wielki, niebiański naleśnik, że powietrze w południe drży od gorąca i much... A dzisiaj śpię na siedząco.

Załatwiam mnóstwo spraw i zapominam o takich rzeczach jak... przegląd samochodu. O mało mi nie odebrali prawa jazdy, gdy wracałam z Olsztyna z jagnięciną kupioną w „Raście". Szpanujemy tymi mięsami innymi niż w mieście, bo lubię, gdy goście chwalą, mlaszczą nad sarniną w winie, baraninką łagodną i aromatyczną z pyzami, kochają te dziwnostki, ale ja muszę po nie jechać albo do „Rastu", albo do spółdzielni „Las".

I właśnie, gdy wracałam z piękną ćwiartką jagnięcą, zatrzymał mnie patrol! Ledwo ich uprosiłam i obiecałam przegląd natychmiast!

W Warszawie Konrad był chodzącym kalendarzem i przypominajką:

— Przegląd samochodu, mammografia, kontrola kominiarska!

Jak on to spamiętywał?

— Mamo — moja córka mądralek wie wszystko — możesz sobie ustawić taką opcję w komputerze!

Mogę, ale nie potrafię. Nie mam na to siły, czasu! Woźniakowie wyjeżdżają rano i za dwie godziny pokój zajmą Litwinowie z Krakowa. A trzeba posprzątać i jednocześnie obiad... A kiedy ten przegląd?

Pomógł pan Paweł z warsztatu, z Dźwierzut. Zawiózł z pracownikiem mój samochód do Olsztyna na stację Toyoty, i z powrotem.

Ale trzeba było wysupłać prawie tysiąc złotych na tę przyjemność! I opłacić pana Pawła. Żyć mi się odechciewa... Takie pieniądze?!

— Ale za to jeździć pani będzie bezpiecznie i bez mandatów! — pociesza pan Paweł.

Aaaa z czego będę żyła zimą?!

Jagnięcinę lekko przypaliłam, bo zagadałam się z panem Pawłem. Szlag by to trafił!

Za to moi goście udawali albo nie czuli, wynosząc moje zdolności kulinarne pod niebiosa.

— Pani Gosiu, to naprawdę baranina?! Ja sądziłem, że ona ma taki ostry zapach! A tu pyszności takie! — To pan Marian z Krakowa. Miły, bo pierwszy raz u mnie i wszystko im, jego rodzinie, się podoba.

Baranina zimą

Kawałki baraniny okroić z nadmiaru tłuszczu i błon.

Włożyć do miski z wodą i octem owocowym na dobę. Nie solić.

Po wyjęciu i osuszeniu pokroić na porcje i obsmażyć na oleju z łyżeczką smalcu.

Włożyć do garnka żeliwnego, na pozostałym tłuszczu zrumienić cebulę i kilka ząbków czosnku. Wlać szklankę wody i podlać baraninę.

Wersja wytrawna:

Dusić na małym ogniu kilka godzin do miękkości. Dodając ziele angielskie (mało) i listek laurowy, pod koniec zaś kilka listków tymianu lub majeranku (lepiej tymianek), zalać całość szklanicą czerwonego wytrawnego wina. Pieprz na końcu — z młynka i sól także.

Odstawić na dwie godziny lub dobę.

Podawać z brukselką i ostrą surówką szwedzką.

Jako dopełnienie — kuskus albo ryż.

Wersja śmietanowa:

Miękką, już uduszoną baraninę zaciągnąć kubkiem śmietany z ciutką mąki. Zmiażdżony ząbek czosnku dać po zdjęciu z ognia. I zamknąć przykrywką.

Baranina tak z buraczkami powinna sąsiadować. Jakimi bądź. Jako gorąca jarzyna, jako ćwikła lub małe buraczki z octu. Koniecznie!

Jako wypełniacz ziemniaki purée lub kluseczki kładzione, znakomite też pyzy ziemniaczane lub poznańskie.

Już nie zaprzyjaźniam się z gośćmi jak wtedy, za pierwszym razem, gdy przyjechali Czajkowscy i Soplicowie, Kwintowie... Wtedy było jakoś tak rodzinnie, intymnie, a teraz nabrałam dystansu i jestem mniej wylewna i bardziej asertywna.

— I całe szczęście — mówi Janusz. — Rodzinę ma się jedną, a to są tylko pa...pacjenci!

— ...klienci. Goście — poprawiam go.

— No i nie musisz im... wiesz co.

— Wjem, Janusz. Nie mam kompletnie na nic czasu... Ani na fryzjera, na kino, na siebie. O mój Boże, nie wiedziałam, że to taki wysiłek.

Opieram głowę o jego ramię. Już noc. Niedawno skończyłam zmywanie, a moi goście przytrzymali mnie na pogawędce. Ludzie! Mam swoje życie!!!

Paula siedzi w pokoju i szyje. Też jest rozbita i zamyślona.

Zbiera się na burzę. No i nie pójdziemy na spacer! Janusz wzdycha, ja sprzątam werandę, żeby nic nie zamokło. Zostajemy na zewnątrz. Wieje, a wiatr bawi się piaskiem i kurzem z drogi. Akurat, gdy mnie przytulił mój Zielonooki Potwór, zobaczyłam kątem oka, jak chmura tego brudu z drogi obok domu osiada na suszącej się pościeli... Mojej osobistej!

— Nie mogę już — prawie się rozbeczałam w Januszowe ramię. — Nic mam siły na wszystko! Mam dość! Janusz!

Gładził mnie po głowie i milczał. Nic nie poradzi. Przecież sama chciałam mieć pensjonat! Tyle tylko, że tę pościel zdjął. I podał mi ją bez słów, a w łóżku westchnął i tylko przytulił. Chyba czuł, że znów jestem bez nastroju.

Poranne nie tylko łzy

Poranne śniadania często robiła Gosia na werandzie. Tylko czasem szła od razu do pensjonatu, ale zazwyczaj Ania Wrona radziła sobie sama. Zjadaliśmy rano na zewnątrz, a ja byłam zachwycona. Zazwyczaj, ale teraz bywa, że budzę się rano i beczę. Zaraz potem czuję skurcz i lecę do łazienki powisieć nad muszlą. Obrzydlistwo!

Jak Piernacki dowozi gazety, Janusz czyta, jeśli nie, gada z nami i oczywiście dogryza mi. Opowiada o pacjentach, o tym, czego się dowiedział w mieście albo co obejrzał na Discovery Channel. O tym najchętniej.

— Co ty taka zie...zielona jesteś, Paula? — spytał ostatnio.

— Bo rzygam... — burknęłam.

— Po co?

— Głupiś — sarknęła Gosia — to pierwsze miesiące i czasem tak bywa.

— Czy to jest to, o czym, ja my...myślę?!

— Tak — odpowiada Gosia. — Nie udawaj, mówiłam ci, Paula jest w ciąży, ma nudności i dlatego źle wygląda.

— To zjedz coś, dziewczyno. Zieleniejesz jak jakaś e...euglena. Przechodzisz na fo...fotosyntezę?

— Janusz, nie dokuczaj jej. Tak już codziennie, Paula? Mocno? — pytała Gosia z troską.

— Aleście się przyczepili! I to przy śniadaniu. Tak, jak tylko wstaję — rwie mnie.

— Zadzwonię do mamy. Ona poradzi — powiedziała Gosia pełna spokoju.

No, tak. Babcia wie wszystko. Jest tutejszym antidotum na każdy problem. Przyjechała i udawała, że o niczym nie wie, chociaż znając ich wzajemny układ, Gośka na pewno nie wytrzymała i wygadała się, jak tylko sama zobaczyła ten cholerny paseczek na teście. Babcia potrzymała moją twarz w dłoniach i głęboko popatrzyła mi w oczy. Pocałowała z radością i powiedziała:

— No, pięknie! Będziesz mamusią. A na poranne mdłości to wiesz co? Chodź! Gosiu! — zawołała ją i mnie na naradę.

Co rano teraz, zanim wstanę, za radą babci Basi, Gosia kładzie obok mojego łóżka talerzyk z ćwiartkami jabłka. Albo są to tarte antonówki, ze słoika, co stoją w ziemiance. Te lubimy najbardziej — ja i mój bachor. Gosia posypuje je ciutką cukru cynamonowego. Po tym rzygam rzeczywiście mniej albo i wcale!

— Co ci, bachorze? — pytam mojego brzucha rano, gdy czuję, że mnie szarpnie. (Babcia Basia kazała tak pytać). Więc pytam i głaszczę... (Mam płaski brzuch jak deska). — E, no! Jesteś tam? Eee! Nie obrażaj się, no dobrze, „bachorku" — wołam, jakby mnie słyszał.

Rozstawiam palce. Taka mała fasolka — powiedział stary doktor Maślak, ginekolog (polecony przez Lisowską, byłą żonę Janusza. Ta Lisowska to teraz nasz ambasador do spraw medycznych w Olsztynie. Się porobiło!).

Taka mała fasolka... Pewnie teraz usilnie pracuje nad własną konstrukcją. A torsje to efekt pracy laboratorium endokrynologicznego. Właśnie się kotłują hormonki.

— Pamiętaj o androgenach! Masz być Filipkiem! — szepczę.

I właśnie teraz czuję potężne szarpnięcie i lecę do kibla. Szarpie mnie i szarpie. Na nic jabłko... Przybiega Gosia.

— Załóż szlafrok, Paulineczko — ciągnie mnie na werandę. — Chodź, usiądź na powietrzu. Zrobię ci zielonej herbaty.

— Będziesz zieleńsza — śmieje się Janusz.

— Jesteś paskudny. Nie dam ci nosić dzieciaka, zobaczysz! — odgryzam się.

— I dobrze! Po co mi jakiś ba...bachor? Dzieci są okropne.

— Sam jesteś okropny! Mój będzie anielski — zobaczysz! Jeszcze będziesz mnie prosił: „Paula, daj ponosić!" — szydziłam, a Janusz się śmiał.

— Zachowujecie się jak w przedszkolu. Janusz! Do gabinetu! Paula — pij herbatę!

No, gdzie ja bym tak miała?

Gdy za Januszem opadł kurz na drodze, przyjechała na rowerze babcia Basia.

— Cześć, dziewczynki! Co macie, bo ja pączki z różanym nadzieniem!

— Skąd masz? — Gosia już rozwija papier.

— Dostałam słoik od pani profesorowej, tej, z którą gramy w brydża. Przedwczoraj graliśmy jak szaleni, a wczoraj odsypialiśmy. Potem byliśmy na spacerze aż tam, aż nad tym strumieniem z plażą, co to Czajkowscy nazywali „nasze miejsce", a wieczorem smażyłyśmy pączki. A co ty, Paulisiu, taka... zielona?

— No bo, babciu, rzygam jak kot.

— A jabłka nie pomagają?

— Czasami. Dzisiaj rano gadam do małego, wrednego zygoty, a ten — chlust i już wiszę nad kiblem!

— A co gadałaś?

— Żeby w tym swoim laboratorium robił sobie androgeny, bo ma być Filip.

— Aleś ty uparta! Toż to dziewczynka! Oj, Paula, jak tego nie zaakceptujesz, będziesz rzygać! A tak na poważnie, jak to cię tak męczy i jabłko nie pomaga, trzeba by królewskiego sposobu!

— To jest...?

— Czerwone, wytrawne wino, rano na czczo, srebrną łyżką — raz!

— Czemu nie kieliszkiem?

— Nie targuj się. Może być jakiekolwiek wytrawne — jakieś na przykład Egri i srebrna łyżka! I o nic nie pytaj. To działało zawsze. Każda królowa rzygająca w czasie ciąży tak była ratowana.

— Mamo — spytała Gosia — a ustawa o wychowaniu w trzeźwości?

— Odczep się — babcia Basia uśmiechnęła się uśmiechem osoby, która wszystko wie i umie pomagać.

Pączki pożarłam bez problemu. Jestem ciągle chuda, więc trzy absolutnie spokojnie „weszły mi" pod mleko z kubka.

Kiedy dołączył do nas, na prośbę Gosi, ten Orest, wykręciłam się trywialnie jakimiś zajęciami i poszłam do siebie. Niech się gościują. Babcia lubi takich nawiedzonych rzeźbiarzy. Wit Stwosz od siedmiu boleści... Orest — też coś!

Rzeczywiście pomysł babci, a w zasadzie królewskich balwierzy — przyniósł ulgę. Obok łóżka stoi teraz Egri — Burgundi, kupione u Elwiry i leży srebrna łyżka, jeszcze po babci Broni. Rano łykam wino i głaszczę zygotę prosząco. Teraz to jest zygota.

Widziałam w czasopiśmie — to już nie zygota! To jakby rybka czy coś podobnego. W miarę ohydny robaczek. Wielka głowa, oczy takie wyłupiaste, bez powiek, skrzydełka jakieś i takie to zwinięte, jak kijanka. Jak byłam na badaniach u doktora Maślaka, to na wydruku z USG pokazał mi jakieś czarne mazajki i że niby to jest to.

Teraz w niemieckim czasopiśmie oglądam ładne, komputerowo obrobione ilustracje pt. „Życie przed życiem". Zamiast łożyska i macicy zrobiono zarodkowi otoczenie jakby z kosmosu. Kolorowe mgławice i po środku, jak jakaś planeta, ten zarodek, w różnych fazach rozwoju. O, ten z siódmego miesiąca już ładny... Paznokietki ma maluśkie i śpi w tym kosmosie... samiutki taki... Boże, zidiociałam!

Zamknęłam czasopismo. Nikt nie widzi, więc głaszczę mój płaski wciąż jeszcze pojemnik i mówię:

— Nie jesteś w kosmosie. Otaczam cię całą sobą, a ty kombinuj i powoli się buduj, jak już musisz. Zrób sobie wszystko śliczne. Twoja mama jest artystką — lubi rzeczy ładne. Wiesz? Pamiętaj o oczach! Zielone! Nie pomyl — proszę cię.

Chyba mi odbiło...

Ten białoruski rzeźbiarz — to mruk. Zrobił sobie pracownię w warsztacie, który nigdy nie był warsztatem, w garażu. Gosia mu pozwoliła wstawić tam wielkie okno. Właśnie je przywieźli, nie wiem skąd. Roboty ma na minimum dwa lata. Wynoszą je z przyczepy Bartka i niosą do garażu. Wielkie. Nowe. Kupili?

— Panie Bartku! — drę się przez podwórko. — Skąd takie fajne okno?

— Orko je kupił za grosze od tej warszawianki, co jej się ośrodek rozłożył.

— Jakiej? Gdzie?

— Wpadnę później, to pani powiem, pani Paulino, bo teraz musimy okno osadzić. Zrobi nam pani kawy za jakieś dwie godziny?

Nudno mi. Jaki ośrodek? Zadzwoniłam do Sławka. W końcu pozostajemy przyjaciółmi, skoro nie chce gniazdować ze mną. Na pewno coś wie.

— Sławek, wiesz coś o tej warszawiance, co jej się jakiś „ośrodek rozłożył"?

— A skąd ty?... Wiem, o kim mowa, a co?

— Ona się podobno wyprzedaje... Gdzie to jest, to podjadę?

— Paula, poczekaj. Zaraz po ciebie przyjadę.

— Ja sama! Tylko powiedz...

— Zaraz będę! Nie możesz prowadzić w twoim stanie. Poczekaj!

Boże! Oni myślą, że ciąża to jakiś stan przedzawałowy! Normalnie jeżdżę swoim autem, tylko nie chce mi się wytaszczać go z garażu. Poprosiłabym Stefana, to by mi wyprowadził.

Zajechał Sławcio. Nie wygląda na obrażonego, zresztą to przecież on mi dał odprawę i to ja powinnam... Powinnam, ale się nie obrażam. Może przesadziłam, sądząc za niego, że założymy rodzaj... rodziny, związku? Mój chwilowy entuzjazm, chęć gniazdowania, nie musiał mu się spodobać. Więc nie ma o co się nabzdyczać. Znów jest miły i troskliwy. Jedziemy za Małszewko. Za jeziorem, jakieś sto metrów stoi tablica — racja! Mijałam ją kiedyś:

OBIEKTA
OŚRODEK AKTYWNEGO WYPOCZYNKU

Pod spodem tablicy informacyjnej znajdowały się ikonki wyobrażające to, co tam można: woda i słoneczko, plaża, nóż i widelec, łóżko, rower i piłkarz. Nawet jakaś tarcza strzelnicza...

— Co tu było? — pytam wszechwiedzącego.

— Ośrodek konferencyjno-szkoleniowy. Ona sama go budowała.

— Jak to — sama?! A mąż, ma męża?

— Miała męża. Chyba nadal ma... Ośrodek był firmy, firma — ich... Mąż i firma zarabiali w Warszawie kasę. To był holding. Jednostka warszawska troszczyła się o klientelę, a ona była tu fizycznie, na stałe i dyrygowała. Wszystkim oprócz imprez. Do tego przyjeżdżali ludzie. Ekipa z firmy. Beata, jak było trzeba, stawała w kuchni z kucharzem i gotowali poematy. Było tu sporo fajnych imprez... — tłumaczył Sławek.

— A ty skąd ją znasz?

— Przyszła kiedyś zamówić łóżka, do domków. Jezu! Jaki ona miała power! Jak ona się dogadywała z budowlańcami. Wiesz, że chodziła po budowie z alkomatem i jak dorwała pijanego, opieprzała go publicznie i won! A potrafi bluzgać jak chłop. Ale i grzeczna też jest. Jak mówiła do nich: „Panie Gieniu, czy byłby pan uprzejmy...", to Gieniu nie rozumiał, co ona mówi i w jakim języku... no, mocna była.

— Była? A co teraz?

— Domyśl się. Tylko nie wyrażaj współczucia. O, zobacz, to ona.

W oddali zobaczyłam sylwetkę. Szła w naszą stronę niewysoka, krągła dość kobieta, w spodniach i adidasach. Krótkie blond włosy fruwały na wietrze, więc je przygładzała co i rusz. Pomachała do nas. Widać rozpoznaje Sławkowy samochód.

— Młoda — co? Jak ma na imię?

— Beata. A ma tak koło czterdziestki.

— Myślałam, że młodsza...

Wysiadłam z samochodu. Staliśmy już za bramą ośrodka. Po lewej stronie ładnie zrobiony rzymski trawnik i na palu wbitym w ziemię litera „P" na niebieskim polu — parking. Po prawej stareńka kuźnia — ściany z pruskiego muru, belki drewniane zabejcowane na czarno, cegła czerwona. Dalej, ogromny budynek, niegdyś pewnie stajnia, teraz odnowiony. Przed nim płotek okalający przestrzeń z szarej kostki granitowej. Pewnie kawiarenka była tu na powietrzu...

— Dzień dobry! — zawołała do nas. — Cześć, Sławku!

— Paulina jestem — przedstawiłam się.

— Beata. Miło mi. Pani skąd?

— Ja... my się znamy ze Sławkiem, a mieszkam tak jak się jedzie na Pasym, to nie dojeżdżając tak, koło trzech brzóz... — plątałam się.

— U pani Gosi? U tego dentysty, Janusza? Zapraszał mnie na kawę — powiedziała, patrząc na Sławka.

— Tak, właśnie. Mieszkam tam już na stałe. Uciekłam z Warszawy. Pani, słyszałam, też?

— Tak — pokiwała głową. — Ja też. Proszę, chcieliście zobaczyć? Pani chciała zobaczyć — bo Sławek, to tu wszystko już widział. Czy może chce pani coś kupić?

— Chętnie obejrzę. Sławcio tyle opowiadał... A co pani sprzedaje?

— Wyprzedałam już prawie wszystkie rośliny. Zostało wyposażenie kuchni, jeszcze, i trochę mebli... — rozejrzała się zamyślona, a może zakłopotana?

Weszłyśmy do tej niby stajni. O matko! Ale knajpa! Na prawo od wejścia sala z bejcowanymi belkami podporowymi, nierównymi ścianami, z tynkiem o chropowatej fakturze. Ciepłe, rozbielone, ceglaste kolory. Ładne metalowe lampy.

Obrazki, kosze, meble — wszystko jak w wiejskiej gospodzie, połączonej ze starym dworkiem. Stara kanapa i głębokie fotele, to kącik dla kawoszy. Stojąca lampa, na ścianie obraz malowany przez miejscowego artystę.

— Co to? — spytałam.

— „Święta Genowefa w noc przed ślubem" — cudo — prawda? Kupiłam od staruszki na Kurpiach. Malował jej kuzyn. Stefan Bloch. Jego obrazy wiszą ponoć w kościele w Myszyńcu.

— Beata sama to wszystko komponowała — rzuca Sławek, ewidentnie wielbiciel Beaty. Uśmiecha się do niej. Tak. Na pewno dobrze się znają!

— Jaka kuchnia! — zachwycam się kotliną kuchenną z fajerkami, stojącą pośrodku sali. Jest zbudowana z zielonych kafli, a nad sobą ma drewniany okap. Fajerek mało. Jej powierzchnia zagięta jest pod kątem prostym, jakby wokół komina i dalej tworzy blat, wyłożony płytkami z zielonego łupka kamiennego. Dziwne...

— To miejsce na szwedzki bufet. To udawana kuchnia, chociaż w kotlinie kuchennej można palić. Tam stawiamy pośrodku... stawialiśmy ciepłe potrawy — zawiesza głos. Milknie.

Zdaję sobie sprawę z jej stanu. Zamieniła jakąś stajnię na ekstra restaurację i teraz — fiuuuu! Wszystko poszło w diabły. O kurczę, nie zazdroszczę.

— Zobacz, Paula, jakie zaplecze... — Sławek ciągnie mnie do kuchni. Mało mnie to obchodzi, ale idę. To już Gosia i babcia Basia z Anią zaglądałyby w każdy zakamarek...

— Co to? — pytam.

— Zmywarko-wyparzarka. Kapitalna rzecz do knajpy — tłumaczy Beata. — Ma cykl mycia i parzenia — trzy minuty!

— Żartujesz! Przepraszam. Pani żartuje!

— Mówmy sobie po imieniu — proponuje Beata i wyciąga dłoń.

Ma smutny ten uśmiech. Czuję, że pod maską serdeczności wszystko ją boli. Oglądam szafę przelotową, absurdalną ilość pomieszczeń. Boże! Ile tu trzeba było wyłożyć kasy! Dreptania po urzędach!

— Ale to przybudówka? Stajnie nie miały takich? — pytam. Chcę okazać zainteresowanie. Dowiaduję się, że tak, przybudówka była konieczna, żeby było to zaplecze kuchenne. Zresztą to ładnie złamało bryłę i teraz stajnia wygląda z tyłu, od drogi, jak wielki dwór.

Pokazuje mi wszystko. Piętro, mieszkanie dla kucharza, klimatyzację... Potem idziemy do poniemieckiego dworku-pałacyku, jak mówią miejscowi.

Ile tu pracy i forsy! Piękna posadzka na parterze. Duże kremowe kafle, jakby żyłkowane i dookoła nich coś jak stare drewno?

— Czy to drewno? — pytam z niedowierzaniem.

— Nie, terakota... hiszpańska udaje drewno. Też mnie uwiodła, jak ją zobaczyłam w olsztyńskiej hurtowni.

Oglądam, chłonę każde jej słowo. Podziwiam okna dębowe — nówki.

— A te okna to robił pan Chmieliński ze Szczytna. Stolarz — fachowiec. Piękne rzeczy potrafi zrobić. To stare, skrzyniowe okna. Trzeba wiedzieć, jak to się robiło kiedyś. I nauczył mnie robić barszcz biały na węgorzu.

— Kto? Ten stolarz?!

— No. Tu fajnych ludzi można spotkać. Zobacz, Paula. Tu był pokój kąpielowy...

Już teraz nie jest mi nudno. Beata opowiada ciekawie o domu, o jego byłych właścicielach, o strychu, o remoncie... Mówi dużo i chętnie. Jeszcze jest „Wioska Mazurska" — O matko! Czternaście domków noclegowych, strzelnica, tor dla quadów, „małpi gaj", jak w wojsku — do ćwiczeń.

— To ja go zrobiłem! — chwali się nasz stolarz. — Dla równocześnie dwóch osób. Chcesz pohuśtać się na tych oponach?

— Nie, dziękuję. Beata, tu tyle ziemi, kto ci kosił trawę? Bo chyba kosiliście?

— Tak. Miałam tu dwa ciągniki. Mąż się śmiał, że kupił mi lamborghini... To marka ciągnika! Były tu i kosiarki — listwowe i rotacyjne, przyczepy, glebogryzarka... cały park maszynowy.

— Beata — wtrącił Sławek — uprawiała tu hektar, tak? Bea? Hektar ziemniaków. O, tam przy drodze.

— Może powiesz — zaśmiałam się — czego nie robiłaś? Widzę, że chyba wszystko? Skąd wiedziałaś, jak to wszystko robić?! Nie jesteś rolniczką?

— Jestem. Mam dyplom SGGW. Jeździłam ciągnikiem, bo mam prawo jazdy, hodowałam osła i konia, budowałam i projektowałam, sadziłam i tapetowałam, gotowałam w restauracji... to wszystko bardzo mnie rozwinęło. Tyle się nauczyłam! To ogromne bogactwo, którego nikt mi nie odbierze.

Słucham jej i nie słucham. Patrzę na park ze starymi drzewami i pięknymi krzewami, ogród, morze zieleni i ścieżek, na cały ten majątek zbudowany sercem tej drobnej kobiety i myślę — jak można przeżyć utratę tego wszystkiego?! Nie forsy, ale pracy, serca, wysiłku. Miłości. Bo to z miłością zbudowane. Mój Boże!

Jakby usłyszała moje myśli. Zatrzymała się. Spojrzała, westchnęła i powiedziała:

— Roślin mi żal... ciemierniki miałam takie ładne, oczary japońskie, juki kwitły jak oszalałe, ponad trzysta róż, hortensje dębolistne... — po twarzy pociekły jej łzy. Odwróciła się. Sławek wziął ją za rękę.

— Bea. Beatko, już. No, już — pocałował w dłoń, z jakąś niewymowną troską. Jak to misiek...

Wracaliśmy. Długo milczałam.

— Sławek, jak ona to znosi?! W dodatku sama tu... Boże, chyba bym zwariowała, padła na zawał.

— Beata jest jak tur, chociaż w środku — subtelna, delikatna. Wpadałem do niej czasem. Ona świetnie gotuje, więc był taki czas, że się u niej obżerałem. Gotowała mi barszcz ukraiński. Pierwszy raz jadłem coś takiego. Mówiłem na to „czerwona zupa". Esencjonalna, pieprzna, taka... chłopska. Albo żur na golonce. Naczosnkowany. Dzwoniła, a ja przyjeżdżałem, żarłem i zabierałem w słojach... Kochana jest.

— Podkochujesz się w niej?

— Adoruję, od zawsze. I ona od zawsze daje mi kosza. Tak się podrywamy od początku. Zabawa taka. Miło jest... Jak jej się to wszystko wywróciło, chyba nie umiałem jej pocieszyć. Przestałem wpadać. Cierpiałem za nią.

— Dałaby się zaprosić? Podobno robiła ząb u Janusza i umówili się, że wpadnie do nas, i nie wpadła.

— Nie dziw się, Paula. Bea, jak ognia boi się współczucia. Nie chce tych wszystkich „Ojej! Jak pani to wszystko znosi?". Blablabla. Jest na swój sposób dzielna. Ja prawie nie widziałem jej łez.

— Bzyknąłeś ją? Przyznaj się — spytałam bezczelnie i głupio, zmieniając nastrój. I natychmiast pożałowałam.

— Coś ty?! Mówiłem ci, my się droczymy, ale ona jest nieprzystępna... A jak się z nią zobaczę, spyta mnie o ciebie. Takim samym językiem: „Bzyknąłeś ją, Sławciu, prawda?"

— Skąd wiesz?

— Bo ona czyta we mnie jak w książce. Zna męskie słabości i wie wszystko o ludziach. Znasz Mirka Książkiewicza?

— I jego rakową historię? — znam. Był u nas. Opowiadał o tym jasnowidzu i pokazał wynik USG. Ale numer!

— No. Beata z nim przegadała kupę czasu. Mówiła o różnych metodach samouzdrawiania, o poczuciu zwycięstwa i wiary. On poszedł do szpitala naładowany optymizmem i energią.

— Następna wiedźma — szepnęłam. Co za kraina, te Mazury!

Jeszcze w tym tygodniu Janusz z Bartkiem pojechali do Beaty po wyparzarkę i szafę przelotową. Taki traf! Szukała tego Gosia i szukała, a tu — proszę!

Gosia, babcia i Ania zajęte są przygotowaniem pokoi, pitraszeniem i gośćmi. Ja — mam senny czas, sporo myślę i rzeczywiście, uspokoiłam się.

To chyba dobrze, że nie wyskrobałam zarodka. Taka rzeź... Nie użyłam gumki i teraz trzeba to jakoś ogarnąć!

Tak się wczułam w rolę mateczki, że gdy byłam w szmatlandii w Szczytnie, zaczęłam oglądać dziecięce ciuszki. Zwariować można! Najbardziej rozczulają kopie ubrań dorosłych. Miniaturowe T-shirty, kurtki jeansowe wielkości znaczka pocztowego, zielone bojówki jak dla pluszowego misia. Misia — nie Sławka. Jego bojówki są jak plandeka na ciężarówkę. O! Bejsbolówka taka tycia! Na mały łepek... Chyba czuję to, co każda mama...

Przy damskich bluzkach zobaczyłam Beatę.

— Cześć! — przywitałam ją serdecznie. — Polujesz jak ja?

— No, nie zupełnie. Ja szukam bluzek dla siebie, a ty — dla potomka?

Najpierw mnie zatkało. Skąd ona wie? Ale przecież mogła mnie widzieć, jak oglądałam te dziecięce szmatki.

— Nie, ja... nie, ja tylko... — plątałam się trochę.

— Przepraszam. Odniosłam wrażenie, jak byłaś u mnie ze Sławkiem, że jesteś w ciąży...

— Gadałaś z nim?!

— Nie. Ma wpaść jutro. Ja tak czasem mam. Widzę. Jeśli to ciąża, to fajne, a jak widzę śmierć w czyjejś twarzy, to — nie...

— Widzisz?! Zupełnie jak babcia Basia. Beata, przyjedź do nas, nad rozlewisko! Poznasz inne wiedźmy. Gosię, Basię... Wpadnij! Będzie miło.

— Dobrze. Daj mi swój telefon. A z tą ciążą? Jak?

— ...trafiony, zatopiony — powiedziałam z uśmiechem i dumą. I dumą!

Kiedy wsiadałam do samochodu, Beata wychodziła ze sklepu. Pomachała do mnie i krzyknęła:

— To dziewczynka!

Pogięło wszystkich. Matka wie najlepiej, więc odkrzyknęłam:

— To Filip!!!

Męskie fochy

W czerwcu przyjechał do mnie Konrad z Adą.

Oj, czuła dusza moja, po co!

Umieściłam ich na pięterku, bo pensjonat już był pełny.

Wieczorem podczas kolacji było niezręcznie, bo panowie — Janusz i Konrad nie mają wspólnych tematów, i rozmowa się kompletnie nie kleiła.

Ada próbowała, ale bez sensu zeszła na stomatologię, o której ma marne pojęcie, więc Janusz wyczuł, że temat jest sztucznie napędzany i powiedział, wstając od stołu:

— Przepraszam, ale ta...tatko dzwonił, że się źle czuje, Gosiu, po...pojadę na noc do tatki, po...pobędę z nim jutro też. Mną się nie krępujcie!

Odprowadziłam Janusza do samochodu:

— Co ty kręcisz? Przecież tata czuje się dobrze. Gadałam z nim dzisiaj.

— Byłaś w mieście?

— Byłam.

— Miałem ga...gabinet, mogłaś wpaść.

— Nie mogłam, zadzwonił Konrad, że jadą, i musiałam zrobić zakupy i...

— Za...zawsze jest coś ważniejszego — powiedział to poważnie.

— Zwariowałeś?! Janusz, proszę cię...

— Jadę. Pogadacie so...sobie.

Pojechał chyba lekko urażony. O mój Boże — zwariuję! Z każdym trzeba jak z porcelaną? Nawet Janusz ma fochy?! A ja — co? Mam być jak święta Maryjka?

Nie mogę przed Adą pęknąć.

Wróciłam do stołu, z którego Ada już sprzątała resztki kolacji.

— Gosiu — placki rybne super! Jak je robisz?

— O, to trawestacja takiego hiszpańskiego dania. Kaloryczne, ale tobie nie grozi żadna kaloria — prawda? — spytałam ją z zazdrością.

Przepis na rybne kotlety

Hiszpański rybny kotlet (Barcelono — dzięki!)

Hiszpanie robią to z surowej suszonej ryby rozdrobnionej na kłaczki (dorsz).

My możemy z wędzonej, dość suchej (dorsz, grenadier).

Przygotować sos beszamelowy:

Łyżkę masła stopić, dodać łyżkę mąki, zasmażyć, nie rumieniąc, rozprowadzić filiżanką mleka. Zagotować. Połączyć ze szklanką gęstej śmietany. Mocno podgrzać. Zaciągnąć 2 żółtkami. Zdjąć z ognia i mocno zestudzać. Baaardzo mocno!

Połączyć z rybą, skropioną cytryną i popieprzoną obficie. Schłodzić ponownie.

Z zimnej masy formować łyżką owalne kotlety i po obtoczeniu w bułce smażyć krótko, na gorącej oliwie z wytłoczyn lub oleju.

Polskie placuszki rybne (Basia tak robi)

Rybę jakąkolwiek w postaci filetów przepuścić przez maszynkę. Z kawałkami (na koniec) bułki zeschłej i cebuli. Do masy wrzucić jajko i sklarowane masło (łyżkę).

Ryba bardzo lubi koper, więc Basia daje sporą łyżkę posiekanego kopru lub susz.

Sól, pieprz. Doskonale jest dodać ciut startej gałki muszkatołowej.

Postępować jak z kotletami, placuszkami — bułka tarta, gorący tłuszcz. Wiecie!

Surówka zwykła z kiszonej kapusty jest doskonałą parą do takich kotletów!

Do surówki wsiekać duuuużo zielonego, pietruszki, szczypioru i kolendry.

Ada pokrygowała się trochę, ale moje komplementy jawnie się jej podobały. Spoglądała na Konrada, który był zażenowany tym ćwierkaniem swoich dwóch kobiet — byłej i obecnej. On się doskonale czuje w stereotypach — porzucona małżonka powinna obecnej rywalce wydłubać oczy albo przynajmniej wyssać krew.

— Gosiu, Ada prosiła...

— Konrad — Ada przerwała — pozwolisz! Małgosiu, sprawa dotyczy domu i Marysi. Po prostu chciałabym cię zaznajomić z pewnymi faktami...

Nie usłyszałam niczego, czego bym nie wiedziała, a poczułam się idiotycznie — jakby Ada przyjechała naskarżyć na Manię, że ta zanadto się szarogęsi w swoim własnym, bądź co bądź, domu. Że jej, Adzie, chodzi o to, że oni oboje doskonale zadbają o willę, bo Ada się zna, a Marysia ma wariackie pomysły i rwie się do wymiany podłóg za nie swoje pieniądze i ogólnie powinna zamieszkać w mieszkaniu Ady.

— Jest młoda, niezależna — po co jej taki kłopot jak willa? Konrad też uważa...

— Jestem w kłopotliwej sytuacji, Ado. Jak wiesz, dostałam sporo pieniędzy od matki Konrada, a willa nie jest moją własnością i nigdy nie była!

Ada zaczerwieniła się i popatrzyła nerwowo na Konrada.

— Nie chodzi o to...

— O Marysię? Mam ją upomnieć, nagiąć do twojego pomysłu? Konrad? Aż tak jest źle? Dom zarasta, jest zaniedbany? Popada w ruinę?

— Może zaniedbany nie — wtrąciła Ada. — Ale zamieszkany przez dziwnego lokatora, który pali, i jeszcze te pomysły z podłogami! Marysia nie panuje nad tym! Terakota na podłogę to absurd!

Rozmawialiśmy dość długo. Konrad stosował uniki, ja też nie chciałam być niegrzeczna, ale czułam narastającą złość. Przyjechała tu spiskować przeciw Mani. Coś takiego! Jakiż ona ma apetyt na tę willę i w dodatku nie ukrywa tego!

Poszliśmy spać bez uzyskania konsensusu.

Czując mój opór, Ada sprytnie zmieniła temat i poszliśmy spać, nie uzyskawszy rozwiązań, po które przyjechali do mnie.

Rano Konrad zszedł do kuchni i sam spytał jakby nigdy nic:

— Janusz już w pracy?

— Tak. W parzyste ma gabinet w Pasymiu, a w nieparzyste Olsztyn, bo tam Mariusz, jego wspólnik, ma pracownię protetyczną. Czasem ma zastępstwo w przychodni, różnie. Wczoraj został u taty.

— Pogniewał się?

— Przestań. Głupio się czuje, jest nieśmiały. Ada jeszcze śpi?

— Tak. Nie lubi rannego wstawania i jak tylko może w soboty, niedziele śpi rano jak najdłużej... Co sądzisz o tym całym nieporozumieniu?

— Konrad, to otwarty konflikt! Nieporozumienie byłoby, gdyby się panie zamieniły niechcący bielizną, a tu nabrzmiał konflikt i ty go musisz rozwiązać. Dom jest Marysi, Zofia jasno to powiedziała i zapisała, a Ada czuje się dyskomfortowo, bo zdaje się inaczej sobie wyobrażała wasze wspólne „razem". Żenisz się?

Konrad popatrzył na mnie znad kubka z kawą. Milczał. Smarował chleb masłem tak starannie, jakby go uszczelniał kitem na zimę. Żuchwy mu chodziły, myślał zapewne — jak mi odpowiedzieć?

— Nie — powiedział krótko.

— Przepraszam. To wasza sprawa, ale ona chyba na to liczyła.

— Nie wiem... Mnie nie przeszkadza ani Marysia, ani Olo. No, on może trochę, bo pali jakieś śmierdziele, ale to tymczasowa sprawa.

— Konrad, ale nie o to chodzi! Dla ciebie to było i jest wygodne — Ada i jej dom jako cicha przystań, w której się chowałeś przed moimi humorami, ale ona liczyła na twoją deklarację — zapewne. Na ślub... I na tę willę.

To było o jedno zdanie za dużo.

Konrad zgromił mnie za takie podejrzenia i utwierdził w przekonaniu, że Adzie chodzi tylko...

— Daj spokój! Jesteś ślepy albo głupi!

Nie mogliśmy kontynuować, bo usłyszeliśmy kroki Ady.

Wyjechali wieczorem. W poniedziałek musieli być w pracy. Żadne nie uzyskało tego, po co przyjechało. Zresztą, nie wiem, czego oczekiwał Konrad, że szturchnę Marysię? Że ją upomnę, żeby była miła dla Ady?!

Przy pożegnaniu już nie byłam taka miła.

— Ada, sorry, że się wtrącam, ale ja nic tu nie poradzę. To nie mój cyrk i nie moje małpy!

— I nie twoja córka — też?

— Ado, Marysia dostała ten dom od babci i czuje się jego właścicielką...

— Ale ja nie polemizuję, tylko chodzi mi o dobro budynku! Dach się prosi o remont, a nie fanaberie podłogowe! Dom potrzebuje gospodyni, a Marysia jest jeszcze na etapie... — szukała słów, i wtedy wtrącił Konrad po swojemu:

— Jedźmy już. Gosiu, szkoda, że nie rozumiesz. Zresztą mam już taki szum w głowie. Chodzi o to, że może Marysi dobrze zrobiłoby na początek mniejsze mieszkanie? Mniejsza odpowiedzialność?

— Rozmawiaj z nią. Ja już nie jestem z tej bajki i jako mama nawet nie mogę stawać przeciw Marysi. Konrad! Ja jestem mamą!

Nie uzyskaliśmy żadnego porozumienia. Cholera jasna! Nie mogę przecież żyć jednocześnie tu i w Warszawie! Gdybym była na miejscu, na Saskiej Kępie, Ada z pewnością nie rościłaby sobie pretensji do willi, ale z drugiej strony, Konrad postępuje dziwnie. Dałaby sobie uciąć głowę, że jak tylko dostanie rozwód, ożeni się z nią, a tu... Dziwne.

I Ada się złości.

Janusz też nic o ślubie nie wspomniał, ale mnie nie zależy!

— Nie zależy? — Elwira otworzyła oczy szeroko jak to ona.

— Co ty? Po co mi to? Jestem starsza i w ogóle.

— Gosia, nie udawaj. Ja wiem, jesteś jak ja, dzielna i może chcesz być, jak to teraz modne jest... o! singielką. Czytałaś? Jak one dzielnie pitolą, że „same, same, że to świadomy wybór", a jak tylko pojawi się taki, co im dorówna mądrością, kasą i otumani miłością, zaraz im dupy miękną i fruną w ołtarze!

— Otumani?

— Oj, no... Nic złego, miłością, wiesz. Ja też się... zakochałam, no, tak?

— Powiedział ci, że cię kocha i zmiękłaś?

— Nie... Nie powiedział — Elwira zamilkła, czekając na moją reakcję.

— Nigdy?!

— Nie, nie musi!

Stałam zdumiona. No tak, jak Fin, który mówi raz w życiu przed ślubem i nie będzie powtarzał dwa razy. Raz ma Fince wystarczyć do końca życia.

— Janusz mi stale to mówi — pochwaliłam się.

— To się ciesz i merdaj ogonem. Szczęściara! Oj, Gosia, a czy to ważne, mówi, nie mówi? Ja czuję, że Andrzej jest cały za mną. A ty? Janusz z tobą jak mąż, no tak?

— Nnno... Tak!

Do domu wracałam, przeżuwając myśli o tej miłości, deklaracjach i o Januszu. Czuję, że jest cały mój, czy tylko tego chcę? Wiem, że on stale nie czuje się u nas jak u siebie. O Paulę wcale go nie pytałam, tylko tak, formalnie, bo wiadomo, że postanowiła i już. Tak samo z Orestem... Zawiadomiłam go, że będzie miał u nas pracownię. Ale... przecież Janusz nie umiałby podjąć żadnej decyzji. Więc podjęłam ja!

W ogrodzie wszystko rośnie. Ja też

Lato strzeliło jak z bata. U Gosi był jej były — Konrad z Adą — swoją obecną. Po ich wizycie Janusz jeszcze kilka dni siedział u ojca. Jak wrócił, Gosia miała z nim ciche dni. Nie pytałam. Nie moje buraczki.

W lipcu wpadła Mania na kilka dni. Bez Adasia.

Opowiadamy sobie wszystko. Szczegóły, nastroje, myśli i fakty. Wszystko. Wypluwamy z siebie nasze emocje potoczyście, w moim pokoju, długo w noc. Najpierw Mania opowiada radośnie o sesji, o koncertach, o zaproszeniach i spotkanych ludziach. Ja rewanżuję się historią o Sławku, o dziwnej sprawie z nowotworem Mirka, o Beacie i jej nieszczęściu. Wspominam niechętnie o Białorusinie — Oreście. A jak już wszyscy śpią i jest ta czarodziejska, księżycowa godzina, wtedy zaczynamy tak „z duszy".

— Z Adasiem to na poważnie czy tak muzycznie, pam-param?

— Wiesz, Paula, sądziłam najpierw, że muzycznie, że przede wszystkim to oszołomienie erotyczne, bo od tego się zaczęło.

— O matko! Mów! Ty, święta Marynia?! Erotycznie?

— Poczekaj. Poznaliśmy się i OK, nic się jeszcze nie działo, ale zaczęłam zauważać to, jak on na mnie patrzy. Ukradkiem albo jawnie... Coś w tym było takiego, że zapragnęłam większej zażyłości. A tu nic! Owszem spotykaliśmy się, ale nie było ofensywy... Koleżanka i tyle, chociaż czułam, że mu zależy.

— Spryciarz. Wyczekał cię!

— Siebie też, jak się okazało. Potem, wiesz, byłam z mamą na chippendalesach, mówiłam ci, i tam tańczył taki Japończyk, a jak znasz Adasia — on też taki drobny, ciemny, jak Bruce Lee. I ten mały miał takie świetne układy choreograficzne, sporo fitnessu, ale i tańca erotycznego. Wtedy mi się wyobraźnia rozpaliła.

— I co, poszliście na całość?

— O, kochana, jeszcze nie. On był ostrożny, ale coraz bardziej przekonany, że „nie jestem chwilą" — jak to ujął.

— ...ładnie...

— No i najpierw był etap „dotknięcie rąk". Paula! Jaki czad! Zwykłe wzięcie za rękę! Zupełnie jak u Jannego i Gastona — pamiętasz? Marzyłam o pocałunku takim, pod gwiazdami — dostałam! A potem pooszło! To chyba to, do czego tęskniłam. Taki poryw duszy i ciała.

— A Kuba?

— On był taki racjonalny... Kuba będzie zawsze w moim sercu — jako pierwsza miłość, taka na full. Tyle że... sama wiesz...

— ...wiem. Czyli teraz trafiłaś celnie i jesteś szczęśliwa?

— Wiesz, Paula, to tak, że reaguje i ciało, i dusza, i umysł — bo my jesteśmy z jednej, muzycznej gliny. Mamy taką wspólnotę, że to aż bajkowe — jak my się rozumiemy. Adaś ma tylko w poniewierce matematykę, więc od rachunków jestem ja.

Zakochana, szczęśliwa Mania! Romantyczna pragmatyczka — oksymoron mój kochany! To dobrze, że taka świetlista, zadowolona i spełniona. Chociaż ona, moja duchowa siostra. Zazdroszczę?

No, jasne! Na szczęście, nie zjadliwie. Jeszcze przyjdzie i na mnie ten miód. Na razie zmienia mi się kolejność... Najpierw bachorzątko.

— Paula, mów! Teraz ty — oczy Mani chłoną. Nastawiła się na słuchanie. Lubię ją taką. Jak ona słucha!

— Posłuchaj i nie wściekaj się. Jestem w ciąży...

Opowiedziałam Maryśce wszystko ze szczegółami.

— Mańka, Gosia mnie przeprogramowała. Nie wierzgam już i nie rzucam cholerami. Wiesz, z początku było zaskoczenie, histeria, stres... Byłam załamana, zaskoczona, kompletnie nie przygotowana na tę ciążę. Nie chciałam jej, a Gosia mnie tonowała i tłumaczyła godzinami.

— Szczerze mówiąc, też bym się spodziewała, że pójdziesz gdzieś się skrobać. Do jakiejś wiejskiej babki albo konowała.

— Głupia!

— No, tak bym sądziła! Nie chciałaś?!

— Aaaa tam. Chciałam, bo się zlękłam, przeraziłam. Wiesz, Mańka, tego nie było w planie, ale jak się do mnie dobrała Gosia, to wpuściła mi do systemu takiego wirusa... że skasował cały lęk. Coś tak mówiła, opowiadała, że ten strach zamienił się w akceptację. A potem zobaczyłam go oczami duszy.

— Kogo? Strach? — kpiła Mańka.

— Nie! Mojego Filipka — synka. Będzie rudy i śliczny! Jak Jean Philippe.

— A jak to będzie panienka?

— Co wy wszystkie z tą panienką?! Synka chcę!

— Mnie byłoby wszystko jedno. Ale rozumiem, że w twoim życiu brakuje facetów. Ani dziadka, ani ojca, ani brata... chcesz mieć syna — i ja to rozumiem, ale jak to dziewczynka — może jej przykro?

Zasnęłyśmy późno, w moim łóżku. Dobrze jest mieć Mańkę. Gadać do rana, rozumieć się jak dziewczyna — dziewczynę, kobieta — kobietę, mieć takie podobne podejście do wielu tematów, i to coś, co nas łączy na poziomie duchowym. Takie niewypowiedziane — coś.

Obie nie mamy rodzeństwa. Oczywiście mojego małego braciszka — Francuzika, nie liczę. To dzieciak, kurczak nieletni. Mógłby być... no, właśnie, moim synem. Brrr. Nie! Nie on! Będę miała własnego. Lepszy model. Na pewno! André jest milutki, jak się nie złości. Niestety, moja nerwowa mama udzieliła mojemu bratu swoich fochów i teraz on je ma! Pewnie jej ciąża to było pasmo szaleńczych histerii.

Jestem mądrzejsza o wiedzę przekazaną mi przez babcię Basię. Życie prenatalne kształtuje małego człowieczka. Nadaje mu odporności, uzbraja w spokój albo nerwówę! O, tak. Nie będę taka głupia, żeby sobie wyhodować w brzuchu histeryka, terrorystę. Babcia sugestywnie mówiła o tym, że taki dzieciaczek — zarodeczek czuje całym swoim, mikroskopijnym układem nerwowym, i jak się go tak szarpie nastrojami, fochami — to mu się rozregulowuje układ immunologiczny, hormonalny i nerwowy, a ja nie chcę urodzić neurotycznego odmieńca. Rozregulowanego...

Zasypiam, myśląc czule o mojej spokojnej rybce.

Rybka. Tak nazywam to coś, to dziecko w środku, od dnia, w którym poczułam je po raz pierwszy. Było tak:

Lepiłyśmy wieczorem pierogi. To był koniec czerwca, może początek lipca? Babcia Basia wpadła do nas na pogaduszki i zobaczyła ziemniaki z obiadu — więc zaraz stanęłyśmy do „ruskich", tyle tego było. Po prostu któryś z wakacjuszy, chyba Bogusiowie i dwaj młodzi Niemcy, nanieśli ryb, dali Ani do smażenia i na drugie danie zjedli z chlebem i surówką. Ania Wrona się pieklila, bo zrobiła kotlety, ugotowała ziemniaków, ale co robić? Kotlety poczekają do następnego dnia, a ziemniaki nie mogą, bo odębieją.

I tak do kolacji zgłodniała tylko połowa naszych wczasowiczów, bo opchali się tych ryb... Babcia z Gosią zrobiły ten „ruski" farsz, więc stałyśmy i lepiły, i gadały — jak to my. Janusz siedział obok i podjadał nam z miski, czytał gazetę i wtrącał coś czasem.

Przyszedł rzeźbiarz — Orko i zaczęło się: kto wymyślił „ruskie"?

Mówił, że u nich na wsi, owszem, robią takie, ale z bryndzą albo białym serem i bez kminku i nazywają się „wareniki" i każda gospodyni ma swój sposób na nie. Babcia, że w Rosji mówili na to „polskie". I tak sobie pleciemy — bla bla, a ja nagle czuję, bardzo wyraźnie, takie myrgnięcie w brzuchu, jakby mi tam pływała rybka — welonka! Zupełnie tak samo, jakby tym welonem musnęła mnie o ściankę brzucha — jak w akwarium Norberta i Aśki — moich sąsiadów z Chomiczówki.

Ale czad! Stanęłam nieruchomo, bo to tak krótko trwało i było takie nieuchwytne, przyjemne, może powtórzy jeszcze raz?

Musiałam idiotycznie wyglądać z niedolepionym pierogiem podniesionym do góry i dziwnym, głupkowatym wyrazem twarzy, na wdechu, zastygłym w oczekiwaniu na jeszcze...

— Co ci? — spytał Janusz.

— ...rybka — powiedziałam błogo. — Rybkę mam w środku... pływa mi.

Janusz i Orko popatrzyli na mnie dziwacznie. Nie rozumieli. Za to babcia i Gośka od razu skumały, o co chodzi:

— Tak? Paula! To cudnie! A z której strony? — pytały obie naraz.

— O... tutaj. Tak lekuchno, jak woalem... — szeptałam oczarowana.

— Malutka jest, więc robi to delikatnie — babcia uśmiechała się do mojego brzucha-akwarium. (Babcia zawsze mówi o niej. Uparła się).

Od tamtego dnia nasłuchiwałam. Nastawiłam w sobie sonar i łowiłam każdy dźwięk z głębin. Rzeczywiście, co jakiś czas mój rybek — Filip ociera się, dotyka ścian mojego wewnętrznego akwarium, jakby dawał mi znaki. Zawsze wtedy przystaję i zaglądam do środka moim wewnętrznym okiem, jak kamerą. Widzę go wirtualnie, jak pływa sobie i nie przeszkadza mi, bo jest grzeczny.

Wtedy, przy pierogach, ten Orest się wzruszył... Powiedział na głos: „Boże moj" i jakoś tak spojrzał miękko... Później już nic nie mówił. Milknie, jak ja jestem w pobliżu. Pewnie wyczuwa, że nie pałam do niego (do nich — Ruskich w ogóle) sympatią. No co... Nie muszę wszystkich kochać!

Nagadałam się z Manią za wszystkie czasy. Ona ma taki dar — siedzieć w nocy do rana i gadać. Mnie moja ciąża zmieniła strasznie. Koło dziesiątej wieczór ziewam i ciągnie mnie do spania. Nie wytrzymuję długich dystansów. Wieczorami na naszej werandzie też robiło się kółko dyskusyjne, zupełnie jak w pensjonacie.

U nas zasiadali: Gosia i Janusz, babcia Basia, jak przyszła, ten nasz rzeźbiarz, i jeszcze Ewa, letniczka, aktorka — od zeszłego roku koleżanka Gosi. Starałam się im dotrzymywać kroku, szczególnie jak była Mańka. Lubimy nocne pogaduchy przy winie, świecach i komarach. Wieszamy takie kopcidła dookoła werandy, ale i tak żrą. Jednak dziesiąta, jedenasta i... odpadam.

Janusz zaproponował, że mi zawiesi hamak i będę dyndać obok nich, śpiąc lub nie. Czasem jest tak ciekawie, a ja zasypiam!

Namiastka życia czy życie prawdziwe?

Moje wydawnictwo zaspokojone, a portal, dla którego obiecałam napisać opowieść rodzinną, ma odcinki mojej opowiastki na jeszcze trzy miesiące. Dobrze, że tak to załatwiłam, bo nie miałabym czasu ani siły nawet na najmniejszą recenzję, korektę, a na twórczość to już w ogóle. Mamy pełne obłożenie i niestety, każda z nas, Ania i ja, mamy pełne ręce roboty, bo mama słabsza i nie chcę jej nadwerężać.

Po tym wypadku i odejściu Kaśki chyba bardzo podupadła na zdrowiu, ale Tomasz milczy jak zaklęty, a ona nie powie słowa. Udaję, że nie jest tu potrzebna, i widzę, jak mama radośnie z tego korzysta. Potrzebny im wypoczynek! Jeżdżą nad Biebrzę do znajomych Tomasza. Wtedy Bobkiem zajmuje się Janusz. Wysyłam go, bo Bobek nie lubi kobiet i na Janusza tak nie ujada.

Paula przyniosła mi rewelacje o wyprzedaży, jaką prowadzi ta zbankrutowana warszawianka. Kupiłam od niej zmywarko-wyparzarkę, co za szczęście! Ma krótki cykl zmywania i Sanepid od razu ją doceni!

To okropne nieszczęście, jakie ją spotkało — tę Beatę.

Podczas mojej wizyty co nieco opowiedziała mi, ale widać, że nie lubi rozmawiać o swoim nieszczęściu. Nie dziwię się. Może wzięli za wielki rozmach? Opowiadała o tej wyparzarce, zawijając sobie włosy za ucho i jakby unikając mojego zainteresowania.

Byłam z mamą i jak wracałyśmy, spytałam:

— Piernacki ma rację, mówiąc, że konkurencja nam odpadła? To duży ośrodek!

— Wybacz, że to powiem, ale głupi pleciuch z Piernasia, to wygaduje takie... Oni byli nastawieni na grupy! Słyszałaś, jak mówiła?

— A racja. I rąk szkoda. A po licho ona tu ciągle siedzi?

— Pilnuje, żeby oddać syndykowi niezniszczone. Potem wróci do Warszawy.

— Okropne. Sama tam tak...?

— Mówią, że sama. Rodzinę ma w Warszawie.

Prawie jak ja, tylko, że ja mam rodzinę już w połowie tutaj. Interes raczej nie wygląda, żeby mi padł, mój mężczyzna jest ze mną! Mam fart!

— Janusz, ty podobno znasz tę Beatę? — spytałam podczas wczesnej kolacji.

— Jaką? — podniósł głowę z zainteresowaniem.

— Tę warszawiankę, podobno jej zęby leczysz.

— A! Ją... Znam.

— Jaka jest?

— A jaka ma być? Zę...zęby ma w dobrym stanie!

— No...widać nie do końca, skoro dłubiesz.

Nie odpowiedział mi, bo weszła Paula i Orest, więc przeszliśmy na inne tematy. Orest dostał kolejną zaliczkę, więc rozliczył się za pracownię i opowiadał o swoim zamówieniu.

Paula pochłaniała kapustę z koprem i opychała się ziemniakami aż miło.

— Jesteś w ciąży czy masz ta...tasiemca? — pytał Janusz, podsuwając jej miskę z kapustą.

— Odczep się — warknęła Paula z pełnymi ustami.

— Ja się ty...tylko pytam, bo jak tak dalej pójdzie, będziesz ja...jak Jagienka.

— Gośka, powiedz mu!

— Przestańcie, Janusz, nie dogryzaj! Paula, a ty nie jedz tyle, bo zatuczysz ciążę, teraz się dziewczyny pilnują i nie tyją podczas...

— Ale ja jestem głodna!

— Racja. Jeszcze miesiąc temu była chuda... Niech je — na razie się lekko zaokrągliła. Bez paniki.

Paula zmywa. Janusz pojechał karmić Bobka, Orest wyciera do sucha naczynia — tak nauczony z domu, a ja idę do pensjonatu, bo obiecałam Bogusiom chwilę rozmowy.

Pan Bogumił zaproponował mi spacer nad rozlewisko, bo widać nie chce rozmawiać przy synu.

Szliśmy, jak kiedyś, w stronę kładki. Po obu stronach ścieżki rosną wybujałe chwasty. Miałam poprosić Bartka, żeby przyjechał kosiarką i je poprzycinał. Kiedyś, gdy jeszcze mieliśmy krowę, pasła się i była tylko ładna łąka, teraz wystarczyły dwa-trzy lata, żeby zarosło łopianami, dziewannami, dzikim szczawiem, rdestem...

Padało ostatnio, więc się puszą i rosną pięknie!

— Pani Gosiu, pamięta pani nasz spacer, gdy byliśmy tu z Bogusiem po raz pierwszy?

— Pamiętam. Smutni Panowie Dwaj — oczywiście pamiętam, że był pan świeżo po śmierci żony. Przepraszam.

— Nie ma za co. Byliśmy Smutni Dwaj. A ja muszę się pani do czegoś przyznać.

— Słucham!

— Ja wróciłem zawstydzony bardzo, sobą, bo pani mnie oczarowała. Proszę mnie źle nie zrozumieć. Ja bardzo kochałem żonę i byłem w takim dołku po jej odejściu, że nie wyobrażałem sobie życia dalej bez niej. Rozmowy z panią, i z panią Basią, jak też z resztą towarzystwa, znakomicie na mnie podziałały. A propos, co u państwa Czajkowskich?

— Dobrze. Siostra pana Stasia zmarła niedawno w szpitalu. Dlatego ich nie ma tego roku u nas. Może przyjadą później. Wie pan, taka cudowna osoba, pedagog, jakich już dziś „nie produkują". Nauczycielka z dawnego gimnazjum Curie Skłodowskiej na Saskiej Kępie. Wspaniała szkoła i wspaniała pani Jadzia. Jak on o niej opowiadał!

— Skłodowskiej? Hmmm. Mam wrażenie, że moja starsza siostra kończyła tę szkołę, ale może się mylę... A co u Sopliców?

— O, pani Haneczka zmarła. Serce. Pan Tadeusz w bardzo złym stanie, jest w Krakowie u syna.

— O, jak przykro... Życie.

Zamyślił się.

Skręciliśmy w stronę lasu, wzdłuż trzcin.

Pamiętam tamten spacer. Pocieszałam go, za dużo mówiłam, plotłam jakieś komunały. Romantyczne bzdetki, żeby go jakoś podźwignąć z tej żałoby.

Podobał mi się taki starszy, dostojny, z manierami. Ładnie pachniał.

— A pani, pani Gosiu, tchnęła we mnie nowe życie!

— Ja?!

— Nie pozostałem obojętny na panią. Moja żona była podobna, choć niższa i brunetka, to jednak taka podobna miękkość, wrażliwość i ta cecha, którą sobie cenimy — jest pani szalenie kobieca!

Zrobiło mi się nieswojo. Podrywa mnie?!

— Nie wiem, co powiedzieć...

— Proszę chłonąć! Kobiecie nigdy dość ciepłych słów! Proszę brać, skoro się należą, bo wtedy powiedziała mi pani takie zdanie: „Niech pan kiedyś otworzy okno, wtedy wleci motyl! A jak pan cały czas ma zamknięte, to jak?”. Miałem pani maila, posłałem nasze zdjęcia...

— A tak, dziękuję!

— ...i już zamierzałem uwodzić panią listownie, kiedy uruchomiono ten portal, Nasza klasa. Jest pani zalogowana?

— Nie, nie mam jakoś przekonania, czasu...

— Szkoda, to w naszym wieku naprawdę zaskakujące i miłe. Ja jestem już po spotkaniu klasowym, a w zasadzie dwóch...

Zawiesił głos, uśmiechał się tajemniczo. Przystanęłam.

— No, to teraz musi pan wszystko — jak na spowiedzi!

— O, tak, klasyczna historyjka! Koleżanka z sąsiedniej klasy. Byliśmy razem w harcerstwie, znakomita dziewczyna, siostra mojego przyjaciela ze szkolnych lat. Wie pani — wymiana zdjęć, ochy i achy — jacy byliśmy młodzi, potem prywatne adresy i korespondencja, coraz obfitsza, ciekawsza...

— I...? — ponagliłam, bo ciekawie zaczął.

— ...i umówiliśmy się na spotkanie, ale już pozaklasowe. U niej, w Milanówku. Jest jak ja — wdową.

— Rozumiem, że teraz jest już pan... zakochany?

— Nie sądziłem i Bogunio nic nie wie. Głupio mi, bo deklarowałem, że ja już nigdy nikogo...

— No, ale ja kazałam panu otworzyć okno!

— No, tak, mam zwalić na panią?

Wracaliśmy, gadając zawzięcie o nowej miłości pana Bogumiła, gdy z lasu wyjechał Janusz na rowerze, wracający z leśniczówki. Pomachałam mu, ale nie odmachał. No tak, bo nie pojechałam z nim, a łaziłam z panem Bogumiłem. Rzeczywiście! Jest o co być zazdrosnym!

Znajomi Gosi i moi też

Przedwczoraj zajechał do nas z nalewką żurawinówką Mirek Książkiewicz. Jest w doskonałej formie — roześmiany, dowcipny, szczęśliwy.

Mazurska nalewka z żurawiny błotnej

Owoce żurawiny zbierz po pierwszych przymrozkach (można też je zmrozić w zamrażarce przez kilka dni), opłucz, osusz i zalej w słoju spirytusem (może być rozcieńczony przegotowaną, ostudzoną wodą w proporcji 3 części spirytusu i 1 część wody) tak, by spirytus znajdował się kilka centymetrów nad owocami żurawiny.

Szczelnie zamknij słój i umieść w ciemnym i ciepłym pomieszczeniu na trzy-cztery miesiące. Po tym zlej, jeśli trzeba filtrując, płyn do butelki. Szczelnie zakręconej (można korek uszczelnić gorącą parafiną ze świeczki). Im dłużej jest przechowywana, tym lepsza. Ciemną barwę nalewki można uzyskać, wrzucając kilka owoców czarnej jagody do owoców żurawiny. Nalewka dobra na zapalenie nerek, pęcherza i moczowodów. Środek uodparniający i przeciwgrypowy.

Opowiedziałam Mani o tej jego dziwnej historii i o tym, jak przyjechał do nas miesiąc później, po tym, jak go Janusz umówił z kolegą, w Centrum Onkologii. Był już po zabiegach. Miał czaszkę ogoloną na glacę i brązową, spieczoną skórę na gardle. Usiadł, postawił żurawinówkę, napił się kompotu i zaraz zaczął:

— No, to dzięki, Janusz! Ten twój Jakub ucieszył się, że tak wcześnie się zjawiłem. To twoja zasługa.

— Nie moja. To ten twój zna...znajomy wizjoner. To on cię zdiagnozował jako pierwszy.

— Ale ty mi dałeś namiar na centrum. No, fantastyczny ten Jakubuś! Natychmiast badania, cięcie, na ruszt i do bunkra! To znaczy po wycięciu tego jaja miałem serię naświetlań, a potem musiałem odkiblować swoje w „bunkrze", czyli oddziale popromiennym. Jak w pierdlu — za przeproszeniem, bo ani komórki, ani laptopa — nic. Miesiąc bez wizyt. Uff! Stąd ta osmalona szyja i goła glaca.

— No, a jak się czujesz? — zapytał Janusz.

— Dzięki twojej pani — rewelacyjnie. Tak mi Gosia nagadała o psychicznym nastawieniu, dała książkę o samoleczeniu metodą Silvy i dała kopa na odwagę. Rozmawiałem też dużo z Beatą. Znacie ją? Ta warszawianka, co zbankrutowała. Taka sama wiedźma jak Gosia i wasza babcia. Popatrzcie — czy ja wyglądam na chorego?

Nie wyglądał. Nawet ta spalona szyja nie sprawiała złego wrażenia. Był tryskający życiem!

— Masz wynik hi...histopatologii? — drążył Janusz z uśmiechem.

— Jakub ma. Powiedział, że jest w porzo. A najważniejsze — jak teraz myślę i żyję.

— To jak ży...żyjesz?

— O, kochany! Gdybyś widział moje obie dziewczyny! Jest dla kogo! A co u was, moi kochani? Gosiu, dałabyś kieliszki? Podobno fajna ta naleweczka.

Siedzi radosny, zadowolony i uśmiechnięty. Pokazuje zdjęcia uśmiechniętej córeczki Oli. Właścicielki dwóch zębów i słonecznego uśmiechu.

Wypili z Gośką po kielichu, bo ani Janusz, ani ja nie pijemy.

Trochę go to zdziwiło:

— Janusz? Nie napijesz się za moje zdrowie? — spytał.

— Nie. Nie mogę. „Religia mi za...zabrania".

— Co ty? Baptysta jesteś?!

— Nie, alkoholik — z prostotą odpowiedział Janusz.

Mirek zmieszał się trochę i klepnął Janusza w ramię ze zrozumieniem.

— A pani, Paulino?

— Z nią jest jeszcze gorzej — powiedział Janusz. — Za...zaraziła się gdzieś.

— Czym? — twarz Mirka spoważniała.

— Ciążą.

I Janusz dostał w łeb gazetą. Od Gosi. Mirek śmiał się i nie wierzył.

Kiedy wstałam, spojrzał na mnie. Na brak mojej talii, tę wypukłość malutką w pasie i spytał:

— Och, jaki brzuszek maleńki, śliczny! Paula, pani Paulino, że pytam — który to miesiąc?

— Piąty, jakoś tak... — i chyba się zarumieniłam. — Może być „Paula".

Pierwszy raz ktoś zauważył tę moją dumną ciążę. Właściwie od niedawna wystaje za dawną krzywiznę mojego brzucha. Taka wysepka mała mi się pojawiła niedawno. Od kości do kości biodrowej. Można ją nakryć dłonią.

Sławek tak czasem robi, jak wpadam do niego na plotki. Nie sypiamy już ze sobą. Jak walnie lufę i się rozluźni, kładzie mi łapę na brzuchu z taką dziwną miną. Po kolejnej, zaczyna się niepotrzebnie tłumaczyć, że przeprasza, że on jest już zatwardziały singiel i że przeprasza, ale nie nadaje się na ojca... i przeprasza w ogóle.

Wtedy mówię do niego serdecznie i ciepło:

— Odwal się.

Pomaga. Zmienia temat i zaczyna o drewnie i interesie w Kazachstanie. Pokazał mi zdjęcia z Ałma-Aty. Aż się chce tam pojechać. Wielkie, nowoczesne miasto — świetliste i pełne zieleni.

— A kobiety? — pytam Sławcia.

— Chętne... — odpowiada, jak to on.

Widzę na zdjęciach, że ładne.

— Przywieź sobie którąś.

— Już lecę... Paula. Daj spokój, jeszcze mi tu baby trzeba...

— Posprzątałaby ci, przytuliła... Głupku.

— Co wy z tym sprzątaniem? Źle tu jest? Odkurzałem przedwczoraj. Pozmywałem dziś.

Samotny misiek. Stary kawaler. Nic z niego nie będzie.

Natomiast Mirek obiecał odwiedziny z żoną i Olą, jak tu wpadną na Mazury. On ma tu żwirownię, ale domu żadnego. Mieszkanie wynajmuje. Właściwie pokój, więc żona nieczęsto go odwiedza, gdy on tu jest. W lecie musi być często.

Oni wszyscy tacy harcerze. Potem się dziwią, że kobieta nie chce wpadać częściej, że — jak u Sławka — żadna baba się nie utrzyma w tej męskiej gawrze... Gadają, że lubią męskie życie. Prowizorkę i byle co. A jak się upiją — płaczą, że im tęskno za prawdziwym domem, kobiecym ciepełkiem i paprotką.

A ten nasz Wit Stwosz, z bożej, białoruskiej, łaski — ma porządek wszędzie! Zajrzałam z ciekawości do jego pracowni, do której wstawił te wielkie okna od Beaty. Jak czysto! Nawet zasłonki ze szmatlandii powiesił... Narzędzia równo powieszone na ścianie. Wióry zamiecione... Kubeczek i czajnik umyte. W wazonie — kwiaty z lasu i pól.

Mieszka w pensjonacie — tam, gdzie miał być pokój odnowy biologicznej, na parterze. „Sam se sprząta" — tak sarknęła Ania. Artysta. Samotnik.

Cała rosnę, i wszystko nagle mam — pupę, brzuch i piersi nawet!

Niby końcówka lata, a takie upały jak rzadko w sierpniu. Ja nie mam aż takiej wiedzy, ale Gosia i babcia to mówią. I że wieczory już powinny być chłodne, a ciągle jest ciepło — nawet o dziesiątej wieczór. Komary tną jak w lipcu.

W pensjonacie pełno i gwarno. Plączą się nasi letnicy — opaleni, zadowoleni. Wyjeżdżają, wracają, zwiedzając okolice, opowiadają sobie wrażenia przy kolacji. Grillują nad rozlewiskiem i nawet nasze łabędzie już przywykły do nich. Jedzą im chleb z ręki, pozują do zdjęć. Czasem, wieczorem w sali gra pianino, słychać śpiewy... Wydawało mi się, że słyszałam raz Oresta. Śpiewał coś bardzo ładnego, takiego akurat na letni wieczór. Ma piękny głos.

(...) *A kto jewo znajet, zaczem on wzychajet...*

Dużo pracuję na krosnach. Jakoś tak mnie wzięło. Inspirują mnie nasze rozlewiskowe łąki.

Miałam niemiłą przygodę.

Poszłam nad rozlewisko z Funiem, nasycić oczy urodą chwastów. Chcę je przenieść na moje gobeliny. Ażurowe łopiany, koński szczaw już rudy, przekwitłe dziewanny. Idziemy tak ścieżką porosłą obficie i już, już dochodzimy do kładki, gdy Funio zrywa się i pędzi przed siebie i szczeka gdzieś za zakrętem. Nie widzę przez te chaszcze. Dziwnie szczeka. Tak nerwowo i żałośnie. Niepokoję się. Głaszczę brzuch i wmawiam sobie, że w środku moja rybka nic nie czuje.

Podbiegam.

Koło kładki leży krwawa masa białych piór... i dwa łebki — Obrażalskiej i któregoś z jej dzieciaków, już tych dorosłych, zeszłorocznych. Zawsze jak ich coś napadało, uciekała z głośnym kwakaniem, Funio leciał z odsieczą i zdarzało się podobno, że któreś padło łupem lisa, kuny... Ona nigdy. Była silna, szybka.

Teraz to okropny widok. Funio jest zły i chyba rozżalony. Wie, że to leży Obrażalska. Jej szczątki. Szczeka i patrzy na mnie, jakby chciał cudu, wyjaśnienia.

Po tym, jak przyniosłam hiobową wieść, Janusz wziął łopatę i poszedł zakopać resztki naszej kaczki. Głupi pies albo lis zagryzł naszą kaczkę! Bezczelność.

— Może to wściekły jenot?* — zastanawiała się Gosia. — Był doktor Kubiaczyk i mówił, że wciąż obserwują przypadki wścieklizny u lisów i jenotów.

— Jenotów?! Tutaj? — zdziwiłam się. Byłam pewna, że jenoty żyją tylko gdzieś w tundrze... A pokazują się u nas — na Mazurach, latają po lasach i wściekają się... Głupie jenoty.

— Je...jenot chyba nie — powiedział Janusz. — One wolą ryby, płazy i jaszczurki. Kaczka, jeszcze taka wa...waleczna jak nasza byłaby za duża dla jenota.

Nauczyłam się, za radą babci Basi, odcinać zewnętrzne emocje od mojego akwarium. To się robi w głowie. Takie czary. Dla babci, a teraz i dla mnie — to proste! Moja rybka nie może się denerwować śmiercią kaczki. To jasne.

Przeglądam się w lustrze cały czas. Przytyłam ewidentnie! Wypukły brzuch mnie bawi. Pupa — nigdy taka nie była. Mieściła się w wąskie jeansy, była mała, i gdzieś z tyłu — nie zaprzątała mojej uwagi. Teraz jest inna. Większa, krąglejsza.

O! A jaki mam biust! Przedtem to były małe wysepki. Każda z miłym czubeczkiem, brązowym takim jak kapturek krasnala. Teraz moje piersi są

---

* Jenot — z rodziny psowatych. Rudawy brzydal. Rozprzestrzeniony z Azji na północ Europy — Ukrainy, Białorusi i Polski.

większe, takie... cięższe, wypuklejsze od dołu, z siateczką niebieskich żyłek. I sutki zrobiły mi się takie... jakby organiczne. Nie jak tamte czapeczki-kapturki, tylko żywa tkanka. Są bardziej różowe. Większe.

Cała jestem inna! Nowa.

Piersi to by mi mogły zostać takie już na wieki. Noszę teraz rozmiar 75 C! No coś takiego! Dotąd w ogóle nie musiałam nosić staników. Chyba że do muślinowych bluzek albo do tej kiecki z batystu.

Teraz są ciężkie, inne, że aż kupiłam stanik. Bezszwowy.

Oczywiście — po talii ślad niknie powoli. Chodzę i wypinam mój ciężarny brzuch.

Uszyłam nam, sobie i mojej ciąży — kiecki szerokie, z falbanami, koronkami w purpurze i wiązaniami. Materiał znalazłam w hurtowni, w Olsztynie. Biały w ogromne maki.

Jak się wystroję, Janusz i Orko mówią o mnie „Makowa Panienka".

Tylko, że ja już panienką nie będę. Nigdy... No, cóż...

Przypomniały mi się czasy szkoły średniej.

Naturalnie nauka, zajęcia popołudniowe, ale i tak najważniejsza w rozmowach była miłość. Najpierw czułyśmy na sobie spojrzenia chłopaków ze starszych klas. Łaziłyśmy po korytarzach jak szkapy na maneżu. Oblepione spojrzeniami, komentarzami. Kiełkowały w nas kobiety-uwodzicielki, wampy i romantyczne rusałki.

Wariowałam na punkcie takiego jednego z trzeciej humanistycznej. Na moje nieszczęście miał na imię Wiesiek. No, mało romantycznie! Ale on sam! O matko! Zjawisko. Szarooki, wysoki i smagły jak Włoch z północy — bo jasnowłosy. Falująca szaroblond grzywa opadała mu na ciemne brwi.

Zazwyczaj stał na korytarzu oparty o parapet i czytał coś. Kiedy szłam, spoglądał znad książki i ciągnął za mną wzrokiem. I nic... Czasem westchnął.

Te jego spojrzenia zaczęły mnie prześladować, niepokoić. Tęskniłam za nimi. Koleżanki mnie nie rozumiały. Za trudna zdobycz...

Fajniejszy dla moich koleżanek był „Karo" — chłopak z pierwszej „c", śliczny, zjawiskowy. Szczuplutki, zwinny, tleniony blondynek o ogromnych, bezczelnych oczach. Syn znanego aktora. Pieprzyk miał nad wargą, jakby mu urody brakowało. Skubany... Pół szkoły się w nim kochało, bo on, Karo — zachowywał się tak, jakby nie miał pojęcia, o co chodzi. Dawał się wielbić i już.

Dziewczyny z czwartych klas wyrywały go sobie, a młodsze szlochały z miłości w ukryciu. Idiotyzm.

„Mój" Wiesiek stał i milczał. Zaczęłam stosować podobną taktykę. Udawałam, że na niego nie patrzę. Dopiero kiedy on odwracał głowę, chłonęłam go oczami, aż do momentu, kiedy nasz wzrok się spotykał, tak niby niechcący. Wtedy odchodziłam. Serce bolało, ale nie oglądałam się do tyłu.

Czułam na plecach jego spojrzenie. Do dzwonka jeszcze sporo, mogłam jeszcze pobyć w pobliżu mojego Wieśka, ale byłam skazana na moją wymyślną taktykę. Nie chciałam pokazać, jak mi zależy! Czekałam, aż uzależnię go od siebie.

Długo czekałam. Wisiek czasem chodził korytarzem do stołówki, rozmawiał z kumplem i znał już moją klasę! Omiatał wzrokiem moich kolegów i dostrzegłszy mnie, spuszczał wzrok, gadał z kumplem, odchodził...

— Chodzi lisek koło płotka! — śmiała się moja koleżanka Aśka. — Ciekawe, co myśli. Paula, pokaż mu, że ci zależy!

— Coś ty! Zaraz mu przejdzie! To taki typ zwycięzcy. Nie może czuć pewności. Jak się poddam i odsłonię, znudzę mu się. Musi go zżerać ciekawość. Z czasem skapituluje — zobaczysz...

Długo czekałam. Już właściwie entuzjazm mnie opuszczał. Ileż można patrzeć? Wzdychać? Myśleć? Wiedziałam o nim mnóstwo rzeczy, że jest spokojnym intelektualistą, że mieszka tylko z ojcem, że nie jest typem podrywacza i jest po zerwaniu z koleżanką z klasy. Widziałam ją nie raz — ruda lady Makbet. Ostra, ładna, pewna siebie. Podobno zdradziła go ze studentem Akademii Medycznej. Głupia.

„Chodź, pocieszę cię" — szeptałam w długie zakochane noce. Na stoliku nocnym stało zdjęcie Wieśka z jakiejś szkolnej uroczystości.

Sylwester był huczny. Bawiliśmy się na Mokotowskiej u Andrzejka, naszego kolegi z trzeciej klasy. Zabawowy gość, znający wszystkich. W wielkim, przedwojennym mieszkaniu bawiła się prawie cała nasza szkoła. No, przesadzam, ale było nas sporo. Jeszcze jacyś studenci ze szkoły teatralnej — kumple Karo i jego świta. Dopiero po godzinie zobaczyłam, że jest Wiesiek. Może dopiero przyszedł?

Bawiłam się radośnie, śmiałam naturalnie, tańczyłam zmysłowo i czułam, czułam, że patrzy...

W kuchni nastawiłam czajnik. Byłam sama. Bolało mnie gardło i chciałam się napić ciepłej herbaty. Wszedł. Uśmiech miał na ustach przez chwilę, potem spytał, czy mi nie przeszkadza. Mój żołądek skoczył do gardła, puls oszalał, ale twarz pozostała kamienna.

— Chcesz herbaty? — spytałam obojętnie, ale ciepło.

— Poproszę. Masz na imię Paula? — spytał trochę czujnie. Przechylił lekko głowę i spojrzał mi głęboko w oczy.

— Tak, Paula.

— „Paula" — powtórzył i dodał: — A ja Wiesiek.

Wtedy wyrwało mi się idiotycznie:

— Wiem!

Herbata została niedopita. Wyszliśmy cicho z imprezy i szliśmy Mokotowską w stronę Placu Trzech Krzyży. Rozmowa powolutku zbliżała nas do siebie. Wiesiek był coraz odważniejszy. Pytał, uśmiechał się i słuchał. Wariowałam. Takie szczęście! Warto było czekać!

Drobinki śniegu topniały na trotuarach. Wzięliśmy się za ręce. Było w miarę ciepło i bezwietrznie, ledwie kilka stopni mrozu. Nagle zatrzymał się, wziął moją twarz w dłonie i pocałował. Miał wilgotne i chłodne usta, ciepły, miękki język i trwało to chyba z tysiąc lat, jak tak staliśmy i staliśmy, całując się zawzięcie... Miałam w sobie całą poezję świata. Obok siebie wszystko, czego pragnęłam! Wieśka. Mojego cichego Wieśka.

Byliśmy ze sobą prawie rok.

Kiedy w czasie wakacji, po jego egzaminach na ASP, pojechaliśmy na Mazury do domku jego rodziców, a właściwie ojca, bo mama zmarła kilka lat wcześniej, poczułam, że spełnia się moje marzenie. Mazury, mój ukochany mężczyzna i nasza miłość.

Pierwszej nocy tylko tulił mnie w ramionach i szeptał czułości. Wiedział, że jestem panienką i był zakłopotany.

— Za młoda jesteś — szeptał. — Możemy zaczekać, nie spieszmy się.

Wytrzymaliśmy dwa dni. W noc pełną deszczu straciłam dziewictwo z moim Wieśkiem.

Nie żałuję. Każdej życzę takiej inicjacji.

Rozstaliśmy się po pół roku. Wiesiek nie krył w sobie żadnej tajemnicy. Był po prostu piekielnie nudny. Jednostajny. Jego spokój, opanowanie nie było maską zdobywcy. On był tak nudny, jak...węgierski film z siedemdziesiątych lat... Mnie roznosił temperament. Pożegnaliśmy się bez żalu. Wiesiek miał cielęce oczy, ale krótko. Poznał okularnicę z uniwerka. Szczęść im Boże!

Poznawałam nowych ludzi, zapisałam się do kółka teatralnego i wygłupiałam się z Karo w przedstawieniach. Biegałam na rysunek do pani Olgi, uczennicy babci Malwiny, i poznałam sporo kolegów z ASP — ciekawszych niż mój smutas. Lubiłam zabawy, wycieczki, spotkania rozintelektualizowane do bólu. Omawialiśmy nowe książki, filmy, „żuliśmy szmaty" — jak sami mówiliśmy o naszych dyskusjach w długie wieczory.

Czasem pojawiała się trawka, i oczywiście piwo, piwo, piwo.

Jako jedyna w drugiej klasie — nie byłam już panienką. Wiedziała o tym tylko Aśka.

Rozczuliłam się tym wspomnieniem o Wieśku. No, no, ale byłam strategiem! Nigdy już nie walczyłam tak o żadnego faceta. Pojawiali się, znikali... Czasem drżało mi serce, ale rzadko... Już nikogo tak nie kochałam, ale powiedziałam sobie, że to była pierwsza miłość, dalsze będą inne. Dojrzalsze. Co to miało znaczyć? Nie wiedziałam.

Nie było innych miłości, aż do Jeana Philippe'a.

Przełom lata

Nie zauważyłam, jak lato się przełamało. Paula już nosi widoczny brzuszek. Nie mieliśmy w lipcu żadnej Hanki, więc i jakoś ten przełom mi umknął, a ciąża Pauli zaprząta moją uwagę, jakby to była moja najrodzeńsza córka.

Fakt, że jest chłodniej wieczorami. Życie w pensjonacie toczy się mile, i nawet żona młodego pana Bogusia, która dojechała do nich, gra na pianinie, a czasem Ewa, moja znajoma sprzed kilku lat. Z pierwszego najazdu letników. Aktorka, tak, nieaktywna już zawodowo. Grywa i czasem śpiewa.

— Gośka! — zawołała, wysiadając z samochodu, jakby była moją rodziną. — Jak się cieszę, że znów tu jestem! Wojtek pojechał do rodziców na Śląsk. Ja lubię wypoczywać sama, a jego część urlopu spędzimy w luksusach. W tym roku chyba znów zaliczymy Sardynię i Santorini. Taka podróż sentymentalna. Tam mnie uwodził. Mów, co u ciebie? O! To chyba pan Janusz? Jesteście razem?

Rzeczywiście, zajechał na podwórko Janusz i chyba zrozumiał, że o nim mowa, bo się zawstydził i szybko wszedł do domu. Ostatnio ma sporo przyjęć...

Ewa paplała wesoło, opowiadała o spotkaniu z córką i że za kilka miesięcy zostanie babcią i że jej ogród... O mamo!

Zmieniła fryzurę, obcięła włosy. Ma wesoły wzrok. To już nie ta „Lelija" sprzed lat. Jakaś taka żywsza, zdrowsza.

— Margosiu? Zdążyłam na przetwory?

Jasne. Akurat się wstrzeliła. Miałam w planach grillowane warzywa do słoiczków. Straszna papranina, ale Marysia to uwielbia, to jej zrobię, a Ewa mi pomoże.

Grillowane warzywa do słoiczków

Bakłażan, cukinia, a nade wszystko papryka — czerwona i żółta mięsista.

Cebula i czosnek na koniec.

Warzywa po umyciu pokroić w dość grube plastry — cukinię i bakłażana i poukładać na grillu elektrycznym. Ja mam taki dwustronny.

Opiekam i zdejmuję na talerz.

Z papryką jest więcej zachodu. Kroję ją na ćwierci i opiekam na opiekaczu. Zlewam zimną wodą, jak na skórce ma czarne purchle. Wiele powinna ich mieć, dlatego nie może leżeć nieruchomo, trzeba ją co najmniej raz przełożyć.

Taka łatwo daje się obrać ze skórki i w takiej jej urok wielki!

W słoiczkach układam warstwami czosnek i plastereczki cebuli, i te warzywa. Zalewam gorącym olejem i oliwą. Zakręcam słoiki, jednak trzymam w ziemiance w zimnie. Trzeba to w miarę szybko zjeść — nie wytrzymują długo.

Po wyjęciu ze słoiczka osączyć z oliwy, skropić cytryną albo octem balsamicznym i posolić. Wcześniej — nie!

Robiłyśmy to pół dnia.

Ania Wrona syczała, że głupotami się zajmujemy, a ona musi wszystkim się zająć, ale na kolację były znów ryby złowione przez letników, i trochę wędzonych ze śniadania, więc nie narobiła się, a smażenie to akurat szło jej łatwo. Zmywania też nie miała za wiele, bo panowie przynieśli papierowe tacki i sporo piwa, żeby było jak pod smażalnią. Jedli na werandzie głośno, radośnie. Och, jak to dobrze, że oni tak tu się czują!

A ja i Ewa, w kuchni, parzyłyśmy sobie palce tą przypiekaną papryką i gorącymi plastrami bakłażana i rozmawiałyśmy poważnie o tym, co się dzieje między matką i córką.

Głównie mówiła Ewa, jak odnalazła ścieżkę do swojej córki. Ja się mądrzyłam, wtrącając co i rusz jakieś bzdetki o Marysi i o sobie, że niby mamy takie feng-shui, taki wzajemne sprzężenie, jako matka i córka, że się bardzo zaangażowałam w ciążę Pauli, i traktuję dziewczynę jak córkę, śmiałam się i kładłam w słoiczki plastry prażonej papryki, cukinii, ziół... Robota szła sama — jak mówią. A jak Ewa poszła na siusiu, Wrona, nie odwracając się, powiedziała na głos:

— Ale się tu pani zajmuje cudzą pannicą, a nie Marysią!

Zatkało mnie. Już się chciałam tłumaczyć, ale... Znam historię Wrony i Karolinki i... zamknęłam się. Wtedy Ania się odwróciła i popatrzyła na mnie wyczekująco:

— Prawdę mówię — nie?

— Tak, pani Aniu. Marysia nie potrzebuje niańczenia, a Paula tak — żyje bez matki, bez babki, bez nikogo... i teraz ta jej ciąża.

— No...

Ania odwróciła się i... nie wiem, co pomyślała. Ona jest małomówna.

Wieczorem wróciłam do siebie zmęczona, ale zadowolona.

— Mam dla Marysi dwadzieścia słoiczków grillowanych warzyw! — wysapałam radośnie do Janusza. — Oj, a wziąłeś sobie kolację?

— Mam sernik od o...ojca i mleko — odpowiedział i patrzył na mnie badawczo.

— No... co?

— Nic. Nie wiem, po co ja ci tu je...jestem...?

— Janusz? Jako to? No, nie bądź dzieckiem! Jest lato! „Urwanie jąder" — jak sam mówisz, no tak już jest! To nie pierwszy sezon! Zobacz, lato się przełamało i zaraz będzie mniej pracy, i będę cała dla ciebie!

Uśmiechnął się kwaśno. Nie znoszę tego uśmiechu. Takie... zwątpienie i cynizm w pigułce. Ohyda.

Oddalamy się jakoś od siebie. Janusz nie potrafi się tu wpleść, a może to ja go nie rozumiem? Więc dzisiaj żadnego bólu głowy! Kąpiel w pachnidłach, świeczki i miłość — jakiej nie pamięta!

Późno wieczorem jeszcze zawołano mnie do jadalni, żebym koniecznie zobaczyła film, chyba z Afryki, ale przeprosiłam i wróciłam do domu. Pozamykałam, posprzątałam i po kąpieli weszłam do sypialni, cała gotowa i uśmiechnięta, z planem na długą i fikuśną zabawę.

Janusz... spał! Moje zabiegi, moje przyjazne i zaczepialskie paluszki na jego wrażliwych plecach, ciepłe dłonie na biodrach zbył mruknięciem:

— Mmmm, sorry, kochanie.

Spał!

Leżałam rozczarowana. On tak właśnie musi się czuć, gdy ja go przepraszam, że „nie dzisiaj". Cholera jasna! Westchnęłam głęboko. Coś popsułam. A może histeryzuję? Przecież nie zawsze jest bosko... Nie zawsze, nie każdy... Szkoda! Dzisiaj tak się już nastawiłam i chcę... Chcę!

Dotknęłam swoich piersi jakby rękoma Janusza. Są pełne, takie podatne na kołysanie w dłoniach! Gładkoskóre, ciężkie... Niechby się obudził! Jestem taka pragnąca, chętna, i boję się przytulić ponownie do jego pleców, żeby znów nie usłyszeć fuknięcia. Źle mi, i smutno strasznie.

Chyba właśnie w takich chwilach przydaje się kobietom wibrator! Mam nadwrażliwy cały dół brzucha, gdyby mój Książę się obudził spragniony, nie musiałby już nic... jestem ciepła, wilgotna i gotowa! Tak się nastawiłam!

Szlag!

Wstałam i poszłam cicho do kuchni.

Zimna woda podobno pomaga... Piłam ją haustami, łapczywie. Nie, nie prawda. Ani na jotę. Mam przyspieszony puls, i pragnienie czucia w sobie Janusza tak wielkie, że aż bolesne, histeryczne. Ciekną mi łzy. Chciałam wrzasnąć ze złości. Ukarał mnie. Upokorzył chyba nawet! A... jak naprawdę jest śpiący — jak ja zazwyczaj, ostatnio?

Ale ja bywałam taka spracowana! A dzisiaj tak się już nastawiłam...

Poszłam do łazienki.

Weszłam do wanny, pod prysznic. Schłodzę się powoli, jak przy spędzaniu gorączki, zacznę od ciepłej. Wystudzę się! Bo zwariuję!

Polewałam się ciepłym deszczem po plecach, szyi, piersiach i... spokojnie nastawiłam główkę na węższy strumień, usiadłam na wannie. Rozchyliłam uda. Przyjemne... Jak w dzieciństwie, gdy taty nie było w domu, a na filmie *Anatomia miłości* Basia Brylska kochała się z Nowickim, jęcząc i dysząc, pod piosenkę *Jestem cała w twoich rękach* Iredyńskiego — jak to szło? Zaraz...

Urywane krótkie zdania,
w krwi znajomy tętent koni,
wreszcie cisza się rozdzwania,
cisza, która srebrem dzwoni.
W łuk zmieniona i napięta
jestem cała w twoich rękach.

Wyobrażałam sobie w naszej łazience na Żoliborzu, że jestem piękną Basią Brylską i że mnie ten dziwny Nowicki pochłania, pieści... Moje pierwsze lekcje erotyki.

Prysznic, jak wtedy, robił swoje łagodnym i uwodzicielskim prądem ciepłej wody, głaszcząc mnie i nagradzając tam, gdzie Janusz nie chciał być dzisiaj, a ja przypominałam sobie słowa, które kiedyś znałam na pamięć i które rozpalały moją dziewczęcą wyobraźnię nucone, szeptane unisono, aż do spełnienia:

(...)
Zielny zapach naszej skóry,
zapomniane wszystkie słowa,
pod powieką światła wióry
i tak miodnie ciąży głowa.
W zachwyceniu niby święta
jestem cała w twoich rękach.

Końcówkę mruczałam już spazmatycznie, urywając. Jak w dzieciństwie...

W pokoju, w smudze światła zobaczyłam plecy śpiącego Janusza. Wsunęłam się cicho do łóżka. Zasypiałam lekko. Ukojona, spokojna. Tajemnicza. Było mi przykro, ale przecież nic się nie stało. Miał prawo jak ja czasem — nie mieć ochoty.

Nie widzimy naszych twarzy,
nocy spadła już zasłona,
tyle jeszcze nam się zdarzy,
a na razie, tak znużona
i tak pięknie wypoczęta
jestem cała w twoich rękach.

Bywam w jego rękach dokładnie taka, zakochana, kochająca! Janusz, przepraszam za dzisiaj, za te wszystkie „nie dzisiaj"!

Upał. Prawdziwy i wielki, kleisty, duszny.

Jako ciężarna — źle go znoszę, ale jako ciężarna, bo zazwyczaj upały znosiłam jak Azjatka — bezproblemowo. Ciężko mi się oddycha i przyduszam się po prostu, jakbym nie była w stanie zaczerpnąć dostatecznej porcji powietrza. Zapytałam Gosię, ale zbyła mnie ciśnieniem.

— Zmierz sobie, tam leży ciśnieniomierz.

Gośka jakaś zamknięta w sobie ostatnio. Bardziej zajmuje się kuchnią, mniej nami — czyli mną, Januszem, Funiem... taka zajęta przetworami dla Mani i dogadzaniem naszym gościom. Mam wrażenie, że się zanadto do nich mizdrzy. To tylko goście, a nie rodzina!

Siedzę przy oknie i trzaskam krosnami. Wiążę supełki, przeplatam wełnę, dobierając kolory, i rozmyślam o tym, że nie jestem i nie będę nigdy już roztrzepaną wariatką, panienką z dzikimi pomysłami. Już nie...

Trzeba zwolnić i uspokoić styl życia, chociażby jak ci tam, na podwórku.

Znam ich z opowiadań. Czajkowscy — starsi państwo, przyjechali mimo że pan Stach miał zapalenie płuc wiosną i było bardzo niewesoło. Jest raźny, w miarę dowcipny i taki wysportowany! Pozazdrościć. Obchodzili ponoć niedawno pięćdziesięciolecie ślubu. Jezu! Pół wieku z tym samym facetem! Święta ta pani Wanda! I śliczna! Żebym to ja się mogła tak ładnie zestarzeć!

Chodzą sobie na spacery.

Lubię podglądać ich z okna, kiedy wracają z leśnej przechadzki, siwiuteńcy oboje. Ona z jakimiś kwiatkami, trzymają się za ręce, jak nastolatki i cały czas coś do siebie mówią, śmieją się... Tyle lat razem i wciąż taka świeżość w ich wzajemnym związku.

Państwa Sopliców — baaardzo starych grzybów, nie ma. Pani Hania zmarła, a jej mąż stary i zgięty wpół, chory, więc nie przyjedzie.

Jest Ewa — aktorka, letniczka sprzed roku. Jaka ładna! Często rozmawia z Gosią i mówi do niej „Margosiu". Robią razem zakupy, przetwory. Ewa często się śmieje, bo Gosia ma dosadny język, a to Ewę rozbawia.

Była też młoda niemiecka para. Oboje takie wysportowane klocki. Codziennie — na rowery i przed siebie. Kupili sobie *Pałace i dwory dawnych Prus Wschodnich* i jeżdżą w poszukiwaniach. Fotografują wszystko. Jak nie jeżdżą szukać dworów — łowią ryby. Sami albo z panem Bogumiłem i jego synem — Bogusiem i synową. Też podobno byli tu rok temu. Nie koduję tych, co wpadają na tydzień lub dwa. Grunt, że Gosia to ogarnia.

Janusza tatko jest znów w szpitalu, więc Janusio — jak mówi na niego ten jego tatuś staruszek, zaraz po pracy jeździ do Olsztyna. Jak ma przyjęcia w Pasymiu dłużej, to ja sama, czasem z Ewą, wozimy mu obiad. Jak ma chwilkę, siadamy z nim u nich w ich ogródku i gadamy. Stamtąd widać to wielkie, pasymskie jezioro. Ewa słucha i przygląda się Januszowi, jakby się zastanawiała, co Gosia w nim widzi. Ja sapię i pocę się na potęgę.

Janusz mnie ofukuje:

— Maślaka masz od te...tego. Spytaj, co jest!

Fajne rzeczy opowiada o swoim dzieciństwie. Mama dość krótko żyła i zostali sami. Zmarła na raka piersi. Może dlatego tak pił? Gosia mówiła, że picie to choroba ciała i duszy... Nie mam odwagi spytać. Teraz nie pije. Jest dobrze. Jego tatko siedzi, cicho kiwa głową i powtarza: „Tak, tak".

— Jak byłem mały, a ta...tatko wracał z obrządku, to jeszcze siadał ze mną na tej kła...kładce tam, w Na...nartach i jeszcze rozmawiał. Opowiadał, co to były „Prusy", skąd się wzięły jeziora, jak łapać ra...raki. Wiecie co? Nałapiemy ra...raków i zrobimy ucztę!

Ewa się wzdrygnęła.

— Rękami?

— No! Albo takim specjalnym ko...koszem. To łatwe! Zaniósłbym tatusiowi do szpitala. Ucieszyłby się...

— To jutro — podejmuję wyzwanie. — Jutro przyjadę i połapiemy.

— Kończę o czternastej.

— Nawet nie wiem, jak smakują raki — powiedziała Ewa tonem usprawiedliwienia.

— Lu...lubi pani kraby?

— Tak, nawet wolę od krewetek — odpowiedziała.

— No, to raki są jeszcze lepsze! Dobrze ugotowane w ko...koprze — super. Cymes! To, Paula, do jutra. Pomożesz? Chce ci się, ciężarówko, czy brzuch już za ciężki?

— Chce mi się, świrusie. Cześć.

W drodze powrotnej Ewa dyskretnie zaczęła o Januszu:

— A ty, Paula, długo go znasz?

— Na początku, z opowiadań dość skąpych Gosi i babci Basi. Później, jak już tu zamieszkałam, to tak... żyjemy obok i razem...

— To dobry człowiek? — drążyła.

— Chyba tak. Mnie wzrusza to, jak on mówi o ojcu — tatuś. Kiedyś nie byli blisko. Jego pierwsza żona, doktor Lisowska, nie szanuje wieśniaków. Potem, tutaj, po rozwodzie, Janusz docenił go i pokochał na nowo. Mówi, że to zasługa Gosi, że nasza rodzina tak wciągnęła tatkę Janusza do rodziny. Zawsze jest z nimi, z nami — poprawiłam się. — W święta, w niedzielne obiady... Nie chce z nimi mieszkać na stałe, chociaż Gosia proponowała. Do tego pierwszego incydentu szpitalnego mieszkał sam, w Pasymiu. Teraz nasza Ania mu pomaga zimą i jesienią, i... w ogóle. Janusz jej płaci i tatce się wydaje, że wciąż jest samodzielny.

— Tacy jesteście... — zaczęła i urwała.

— Rodzinni? No, mnie też adoptowali. Z brzuchem!

— Za jednym zamachem masz wszystko! Dom, zastępczą mamę i babcię, i...

— No! Z początku też mnie to bawiło, i dziwiło. Ja się przyjaźnię z Mańką — córką Gosi. Sama nie mam właściwie rodziny, więc nie wiedziałam, jak to wygląda. Taka wzajemna troska o siebie. Życie w gromadzie, wspólne omawianie problemów. To wszystko zasługa babci Basi i prababci Broni. Takie cechy ma też Gosia — zagarniać wszystkich do kupy i dbać. Kwoczyzm.

— Tak — powiedziała Ewa — to dzisiaj rzadkość. Oglądałam to na filmach Kutza. Te wszystkie śląskie sagi, których osią jest matka rodu. W ogóle — kobiety. On jest niesamowitym feministą — wiesz, Paula? Jak on afirmuje kobietę, jej rolę w życiu, jej wagę w rodzinie i społeczeństwie. Chyba nawet uważa, że faceci bez tych swoich bab pogubiliby się jak dzieci. Strasznie chciałam zagrać u niego...

— Może racja? Może Janusz nie stanąłby na nogi, gdyby mu Gosia nie ciosała kołków na głowie? Kobiety rządzą domem — stwierdzam.

— Ona chyba nawet nie ciosała, tylko rozbeczała się, nawrzeszczała i chciała dać ścierą w łeb — baaaardzo po kobiecemu! — zaśmiała się Ewa i dodała: — Bardzo filmowa scena, ale podobno zadziałała tak dobrze, że pojechał się leczyć do tego swojego eremity.

— Tak, tylko potem zerwał z Gosią...

— Bo ten eremita to antyfeminista, nie lubi kobiet, ale na szczęście Janusz odnalazł swój rozum. Fajny jest — prawda? Z początku go nie lubiłam, ale stopniowo, stopniowo... No, dowcipem to on Gosi ani pani Basi nie dorasta, ale erudycją — owszem.

— Pani Ewo, mnie się wydaje, że z niego dopiero lęgnie się facet. On fantastycznie ożywa przy Tomaszu. Razem stanowią świetny tandem. Tomasz uczy Janusza męskich — leśnych zajęć i Janusza to mobilizuje, bawi. Na przykład, jeszcze zanim tatko Janusza zaczął tak chorować, budowali altanę w leśniczówce. Wielką i z kamiennym kominkiem. Pani wie? On wracał upaprany, z wiórami we włosach, zmęczony i szczęśliwy. Przy kolacji opowiadał Gosi, jak łączyli dwie kantówki... Faceci. Budowniczowie.

Po powrocie do domu siadłam znów do krosien. Mam już sporo osnowy. Jakoś mnie wzięło dopiero teraz na utkanie dzikiego szczawiu i suchych traw. Mańka przywiozła z bazarku na Mokotowie ścinki wełen i to właśnie takie złamane kolory, jakich mi trzeba. Cały worek ostrych, kolorowych wełen zawiozłyśmy Ani i Zuzi — naszym starym babkom. Naszym koleżankom.

Kiedy tak tkam, myśli w głowie same mi się układają i porządkują. Odpoczywam. Tylko ten oddech... Za krótki.

Gosia przyniosła mi miseczkę budyniu i kilka śliwek. Postawiła to obok mnie i uśmiechnęła się. Jak taka... mamuśka. Pogładziła szorstki gobelin i poszła.

— Masz, kochanie, i buduj się. Mleczko, witaminki — proszę bardzo — mówię do mojego brzusznego skrzata, bo nikt nie słyszy.

Teraz jego ruchy w środku są wyrazistsze i tak je lubię! Przeciąga się, układa. Lubi kąpiel w wannie i w jeziorze. Oj, lubi! Wtedy fika.

O rzyganiu już zapomniałam. Gadam do niego i głaszczę, jak sugerowała babcia Basia, żeby był spokojnym i luzackim bachorkiem. Nerwuska nie hodujemy!

Trawy na gobelinie są o kilka zaledwie tonów ciemniejsze od tła. Same są tłem. No i są płaskie. Jasnobeżowe, żółtawe, a te chwasty, szczaw, dziewanny, postaram się zrobić wypukłe. Mam wszystko rozrysowane. Jeszcze nie umiem tak bez rysunku jak Zuzia. Zresztą ona tka wzorki geometryczne.

Zadzwoniłam do mojego Maślaka ze skargą na to oddychanie i kazał na „cito" zrobić morfologię. Za mało czerwonych ciałek.

— Dziecko, czerwone niosą tlen! Uczyłaś się w szkole? Atom żelaza, a dookoła białko — hem! Za mało żelaza i stąd masz uczucie duszności, dzieciaczku! Masz tu receptę na preparat żelazowy i pij buraczki, jedz szpinak! No!

Mój mądry, stary Maślak!

Za oknem słońce czerwienieje daleko, za lasem. W pensjonacie gra pianino. Ewa? Eeee nie! To nasza druga umuzykalniona letniczka — duża Niemka. Jest po szkole muzycznej. Już po kolacji, więc wszyscy odpoczywają na werandzie tam, u nich, a przez otwarte drzwi do jadalni słychać marsze i jakieś walce. Czasem ta Astrid śpiewa i to nawet ładnie. Przez otwarte okno słyszę to wszystko i nagle zdaję sobie sprawę, że sama tam, na tej Chomiczówce popadłabym w depresję albo byłabym już po skrobance — samotna i smutna. A tu, jak mi źle, idę, szukam Gosi i się przytulam, a ona znad zlewu pyta:

— Co ci, kotku mały?

— Cosik mnie melancholia źre — odpowiadam wtedy.

Jak mnie dotuli i podrapie — wracam na naszą werandę. Janusz siedzi, podlicza kasę za skończony remont, a właściwie budowę ich łazienki i lekką przebudowę mojej. Tę starą z korytarza mam już na własność. Teraz tylko pan Darek — majster budowlany z Pasymia — zrobi mi drzwi, prosto z mojego pokoju, a te z sieni — zamuruje. I koniec! Prawie. Jeszcze malowanie.

— Janusz? — pytam. — Już cała instalacja działa? Bo widziałam, jak montowali cysternę na gaz koło starego sadziku.

— Właściwie tak. Jutro próbny ro...rozruch. Będziesz miała ciepłą wodę bez tej butli w łazience.

— Ja się jej nie boję, to Gosia! — śmieję się.

Gosia wciąż boi się, że taka butla wybuchnie. Rzeczywiście, niektóre wyglądają jak niewypały. Są stare i zniszczone.

— Gdyby — mówi Janusz — były te nowe, ko...kompozytowe, może by się tak nie bały?

— Ja słyszałam tylko o plombach kompozytowych — powiedziałam z ustami pełnymi naleśnika z jabłkiem.

— O, jaka mądra! Ju...jutro wieczorem odkręcisz wodę i poleci ciepła z gazowego pieca! Możesz się nawet u...umyć!

— Przecież i tak się myję! Ile się dorzucam?

— Nic, Paula. Ku...kupiłem go od tej Beaty, za pół ceny. Zostaw kaskę. Przyda się na wózek. Po...podwójny.

— Nie strasz! Pojedynczy, pojedynczy! Janusz, nie chcę tak! Obiecałam się dołożyć.

W tej chwili na werandę weszła babcia z Tomaszem.

— Cześć, chłopie — to do Janusza, Tomasz wyciąga rękę i witają się, jak wszystkie chłopy — przez podanie łapy, a z kobietami tylko skinieniem głowy albo jakieś „dzień dobry", ale do mnie Tomasz mówi:

— Cześć, Paula, jak tam w środku?

— Kopie!

— Dobrze! — Tomasz ma fajny uśmiech.

Pamiętam, jak rok temu byłam tu z Marynią jakoś wczesną jesienią w weekend. Babcia namówiła Tomasza, żeby nas obznajomił z końmi.

Pojechałyśmy z Piernackim do gospodarstwa, w którym Tomasz ma swoje konie, i zostałyśmy wsadzone — Marynia na wałaszka, ja na kobyłkę, podobno łagodną. Pojechaliśmy pięknymi polami spokojnie, elegancko, pogadując sobie. Tomasz pytał nienachalnie o różności, ja, zazwyczaj, jako ta odważniejsza odpowiadałam, i mimo mojego zakochania we francuskim Jeanie Tomasz wydał mi się tutejszym księciem. No, boski facet!

W chromosomach to ze dwa igreki miał! A Hiszpanie powiedzieliby *XXL cojones*! No. Taki maczo pełną piersią! Szpakowaty, ogorzały, z głosem niskim, i postawny taki! No lubię dojrzałych — co poradzę! Gapiłam się, słuchałam, o czym mówi, gdy nagle śmignął tuż obok mnie terenowiec i kobyła stanęła dęba, zrzucając mnie — po prostu.

— Zajmij się nią! — wrzasnął Tomasz do Marysi i pomknął za samochodem.

Kierowca najpierw dał gazu, ale zobaczył w lusterku, co się stało i że Tomasz galopuje za nim. Zatrzymał się w tumanach kurzu, dość daleko, bo sobie nieźle pomykał. Tomasz zeskoczył i opieprzał młodziaka ostro i po męsku.

Leżałam na trawie, próbując zlokalizować górę i dół oraz błogosławiąc toczek, który mi wciśnięto na głowę, mimo moich protestów. Maryśka klęczała obok.

— Jezu, Paula, żyjesz, rusz ręką, nogą... Pliiiiiz!

— Mańka, łomatko! Ale... o! Ruszam, ruszam... żyję... ale Drogę Mleczną zobaczyłam! Gdzie ta kobyła?

— Co cię kobyła obchodzi? Ważne, że się nie połamałaś...

Przewróciłam się powoli na brzuch i popatrzyłam na drogę. Tomasz beształ kierowcę terenówki. W mojej sprawie!

— Mańka, patrz, takich już nie produkują, jaki facet!!!

— Odczep się, to facet babci, ani się waż!

— Jasne, ale tylko lukam sobie. Jezuuuu! No teraz, patrz! O, ja nie mogę!

Właśnie Tomasz gnał w naszą stronę i na tym swoim ogierze karym, grafitowym i pięknym sam wyglądał fantastycznie! Co za mężczyzna! Nic nie poradzę, że mnie gówniarze nie kręcą! Siwawe włosy ma spięte gumką, a... twarz rycerza. Boooski jest! Szczęściara babcia Basia!

— Paula, jak jest?

Zeskoczył z konia i przypadł do mnie.

— Eeee... — Jakoś mnie intelekt opuścił.

— Marysiu, jak ona? Ręce, nogi? Kręgosłup cały?

— Caaaały! Takiej cholery nic nie weźmie! — Marysia mówi to wesoło, ale jeszcze lekko jej broda drży z przejęcia.

Tomasz nachyla się i patrzy mi w oczy przejęty... Taką samą troskę miał w oczach Jean Philippe. Pamiętam to.

Później pojechał złapać kobyłę i wróciliśmy do domu.

Tomasz hałaśliwie siada i zaciera ręce na widok naleśników. Babcia Basia idzie do kuchni pomóc Gosi. Janusz i Tomasz zaczynają rozmowę o altanie, której nie skończyli.

— Piękny byłby drewniany goncik, ale Stefan mówi, że z czasem ma kiepsko, nie da rady — Tomasz marszczy czoło.

— Może... da...dachówkę bitumiczną?

— Eeeee! — Tomaszowi się nie widzi bitumiczna (co to jest bitumiczna — nie mam pojęcia).

— Jest w różnych kolorach, ja bym bitumiczną, nie przecieka, je...jest gotowa i nie trzeba przybijać ka...każdej osobno. — Janusz chyba ma rację.

— ...może racja — Tomasz się zgadza.

Zaraz przybiegła Gosia i postawiła kompot i dzban mleka. Naleśniki jemy z mlekiem. Wszyscy oprócz Janusza. On nie pije mleka.

Babcia Basia miała minę zdradzającą, że przyszła z jakąś sensacją.

— No, mówże wreszcie! — przynagliła ją Gosia.

— Policzyliśmy z Tomkiem wszystko i wyszło na to, że... we wrześniu zamykamy budę na patyk i jedziemy!

— Dokąd? Znów sanatorium? — spytałam.

— My? Do sanatorium? A co, stare dziady jesteśmy? — zagrzmiał Tomasz, zapominając widocznie, że zaliczyli już Nałęczów. — Byli u nas tacy ludzie pracujący w Orbisie. Zaproponowali nam trzy miejsca w Barcelonie na tydzień. Jedziesz z nami, córeńko?

— Ja? Byłam kiedyś w Barcelonie — Gośka zrobiła zakłopotaną minę. — A teraz wrzesień mam obłożony, no i tatko Janusza będzie po szpitalu.

Chcemy go zabrać do nas na czas rekonwalescencji i podczas jego pobytu też założyć mu piec dwufunkcyjny i centralne. Za stary jest na noszenie drewna, a i do rąbania coraz mniej chętnych... Jezu! Barcelona! Ale super! Może Paulę weźcie?

— No, co ty? Gosiu! — powiedziałam zdziwiona. — A Mania?

— We wrześniu jadą z Adamem do Jannego, do Chorwacji — nie wiesz?

— Zapomniałam... ale ja przecież jestem w ciąży!

— A co to, trąd? — spytał Tomasz. — Masz tylko większy brzuch, to się zapłaci nadbagaż.

— I apetyt też większy — dodał Janusz zadowolony, że go Gosia nie zostawi. — O! A tę forsę za piec wydaj na zwiedzanie świata, ko...kobieto.

Wszystkim nam udzielił się radosny nastrój babci i Toma. Rozmawialiśmy głośno i radośnie do późna, a mnie nawet spać się nie chciało.

— Paulineczko — powiedziała babcia Basia — pójdź do doktora Maślaka, powiedz co i jak, niech cię zbada i da błogosławieństwo. Rzeczywiście, po co marnować miejsce. Amerykanki latają i nawet rodzą w samolotach. Poleć z nami, kochanie! Tylko cztery godziny lotu! Masz paszport?

— Mam... — patrzyłam na wszystkich ze zdziwieniem. Jezu! Barcelona! Szczyt marzeń! Patrzą na mnie wyczekująco. — Doooobra! Lecę rano do Maślaka, a po południu z Januszem na raki.

— Raki możemy odpuścić — mówi Janusz.

W życiu! Idziemy na raki dla tatki Janusza!

Jadę z nimi do Barcelony! „Dzieciaczku — polecimy samolotem!" — szepczę w łóżku do mojego brzucha. Spać mi się nie chce. Bachorkowi też. Wierzga radośnie.

Doktor Maślak wygląda trochę jak mistrz Yoda z *Gwiezdnych wojen*. Ma półprzymknięte powieki, okulary na czubku nosa i wie wszystko. Mam wrażenie, że ultrasonograf, po który sięga niechętnie, nie jest mu potrzebny. On i tak wszystko widzi.

Jeździ mi po brzuchu kleistą końcówką ultrasonografu i gapi się na ekran. Mruczy coś ni to do mnie, ni to do siebie:

— Tiaaa. Proszę bardzo. No, no, no. Pani dzieciak nie chce pokazać się okazale.

— Co to znaczy? Jakiś problem? — pytam.

— I tam, zaraz problem! Nie widzę siusiaka i tyle.

— Dziewczynka?!

— Nie widać. Tak się ustawiło dziecko, że trudno mi powiedzieć. Pani tak rzadko przychodzi... Zaraz, zaraz... Nie, cholera, nie widać. To beznadziejny ultrasonograf — przedpotopowy i stale się psuje... Musiałaby pani wpaść do przychodni...

— Faktycznie, jak byłam ostatnio, ten ultrasonograf był popsuty. A poza tym pan doktor mówił, że nie do końca wiadomo, czy to dobre...

— Ja tak mówiłem? Tiaaaa. Może i mówiłem... No, proszę się wytrzeć. Dzieciątko zdrowe i dobrze rozwinięte. W zasadzie nie widzę przeciwwskazań do wyjazdu, chociaż zachwycony też nie jestem. Jednak gdyby ktoś mi zaproponował Barcelonę, nie wiem, czy bym się zastanawiał choć chwilę... Jedź, dziecko. Młoda jesteś i zdrowa. Ciąża jak laleczka. Gdzie będziecie?

— Tylko w Barcelonie. Tydzień.

Doktor zamknął oczy i myślał. Kiwał głową, jakby coś sobie układał.

— No, dobrze, masz mdłości w samolocie?

— Nie wiem...

— Weź ze sobą jakiś naturalny preparat, jak ci będzie niedobrze. Wiesz, ja jestem trochę starozakonny, ale i ciut nowoczesny. Racjonalny. Normalnie, każdy by ci odradzał podróż w twoim stanie, ale ja wiem, w jakich okolicznościach kobiety nosiły ciąże i jak rodziły. Poradzisz sobie. W razie czego, zwal na mnie — spojrzał na mnie znad szkieł i uśmiechnął się tak... filuternie i przepraszająco.

— W razie czego?

— Jakbyś źle się poczuła... Tam też mają lekarzy. Lubią turystów. Masz wykupione ubezpieczenie?

— Mam — skłamałam gładko.

Natychmiast postanowiłam je wykupić, tak szybko jak to się da, bo nie chciałam czuć, że oszukuję mojego Maślaka.

Po moim powrocie Janusz już czekał z kaloszami i koszem. Dość dziwnym. Specjalnym, do łowienia raków — jak mi objaśnił.

Poszliśmy na drugą stronę naszego rozlewiska, tę bliżej lasu, podmokłą i grząską. Tam są raki! Bo tam jest czysta woda. Janusz pokazał mi, jak ciągnąć kosz, żeby do środka zaciągać raczki.

Gadaliśmy cały czas. Janusz przepytywał mnie z wizyty u doktora i upewniał się, że mogę lecieć.

W wiaderku było sporo raków. Czarnobrązowe ruszały wąsiskami i szeleściły, poruszając się niezdarnie. Upapraliśmy się jak nie wiem co. Spodnie mieliśmy zaglinione po uda, mokre i zielonkawe od wodorostów. Twarze w barwach wojennych. Jak Sylvester Stallone w *Rambo*. Zwycięsko postawiliśmy na werandzie wiadro.

— Co to? — krzyknęła Gosia.

— Raki dla tatki Janusza — objaśniłam i poszłam się myć.

Janusz sam sprawił raki. Żadna z nas nie chciała uczestniczyć w tym okropnym procederze. Jak wyszłam z łazienki na kuchni, w wielkim garze, wrzała już woda z koprem i rakami. Właśnie czerwieniały. Zapach owszem, niczego sobie, ale wyobraźnia i empatia szarpały moją i Gosi duszą niemiłosiernie.

— Przestańcie! — sarknął Janusz. — Przejdźcie na we...wegetarianizm. Ko...kotlecika to się wcina, a jak zabijają świnię — to nie widać i nie boli? — szydził.

Gosia wspięła się na palce i pocałowała Janusza w usta.

— Zamknij się, mój ty Rozważny Racjonalisto! — powiedziała i spytała: — Jechać z wami do szpitala?

— Zawsze! — uśmiechnął się Janusz i dodał: — A kto zostanie?

— Ania — powiedziała Gosia. — Nieee, to ja też zostanę. Pomogę jej. Jedźcie razem. Pozdrów tatkę.

Szpital w Olsztynie jest duży, ładnie urządzony i przyjazny pacjentom. Pani pielęgniarka spytała lekarza i ten zezwolił na raczki.

Podgrzaliśmy je w kuchence. Lekarz stał, patrzył i... zjadł kilka.

— Dobre! — pochwalił, po czym dodał: — Pierwszy raz jem raki!

— A kre...krewetki częściej? — Janusz patrzył kpiąco.

— Żebyście wiedzieli. I niespecjalnie lubię. Tranem lecą. Wolę... od dziś — raki!

Tato Janusza wydawał się jeszcze mniejszy niż w święta, kiedy go poznałam. Leżał w szpitalnym łóżku taki żółty, suchutki i smutny.

— Janusiu! O! I panna Paulinka! — ucieszył się, widząc nas. — Jak tam dzieciaczek? Grzeczny? — pytał przyjaźnie.

— Grzeczny, panie Wacku. Bardzo grzeczny. Mamy coś, jak pan obieca zdrowieć szybciutko. Janusz już wariuje bez pana. I nam smutno... (Taka jestem milutka! Gadam tak, bo mnie wzrusza ten staruszek).

Janusz stawia na stoliczku talerzyk z rakami. Z wiórkiem masła i koperkiem — pachną. Pan Wacek patrzy z niedowierzaniem i uśmiecha się błogo.

— Niech tatko zje. Pan doktor po...pozwolił. Ja pójdę pogadać i zaraz wracam. Paula — zabawiaj starszego pana!

Janusz kocha tego sucharka, każdym słowem. Wiem od Gosi, że dość długo wstydził się, że ma ojca wieśniaka i dopiero niedawno się nawrócił. „Wydoroślał" — mówi Gosia. A ja? Czy ja jestem dorosła? Po czym to sprawdzić? Wiek i ciąża to nie wszystko, a chciałabym, żeby moje dziecko miało dojrzałą, ale młodą duchem mamę. Jestem dojrzała?!

Pielęgniarka podała panu Wackowi sztuczne zęby tuż przed naszym wejściem (widziałam, jak wchodziłam), usadziła go wyżej, a on jak dziecko szukał nas wzrokiem. Potem się uśmiechnął szczęśliwy, że ma tego swojego Janusia.

— Ale dobre, pani Paulinko! — szepcze. — Dawnom nie jadł raczków. Jak Janusio był mały, to my często łowili tam, w Nartach, gdzie teraz gabinet ma! — powiedział to z dumą. — Łowilim rybki, ja nauczył go pływać, a on mnie skakać. Pani wie?

Nigdy nie miałam dziadka, ale taki mógłby być. Dobrotliwy, nieśmiały nawet. Taki... dziadek Wacek...Przypomniał mi się dziadek z *Dzieci z Bullerbyn*, i moja tęsknota za taką rodziną i takimi przygodami.

Teraz je mam, i przygody, i rodzinę!

— Panie Wacku, a jakbyśmy ja i moje dziecko mówili do pana „dziadku”, nie pogniewa się pan?

— Dziadku? Nie skarbie, nie pogniewam, bo ja wnuków nie mam. O tak złożyło się. Z tamtą Janusio nie miał i Gosia też już chyba rodzić nie będzie. To będą takie przyszywane. Tak?

Kiedy wrócił Janusz, zostawiłam ich razem. Janusz z troską nachyla się, poprawia poduszki, rozmawia i tłumaczy, że serce tatowe już zdrowieje, a po szpitalu zabierze Wacusia nad rozlewisko.

Wracamy przez jakieś wioski, inną drogą.

— Czemu tak? — pytam Janusza.

— Gośka lubi tę drogę. Jakoś tak mi tu jest spokojniej. Zaraz coś ci po... pokażę. Ciekawostkę na skalę europejską. Popatrz w lewo, tam jest skrzyżowanie rzeczek!

— Jak to skrzyżowanie? Wkręcasz mnie? — czuję, że to kolejna Janusza podpucha.

— Głupiaś. Dołem płynie rzeczka, a gó...górą, w wyrobionym kanale — mostku, jest kanał me...melioracyjny chyba, ale pod kątem prostym. Krzyżują się. Podobny numer jest tylko podobno w... Wielkopolsce, tyle że rzeki same się krzyżują, bez mostków.

— Zobaczymy?

— Nie bardzo jest jak się za...zatrzymać, ale zapamiętaj i sobie obejrzyj w wo...wolnej chwili — zaproponował.

— W jakiej wolnej? Potem tylko pieluchy, karmienie i już tak do śmierci... — westchnęłam. — Ostatnie tygodnie luzu.

Janusz mnie nie słuchał. Zapytany, odpowiedział lakonicznie, że z tatkiem nie jest za wesoło. W milczeniu dojechaliśmy do domu.

Już chłodno wieczorami. Dopiero teraz to zauważyłam, kiedy siedzieliśmy w kuchni, bo na werandzie za zimno. Gosia i Janusz rozmawiali o tym, jak urządzić tu Wacusia, więc się zmyłam do siebie.

Coś... dziwnie jest między nimi. Już nie tak jak wiosną.

No, może mają jakieś problemy? Nie pytam.

Mail do Mańki:

Kochana siostro!

Skoro ty jesteś moją duchową siostrą, to nabyłam sobie dziadka. Byłam z Januszem w szpitalu u jego tatki. Jesteśmy z dziadkiem Wackiem „po słowie”. Zaproponowałam mu rozszerzenie rodziny. Mój Filipek powinien mieć pełną rodzinę. Nawet jeśli brakuje w niej ojca. Janusz będzie wujkiem, a dziadzio? Najlepiej dwóch. Tomasz i Wacek — świetnie się nadają. Każdy inny. Gosia będzie ciocią przecież, bo taka młoda. Babcia Basia — wiadomo. A ty? Czujesz się ciotką?!

Sama jestem w szoku, jak mi się życie obróciło o sto osiemdziesiąt stopni.

Zajmuje mnie już nie rozrywka, towarzystwo, wyskoki, ale rodzina, którą muszę jakoś uformować z niczego. Sorry. Nie z niczego — z osób zapożyczonych.

Wiesz już, że zamierzam z babcią Basią i Tomaszem szurnąć do Barcelony? Wiesz, bo pytali Cię, ale nie możesz. Pozdrów Jannego. Rób zdjęcia, mnóstwo!

Całuję wasze gęby kochane.

Paula

Za oknem jeszcze jasno. Koniec lata. Nie zauważyłam, kiedy zleciało. Teraz siedzę i patrzę, jak się zbiera do drogi. Jeszcze pełnia owocobrania, warzywa dochodzą w ziemi i żółkną im liście na znak, że pora zbiorów bliska. To Ania mnie tego nauczyła. Czasami, jak razem coś robimy w ogrodzie, rozmawiamy. O życiu. O sobie — nie lubi mówić. Zaraz smutnieje, zacina się w sobie. Przechlapane miała życie, to o czym tu gadać?

O roślinach i uprawie, można zawsze. Dużo wie. Chodziła do ogrodniczo-rolniczej zawodówki. Podobno miała zdawać do technikum, ale poznała tego swojego, zaszła w ciążę i po zawodach! Dom, mąż pijak i córeczka. Na dodatek bieda i wieczny lęk. Zaczęła z nim pić. Wtedy jej nie bił. Resztę wiem, ale nie od niej. O Karolince — milczy.

Spytałam babcię Basię, jak to było.

— Babciu, skoro byłaś tak bardzo na nią rozżalona, zła, to jak to się stało, że wzięłaś ją do pracy?

Babcia patrzyła na mnie uważnie i myślała, kiwając stopą na taborecie. Po chwili westchnęła i powiedziała:

— Sama nie wiem, córeńko. Początkowo życzyłam jej najgorszego. Matka, a tak zaniedbała dziecko! Po czasie jednak zrozumiałam, że ona jest ofiarą, że i tak będzie dźwigać swój krzyż do końca życia. Spójrz, nie pije, pracuje jak wół i modli się. Mam ją jeszcze karać swoją niechęcią? Pokutuje i pokutować będzie. Nie mnie ją osądzać, ale pomóc mogę. Myślę, że dobrze się stało, że jest z nami i pomaga tacie Janusza. Ma pracę, nie głupieje od bólu i beznadziei. Żyć trzeba dalej.

— Mądra jesteś... — szepnęłam zgodnie.

— Ja? To moja mama — Bronia. Ona tak by postąpiła. Ja to wiem. Kara to jedno. Miłosierdzie to drugie — mawiała. Obrażona „na zawsze” to ona była na Hitlera i Stalina. Innym wybaczała.

Co za szczęście, że tu trafiłam!

W Warszawie oszalałabym z nudy i braku wzorców. Miotałabym się w przekonaniach, opiniach i niepewności. Każdy sądzi inaczej, każdy widzi tylko czubek swego nosa. Moi znajomi nic nie robią bezinteresownie, dla nikogo nie znajdują czasu ot, tak, bez powodu. Każdy ich ruch jest przemyślany i nastawiony na efekt. Osądzają surowo. Innych. Siebie — nie.

Dobrze, że spotkałam Mańkę i tę jej rodzinę. Teraz bardziej moją niż jej... Jestem coraz bardziej zżyta ze wszystkim, co tu jest. Tkwię tu. Widzę i czuję... zaczynam czuć jak oni. Pełniej, jaśniej, czasem prościej.

Mania przyjeżdża sama albo z Adasiem na weekendy. Gadają z Gosią i tulą się w pokoju Gosi jak papużki. Adaś znika w sali jadalnianej i gra na pianinie, ku uciesze wszystkich. Jak wpada Stefan z Bartkiem — muzykują razem. Orest czasem zaśpiewa. Dołącza do nich Janusz. Wali w tamburyn albo kastaniety, tupie nogą do taktu. Ma wyczucie rytmu i cieszy go to granie jak dzieciaka. Obserwowałam go, często zadając sobie pytanie, co w nim jest takiego, że Gosia oszalała na jego punkcie?

Jest przystojny. Fakt. Towarzysko — bywa urokliwy. Potrafi rozmawiać, dyskutować, śmiać się, riposty ma cięte, więc inteligentny. Myślę jednak, że Gosia czuje się przy nim wyjątkowa. On potrafi jej okazywać to, że na pierwszym miejscu jest ona i dopiero później cały świat. Kiedy z nią rozmawiałam o tym, odparła:

— Nie daj się zwieść. Nie muszę udawać, że Janusz jest alkoholikiem.

— Co ma jedno do drugiego?

— Oni, Paula, wybierają sobie taką życiową boję, drogowskaz i starają się być blisko niego. Dbają o ten drogowskaz, jak Janusz dba o mnie. Jestem mu potrzebna, bo on wie, że zapalę światełko, jak przegnie, że uratuję, jak będzie spadał.

— A uratujesz?

— Wedle zasad — nie powinnam. Zresztą na razie stop, odpukać, nie ma problemu.

— Ale już nie pije?

— Alkoholikiem jest się całe życie. To choroba nieuleczalna. Można już nigdy nie pić, ale ona jest przyczajona. Trzeba ją mieć pod kontrolą. Pamiętać i nie prowokować. Mieć blisko boję, by się uczepić. Naczytałam się! Wiem.

— Ale przecież on cię kocha, Gosiu, to widać!

— To jedno z drugim nie ma nic wspólnego. Mnie też taki układ odpowiada. Ja potrzebuję adoracji, codziennej świadomości, że jest mój i że mnie kocha. Lubię czuć się potrzebna, to moje nowe odkrycie. Taki układ... Paula. Ale... jestem od niego starsza, nie urodzę mu dziecka, a dookoła chodzi mnóstwo ślicznych i płodnych lasek. Myślisz, że się nie boję?

— Żartujesz. Myślałam, że wasz związek jest stały.

— Paula! Jaką ja mam gwarancję? Poza zaufaniem, wiarą? Żadnej. Nawet gdybyśmy byli po ślubie. Też mógłby mnie zamienić na lepszy, młodszy, ładniejszy model. Mógłby... Nie?

— Jakoś tego nie widzę, Gosiu. On mimo tego swojego chłopięcego uroku jakoś nie zachowuje się jak pies spuszczony ze smyczy. Tak okazuje ci tę swoją miłość, że wam zazdroszczę...

— I tak muszę być czujna. Dobrze jest, jak jest. A ty, Paulineczko, znajdziesz swoją. Pojawi się. Po prostu w twoim życiu zmieniła się kolejność.

Właśnie. Kolejność. Zmiana adresu, zmiana stanu biologicznego, a cywilnego — na końcu?

Wrastam tu. Widzę, obserwuje i uczę się. Pojęcia nie mam, jakbym się zachowała, gdyby mój facet pił... Czytałam książkę od Gosi o Marinie Vlady i Wysockim. Te rozmowy Wiktora Osiatyńskiego o piciu — też. Już rozumiem. Teraz po Januszu nic nie widać, że pił, ale ma to w sobie.

Fakt, że jak tu przyjechałam, był jeszcze ciut zagubiony, bo sprowadził się dopiero co i jeszcze nie „wsiąkł". Ja też wsiąkałam razem z nim. Chyba szybciej. Janusz wraca z gabinetu i szuka czegoś do dłubania, reperowania albo czyta. Drobne remonty ma w jednym palcu, chociaż jak mówi, nigdy nic takiego nie robił. Kupił kilka kaset o majsterkowaniu. Angielskie, bardzo profesjonalnie nagrane. Sprowadził je przez internet. Jest manualnie sprawny, więc chwyta w lot i oto Gosia ma w domu zapaleńca do drobnych napraw i usprawnień.

Ja i Ania również dostałyśmy od Janusza przesyłkę z angielskiego sklepu internetowego: Geoff Hamilton, *The beautiful gardens*.

Mogę to oglądać godzinami. Miły starszy pan opowiada, jak i co zrobić w ogródku. Altankę, ścieżkę, jak sadzić peonie, jak prowadzić jabłoń po ścianie itd. Ania złości się, bo nie zna angielskiego, ale czasem siada ze mną pogapić się, jak Geoff zakłada skalniak. Czasem siada z nami Orest. Nic nie mówi, tylko ogląda. Potem wstaje i wraca do siebie.

Wybrałam się do leśniczówki, żeby się poruszać trochę i pogadać z babcią.

Fantastyczny ten las! Słońce przesiane przez sosny nie razi. Sucha, nagrzana ziemia pachnie intensywnie. W smugach światła widać mnóstwo owadów drżących w powietrzu. Jak to namalować? Jak zrobił to Szyszkin? On po prostu farbami sfotografował taki gorący, suchy, sosnowy las. Ja nie dam rady, choćby nie wiem co. Ale może kilim? Taki impresjonizm mi nie wyjdzie, ale takie pnie sosen, łaty światła, może? Może?... Mijam kilka niewielkich, czerwonych jak burgund dębów. Są inne niż te zwykłe. Babcia mówi „kanadyjskie". Piękne. Obok stoją klony, górując żółcią i resztką zieloności. Poszycie usłane liśćmi. Mogłabym pozbierać, ponaklejać... Mamią te kolory, zachwycają. Może przyjść tu ze sztalugami? Spróbować olejami? Nie. W olejnych źle się czuję. Akwarele?... E tam, taszczyć wodę. Suche pastele. Tak!

Zbliżam się do rozwidlenia i skręcam do leśniczówki. Babcia pewnie zmywa po obiedzie.

Zastałam ją wertującą jakiś przewodnik po Barcelonie.

— Popatrz, Paula, za kilka dni będzie nasza! To Ramblas — wielka ulica, aleja spacerowa. A to — pomnik Wielkiego Nawigatora.

— Kto to? — (Ale jestem ciemniak!)

— Kolumb! Spakowałaś się?

— W zasadzie wszystko przygotowałam, jeszcze tylko kilka drobiazgów i jestem gotowa. To kiedy?

Tomasz spojrzał przez okno i zawołał:

— Mamy gości!

Przyjechała Gosia z Januszem rowerami. Wyjechali jacyś letnicy i w pensjonacie zrobił się luz. Janusz wrócił z gabinetu i... przyjechali.

My, kobiety, poszłyśmy do kuchni. Janusz z Tomaszem dopieszczali altanę, wielką jak namiot wezyra. Jest późne popołudnie. Jestem w kuchni z babcią i mamą Gosią. Robimy gofry na wczesną kolację. Babcia znalazła u kogoś w obejściu starą gofrownicę na żar. Rozpaliła w piecu i pieką z Gosią te gofry na płycie. Ja nalewam mleko do kubków i otwieram pasteryzowane wiśnie. Mój dzieciuch już wie, że będzie coś dobrego. Wierzga żwawo i delikatnie, zapewne mlaszcze. Klepię się po brzuchu i siedzę zadowolona, spokojna i głodna. Zaraz przyjdą faceci i zjemy kolację razem.

Wracaliśmy na rowerach wszyscy. Gośka dała mi swój, a ją Janusz wiózł na bagażniku, na poduszce od babci. Jej i jego śmiech niósł się po lesie. Ja jadę za nimi, ostrożnie, powoli.

— Widzisz, mały? — mówię do swojego brzucha. — Jeszcze cię nie ma na świecie, a już jeździsz na rowerze. Fajne — co?

Wieczorem na herbatę ma przyjechać, zaproszona przez Janusza — Beata.

— Kleiłem jej koronkę, po...pogadaliśmy i wreszcie dała się namówić. Jest w kiepskiej formie.

— Nic u niej nie drgnęło? Ciągle ta beznadzieja? — Gosia zadaje pytanie i myje kafelki nad kuchnią.

— No — powiedział Janusz — bez...nadzieja. Ma to w oczach, chociaż rżnie cho...chojraka. Niby taka silna, jak o niej mówią, ale nie za...zazdroszczę jej. Taki niefart!

Zajechała wielkim jeepem i uśmiechnęła się:

— Jestem! Dzień dobry, pani Gosiu! Znam panią z opowiadań pana Janusza. Cześć, Paula!

Chyba ją lubię. Imponuje mi jej postawa i to, że tkwi po uszy w tym ich bankructwie, znosi to dzielnie i uśmiecha się. Ja strzeliłabym sobie w kolano... Przywiozła czerwone wino.

Przy stole wszyscy przeszliśmy na „ty" i okazało się, że ona potrafi gadać. Właściwie, jak tylko Gosia zadała jej kilka pytań, Beata sama popłynęła w opowieść.

Agencja reklamowa jej i jej męża (Gosia znała tę agencję z czasów warszawskich — oczywiście!) weszła w modne wówczas urządzanie imprez terenowych, „integracji", survivali. Akurat byli w pełnym rozkwicie — klienci, zamówienia, forsa... więc kupili tutaj majątek i Beata osiadła, żeby nadzorować budowę z ramienia inwestora, czyli agencji.

— Dopiero po długim czasie zorientowałam się, że to ja jestem inwestorem. Panią Inwestor. Jakoś tak daleko zawsze byłam od spraw formalnych. Wydawało mi się, że taki ze mnie łącznik, między naszą agencją, w której już nic nie robiłam, a firmą budowlaną, którą najęliśmy.

— A co robiłaś w agencji? — spytała Gosia.

— Nic.

— Przecież pracowałaś w niej?

— Tylko formalnie. Na co dzień byłam mamą. Dzieci potrzebowały opieki, dozoru, obiadów i transportu, bo zamieszkaliśmy poza Warszawą. Wyrwaliśmy je ze środowisk rówieśniczych. Więc woziłam na zajęcia pozalekcyjne, spotkania koleżeńskie.

— O matko! Aleś się uwikłała — Gosia wyraźnie współczuła, chociaż niepewnie.

— Wyobraź sobie, że nie. Uwielbiałam to. Byłam z nimi, kiedy były malutkie, kiedy podrastały. W samochodzie gadaliśmy dużo. Opowiadały mi swój świat, jak go widzą. Mało która matka była tak dopuszczona do konfidencji jak ja. Byliśmy i jesteśmy blisko. To skarb takie bachory.

— A jak tu osiadłaś, zostawiłaś dom, wszystko? — sondowałam.

— One są w takim wieku, że mogłam je zostawić pod opieką mamy. Moja matka jest... O! To dopiero jest kobieta! Doskonale sobie z nimi radzi! A to nie antypody! Zajęłam się budowaniem. Nauczyłam się miliona rzeczy. To mój kapitał... — zamyśliła się.

Janusz nalał wina. Beata kontynuowała:

— Nasadziłam masę zieleni, dopieszczałam wszystko i nie zauważyłam, że koniunktura padła. Mąż się z tym borykał. Owszem, popełnił sporo błędów. Choćby ten kredyt na renowację pałacyku... Stało się. Któregoś dnia zadzwonił, że jest źle. Poczułam lęk, ale wierzyłam, że się uda. Nasi prawnicy, księgowi to mądrzy ludzie. W skrócie — nie udało się. Wszystko padło.

— Ale agencja wam została? — spytała Gosia.

— Nie. Też legła. Nasza mazurska firma była w niej zapożyczona. Nie mieliśmy prywatnego majątku. Żadnych kont w Szwajcarii, biżuterii, papierów wartościowych, Kossaków. Nic. Zbankrutowaliśmy do zera, a właściwie spłacamy wszystko. Przyjaciele ratowali nas pożyczkami... Głupio im nie oddawać.

— Przepraszam, że spytam. Macie z czego? — Gosia była stroskana, jak to ona.

— Nie bardzo. Najbardziej żal mi mojej pracy i roślin. Sporo z nich musiałam sprzedać. Serce bolało. Długo miałam puste noce, zabeczane. Chodziłam dosłownie obolała z rozpaczy. Mieliśmy wielkie plany — żyć pełnią otaczającej przyrody, rozwijać firmę, przyjmować przyjaciół, dochować się wnuków i zestarzeć się tu, na Mazurach...

— Chodziły słuchy, że siedzisz tu, bo o...opuściłaś męża bankruta.

— Paula! — Gosia sarknęła.

— No, mówię to, co „baby we wsi gadały". Powiedz, miałabyś prawo.

— Jakie? — Beata zdziwiła się. — Opuścić go, bo nam się nie udało? Absurd. O nic go nie obwiniam. Jestem tu wystarczająco długo, żeby widzieć, ile firm upadło. Jak my. Taka koniunktura. Takie czasy. Takie przepisy, opodatkowanie pracy. A to, na czym się nie znam, to ekonomia i przepisy... Siedzę tu i pilnuję. Żeby syndyk dostał majątek w porządnym stanie. Odpowiadamy za to. Prawnie. Ale mam już dość. Już czas na zmiany. Ile można pokutować? Tarmosić żal, płakać? Trzeba wstać z kolan i do przodu!

— O Jezu... — Gosia patrzyła na Beatę z autentycznym bólem — masz, kochana, siłę? Jak ty to robisz?

— Nie wiem — Beata westchnęła i wypiła łyk wina. — Widać tak mam. Moje dzieciaki mnie trzymają w objęciach. „Mamuś, wracaj". Dopingują, pocieszają. Matka odwala ze mną psychoterapię przez telefon... Powiedziała, że mam sobie wyznaczyć nowe cele.

— Masz je? — spytałam.

— Piszę dla moich dzieciaków wspomnienia. O naszej rodzinie. O dziadkach, o moim dzieciństwie, takie tam — opowiastki. Córka mnie poprosiła, bo mówi: „Mamo, na razie nam się nie chce słuchać, a jak się zachce, jak poczujemy tę potrzebę, to was albo nie będzie, albo się wami zajmie Alzheimer... Pisz. Dużo i z klimacikami".

— I jak ci idzie? — pytam, bo zżera mnie ciekawość. Sama bym chciała mieć taki pamiętnik o rodzinnych pierepałkach.

— Chyba dobrze, bo myślałam, że nabazgrolę coś na trzydziestu kartkach, a mam już sto dwadzieścia...

— Ile? To może ty, Beata, książki pisz? Może już dość bycia upadłą ziemianką, a czas zostać literatką? — podniecilam się.

— Literatka to se...setka — zauważy przytomnie Janusz. — A Beacie nie dałbym wię...więcej jak trzydzieści...

— Łaskawca — zaśmiała się i popatrzyła na Janusza.

Poluzowało nam. Skończył się smętny temat bankrutów, zaczęliśmy gadać o wszystkim. Beata bywała w świecie. Podróżowała sporo i ładnie opowiada.

— Uważaj — mówi Janusz, zamykając drzwi od jej auta — wypiłaś dwa kieliszki wina.

— Dziękuję. Będę uważać. Zresztą tu, na Mazurach, wieczorami trzeba jeździć ostrożnie. Pa! Do zobaczenia!

Zasypiając, myślałam ze współczuciem o Beacie. Sama w tym wielkim pałacyku, dopieszczanym, urządzanym, niedokończonym jeszcze, a już utraconym... Sama tu, na Mazurach, z tymi wszystkimi myślami o upadłych nadziejach, niespełnionych marzeniach, pieniądzach nie do odzyskania.

A ja, dostałam taki prezent od Boga! Moje miejsce na ziemi. Rodzinę, która mnie kocha, i własne dziecko! Będę je wychowywać jak Gosia Mańkę i Beata te swoje, żeby się z nim zaprzyjaźnić, a nie tylko zmuszać do jedzenia szpinaku i dowiadywać się o ocenach ze szkoły. Będziemy chodzić na raki, gadać i śmiać się. Tak! Fajną będę mamusią!

Pakuję się. Wkładam i wyjmuję, namyślam się i odrzucam. Ma być ciepło. Obie z Gosią siedzimy nad moją torbą-plecakiem.

Wieczorem zajrzał Orest.

— Proszę, wozmi z sobą figurku — mówi, podając mi malutką rzeźbę.

— Co to?

— To... taka figuroczka, od złego. Ja ją rzeźbił dla was, ciebie i dziecka, żeby wam się nic nie stało w podróży.

— A co mi się może... — nie kończę, bo pod stołem dostaję kopa w kostkę od Gosi. — A zresztą. Pokaż. Kto to?

— Taki... Święty. Od podróży. Swiatoj Antonij. Tu siedzący jest na pieńku, z kijaszkiem. Dobrotliwy i uważny. Weźcie go ze sobą, proszę. Będzie dbał...

Biorę. Talizman na drogę od białoruskiego Wita Stwosza.

Głupio mi w pokoju. Chce dobrze. Jest miły, a ja go traktuję jak... babcia Malwina. Cóż on winien historii? Głupia gęś. Patrzę na staruszka Antonija. Malutki jak pudełko zapałek. Ma wyraźne rysy. Brodę... Siedzi na pieńku, bo zmęczył się, dziadek opiekun. Mój talizman do samolotu. Teraz to mi się nic nie może stać!

Beata

Paula rzeczywiście się wkleiła w naszą rodzinę, w rozlewisko, szybko i bez problemu.

Czasem, gdy mi pomaga podczas kolacji, letnicy biorą ją za moją córkę.

Wygląda dziewczęco w tych swoich jeansach-ogrodniczkach, okrąglutka już. Kupiła sobie w Szczytnie takie wielkie, ciachnęła nad kostkami, zrobiła koronkowe wstawki i do tego nosi balerinki. Koronkowe! Często się uśmiecha i klepie po brzuszku. Odpowiada na pytania zabawnie, wesoło. Jak to dobrze! Już od dawna nie dramatyzuje, nie popłakuje. Nosi tę ciążę pogodnie i mądrze.

Gorzej z Januszem. Dogaduje się z Tomaszem, stara się bardzo, ale ani z gośćmi mu to nie wychodzi, ani z moimi... Z mamą tak, ale z nią każdy się dogaduje. Ona taka już jest — trafia do ludzi. No trudno, każdy ma jakieś swoje... Wiktor jeszcze w agencji też był wyautowany, odległy i jakby zamknięty w sobie. Prywatnie — okazał się fajny, kontaktowy, nawet bywał zabawny. Janusz z nim też nie znalazł wspólnej „fazy".

Gdy wpada Marysia — sama lub z Adasiem, Janusz się wykręca, idzie do ojca albo całymi dniami robi z Tomaszem dach altanki. Nic nie poradzę... To jąkanie?! Kompleksy?! Muszę spytać mamy.

Mam wrażenie, jakby się zamykał.

Końcówka lata, uwielbiam tę porę roku.

Noce chłodne — można spać, nie czując się jak uparowany ziemniak. Lipiec był taki gorący! Za rok założę w sypialni klimatyzator.

W sadziku już dojrzewają śliwki uleny. Letnicy narzekają, że woda w naszym „baseniku" już zimna. Nie nagrzewa się w dzień dostatecznie. Jesień idzie... Za to opaleni są — fantastycznie!

Na razie jest mnóstwo pracy przy przetworach. Uwijamy się z Anią i czasem z Pauliną, zamykamy skarby w słojach na przyszły rok. Już wiem, że i zimą będę miała gości! Bogusiowie, tradycyjnie, zapowiedzieli się na grzyby w październiku. Także badacze fauny z Holandii, fotograf z Warszawy i inni grzybiarze, ze Śląska.

Obiecałam Januszowi jakiś wspólny wypad — tylko ja i on, ale kiedy?!

Teraz mama zabiera Paulę do Barcelony. Wepchnęłam ją, bo Janusz by się już całkiem poczuł porzucony.

— Mamo, była u nas ta Beata, wiesz...

— Ta warszawianka? — Mama podnosi na mnie wzrok znad miski z malinami. Leśne rosną w pobliżu leśniczówki — najwięcej ich za budą Bobka — najlepszy stróż świata i okolic. Nikt nie podejdzie! Dlatego są dojrzałe, wielkie i pachną na cały regulator. Zimą Tomasz uwielbia na śniadanie kaszę mannę na mleku, z malinami. Mama napycha słoiczki po majonezie, zasypuje cukrem, później lekko pasteryzuje.

— No, ona. Opowiedziała, jak im się to wszystko posypało.

— Mówiłam ci, że to horror. Tyle pracy! Co ona teraz zamierza i czemu tu siedzi?

— Pilnuje dobytku, bo musi syndykowi przekazać wszystko w dobrym stanie. Inaczej oskarżą ją o zaniedbania. Dzielna jest. Wraca i zajmie się dziećmi.

— No, popatrz, ile mi wyszło! — Mama uśmiecha się do swojej roboty.

— Mamo...

— Dobrze, tylko je wstawię do wody, dobrze? Mów, mów, ja słucham!

Wstała i przeciągnęła się. Poprawiła włosy i skupiła uwagę na mojej twarzy.

— Później to zrobię, mów — rzekła stanowczo i znów usiadła.

— Coś czuję, że ze mną i Januszem jest...

— Pije?

— Nie, nie to. Dziczeje, nie dogaduje się z moimi... ucieka do taty.

— Od ciebie też?

— Co?

— Ucieka?

— Nnno nie, wieczorem jest, czasem się droczy z Paulą, jest normalnie. Śniadania jadamy sami, bo ona wstaje później. I niby jest wszystko w porządku, ale coś...

— Małgoś... No, co ja ci córko mam powiedzieć? Bycie razem to nie jest ustawiczna fiesta. A na dodatek to facet ze skazą. Ma zaniżone poczucie własnej wartości. Jego była to znakomity kardiolog, ale jako małżonka... chyba go nieźle oćwiczyła. Jest, jaki jest, też zauważyłam, że nie potrafi się dogadać z ludźmi, wszystko to u niego takie... powierzchowne. Musisz jakoś to zaakceptować, bo chyba nie zmienisz.

— Myślałam...

— ...że będzie pięknie? A nie jest?

Wracałam od mamy nienasycona potrzebną mi wiedzą.

Szłam znaną mi ścieżką. Ależ las na mnie działa! Pachnie żywicą, leśnym poszyciem, chyba trochę ślimakami i wilgotnym jednak mchem, bo mijam takie zapadlisko wiecznie mokre.

Obok drogi, na pniaku, w plamie słońca wygrzewa się zaskroniec. Ale ładny! Kucam i podpatruję go. Korci mnie, żeby go wziąć za ogon i zobaczyć, jak się będzie wspinał, owijając się wokół niego. Widziałam to na filmie.

A! Niech śpi. Niech kumuluje ciepełko.

Przypomniały mi się nasze pierwsze tygodnie razem — moje i Janusza, gdy się wprowadził do nas, nad rozlewisko. Kochaliśmy się jak szaleni, nocami, ale i we dnie bywało, że dopadało nas pragnienie, a tu Kaśka przecież. Wtedy szliśmy do lasu, za wyręb, za to mokradło, bo tam nikt nie chodził, bo trzeba znać suchą groblę. Za zagajnikiem jest mała polana i paśnik.

Już na niej Janusz dopadał mnie z swoimi wilgotnymi ustami, chciwie i miękko, wysysającymi ze mnie dech. Łapałam powietrze głośno, podatna na wszelkie jego pieszczoty.

Mój, mój chłopak, mój Janusz! Moje wielkie odkrycie mnie samej, dzikiej, namiętnej jak nigdy dotąd. Celowo do lasu szłam w welurowym dresie, żeby nie szarpać się z guzikami, suwakiem. Przewieszałam spodnie przez paśnik, bluzę zdejmowałam jednym gestem. Nie potrzebowaliśmy żadnych pieszczot więcej, oboje podnieceni, spragnieni, czuli.

Niby napalony do granic, mój Janusz zwalniał, zdejmował swoją koszulkę, patrząc mi w oczy z uśmiechem, który ma tylko dla mnie. Taki tylko na te okazje. Jakby bawiło go moje lekkie zawstydzenie, bo stałam naga oparta o ten skrzypiący paśnik, w oczekiwaniu na niego wysupłującego się ze spodni i wchodzącego we mnie łagodnym pchnięciem. Trzymał mnie mocno w objęciach, i jednocześnie nadawał rytm.

— Januszszsz — szepczę w jego kark i zamykam oczy, bo calutka zamieniam się w swoją rozkosz. Odbieram ją każdą swoją komórką.

— Janusz, Ja...Januuuszszsz...

Kołysze mnie, zwalnia. Nie pozwala na szybki finał. Nie po to biegliśmy tu prawie, żeby osiągnąć szczyt po minucie, chociaż mogłabym, moglibyśmy. Nieruchomieje prawie, zabawiając się teraz moimi ustami, piersiami. Paśnik to skrzypi rytmicznie, to zamiera i znów rozkołysujemy go powoli, leniwie. Staram się opanować spazm. Zasłaniam usta, Janusz już nie panuje nad sobą, bim-bom, bim-bom, jak wahadło zegara, obejmuje mnie mocniej, głębiej, do drżenia, szarpnięcia, do spełnienia, z głośnym wydechem, tuż nad moim uchem.

Sama sobie zazdroszczę, taka miłość! Taki on, we mnie! Jestem wybranką, szczęśliwą, spełnioną kobietą, mimo lat, jakie mam wpisane w dowód, mimo lat, które zawstydzają i smucą moje koleżanki, a mnie — nie. Mimo dobiegającej pięćdziesiątki czuję się w jego ramionach jak nastolatka. Miłość nie zna pojęcia „za późno", nie ma metryki. Jest albo jej nie ma.

Mój bożek miłości uśmiecha się i docałowuje mnie, przytula i szepcze:

— Moja, moja, moja... Alež ja chciałem... Ty wiesz?

— Wiem, ja też. Podaj mi...

Zawsze zabieramy ze sobą ręcznik. Ubieramy się, bo tną komary albo mrówki, pospiesznie, wracamy z naszą tajemnicą, z naszym wariackim spełnieniem.

Czuję się jak studentka, lekko, zalotnie idę obok mojego Zielonookiego Potwora. Dzięki ci, Matko Naturo! Pięknie to wymyśliłaś.

Tak było.

Jeszcze rok temu. Przed śmiercią Kaśki, zeszłej jesieni.

Było, a teraz coraz częściej Janusz bywa zmęczony, ja też.

Mama tłumaczy rozsądnie:

— Kochanie, seks z czasem z ilości przechodzi w jakość. Uwierz mi. Wiem, że w małżeństwie z Konradem w ogóle miałaś z tym problem i teraz no... nadrabiasz, ale to nie jest tak, że „stale i wciąż". To na dłuższą metę męczy. Jemu się zdaje, że powinien, tobie się zdaje, że powinnaś, a to powinno wynikać nie z poczucia obowiązku, a... No, wiesz.

— Wiem, ale oprócz tego... coś, mamo, jest nie tak.

Nie doszłam, co mnie niepokoi, i mama uśpiła moją czujność, mówiąc o związku, że to nie jest ustawiczna niedziela. Racja.

Mam mnóstwo pracy. Jak tylko znajdę czas, pojedziemy razem. Może do Krakowa? Na razie to niemożliwe, bo Paula z Tomaszem i mamą lecą do tej Barcelony.

E viva España!

Okęcie, to nic. Droga na Okęcie — to dopiero zabawa! Ja i Gosia jesteśmy warszawiankami z urodzenia, więc korki i tłok mamy we krwi, ale Tomasza cholera bierze.

— Matko święta! — wykrzykuje co i rusz. — Co za palant! Gośka, obtrąb chama! Niech ci ni zajeżdża!

— Tomek! — mityguje babcia. — Zaraz będziesz szedł piechotą.

— Basiu, to idiotyzm tu żyć! Jezus! Co on robi?! Kto mu dał prawo jazdy i samochód? — Tomasza nie opuszcza wścieklica.

— Wysiądziesz. Zobaczysz! — babcia puszcza do mnie oko.

— Ja? — Tomasz jest zdziwiony. — To tamten nie umie jechać! Czemu ja?

— Bo denerwujesz kierowcę. Gośka, podjedź do krawężnika i wysadź nerwusa!

Na lotnisku nie lepiej. Tłum. Jakieś wycieczki, grupy, grupowi. Gośka ogarnia wszystko żelazną ręką. Pojeździła po świecie i ma to opanowane. Wie, dokąd iść, gdzie stanąć.

Gosia głaszcze mnie i przytula. Przypomina, żebym piła wodę niegazowaną i uważała na siebie.

Wszyscy się żegnamy. Kiedyś umarłabym ze śmiechu — te czułości, uwagi... Teraz uwielbiam to. Potrzebuję tego. Tak powinno być!

W kolejce do oddania bagażu czuję lekkie podenerwowanie. Głaszczę brzuch uspokajającym gestem, chociaż mój bachor śpi. To ja potrzebuję uspokojenia.

Lubię atmosferę lotniska, ten łagodny rajzefiber, takie drżenie w środku, że się gdzieś leci.

W samolocie siedzę między Basią i Tomkiem. Stewardesa omiotła mnie uśmiechem, a właściwie mój wypuklak. Zakodowała, że to chyba ciąża, i uśmiechnęła się. Tomasz prawie wstał, jak jedna ze stewardes pokazywała, co robić, jakby... Trochę śmiesznie to wygląda, ale trzeba wiedzieć i już, więc ja i babcia uważnie sondujemy — gdzie ta kamizelka i ta maska z tlenem.

Samolot już warczy, a babcia w panice pyta mnie:

— Zapomniałam, ty masz, Paulinko, chorobę lokomocyjną?

— Nie. Chyba nie. Samochodem jeżdżę i nic, tylko karuzel nie lubię.

— Masz, zjedz to. Zapomniałam wcześniej ci dać.

— Co to?

— Plasterki świeżego imbiru. Nie będziecie czuć dyskomfortu. To naturalna metoda. No, spróbuj!

Jak to fajnie, że ktoś tak o nas dba! I jeszcze nachyla się ta miła stewardesa i mówi milutko:

— Paula?!

Patrzę zdziwiona tą poufałością, a ona dalej:

— Jestem żoną Jacka Sierki, z rzeźby! Rok temu byłaś na naszym ślubie w Milanówku — pamiętasz?

— O Jezu! Jasne! Sorry, ale byłaś ciut inaczej ubrana, a przedtem... zmieniłaś kolor włosów?

Uśmiecha się.

— Coś ci podać oprócz soku? To ciąża? Dobrze się czujesz? Jak poroznosimy napoje, zajrzę do was!

— Jasne! Na razie!

Świat jest malutki.

Jacek Sierko, nasz kolega z imprez. Mój stały rozmówca o pięknie tego świata, marzyciel i realista — zarazem. Rzeźbiarz klasyczny. Rzeczywiście poznałam jego pannę i byłam na ich ślubie, ale kurczę — zapomniałam, jak jej na imię i że na tym ślubie byłam... Żuję imbir i patrzę przez ramię Tomasza za okienko.

Chmury i bezkres nieba. Lecę do Barcelony! Babcia zwinęła włosy w banana i włożyła spodnie — rzadkość u niej. Czasem widywałam ją w dresie, ale po domu tylko. Teraz nałożyła podróżne jeansy i bluzę też z lekkiego jeansu. Zaręczynowy pierścionek tkwi na jej pulchnym palcu. Ma staranny manikiur i uśmiecha się znad okularów. Tomasz słucha muzyki i ma zamknięte oczy.

Na pogaduszki z Magdą — stewardesą, żoną Jacka, poszłam do nich za zasłonkę. Ble ble o niczym, że mieszkają u jej rodziców w Milanówku, że Jacek ma tam pracownię i zamówienie na posąg młodego faceta z gołym torsem i w jeansach od jakiegoś małżeństwa, co się urządza w nowej willi, i że to taka komercja. Opowiedziałam jej o babci Malwinie i portretach, które malowała. Komercja daje chlebuś, jednakowoż...

Bachor mój kochany też pewnie żuje imbir i cichutko sobie leży, bo nie mam nudności i czuję się lekko i spokojnie. Lądowanie łagodne, jakby pilot wiedział, że nie należy szarżować. Za to właśnie dostał oklaski. Podobno nie we wszystkich liniach praktykuje się ten zwyczaj dziękowania pilotowi za udany lot i pomyślne przyziemienie. Nam się podobało.

Hotel w centrum Barcelony. Już z taksówki zaskoczyły mnie wielkie arterie i czyste, stare uliczki. Jednokierunkowe. Wcale niezawalone samochodami. Tomasz zamówił apartament. Oni z Basią mają pokój z „matrimoniałem" — jak mówi babcia na podwójne łoże, ja śpię w telewizyjnym, na rozkładanej kanapie.

— Paula, może wolisz z Basią na tym wielkim łożu? — pyta Tomek z troską.

— Nie zawracaj sobie mną głowy, dziadku Tomku! — mówię i rzucam się na wielki karton soku pomarańczowego. W lodówce jest lód! Mnóstwo lodu!

— Mnie bynajmniej chodzi o twój brzuch, a nie o ciebie, pająku. I nie pij z lodem, bo zaziębisz dzieciaka!

— Nie mówcie o niej tak bezosobowo — wtrąca babcia, wychodząc z łazienki. — I rzeczywiście, Paula, za łapczywie pijesz i z lodem i to nie musi być przyjemne dla mojej... O matko! Prawnuczki?!

— Zostańmy przy wnuczce... — proponuję.

— Ty i Mania jesteście wnuczkami — dąsa się.

— Mój bachorek też. Bez tego „pra". Tak? Dobrze? Idziemy w miasto?

Wychodzimy. Jak prawdziwi turyści mamy aparaty fotograficzne i plan miasta. Jest przyjemnie gorąco i ekscytująco. Mój mały krasnoludek ożywił się, jakby miał w moim brzuchu okienko i widział...

Po dwóch, trzech zakrętach docieramy do wielkiej ulicy, z ogromnymi drzewami. Mają korę jak ciuchy „moro", w łatki zielono-seledynowo-beżowe. Dziwne...

— To platany! — babcia uśmiecha się wesoło.

Na rogu stoją jacyś ludzie i gapią się do góry, pokazują coś sobie palcami, gadają.

— Patrzcie! — woła Tomasz, gapiąc się za nimi.

Przed nosem mam jedną z kamienic tego wariata Gaudiego. Zamarłam. Nie spodziewałam się, że tu zaraz za tym zakrętem! Sądziłam, że będziemy tych jego dziwadeł szukać w mieście, tropić, a one tak po prostu są wszędzie!

Gapię się za Tomaszowym paluchem i widzę kamienicę z balkonami jak secesyjne trupie czaszki. No, tak mi się kojarzą. Mają owalne otwory w białoszarej, wypukłej powierzchni. Stojąca obok kamienica też jest piękna, chociaż już nie secesyjna, nie Gaudiego. Ma śliczną wieżyczkę sześciokątną, czy jak? Nie widzę, bo mi słońce daje po oczach. Bogato zdobiona rzeźbieniami, a niżej okna też całe w rzeźbach. Lekkie linie, liście, o, a ten dom dalej — też ładny... Wszystkie stare i ładne.

Cykamy zdjęcia. Uśmiechają się do nas jacyś ludzie, oczywiście turyści. Fajnie tu!

Tomasz kupuje lody i sarka, że wnuczkę mu zakatarzę.

— Jeśli już, to Filipa, ale on jest porządny i lubi lody. Obiecał nie chorować!

— Głupiaś. Babki nie słuchasz. Babka mówi, że to dziewczę.

Mało go nie ugryzłam. I tak wiem swoje!

Tą wielką aleją wyszliśmy na plac z fontanną. Zdecydowanie brak mi w naszych miastach fontann. Ta jest duża i wielopoziomowa. Dzięki niej nie czuję dojmującego gorąca. Cykam Basi i Tomaszowi dyskretną portretówkę na tle pióropuszy wody. Twarz babci łapie słońce — oczy ma zamknięte i opiera się o tors Tomasza. On patrzy przed siebie, półprzymkniętymi oczami, taki zamyślony i uśmiechnięty leciutko — tajemniczo. Jeszcze kilka ujęć, póki się nie zorientują.

Na trawniku śpi kloszard. Też go pstryknę. Ma reklamówkę pod głową i błogi wyraz twarzy. Nad nim kosz z pustymi puszkami po piwie.

— Wykąpałabym się w tej fontannie — melduję Tomowi.

— A co ty, Anita Ekberg?
— Kto?
— Taka, co się kąpała u Felliniego. Ładnie.
— Też w ciąży?
— Oj, profanko! Wasze pokolenie nic nie wie...
— Babciu! On się wywyższa!
— Przestańcie! — babcia ofuknęła nas i pociągnęła w kierunku spacerniaka.

La Ramblas!

Każde miasto ma czarodziejską ulicę. Taki deptak-dreptak. Tutaj to właśnie — Ramblas, tak jak w Sopocie Monciak, w Krakowie Stary Rynek. Babcia nam to objaśnia jak niemotom i my z Tomkiem słuchamy, bo ona przeczytała przewodnik, a my nie.

Spytałam złośliwca:

— Tomasz, co z tą Anitą? Widziałam taką scenę, ale w amerykańskim filmie *Pod słońcem Toskanii*, jak taka laska podstarzała, ale ładna, weszła na rauszu do fontanny i taki prawnik wyniósł ją na rękach...

— Nie wiem, o czym mówisz. Nie oglądałem tego. To mogło być nawiązanie do Felliniego. Wiesz co, Paula? Urządzimy sobie po powrocie wieczory filmowe. Pooglądamy stare filmy, podciągniesz się. Chcesz?

— No, między jednym karmieniem a drugim... Ale chcę! Jasne, że chcę! Zobaczcie, ile ludzi!

Chłonę tę atmosferę. Mnóstwo ludzi. Kolorowy, powolny tłum. Po bokach kioski i sklepiki z pamiątkami, a po obu stronach alei wąskie jezdnie i domy. Na dole każdego z nich knajpa, sklep, knajpa, sklep i tak w kółko. Po prawej brama na ichni targ. Oczywiście, że weszliśmy!

Coś, jak nasze hale targowe, tylko ładniej zagospodarowane. Towar jak z obrazka. Zrobiłam zdjęcie dziwnej ryby i jowialnego sprzedawcy, który pozował mi z wielką langustą. Czy to homar? Nie rozróżniam, więc pytam. Urokliwy podrywacz zrobił nam cały wykład i pochwalił Basię, że ma taką ładną córkę — lizus!

— Znajdziemy dobrą knajpę i zjemy tam takiego raczka — proponuje Tomasz.

Owoce powodują u mnie ślinotok i jako ciężarna natychmiast dostaję od sprzedawczyni kawał melona ociekającego sokiem. Uśmiecha się i klepie się po brzuchu, kiwa głową i robi znak krzyża, że to dar niebios. Noooo, teraz to wiem!

Tomasza siatka już ciężka, ale jeszcze podchodzimy do stoiska z „jambonami". Hiszpańskie dojrzewające szynki. Aromatyczne i słone przyjemnie. Bez konserwantów i fosforanów. Płateczek, wielki jak Europa z mojego atlasu, cieniuchny i cieniowany brązami, rdzawą czerwienią, wędzonym różem. Prawie przezroczysty. Na dole pas białej słoninki — jak arktyczne śniegi. Kupujemy ćwierć kilo takich plastrów do wieczornego wina.

Basię fascynują postacie... No właśnie — kogo? Żebraków? Artystów — performerów stojących nieruchomo, pomalowanych jak rzeźby i w pozach rzeźb. Przed nimi, na ziemi, kapelusz, puszka na datki. Gdy stoją nieruchomo — z trudem można rozpoznać, czy to człowiek, czy posąg. Za pieniążek — ożywają, kłaniają się i robią śmieszne miny. Jeden z nich, cały srebrny — nachyla się przed przypatrującą mu się Basią i dotyka jej nosa, zostawiając srebrną plamę. Babcia wrzuca mu pieniążek do puszki i cieszy się jak przedszkolak. Nic jej o plamie nie mówimy. Niesie ją dumna po całym Ramblas, aż do knajpy, w której miły kelner podaje jej serwetkę i pokazuje nos. Babcia fuka na nas.

Zanim trafiliśmy do tej knajpy, zaliczyliśmy jakiś plac po lewej z palmami i ogródkami, ale jeszcze nie poczuliśmy ssania w żołądku. Za to usiedliśmy podziwiać taniec brzucha apetycznie wykonywany przez trzy studentki. Koledzy grali wschodnio brzmiące melodie, o one potrząsały nagimi brzuszkami i dzwoniły blaszkami uwiązanymi u bosych stóp.

Do niedawna mój brzuch też był płaski, ale nie umiałam nim wykonać takiego ruchu jak one. Potrafią trząść swoimi, wcale nie chudymi fałdkami szybko albo rytmicznie, kołysać lub zataczać kręgi. Podoba nam się ten taniec. Filipowi też, bo kręci się w moim wnętrzu, jakby chciał znaleźć dogodniejszą pozycję do podglądania tancerek.

Jest gorąco i ciekawie.

— Paula, czy ty czasem nie masz opuchniętych kostek? — babcia nachyla się do moich stóp.

Mam. Są ciut pulchniejsze niż zwykle.

— To od łażenia, babciu, bo się odzwyczaiłam. Tyle, co po obejściu albo w lesie z Funiem, to mało jak na taki trening jak tu. Gdyby Tomasz pozwolił mi pomoczyć nogi w tej fontannie jak ta Anita...

— To by nas policja zwinęła — dokończył nasz Rozważny i Romantyczny, wstając i robiąc nam kolejne zdjęcie z tancerkami tuż obok.

Machają mu do obiektywu i śmieją się. Mają przerwę i zaczepiają nas, pytając, skąd jesteśmy, co tu robimy i który to miesiąc. Mam jak one odsłonięty brzuch, wystający mi łagodną krzywizną nad spodniami. Jest opalony nad rozlewiskiem i pięknie się prezentuje bez jakichkolwiek rozstępów. Przed wyjściem maznęłam go oliwką. Krótki papuziozielony top, ledwo zakrywa moje, inne niż dotąd, mamusiowe piersi. Niedługo zamienię się w Bar Mleczny!

Nie ja jedna noszę ciążę jak piękną broszkę czy cenne koronki. Mijamy sporo młodych „ciężarówek" — jak mówi Tomasz.

— Zauważyłeś, że teraz właściwie wszystkie ciężarne noszą spodnie? — babcia ogląda się za śliczną mulatką z brzuchem-bębenkiem.

— Zauważyłem i niektóre mają kolczyk w pępku...

— Albo tatuaż — wtrącam, oglądając się za śliczną ciężarną dziewczyną z wytatuowanym słońcem wokół pępka. — Też taki chcę!

— W hotelu ci namaluję flamastrem — babcia Basia uśmiecha się rozbawiona swoim pomysłem i jak ją znam — zrobi to!

W aquaparku Tomasz zapomina o bożym świecie.

Na końcu Ramblas jest już morze. Przystań pełna żaglówek i łodzi wszelkiej maści. Dalej jakby wyspa czy półwysep z restauracją i dużym, wielkim oceanarium.

Mnóstwo akwariów wmurowanych we wnętrza ścian. Podświetlonych łagodnie lub ostrzej, z ogromną różnorodnością morskiego drobiazgu. Tomek gapi się jak inne dzieci. Fotografuje i pokazuje nam palcem obiekty swoich zachwytów. No, owszem, śliczne niektóre i kolorowe, ale żeby aż tak zwariować? Łazimy za nim już zmęczone, ale ożywamy, kiedy woda otacza nas dookoła. Ściany szkła są wielkie i kryją wielkie wnętrza. Idziemy aleją, nad którą również płynie woda, bo to jakby tunel w akwarium dla nas — ludzi. Po bokach i nad głowami płyną leniwie morskie olbrzymy — rekiny wszelkiej maści, barakudy, płaszczki, samogłowy i żółwie kolosy.

Tomasz gapi się zupełnie jak pięciolatek stojący naprzeciw nas. Mamusia trzyma go za rączkę. Oczy utkwione w rybach, wzrok pełen zachwytu — usta rozchylone. Kompletny brak kontaktu. Gada do niej coś po włosku, nie reagując na nic innego. Obok nas taki sam Japończyk i setka innych dzieciaków zaczarowanych widokiem. Nasz Tomuś — taki sam!

— Trochę mi już klaustrofobicznie — szepczę do Basi. — I na żółto widzę — ostrzegam.

— Mnie też już się chce. Spróbuję przyśpieszyć Tomka — solidarnie ściska mi rękę.

Nareszcie wychodzimy. O! Jest toaleta, jak błogo!

W wielkiej rybnej (a jakże!) knajpie szybko dostajemy miejsce. Dla niektórych za wcześnie na lunch, a poza tym mój brzuch toruje drogę. Upieczona langusta z czosnkiem, masłem koprowym i białym winem — cud! Gdyby było cicho, byłoby słychać zapewne, jak mój Filipek mlaszcze zachwycony.

Po krótkiej drzemce w hotelu jedziemy do „wioski hiszpańskiej".

Babcia odczytuje nam, o co chodzi:

— Słuchajcie! To się nazywa: *Pueblo espanol*. Takie ich cacko. Espania w miniaturze.

— Widziałam takie coś w Holandii. Takie minidomki jak dla krasnalków, o, tak — do kolan. Miniatury wiatraków, domów... — chwaliłam się wiedzą.

— Ale tu masz budowle z każdego regionu Hiszpanii ledwie o połowę mniejsze. Chodźcie! Tam musi być fajnie, jak tylko zmienię bluzkę, bo mi gorąco. Tomasz? A ty? Nie za ciepło ci w tych rękawach?

Babcia ogarnia się szybko i decyduje za nas — czy nam ciepło, czy nie. Przypomina, żebym poszła do łazienki przed wyjściem, i pakuje flachę wody mineralnej.

— Musimy się nawadniać! — szkoli nas.

— A potem zamiast zwiedzać, szukamy kibla — dodaje Tom i całuje Basię w grzywkę.

Stanowczo mogę tu zamieszkać! Rzeczywiście budynki małe, ale takie, że swobodnie da się w nich mieszkać. Nawet chyba ktoś mieszka, bo na pięterku, na balkonie suszy się ręcznik i jakieś damskie fatałaszki. Każdy dom inny — piękny z oknami mauretańskimi albo balkonami całymi w rzeźbieniach. Na niektórych ścianach okna namalowane są w taki sposób, że nie odróżniam — prawdziwe czy nie?

Senna, gorąca, popołudniowa pora. Nocą podobno tętni tu życie. Otwierają się kluby, puby, dyskoteki i wszędzie się tańczy, podryguje i gada w każdym języku świata. Jak wieża Babel. Poczułam wielką chęć zanurzenia się w tym tyglu, popiłabym piwa, pośmiała się i tańczyła, poznała nowych ludzi... A tu nie idzie jakoś. Mam pojemnik wypełniony Filipkiem i piwo zakazane, i dbać o siebie muszę, bo nie powinnam urodzić wcześniaka znienacka — tu, w Barcelonie.

Zatęskniłam za dawnym, studenckim życiem, za szaleństwami nocnych imprez. Za tym, jak kiedyś bal u kolegi na Ursynowie skończył się w Sopocie. Za tym, jak byłam w Amsterdamie na Urodzinach Królowej i wszyscy znali wszystkich i każdy kupował piwo każdemu — kto nie miał, i paliło się wonną trawkę. Ach! Czułam się jak moja matka udająca hippiskę. Też udawałam. A ta wspólnota z nieznanymi studentami z innych krajów, ten angielski — wszechobecny, pozwalający na dogadanie się ze wszystkimi — czad! Oczywiście Francuzi dukali i udawali, że oni „dont spik", a po kilku machach wonnej, po piwku, gadali jak najęci.

To już nie mój świat. Mam dziecko w brzuchu i nie mogę dawać mu złego przykładu... Ale żal...

Tomasz kupił mi piwo bezalkoholowe na pocieszenie. Słodziak!

Wszędzie w donicach i na malutkich trawnikach — kwiaty. Nie chce się nam rozpoznawać, który dom jest skąd. Wchodzimy do sklepików z souvenirami, obkupujemy wszystkich i co chwila siadamy na piwo i sałatkę owocową. W sklepie ze złotem damasceńskim wybieram śliczne kolczyki dla Mańki. To stara metoda trawienia złota pokrytego najpierw czarną emalią. Z tej czerni wydobywa się wcześniej zrobiony rysunek. Ja wybrałam dla niej rajskiego ptaka wymyślnie wygiętego w owalu. Sobie wzięłam podobne.

Napisałyśmy z Basią kartki pocztowe. Ja, chyba pierwszy raz w życiu. No, do nikogo wcześniej nie wysyłałam. Był telefon, teraz jest mail... Janne się zdziwi.

Wracamy taksówką (to ze względu na mnie) do fontanny. Stamtąd znów leniwym spacerem leziemy w górę wielkiej arterii. Drugą stroną. Banki. Sklepy, kawiarnie. Ludzie, ludzie, ludzie. Mnóstwo ich. Jest wieczór, ale jasno.

— Popatrz, Tomasz, tam coś oglądają. Pewnie jakieś nowe cudo Gaudiego. Chodź! — Babcia zostaje w kawiarence, dopija kawę. Nogi ją bolą.

Rzeczywiście. La Padrera — kolejna kamienica wizjonera. Jest szokująco inna od wszystkiego, co w życiu widziałam pod nazwą „kamienica".

W ciągu tych paru dni oglądaliśmy jeszcze kilka z nich, ale ta jest rzeczywiście fenomenalna. Żadnych kątów prostych. Wszystko płynie wygiętymi liniami jak woda. Kute w żelazie balkony to dzieła sztuki. Każdy inny. Boska secesja! Jakie okna! Też płynne, zwariowane.

Wreszcie ostatni dzień. Zostawiliśmy sobie Guel i Sagradę Familię.

Szaleństwo Gaudiego mnie onieśmiela.

— Przecież żył w czasach konwenansów, utartych wzorców. Łamał je. Miał ogromną odwagę i wiarę w to, co robił — dzielę się moim zachwytem z Tomaszem.

— Wiesz, Paula, właśnie myślę o tym, ale od innej strony. Ktoś musiał mu zatwierdzać te jego projekty. Ktoś w magistracie zezwalał na jego wizje i ten ktoś, czy też „ktosiowie" — to byli bardzo odważni ludzie! Nie sądzisz?

— Może dawał łapówki? — zastanawiam się.

— Basiu, powiedz jej! — Tomek wznosi wzrok do nieba.

— Cicho, profani! — Basia czyta przewodnik. — Czytam tu, że jego projekty nie są stricte architektoniczne. Że więcej w nich odręcznych rysunków, szkiców, rzutów. On był katolikiem, ale takim strasznie uczepionym przyrody, natury. Chodźcie do Sagrady. Już się nie mogę doczekać!

Oniemiałam, gdy zza jakichś krzaków, domów nagle ją zobaczyłam.

Czułam przyśpieszone bicie serca, wzruszenie wymieszane ze ślepym zachwytem i nutą rozczarowania, że nie skończone...

— Popatrzcie tam! Ta twarz! O matko, jakie wyczucie anatomii, proporcji, daj, babciu, lornetkę... O Jezu! Ale Jezus! Ale czad! Że Mańka i Janne tego nie widzą! Patrzcie tam, wysoko! Jakie kolory! To tłuczony klinkier? — byłam poruszona i zła, że się zagapił ten nieszczęśnik i go przejechało, że nie dane mu było dokończyć, choć mówią, że z wiekiem zaczęło mu się to planowanie rozłazić, że utonął w szczegółach, zapominając o całości.

Staliśmy długo, podziwiając szczególiki i detale. Nad wieżami przeleciał facet na motolotni. Fajnie mu!

Wieczorem długo jeszcze gadaliśmy o Gaudim, pojadając mango cieknące sokiem i pijąc białe wino (ja z wodą) w narożnej knajpce. Obok nas, na chodniku spał pies właściciela — czarny kundel. Bezczelnie oparł się o moje stopy — świrusek!

— Pięknie tu, ale za dużo ludzi — stwierdził Tomasz.

— Jak się przyjechało z leśniczówki, to ci ludzie przeszkadzają, odludku. — Basia zrobiła minę taką śmieszną, bo udawała poważną. — Ja lubię być w takim tyglu narodów. Mało latałam po świecie, więc wszystko mnie ciekawi. Może nas minie Jose Carreras?

— Podejdzie i zaśpiewa ci arię do kotleta. — Tomasz wyciągnął się w swoim krześle.

— Mógłby. Ty mi serenad nie śpiewałeś... To chyba nawet dobrze. Nawet twój Bobek by tego nie zniósł.

— A zamiast Carrerasa może być Emma Thompson? — pytam ich poważnie. — Bo właśnie weszła. O tam! W tej białej bluzce.

— No, proszę! — Basia uśmiechnęła się ślicznie. — Cały świat tu zjechał, a on narzeka!

Emma, taka zwyczajna Emma Thompson, usiadła przy stoliku obok nas i pomachała do grupki ludzi. Jacyś jej znajomi. Ale czad!

Napiszę o tym Mańce. Bachor zmęczony łażeniem i upałem podpijał pewnie cienkie winko z mojego krwiobiegu i spał w moim brzuchu jak w hamaku. Przecknie się koło czwartej — paskud mój malutki i wyrzuci mnie z łóżka do łazienki, kopiąc w pełny pęcherz.

— Chodźcie, panny. — Tomasz wstaje. — Jutro wczesna pobudka i na samolot!

Ze smutkiem wznosiłam się wraz z Basią, Tomkiem i moim brzuchatkiem, w chmury, do Polski. Mogłabym tu jeszcze pobyć. Piłam sok pomarańczowy i rozpamiętywałam spacer po parku Guel. Ach ten Gaudi! Ześwirowany, natchniony. Jak w Polsce widywałam domy we wsiach obłożone tłuczonym Włocławkiem albo inną porcelaną (też tłuczoną, a czasem z wkomponowanymi lusterkami!), śmiałam się i był to dla mnie kicz i bezguście. W Parku Gaudiego wszystko wysadzane jest tłuczoną ceramiką. I jest świetnie! Gdzie tu sens? W barwach, ułożeniu, konwencji. W nim samym — wizjonerze, którego od dziś kocham jak Wyspiańskiego, Mehofera, Rodina...

— Jak tam, kochanie? — Basia nachyla się troskliwie. — Nie masz mdłości? Chcesz imbiru?

— Dziękuję, babciu. Mój bąk zagapił się i nie wierzga, nie świruje, porządny dzieciak!

— Żal ci troszkę?

— Jasne! Koniecznie przyjedziemy tu z Manią, Adasiem i Jannem. Muszą to zobaczyć!

W samolocie inna obsługa. Nie ma mojej znajomej i dobrze! Mam taki natłok... uczuć, zachwytu, żalu, że muszę to wszystko uporządkować.

Do Mańki nawet nie esemesowałam. Zresztą, po co? Co ja jej w takim esemesie powiem? Jakieś wykrzykniki?

— Babciu, masz na wierzchu tę swoją papeterię?

— Naszło cię? Zaraz. Tomasz, tam jest w torbie, wyjmij, co?

Naszło. Dziwiłam się, jak babcia zasiadała do pisania listów w kawiarni albo byle gdzie. Potem przyglądałam się ciekawie, jak ładnie pisze swoim wiecznym piórem na oliwkowej, zdobionej gałązkami drzewka oliwnego —

papeterii. „Papeteria" — zapomniane słowo. „Epistolografia" — zapomniana czynność — pisanie listu. Prawdziwego!

Mańka — Aniele!

Sorry... skreśliłam to „sorry" Nie pasuje do takiej papeterii. Jeszcze raz: *Wybacz, kochana, że nie wysłałam nawet SMS-ka. Muszę Ci tyle opowiedzieć, mam tyle wrażeń, że nie mogę wytrzymać i piszę.*

Wiem, że list przyjdzie już po naszym powrocie, po spotkaniu, choćby telefonicznym, ale teraz! Teraz muszę Ci to mówić!

Cudna ta Barcelona! Najcudniejsza z Nimi — Basią i Tomem. Dbali o nas, mnie i bachora, jak niańki. Tom wypatrywał fajne knajpy i szukał piwa bezalkoholowego, żeby mi nie było żal, kiedy on chłeptał swojego heinekenika. Basia faszerowała mojego brzuchatka owocami. (Oczywiście Basia twierdzi, że to ONA tam siedzi, nie żaden „on"). Podtykała mi mango, mandarynki, jakich w życiu nie jadłam, ananasy i poiła sokami z granata, pomarańczy — świeżo wyciskanych. Mnóstwo tu takich stoisk, nawet na ulicy. Wyciskają wszystko ze wszystkiego.

Jak byłyśmy ciut głodnawe, piłyśmy sok z pomidorów, pora i pokrzywy. Kolor obrzydliwy, ale smak — poemat! Kobieta miała w wazonie takie zioła do tych soków z wyciskarki, że mi mowę odjęło. Wszystko to rośnie u nas na poboczach dróg — młode mlecze, pokrzywy i jakieś inne trybulki. Kolendrę, pietruchę i te znane — bazylię, cząber, tymian. W wielkim kubasie podawała ci taki sok z warzyw i posypywała tym zielskiem.

Tom oczywiście się krzywił i kupował burgera — prostak! Nie w McDonaldzie. Tylko takiego rybnego, z ichniego fast foods.

Osobną moją radością jest wszystko, co zbudował Gaudi. Mania! Jaki on miał umysł, jaką wyobraźnię! Nic nie ma kąta prostego. Wszystko zaokrąglone. Że takie coś można było wymyśleć na początku XX wieku. Kupiłam Ci album ze wszystkimi jego dziełami. Po angielsku. Przestudiuj — wyj ze mną w zachwytach! Przyjedziemy tu — dobrze?

Całe miasto jest uporządkowane, pełne słońca, wielkich drzew i turystów — niestety. Jednak w różnych jego częściach jest różnie. Zawędrowaliśmy do dzielnicy willowej, takiej nieturystycznej. Aż się głupio poczułam, jakbym wlazła w ich prywatność. Cisza. Spokój i czystość. Zadbane ogródki i wysmakowane architektonicznie wille. Markizy i rolety — bo słońce jest wszędzie. Upał też. Mnóstwo bieli, oliwki i terakoty. Widziałam willę całą głęboko szarą, z czerwonymi oknami i okiennicami. W ogrodzie czerwony parasol i zieleń wkoło. Mówię Ci! Ale gusta, ale smaki!

Całusy, kochana moja. Adaśkowi też. Do zobaczenia moje dwa gołąbki!

Wasza Paula i brzuchatek

— Ale jestem głupia — powiedziałam do Basi. — Mogłam napisać wcześniej i wrzucić na lotnisku, miałaby pieczątkę z Barcelony.

— Nie przejmuj się. Mania nie zbiera pieczątek — odpowiedziała babcia z miną Gnoma-żartownisia.

Usnęłam. Mieszkaniec mojego brzucha — też. Nie na długo, bo poczułam niemiłe szarpnięcie w dół. Wszyscy jakoś tak dziwnie zareagowali, jak na filmie grozy. Z mety pojawiła się stewardesa i pokazała nam, że mamy zapiąć pasy, i przeprosiła za chwilowy dyskomfort.

Natychmiast zażądałam mojej torebki i wyjęłam Antonija. Tego od Oresta. Ścisnęłam w dłoni drewniany posążek i szepnęłam:

— Dziadku! Proszę cię! Pacierza nie pamiętam teraz jakoś, ale mogę powiedzieć Inwokację — specjalnie dla ciebie. Miałam piątkę z interpretacji! Uratuj nas, święty Antosiu!

Rzucało nami w górę i w dół, mój bachor się wściekł i porzygałam się do papierowej torebki. Było mi głupio. Tomasz odebrał ode mnie ciepłą torbę i wstał, ale już podbiegła śliczna pani pokładowa i wybawiła z kłopotu. W nagrodę dostałam kubeczek wody i zapewnienie, że i tak jestem dzielna! Ja byłam. Bachor miał dość tych huśtawek, i Basia szybko ukoiła go imbirem. To znaczy mnie, bo bachor-brzuchacz stanowczo domagał się spokoju, więc zapaskudziłam kolejną torebkę papierową.

— Spokojnie — mruknął Tomasz — już się kończą.

— Co się kończą? — spytałam inteligentnie.

— Turbulencje. Takie dziury w niebie — wyjaśnił.

— Sam jesteś „dziura w niebie" — może mu się urwało wiertło?

— Silnik, chciałaś powiedzieć? Spójrz przez Basi okno — powinnaś zobaczyć, czy są wszystkie, niedowiarko. Wiertło! Ha, ha!

— Śmiej się, a tu wszyscy są w strachu.

— Mecyje! Kominy powietrzne i tyle. Przerabiałem to, jak kiedyś leciałem z Krakowa do Gdańska starym antonowem. To dopiero była zabawa!

Rzeczywiście uspokoiło się i stewardesy, jak gdyby nigdy nic, pozbierały torebki i zaczęły roznosić żarcie. No, teraz? Nic nie przełkniemy. Mowy nie ma.

— Może przynieść pani kanapkę z serem? — spytała miła pani stewardesa.

— Zjedz coś — szepnęła Basia — nic w środku nie masz...

— Nurka mojego mam. Nie jest głodny.

— Ale zaraz będzie. Nakarm ją, bo do domu daleko.

— Jego. Dobrze.

Herbata Earl Grey Liptona ukoiła nas do reszty i dalej już mój nurek zachowywał się porządnie. Antonij siedział w moim dekolcie, bo nie chciałam się z nim rozstawać, więc wrzuciłam go sobie za koszulkę. Nie pogniewa się. To na pewno on zapanował nad...

— Tom, co to było?

— Turbulencje.

Z pewną nostalgią przejechaliśmy przez Warszawę. Konrada ani Mani nie ma! Na Chomiczówce mieszka koleżanka Jannego, więc Gosia nawet się nie zatrzymuje w swoim dawnym domu, tylko tnie na Mazury. Chcemy tam być jak najwcześniej.

— Kto karmił Bobka? — przytomnie pyta Tomasz.

— Orko i Janusz. Ja się go boję — odpowiada Gosia.

W samochodzie umówiliśmy się, że nie gadamy o Barcelonie. Zostawiamy to sobie na wieczór. Gosia opowiada, co u nas i jacy są jeszcze goście. Zastanawiają się z Basią, czy nie kupić za rok dużej pralki z Niemiec, takiej półprzemysłowej, bo właśnie Piernacki taką zamówił u swoich wakacjuszy — Niemców, i teraz sam pierze pościel. Ma specjalny płyn i Sanepid się nie czepia. Obiecał, że znajdzie im taką z demobilu.

Gadają sobie, a ja drzemię, bo Gosia wzięła dla mnie poduchę, więc mam głowę opartą o okno, ale na poduszce. Troskliwa moja Gonia!

Budzi mnie pęcherz wielki jak arbuz. Już Pasym niedaleko. Przystajemy w lasku. Nareszcie!

Raz Murzyni na pustyni... Czyli cuda i dziwy

Dobrze mi zrobił ten wyjazd. Co prawda miałam chwilę nostalgii za wariackim, studenckim życiem, ale generalnie nie o to szło. Pierwszy raz w życiu zwiedzałam. Pierwszy raz, jak prawdziwa, żądna świata istota, a nie studentka-lekkoduch, szalejąca w stolicach Europy z kolegami i szklanką piwa (w Amsterdamie ze skrętem).

To były czasy! Wypady organizowaliśmy zazwyczaj tak, żeby popracować i poszaleć. Były truskawki, sprzątanie, zmywak, zamiatanie ulic... W Paryżu byłam nawet kelnerką w pubie, a nasz Dawid załapał się na... zbieranie psich odchodów specjalnym odkurzaczem.

Zawsze jak zarobiliśmy grubszą kasę (jak na nasze potrzeby!), przegwizdywaliśmy ją później na ciuchy i imprezowanie. Pamiętam ze stolic świata zmywaki, zasrane ulice, ciemne od dymu puby, także ciuchlandy, pchle targi i taniochę kupowaną u Murzynów, Koreańczyków, Chinoli... Aż głupio. Kiedyś zaproponowałam pójście do Luwru. Entuzjazm był, tylko woli zabrakło. Centrum Pompidou — podziwialiśmy o czwartej rano, nieźle już narąbani piwskiem. Idiotyzm. Wstyd.

Właśnie wtedy, w Paryżu, spotkaliśmy w jakiejś knajpie Murzyna — o niewymawialnym imieniu. Imionach. Miał ich siedem czy jakoś tak. Mówiliśmy do niego Pierre, bo tak mówili wszyscy. Rozdyskutowaliśmy się o wolności. My — Polacy, paw i papuga narodów — najgłośniej, bo my wiemy! Myśmy doświadczyli! Teraz też dopiero co ją odzyskaliśmy! (My! Przyczepiło się gówno do okrętu i powiada: „My płyniemy!" — jakby sarknęła babcia Malwina). Gulgotaliśmy jak napuszone indory, jakbyśmy sami stali na barykadach. Paplaliśmy o wolności wypowiedzi, o zniewoleniu sztuki i podobne fanfarony. Pierre marszczył czoło jak tarę do prania i dopytywał się, jaka to wojna nas tak trapiła ostatnio, bo on nic nie słyszał, i czy my — studenci mamy obecnie jakiś problem z wolnością sztuki, słowa...

— Ty nie masz pojęcia, jaki upiór nas dręczy! — pieprzył od rzeczy Dawid z rzeźby. — Brak nam wolności wypowiedzi! Nie mamy dostępu do galerii sztuk, do wystaw, nagród! Rządzi nami kołtun i forsa — komercja. Brak nam prawdziwej wolności!

I w tym tonie podobne wywody pijanego artysty.

— A ty? Co ty możesz wiedzieć? — spytał Dawid Pierre'a. — Żyjesz w wolnym kraju wolnych ludzi...

Pierre kiwał głową i krótko opowiedział swoją historię.

Urodził się w Ugandzie, chciał się uczyć, bo na misji poznał naszego księdza. Ten mu nagadał, że nauka to droga do wolności, a jego plemię wojowało z innym. Później, jako młodziak, walczył, uciekał, siedział w pierdlu, torturowali go, uciekał, walczył, aż znalazł się w Europie. Przywieziono go z Afryki w zęzie jakiejś handlowej krypy. Prawie bez żarcia, w tajemnicy przed kapitanem. Mechanik, co mu zafundował tę podróż, używał go sobie i za to dawał jakieś ochłapy. Tłumaczył, że nie ma nic za darmo!

— Ty wiesz chociaż, o czym mówisz, używając słowa wolność? — spytał Dawida. — Ze sto razy je dziś wymówiłeś.

Dość bezładnie nasz orator próbował wyjaśnić biednemu Murzynowi owo świetlane pojęcie blablabla.

— A ty wiesz?! — odbił triumfalnie piłeczkę.

— Wiem — spokojnie odparł Pierre. — Wolność to jest stan umysłu.

Po powrocie długo gadałyśmy z Manią. Było to dla nas epokowe odkrycie i szczerze mówiąc, słowa Pierre'a zmieniły nas. Mnie na pewno. Zaczęłam inaczej myśleć, inaczej patrzeć na wszystko — na nasze durne wypady na Zachód tylko po kasę, na brak rozwoju duchowego, na to, że byłam o krok od Luwru i nie weszłam tam. Wolałam piwo...

— ...stan umysłu — powtarzała Marynia oczarowana. — No, ale tekst! Kupuję to! A z tym Pierre'em miałaś jeszcze jakiś kontakt? — spytała Mańka.

— Miałam. Nawet dość bliski. Niesamowity facet. Tyle przeszedł! Takie miał horyzonty, wiedzę, że on pierwszy był dowodem na to, że w facetach może kręcić intelekt, a nie buźka, tors, ciuchy, chociaż Pierre był przystojny.

— Ciebie — spytała Mania — kręciły ciuchy, tors? Paula?

— Bywało... — przyznałam się.

— I ten Murzyn tak cię wziął? Na intelekt?

— Noooo. Spotykaliśmy się króciutko. Odstałam od moich. Oni wrócili do kraju, ja skłamałam, że jadę do matki, do Reims, i dopiero wtedy, z Pierre'em, zobaczyłam Paryż. Muzea, Montmartre i jego znajomych, godziny rozmów z mądrymi ludźmi. Bez frazesów, trawki i bleblania o głupotach. Mądry. Wrażliwy. Czuły.

— Wy... ty z nim? — Oczy Marysi były pełne radosnego zdumienia. — I co?

— Nic. Fatalista. Cudowny, ale fatalista. Pesymizm, realizm, ból w duszy i wiesz, nie pasowało mi to, mimo że mogło być fajnie. Poza tym stary był. Koło trzydziechy.

Mówiłam to nieświadoma faktu, że za kilka lat pokocham na zabój prawie pięćdziesięcioletniego Rudzielca!

Już nigdy później nie jeździłam do roboty na Zachód. Nie złożyło się, nie chciało mi się, miałam inne zajęcia.

Dopiero teraz z babcią Basią i Tomaszem zwiedzałam Barcelonę jak normalny człowiek. Tak. Jestem innym człowiekiem. Inną Paulą. Nigdy nie sądziłam, że tak będzie jak jest. Że jakaś babcia, że dom na Mazurach i życie tu, że ciąża... Tylko wciąż jestem sama. Niby nie śpieszy mi się, ale jakoś tęsknię za kimś, z kim oglądałabym zachód słońca, babciny las i mówiła:

— Zobacz, jakie czerwienie, amaranty, jak szaty purpuratów... Drzewa płoną jak żagwie.

A on głaskałby mnie za uchem i mówił:

— Ale ty masz poetycki język, Paula...

Potem całowałby mnie i kochał się ze mną i spał obok, taki mój!

Właśnie dojadałam na werandzie gołąbki ziemniaczane, opowiadając Januszowi i Gosi wrażenia. Tatko Janusza z trudem dał się zagonić do sanatorium, też do Nałęczowa, więc na razie go nie ma. Babcia i Tomek poszli do siebie, zmęczeni podróżą. Opowiadałam o tej wiosce hiszpańskiej, co to jest taka mała i przytulna. Pokazywałam zdjęcia, rozdawałam prezenty.

— Gosiu, to damasceńskie złoto. Podobne mam ja, i Mani też przywiozłam takie.

— Śliczne! — Gosia natychmiast je założyła. Jest blondynką. Na niej wyglądają inaczej niż przy moich krótkich włosach w odcieniu bakłażana. Jeszcze inaczej zagrają przy Mańki długich kaskadach „sarniego brązu". Najładniej wygląda to czarnozłote cacko na uszach kruczowłosych Hiszpanek.

— Dla ciebie nie miałam pomysłu, więc proszę — to na mecze — wręczyłam Januszowi koszulki z idolami piłkarskimi FC Barcelona. — Bardzo zacna bawełna!

— Dzięki! Skąd wiedziałaś?

— Co wiedziałam?

— Pod wa...waszą nieobecność zaczepił mnie Andrzej, ten od Eweliny, już dogadał się ze Sławkiem Majem, Mirkiem Książkiewiczem, naszym

Orestem i Mamadou. Utworzyliśmy dru...drużynę! — chełpił się, oglądając na koszulce twarz Ronaldo.

— Mówię ci — Gosia uśmiechała się, oblizując bez żenady talerz ze śmietany po pomidorach — wyzwali na boisko letników i taki był mecz, że umówili się na jeszcze!

Była ewidentnie dumna, i upaprana śmietaną. Nos, nawet włosy. Janusz zlizał tę kroplę śmietany z jej nosa i kontynuował:

— Dokopaliśmy im siedem do...do trzech!

— A gdzie gracie? Tu, na łące? Bo widziałam taki kwadrat wygolony...

— Prostokąt, pro...profanko! Mirek zniwelował kawałek terenu, i mamy boicho!

— Stadion olimpijski? — kpiłam. — Pra...prawie. Na razie mniejszy, bo...

— Zadyszki dostali na szkolnym — wyjaśniła Gosia — więc zrobili takie boisko jak do warszawianki.

— Do czego?

— Taki rodzaj podwórkowej piłki nożnej, na mniejszym boisku i do jednej bramki. Tak trenowali, ale później powiększyli i postawili drugą. Orko ze Stefanem postawili — ładne!

— Trybuny macie? — spytałam surowo.

— Ławeczki są — powiedział Janusz.

— Trybuny powinny być. Wtedy bym wyła i machała szalikiem. Jestem szalikowcem — patrz! — I pokazałam Januszowi następny prezent, na razie jako mój. Szalik w barwach FC Barcelona. Ładny, wełniany i miękki.

— Nie mogłaś i dla mnie...?

— To jest dla ciebie. I czapka też. Tam na każdym rogu sprzedają tego na kilogramy. Fajne — co?

— Mogłaś ubrać naszą całą dru...drużynę — nadął się, więc mu dałam w daszek i pomogłam Gosi sprzątać.

Wiedziałam, że nie zasnę. Nie, w brzuchu było cicho i spokojnie. Tylko tak jakoś mi się myśli kłębiły, więc poszłam nad rozlewisko. Funio biegł obok, spoglądając na mnie ciekawie, Blanka szła za nami, udając, że ona tu czegoś szuka. Pierwszy raz widzę kota, co idzie z ludźmi na spacer — jak pies!

Jak się na nią oglądam — siada i odwraca wzrok, że ona nic... Przyszła aż na kładkę. Położyłam się na wznak, na twardych dechach. Nade mną wrześniowe niebo, jak chusta z cekinami tej tancerki brzucha koło Ramblas. Tamto niebo było inne, bledsze, cieplejsze. Tu nie ma łuny miasta. Jest czarny las, łąka śpiąca już od dwóch godzin i chłodna ciemnica. Mam na sobie sweter, legginsy i trampki. Czarnozłote. Czaderskie! I pasują mi do damasceńskich kolczyków.

Gapię się na księżyc i szukam Wielkiego Wozu. To jedyne, co umiem znaleźć wśród gwiazdozbiorów. Funio czujnie gapi się na drugi brzeg rozlewiska. Coś tam go niepokoi, bo mu uszka sterczą. Blanka znikła w sitowiu. Bawi się wodą, dotykając jej łapką. Oddycham głęboko, jak pokazywał mi doktor Maślak. Dotleniam szkraba po podróży. W samolocie było okropnie i teraz muszę go wentylować, żeby wiedział, jaka jestem troskliwa!

Spora już ta moja bania. Głaszczę ją przez sweter. Jest cicho, dobrze i tak ma być. Kiedy mam termin? Jakoś tak, na grudzień? Na Gwiazdkę... Leżę i gwiżdżę melodię ze *Skrzypka na dachu*. Piękna i zawsze mi się podobała. Jak kołysanka.

— Paula, ty tu jesteś? — słyszę głos Oresta. — Boże mój! My niepokoili się. Gosia cię w pokoju nie zastała. Przepraszam, że przeszkadzam. Niepokoili się...

Stał na pomoście nade mną. Widziałam nad sobą odwróconego olbrzyma z zatroskanym głosem. Odwrócił się, odchodził.

— Oreś! Poczekaj! — Usiłowałam wstać, ale nie zanadto baletowo mi to wyszło. Podszedł i podniósł mnie lekko. Przytrzymał, bo krew uderzyła mi do głowy i zachwiało mną.

— Poczekaj. Przepraszam. Powinnam wam powiedzieć, że idę na spacer. Chciałam się natlenić przed snem.

Podał mi rękę przy stopniu kładki — dżentelmen!

— Może wozmi mnie porękę, będzie bezpieczniej. Ciemno i droga nierówna — poprosił. Wzięłam. Czemu nie?

— Wiesz, ten twój Antonij uratował samolot — powiedziałam, święcie wierząc w to, co gadam. — Były cholerne... turbulencje i wtedy go poprosiłam, bo huśtało i rzygałam. Upsss. Sorry!

— Niczewo. Normalnoje. No i po to Antonij jest, żeby chronić!... Cię i dzieciaczka — dodał.

— Wiesz co? Opowiem ci jutro o Gaudim. Chcesz? — paplałam jakoś naiwnie, chcąc wynagrodzić mu moją wcześniejszą niechęć. — Zrobiłam zdjęcia i... mam coś dla ciebie!

Pomyślałam, że oddam mu swój album o Gaudim. I szalik z napisem AC Milan. Wzięłam dla Adasia Mańki, chociaż nie wiem, czy by to docenił, bo chyba piłka go nie za bardzo... E tam! Dam Adasiowi hiszpańskie wino. Kupię u Elwiry, a Oreś dostanie album i szalik, bo gra w gałę z chłopakami, i... miły chyba jest. Troskliwy.

Zasypiając we własnym, najlepszym na świecie łóżku, czułam zapach geranium z okna.

Następnego dnia wieczorem zajechał Sławek i zabrał mnie dokądś z tajemniczą miną. Janusz też miał tajemniczą minę.

— Poznasz naszego lewoskrzydłowego — mówił.

— Sądzisz, że to moje marzenie? — kpiłam.

— Paula, tak naprawdę, jedziemy do weterynarza.

— No, ale jakoś głupio. Masz z nim jakiś interes, OK, a ja tam po co?

— Impreza jest! Właśnie coś mu się tam udało z genetyki. Bo on jest doktorem weterynarii, a nie wiejskim kastratorem. Badacz. Siedzi w olsztyńskim laboratorium i dłubie w genach. Potem wkłada je w królice i rodzą się coraz większe... Za to czy coś podobnego dostał jakąś nagrodę, i złożył tę swoją metodę w urzędzie patentowym.

— Na rozmnażanie króli? Patent?

— No, żeby były wielkie i mięsne. Nowa rasa.

— Aaaaa. OK. Każdy powód jest dobry na wsi, żeby się napić... W porzo. A ja tam po co? — dopytywałam się.

— Siedź cicho — odpowiedział uprzejmie.

Baranina z rusztu

Świeża i jagnięca — najlepsza. Okroić z nadmiarów tłuszczu. Pokroić w niewielkie plastry (gdy ma być w całości) lub sporą kostkę (gdy na szaszłyki).

Zabejcować na kilka godzin (może być doba).

Bejca: Woda z łyżką miodu, skrawkami czosnku i octem owocowym. Można dodać ocet balsamiczny. Nie solić.

Taką zabejcowaną wysuszyć z lekka i na ruszt, na dobrze już rozżarzone węgle.

Nie spalić!

W misce mieć pokrojone różne kolory i gatunki cebul i szczypioru z ciutką tymianku i garścią kolendry. Na talerz kłaść baraninę, polać sosem miętowym, vinegrette i posypać tą cebulą.

W Kałęczynie zajechaliśmy pod spore gospodarstwo. Przez okno poczułam grilla, słychać było dobrą (!) muzykę i gwar. Zaparkowaliśmy pod ładnym, kamiennym murkiem i weszliśmy na zadbane podwórko, za nic nie przypominające wiejskiej zagrody zasranej kurami. Stoły, ławki, parasol wielki z napisem „Tyskie" i piękny zapach naczosnkowanego mięsa.

— Ładnie pachnie — powiedziałam do Sławka, zanim zaczął mnie przedstawiać.

— Mariam świetnie przyrządza baraninę — odpowiedział.

— Kto?

Nie słyszał mnie już, bo zaczęliśmy się poznawać z jakimiś ludźmi, pracownikami olsztyńskiej weterynarii — najczęściej. O, zaraz za nami pojawiła się Gosia z Januszem i pomachali do nas.

— Paula, pozwól — usłyszałam za sobą Sławkowy miękki bas. — Nasi gospodarze.

Odwróciłam się i talerzyk z sałatką prawie wyleciał mi z rąk. Stała przede mną śliczna, czarna jak kawa, Murzynka w kolorowym stroju (chyba batik) Afrykanki i w zawoju na głowie à la Lauryn Hill.

— Mariam — wyciągnęła do mnie rękę. — Co to? — spytała ładną polszczyzną. — Błogosławiona jesteś?

— Tak, szósty miesiąc. Początek, jakoś tak. Paula jestem.

— Mamadou — powiedział jej czarny, uśmiechnięty mąż, nie podając mi ręki, bo trzymał oburącz paterę z aromatycznym mięsem. — Mamadou Bah. Miło nam bardzo! Zapraszam do baru! A dla ciebie mam... O! Mam coś specjalnego! Chodź ze mną!

— Uważaj, Paula. On jest strasznie romansowy! Zaraz ci się oświadczy! — zawołała Mariam.

Mamadou pociągnął mnie już w stronę stołu z napojami. Obok stali zapewne jego synowie. Wierne kopie obojga.

— Tu masz nasz afrykański specjał. Mama przysyła mi to raz na jakiś czas.

Spróbowałam purpurowego soku. Aromatyczny, kwaskowy, słodki — świetny, bo zimny. Myślałam, że to z granatów — sądząc po barwie, ale nie.

— Jak herbata z hibiskusa, ale jakaś inna. Pyszne!

— Blisko, blisko! — zaśmiał się jak Eddy Murphy i oddalił się do nowych gości, zostawiając mnie ze Sławkiem. Właśnie nadszedł, prowadząc Beatę.

— Jaki tu tygiel! Cześć, kochana! — uśmiechnęła się. — Miło, że jesteś. Aaaa Gosia i Janusz?

— Ja przyszłam ze Sławkiem, a Gosia z Januszem... zaraz, o! Tam stoją!...

— Aha!

— Co u ciebie? — zagadnęłam ją.

— Niedługo się stąd zwijam. Powoli syndyk się do nas dobiera. I dobrze! Chcę już mieć to z głowy.

— Wrócisz do Warszawy?

— Wrócę. Dzieciaki dorośleją, potrzebna im jestem bardziej niż babcia.

— Słyszę w twoim głosie optymizm? Radość? Coś się wydarzyło?

— Tak. Właśnie dostałam z Poznania wiadomość, że chcą mi wydać książkę.

— Ten pamiętnik dla dzieciaków?

— Nie. Napisałam powieść. Zwykłą fabularną powieść. Rozpiera mnie radość i duma, no i nadzieja!

— Super!

Impreza się rozkręcała. Już tańczyli pierwsi chętni, już jakiś gościu grał na bongosach, inny na marakasach i innych przeszkadzajkach. Poczułam się trochę swobodniejsza, weselsza. Jak za studenckich lat, tyle że bez piwa. Wystarczy ta herbata od mamy Mamadou.

— Skąd oni się tu wzięli? — pytam Sławka.

— Mieszkają w Polsce już ponad dziesięć lat. On jest doktorem weterynarii, ona świetną anglistką. Pochodzą z Mali. Mamadou jest z królewskiego rodu!

— Pitolisz! I jako królewicz mieszka w Kałęczynie na Mazurach zamiast w ciepłej Afryczce?!

— Jego papcio ma kilka żon i dzieci tak ze sto trzydzieści sztuk. To islam, Paula. Mamadou nie jest więc pierwszorzędnym pretendentem do tronu. W Polsce zrobił karierę naukową. Rodzeństwo ma na całym świecie. Jemu tu dobrze.

— Słyszeliście? — pytam Gosi i Janusza. — Niesamowite.

— Niesamowita — mówi z pełnymi ustami Janusz — to jest ta ba...baranina. Jadłaś?

— A co to za sos? Vinegrette?

— Tak, z listkami mięty. — Gosia podaje mi sosjerkę. — Kupuję to. Doskonałe do baraniny z grilla!

Wszyscy tańczą, wznoszą toasty za dokonania naukowe Mamadou, na polu króliczym. Jest bardzo zabawowo! Kołyszę się, bo grają dobre reggae. Biodra same mi chodzą, a wypięty brzuch z brzuchatkiem w środku zatacza kółeczka. Sławek nie chce tańczyć za nic w świecie. Porywa mnie nasz gospodarz i balujemy wśród innych par łagodnie i rytmicznie. Mariam macha do nas i śmieje się, gdy Mamadou bierze mnie na ręce. Wirujemy.

— Masz męża? — pyta bez skrępowania.

— Nie.

— To wyjdź za mnie! My lubimy dzieci — śmieje się jak Eddy i nie wiem, żartuje czy nie?

Polał się alkohol. Zabawa wchodziła w ostrą fazę pitewną, a ja byłam zmęczona i kostki u nóg mi spuchły. Sławek odwiózł mnie do domu koło północy.

— Prześladują mnie Murzyni — mówiłam mu po drodze. — We Francji Pierre, tutaj Mamadou. Proponował mi małżeństwo — wiesz?

— Każdej proponuje. Taki jest — ripostuje Sławek.

— Może szkoda, że nie wyszłam za Pierre'a? Fajny był, tylko smutny.

— Wyjdź za Mamadou. Jest wesoły.

— No. I fajnie tańczy — mruknęłam na pożegnanie, ziewając.

— Paula — Sławek nabrał powietrza, ale chyba zrezygnował.

— Nie zaczynaj. Spaaać! — ziewnęłam jak hipopotam i pomachałam mu. — Dzięki za wieczór!

W domu już chciałam położyć się do łóżka, gdy nagle dostałam zadyszki, lęk podszedł mi pod gardło, a puls oszalał. Dokładnie dwadzieścia centymetrów nad poduszką, na ścianie, tkwiła nieruchomo jakaś wielka, zielona cholera. Widywałam małe skaczące pasikoniki, ale to?! Bydle!

To coś, mutant zapewne popromienny, z nogami jak kurze udka, postanowiło dać mi szkołę przetrwania. Wymiotło mnie z pokoju i zamarłam z przerażenia. Co robić? W domu nikogo — tylko Funio. Stałam, dygocząc. I co?

Pójdę do jakiegoś gościnnego na górze albo zasnę u Gosi i Janusza, dopóki nie wrócą... Jak wrócą, to bydle schowa się gdzieś, za łóżko, za szafkę... A w nocy skoczy mi prosto na twarz... I CO? Jak się schowa, to ja już nigdy tam nie wejdę! Tu trzeba działać!

Zebrałam się w sobie. Trudno. Stałam na bosaka w koszuli nocnej — jak sierota. Owinęłam się babciną chustą z werandy i poszłam do pensjonatu — do Oresta. Zapukałam.

— Proszu! — zabrzmiało ze środka, ale i on sam zaraz otworzył: — Co? Co, Paulinoczka? — zapytał, widząc mój przestrach.

— Mam... w pokoju... coś.

Widziałam, że najpierw niedowierza, hamuje uśmiech albo i chichot.

— Pająka?! Zapewne wielki jest i zlękłaś się? Chodź, zaraz go przegnam. Czy ubić?

— Nie. Ubić nie. To nie pająk, to jakieś zmutowane coś...

— No co, wąż? Krysa, znaczy szczur? Może myszka?

— Co? Myszka nie, i szczur nie, nie szczur — szepnęłam, bo już byliśmy w sieni w domu. — Idź! Nad łóżkiem...

Orko wkroczył do mojego pokoju. Poszłam do kuchni i stałam, modląc się, żeby ten potwór jeszcze tam był, żeby gdzieś nie uciekł.

— Paulinoczka, daj mnie... bańkę jakąś, kubek, coś...

Podałam mu przez drzwi słoik po dżemie i odskoczyłam.

Po chwili ukraiński wojownik wyniósł coś w tym słoiku z triumfem w oku.

— Cariewna, ja ubił drakona! — powiedział szarmancko, sądząc, że odetchnęłam, ale widząc mnie, spanikował. — Paula, co się dzieje? Tak nie można! Tak ty się przestraszyła? To zieloniutkij pasikonik, *Tettigonia viridissima*!... No, popatrz tu, jaki ładny i fakt — duuuży!

— Nie...

— No, on w słoiku — że! O, oczy jakie, a nogi! A kolor, zielonieńkij, krasiwyj!

Patrzyłam z bezpiecznej odległości. No... ładny nawet, ale niech spada w pola i łąki. Orest wyniósł go i wypuścił.

Wrócił i niepewnie dotknął mojej głowy, pogłaskał. Dygotałam z przejęcia i zimno mi się zrobiło.

— No, co ty. Nie treba. Spokojno, spokojno, diewczynoczka — głaskał i przemawiał jak do histeryczki. Było mi trochę wstyd, ale i poczułam wdzięczność. Całe szczęście, że jest ten nasz rzeźbiarz, bo inaczej trzeba by wzywać straż pożarną, dezynsekciarzy, leśniczego z fuzją czy jak? Bo do takiego pokoju z przyczajonym potworem, poskakunem takim — nie weszłabym za nic!

— Bardzo ci dziękuję. I przepraszam! — powiedziałam.

— I co jeszcze? — uśmiechnął się łagodnie. — Idi spać, Paulinoczka. Dobranoc.

— Dobranoc.
W łóżku parsknęłam. Ładna mi cariewna! Z nieślubnym bachorem! Zamiast rycerza — rzeźbiarz, zamiast wieży — pokój w wiejskim domu, zamiast smoka — pasikonik. Co za czasy!

Dumna Elwira i maile Marysi

Na rynku w Pasymiu zobaczyłam, że sklep Elwiry jest zamknięty, a Andrzej zdejmował szyld.
— Cześć! — zaczepiłam go.
— O, pani Gosia, witam! — Andrzej był autentycznie ucieszony. — Zaraz pani coś pokażę!
— Byliśmy po imieniu, nie pamiętasz? Co się dzieje? — pytam zdumiona.
— Faktycznie, wybacz. Poczekaj. Elwira! — huknął głośno wprost w otwarte okna na piętrze.
— Co... O, Gosia? Poczekaj, już schodzę!
Andrzej pytał, co u nas, i nie dawał odpowiedzi na moją ciekawość. Uważał może, że Elwira powinna mnie oświecić. Kiedy się pokazała za załomkiem domu, uśmiechnęłam się.
— O, jaka miła nowość! Czemu mi nic nie mówicie? Jaki brzuszek śliczny!
— No, widzisz! Tak to z chłopami jest. Nie wytrzyma, jak nie posieje! W październiku mam termin.
— Super! Ale co, jak to... ja zapomniałam, sama sugerowałam wiosną. Jakoś mi później umknęło w nawale pracy i Elwirę zaniedbałam, i jej sklep...
— Też się dziwiłam, że rzadko wpadasz. A i ja zazwyczaj na kursach. Bo na dodatkowe poszłam! W sklepie mama z siostrą na zmianę. Ja na naukach!
O mój Boże! Nie zauważyłam, jakoś tak się zapętliłam w pensjonacie, w moich z Januszem sprawach, że zapomniałam o Elwirze. Pytałam czasem jej matkę, co tam, a ta nic się nie przyznała. Zawsze pięknie podziękowała i z uśmiechem, że dobrze. Sądziłam, że tylko chodzi o to, że w małżeństwie dobrze! A tu proszę!
— Chłopak! — Elwira aż rumieni się z dumy i radości.
— Eeee, a skąd wiesz? — podpuszczam ją. — USG czasem się myli!
— Chłopak, chłopak! Ja wiem, co robię! — Andrzej odkręca śruby po zdjętej tablicy, odwraca się i promienieje.
— A tu co za rewolucja? Już? — pytam.
— No już. Zaczynamy remont. Trochę mi ta ciąża... nie w czas. Otworzę

na wiosnę, więc powoli, powoli. Przyjedzie brat Andrzeja i we dwóch będą dłubać.

— Zrezygnujesz z tras?

— Nie no, jak będę, to pomogę, a tak — brat będzie tu z synem robić. Ma firmę budowlaną, zna się!

— Dzień dobry! — Dominika, córka Elwiry, wybiegła z podwórka i przytuliła się do brzucha mamy.

— Ale z ciebie koleżanka! — Udałam, że się gniewam. — Nic mi nie powiedziałaś!

Dominika zaśmiała się dziecięcym śmiechem, całą sobą.

— Bo mama nie kazała nic mówić! Nic a nic! Tajemnica! Mamo, idę do Ilony, dobrze?

Wspaniale.

Elwira ma spokój, dobrego męża i dzieci, i mamę, i siostrę i... cała jest jak kwitnąca peonia. Teraz te plany z zakładem kosmetycznym, rozumiem ją, bo sama czułam taką samą ekscytację.

Wracałam, myśląc o nich życzliwie. Porozmawiam z Januszem. Przeanalizuję, co się dzieje. Może powinniśmy pomyśleć o... ślubie?

Eeee. Nie. Nie powinnam. Za wcześnie? I w ogóle — po co? Sama mówiłam, że formalności nie są dla mnie ważne!

Pomyślę. Spytam mamę.

W domu mail od Marysi:

Mamo, mamo, mamo,

Jakoś się rozeszło po kościach z Adą.

Ja się odczepiłam od tej podłogi (może za rok?), wyprowadziłam Ola, bo sobie znalazł mieszkanie, i Madame Ada się przestała gniewać. Częściej wpada, zostaje... Mnie tam to, wiesz, ani ziębi, ani grzeje, ale ojciec się jakoś z tym lepiej czuje. Weselszy i nawet się nie wściekł, jak rozbiłam samochód.

Nie denerwuj się.

Jechałam Puławską lewym pasem i chciałam zawrócić na poziomie Dąbrowskiego. Już byłam po skręcie w lewo, za torami ustawiona do zawrotki. Lewy pas był wolny, a za mną tramwaj dzwonił, bo mu stałam na torach, więc dałam...

Akurat jakiś debil zmieniał pas właśnie na ten lewy i tak we mnie walnął, że się ocknęłam na torowisku, dobrze, że z naprzeciwka tramwaj żaden, bo byś w czerni chodziła. Mamo! Żyję. Nie denerwuj się.

Moja pstynka do reperacji, dostałam w zad — silnik cały.

Ojciec (przyjechał na miejsce wypadku) w ogóle mnie nie upomniał, tylko obejmował i drżał, a potem wdał się w rzeczową dyskusję o tym skręcie i że dlaczego nie ma tu zielonej strzałki (załatwiłaby sprawę bezpiecznych zawrotek) i zadał pytanie — z jaką prędkością musiał jechać tamten, skoro mnie aż tak wysadziło?

Znasz Go. Najgorzej, jak jest taki cichy i spokojny...
Teraz mnie wozi.
Ogólnie jest OK. Z Adamem miewam jakieś...
Jak u Ciebie? Buziaki, mamciu, już jest dobrze!
Maria ☺

Mail do Mani:

O mój Boże, czemu nie zadzwoniliście?!
Może przyjechać? Kiedy to się stało?!
Marysiu, duża szkoda? Jak Ty? Wstrząsu mózgu nie masz, nie boli Cię głowa?! Jesteście okropni! Żeby mnie tak zostawić i zawiadamiać post factum!
M.

Mail od Mani:

Przestań i nie panikuj!
Żyję! Wypadki bywają. Mamuś, już jest po wszystkim.
Tracę kontakt z Adasiem, kłócimy się. O co — spytasz?
Właśnie o nic. Jego nic nie rusza, nie denerwuje, wydawać by się mogło taki stoicki — super. Ale coraz częściej mi się zdaje, że za tym nic nie ma, żadnych uczuć. To nie Budda, to ktoś, kto w ogóle niewiele czuje.
Ten wieczny półuśmiech mnie wkurza.
Mamo... Czy ja jestem... Hetera?
M. ☺

Nie chciało mi się włazić w te dziecinne dyskusje. Myknęła o włos od śmierci (bo jednak, gdyby ten tramwaj jechał z naprzeciwka?!), a ona się przejmuje jakimś chłopakiem bez uczuć...

Nie. Nie, odpiszę jej teraz, bo byłabym niegrzeczna, zlekceważyłabym jej rozterki.

Napisałam do Konrada.

Cześć, Konrad.
Marysia napisała do mnie o wypadku.
Nic mi nie powiedziałeś! No wiesz... Zapewne wymusiła to na Tobie, bo wierzyć mi się nie chce, żebyś z własnej woli mnie nie powiadomił o wypadku mojego dziecka!
Nierozsądne. Obiecaj, proszę, że już nigdy więcej.
Konrad, to, że wyjechałam, że się rozstaliśmy, nie oznacza, że porzuciłam swoje dziecko!

Jak w domu poza tym? Marysia wspomniała, że OK.
Pozdrawiam Cię. M.

Mail od Konrada:

Wybacz. Wymogła na mnie. To, żebyś się nie fatygowała niepotrzebnie, nie denerwowała. Wiemy, że masz tam urwanie głowy, a ja tu zapanowałem nad wszystkim!
Istotnie „niebo się przeczyściło" — używając Twojej retoryki.
Pozdrawiam K.

Mimo wszystko poczułam się podle.
Ja tu sobie życie przędę, ziemniaczki, przetworki, pleple, „...jak się pani ładnie opaliła", a tam, w Warszawie, moja córka otarła się o śmierć!
Po południu opowiedziałam wszystko Januszowi. Późno wrócił, rzadziej rozmawiamy. Wrona została wydać kolację i dała mi wolne.
— Janusz. Po prostu... Nie masz pojęcia, co poczułam!
— Co mam ci po...powiedzieć? Masz wyrzuty? O co?!
— Że mnie tam nie było!
— A co by dało, gdybyś by...była? Żałujesz, że tu żyjesz, tak?
— Coś ty! Nie o to chodzi, jestem matką!
Janusz milczał, nie rozumiejąc. Nie dociera do niego moje wzburzenie.
— Nnnie wiem, co ci po...poradzić. Na to nie ma porady, Gosiu! O co ci chodzi? Chcesz tam znów po...pojechać?! Jedź! Nawet mnie nie pytaj... Wszyscy są ważniejsi!
Wstał i poszedł do pokoju. Słyszałam, jak włączył mecz.
Zostałam sama w kuchni. Przez okno widziałam, jak Orest taszczy do siebie wielki kloc drewna z przyczepy samochodu Bartka. Paula śpi na werandzie w bujaku, a mój Janusz — obrażony o to, że się przejęłam córką.
Cholera jasna!
Po co mi to wszystko?! Faktycznie — zajęłam się Paulą, a tam Marysia prawie straciła życie... I jeszcze Janusz, który niczego pojąć nie chce, obraża się i nadyma o byle co. A może... Nosi go alkoholowo?
O Jezuuu! Tylko nie to!
Rozpłakałam się. Chlipałam, siedząc w kuchni zła, z poczuciem winy i jednocześnie z poczuciem głębokiego niezrozumienia. Gdyby żyła Kaśka, pogłaskałaby mnie po głowie i pozbierała zasmarkane chusteczki.
Wszedł Janusz. Stał nieruchomo i kombinował, a potem podszedł i przytulił moją głowę do biodra.
— Przepraszam. Może rzeczywiście nie ro...rozumiem, nie byłem nigdy matką. Przepraszam. No, chodź... No, już, już!
Stał tak i głaskał mnie po głowie, a ja beczałam i beczałam. Po coś pan

Bozia wymyślił łzy i płacz... Może muszą zejść ze mnie te emocje, wyrzuty sumienia — łzami właśnie?

Wieczorem Janusz czytał w łóżku. Przytuliłam się do niego, bez słów. Gdy skończył, zgasił lampkę. Kochaliśmy się cicho, jakoś inaczej niż zawsze, milcząc. A później on przytulił mnie mocno i wiem, że długo nie mógł zasnąć. Co się w nim tłucze?!

Szalikowcy nad rozlewiskiem

Chłopcy ogarnięci nową, futbolową pasją zaprosili nas na mecz. W niedzielę.

Widziałam przez okno, jak robili rozgrzewkę. Stałyśmy obie w kuchni, Gosia i ja. Ona robiła makaron do rosołu na maszynie Kaśki, ja obierałam włoszczyznę, a mięso pichciło się w wielkim garze.

— To dla naszej drużyny? — spytałam, bo gar był ten większy, pękaty.

— Nie, no co ty? Tak zawsze robię. Tak robiła Bronia i Basia. Rosół musi być robiony w odpowiedniej ilości, bo inaczej nie jest rosołem. Szczególnie mieszany. No co? Można wziąć pół kury, ale pół giczki cielęcej? Teraz pręga wołowa jest krojona w plastry, ale kiedyś trzeba było rąbnąć na trzy — siekierą!

— Co to „pręga"?

— Podudzie. Basia mnie nauczyła, że najfajniejsze na sztukę mięsa i do rosołu w ogóle, bo tam jest kość szpikowa. Daje fantastyczny aromat. Więc i garnek musi być spory, żeby te gnaty i mięcho i żeby miało smak!

— Jakoś mi się mięcha nie chce — bąknęłam, pogryzając marchewkę.

— I dobrze! Zjesz włoszczyznę z rosołu. Jest pyszna. Przynieś jeszcze jarzyn z ziemianki i weź kapustę włoską. Małą!

— Proszę — położyłam na taborecie kosz z warzywami z ziemianki. — Do roboty.

— Mniejszej kapuchy nie było? Dobrze, zostań. Ja pójdę. Ta się nada na gołąbki. Po co dźwigałaś?

— Przywiozłam taczką. Tą plastikową, co kupiłaś Kaśce na chwasty. Stała obok ziemianki, bo te kapusty, jak wkładałyśmy z Anią Wroną do środka, do ziemianki, na tej taczce. Mało tam ich już, na zimę nie starczy.

— Na kapustę do ziemianki jeszcze za wcześnie. Ta była dla wakacjuszy. Poczekaj, skoczę po małą, do rosołu.

— Gosiu, a czemu gotujesz rosół, skoro w pensjonacie na obiad gulasz i szczawiówka?

— Bo nie cierpię gulaszu... I rosołu mi się chce.

To dla Janusza — wiem. On uwielbia rosół i nie znosi szczawiówki. Ale mu dogadza!

Patrzyłam przez okno na nasze nowe boisko do „warszawianki". Chłopaki — nasz Orko, Andrzej — mąż Elwiry, Janusz, Sławek, Mamadou, Mirek Książkiewicz, Krzysiu i Stefan z Bartkiem od Karolaków — szykowali się do meczu. Bartek z gwizdkiem na szyi zadawał im jakieś ćwiczenia. Trener! Skakali, machali ramionami, truchtali i robili to z ogromną powagą.

— Z kim będą grać? — spytałam Gosię, jak wróciła. — Letników już nie ma, nawet u Piernackiego.

— Jest czterech w leśniczówce u Tomasza i dwóch u pana Romana w Pasymiu. Spece od zalesień, a ci Tomkowi — to starzy znajomi. Ekolodzy z Holandii. Peter — kurczak, Cedrik i dwóch nowych. O, już są! Zobacz!

Rzeczywiście, zajechał pan Roman swoim jeepem i z lasu szedł Tomasz ze swoimi letnikami. Będzie mecz międzynarodowy!

Włożyłyśmy włoszczyznę do gara i kawał kapusty owiązanej nitką, Gosia podpiekła cebulę i zmniejszyła gaz.

— Weź szalik i chodź! Jest już Mariam z chłopcami.

Na ławkach siedziała widownia. Pan Roman, emerytowany leśniczy, Piernacki — kibic, Mariam i jej dwóch synów, Elwira z Dominiką, a z lasu na rowerze właśnie nadjechała babcia Basia.

My, kobiety, oczywiście miałyśmy masę innych tematów niż ten cały mecz. Naturalnie obie z Elwirą, choć mało ją znam, uśmiałyśmy się na swój widok, bo ona też z brzuszkiem.

— Cześć! — zawołałam, widząc jej ciążę, jak sądzę bardziej zaawansowaną od mojej. — Który to miesiąc i czemu ja nic nie wiem?

— A kiedy to, kochana, byłaś u mnie ostatnio? — odpowiedziała pytaniem.

Fakt. Dawno. Ona urodzi już w październiku, fajnie ma!

Jazgot u nas był niezły. Pan Roman i Piernasio żartowali z babcią Basią, Mariam gadała z Gosią o lekcjach francuskiego, bo Gosia chce się nauczyć, choć trochę, ja z Elwirą o ciąży — czemu przysłuchiwała się Dominika, i całkiem nie zwracałyśmy uwagi na mecz. Do porządku przywołali nas zawodnicy, bo widząc brak zainteresowania z naszej strony, stanęli przed „trybunami" i czekali, aż ich łaskawie zauważymy. Zamilkłyśmy, gdy zaczęli nam klaskać. Później już zachowywałyśmy się przyzwoicie — wrzeszcząc, klaszcząc i machając szalikami. Tymi z Barcelony. Dobrze, że kupiłam ich kilka.

Oczywiście było nudno, bo mnie żadna piłka nożna, nawet na światowym poziomie, a może zwłaszcza ta światowa, nie interesuje. Dwudziestu dwóch chłopa gania za skórzanym pęcherzem! To było dobre kiedyś, ale teraz? Elwira uważa, że potrzeba im igrzysk, bo inaczej głupieją. Ma rację, więc udajemy te aplauzy.

Czuję wyjątkowość swojej sytuacji.

W Warszawie — jakoś nie do pomyślenia, żeby moi znajomi skrzyknęli się na... cokolwiek oprócz wyjścia „na miasto". Na dyskotę, imprę, czyjś ślub — owszem. Rzadziej na wystawę. Czasem chodziliśmy na siatkówkę, ale zawsze było tak, że ktoś nie mógł, drugi ktoś miał kaca po wczorajszym i znów się rozpadało. Przez rok chodziłyśmy z Mańką i taką Aliną ode mnie z roku na aerobik i pilates. Faceci — nasi znajomi, raz jeden skrzyknęli się i poszli skakać na bandżi. Szlus — koniec.

A tu?! Ganiają tak, jakby w każdym siedział Maradona. Ekscytują się i naprawdę dają z siebie wszystko. Podczas przerwy Janusz złapał Gosię na ręce i kazał się podziwiać. Mokry, zziajany i szczęśliwy jak dzieciak. Znów żarła mnie zazdrość, kiedy Gosia wycierała mu twarz ręcznikiem i zaśmiewała się kręcona wkoło. Elwira i Dominika — zwłaszcza ona, podawała ojcu ręcznik i coca-colę, czochrała po włosach i śmiała się dziecięcym szczebiotem, wiedząc, czego chłopu trzeba. Taka mała! Mariam też poiła Mamadou. Takim macierzyńskim gestem podawała mu flachę wody cytrynowej i wycierała mokrą, ubłoconą twarz. Mamadou obiecał synom, że za tydzień dołączą do treningów.

Holendrzy śmiali się i dowcipkowali z Tomaszem, a Sławek i Mirek sami się obsługiwali, pili, ziajali jak psy — chwaląc się, jacy są świetni. Muszę przyznać, że jak na takiego kolosa Sławek biegał lekko.

Nasz Oreś tylko uśmiechał się i odpoczywał. Zmrużonymi oczami patrzył na rozlewisko. Podążyłam za nim wzrokiem. Statyczny, ładny obrazek, a on gapi się i gapi. Też czuje się samotny wśród tych facetów otoczonych troskliwymi kobietami. Chyba tak...

Po meczu poszliśmy do domów. Tomasz i babcia zabrali Holendrów do leśniczówki. Szkoda. Lubię, jak jest nas dużo przy stole.

Faceci poszli się umyć, a ja i Gosia do kuchni.

— Paula, przynieś z ogródka zielone — poprosiła Gosia.

Poszłam.

Ładny ten nasz ogród! Obie z Anią o niego dbamy! Jak mam ochotę, biorę klęcznik i idę pielić. Na klęcząco najlepiej i podobno zdrowo. Wyrywam z jakąś dziwną radością chwaściska i czuję, jakbym była rośliną uprawną, że nareszcie nie mam konkurencji i rosnę zdrowo. Jestem estetką i grządka czerwonej bazylii — poprzerastana perzem albo gwiazdnicą źle wygląda. A najgorsza jest przytulia czepna. „Jak niektóre baby — czepia się jak rzep!". Ania nie do końca zna się na nazwach roślin, ale wie nieporównywalnie więcej niż ja. Ja znam już: perz, gwiazdnicę pospolitą, komosę białą, rdest. Proszę! Jaki ze mnie botanik! Teraz maluję te chwasty na czerpanym papierze do butiku, w którym sprzedaję moją pościel. Takie rysunki niby botaniczne, stylizowane. Idą jak złoto. Ale i tak najlepiej idzie pościel, ale z nią mam więcej kłopotu. Raz na miesiąc zawożę te moje wyroby, a pani Martyna — właścicielka, bierze już bez dyskusji.

Całe szczęście.

Jak urodzę, będę miała mało czasu na pracę, i wtedy musi mi wystarczyć kasa z wynajmu Chomiczówki i to, co mam na koncie. Babcia i Tomasz nie chcieli słyszeć o zwrocie kasy za Barcelonę. Trochę mi głupio.

Tomasz sprzedał szarą kobyłę, a Basia mówi, że chyba wszystkie konie sprzeda. Ogiera i dwa wałaszki, bo już nie ma siły ich utrzymywać.

Tomasz bez koni? Niemożliwe...

Uwielbiam zapach świeżo zerwanej pietruszki! Lubczyku, kopru! Pachną mi ręce i zaraz zapachnie nimi cała kuchnia.

Gosia wrzuca makaron na sito i przelewa zimną wodą. Potem kładzie kłaczek masła i posypuje mnóstwem siekanego „zielonego". Bez lubczyku. On ląduje w rosole i „zapachnia" go na dziesięć minut przed końcem gotowania. Wszystko wiem!

Przy stole Orko mi usługuje. Podaje paterę z makaronem, nalewa gorący rosół. Janusz szczypcami wyciąga gorącego gnata na półmisek i wytrząsa z niego... obleśną beżowożółtą tłustość. Brrr!

— Co to? — pytam, krzywiąc się.

— Szpik. Szpi...szpiczunio. Nie krzyw się. Nie dam ci i tak. To dla wybranych!

Gosia podaje mu razowiec, a on kładzie to ohydne coś na nim, soli i pieprzy.

— Orko? Chcesz? — pyta Oresia.

— Jasne! — ten rozpływa się w radości. Wariaci!

Mlaszczą. Gosia aż mruży oczy.

— Spróbuj, Paula. To kwintesencja rosołu!

A niech tam!... W ustach czuję słono-pieprzny smak. Dalej rzeczywiście rosół, kondensat. Nowe. Fajne.

— No! Nawet niezłe! — poddaję się.

— Francuzi też to lubią i jedzą na bagietce na wejściu. Pod białe chłodne wino. Tacy wyrafinowani! — Gosia nalewa sobie i Januszowi rosołu na kluchy. Jest bosko! Półmicha z gotowaną wołowiną i marchewką pachnie i paruje.

— Janusz, kiedy tatko wraca z sanatorium?

— Na dniach, jakoś tak.

Do wieczora daleko, więc po obiedzie idę nad rozlewisko, na kładkę z kocem i Funiem. Biorę ze sobą *Imię Róży* Umberto Eco. To lepsze niż kryminał.

Nasz Wit Stwosz rzeźbi nawet w niedzielę. Z kładki widzę, jak Gosia z Januszem jadą rowerami do lasu. Jest ciepłe popołudnie, powietrze ciężkie od zapachów. Bachorek śpi chyba po rosołku, a ja mam powieki z ołowiu...

Budzę się, czując na sobie czyjś wzrok. Przede mną siedzi na kuśtyczku (tym, na którym Kaśka doiła swoją krowę) Oresio i rysuje coś, popatrując na mnie. Jestem przykryta chustą babci Basi, a obok mojej twarzy śpi Funio — obrońca. Powoli dochodzę do siebie, łapię rzeczywistość. Nade mną niebo, pode mną twarde deski. We mnie resztki snu! Nie chce mi się nawet ruszyć, choć stopa mi zdrętwiała. Ruszam palcami i mruczę:

— Co robisz?

— Nie pytałem o zgodę, ale maluję cię. Gosia powiedziała, że tu śpisz i może ci być chłodno.

— A oni gdzie? Gosia, Janusz...

— W lesie! A czort ich znajet, może u Tomasza? Daj, rozetrę. Zdrętwiała czy skurcz?

— Zdrętwiała. A może skurcz? Nie wiem, jeszcze śpię w środku.

— Skurcz bolałby troszkę. Moja babka dużo pływała. W wodzie miała skurcze łydek i w staniku miała zawsze igłu albo agrafku. Wtedy kłuła się mocno i skurcz odchodził! A tak potopiłaby się. Stara była, a i tak pływała latem z nami!

— W czym?

— Co w czym?

— W czym pływała?

— W staniku i portkach, jak to chłopka.

— Ja nie o tym. Co to za woda, co pływała? — gadam sennie, udając zainteresowanie stuletnią babką Oresta, co wbijała sobie igły w łydki...

— No jakże? W Bugu. „Tam nad Bugiem z lewej strony stoi wielki bór — zielony" — zaczął wierszyk z mojego dzieciństwa. Rozciera mi tę stopę i rozciera, a ja mu nawet się nie przyznaję, że już mi lepiej, tylko mówię dalej wierszyk, bo też go znam:

— „Noc go kryje skrzydłem kruczym, dzień otwiera srebrnym kluczem" — skąd to znasz? Bo mi babcia Malwina czytała do poduszki. A najbardziej lubiłam ilustracje. Ładne były...

— Mnie też babka. Babcia Urszula. I nawet mówiła na mnie Janko wędrowniczek. Mocno ja lubiłem z nią na jagody chodzić. Znała wszystkie bajki świata. Polskie, ruskie, Andersena, Konopnicką. Kakije chocziesz.

— Do domu chcę. Już na żółto widzę...

— Aaaa! Ponimaju! Ja odwrócę się, a ty nie przeszkadzaj sobie, i do wody dawaj!

Musiałam kucnąć za kładką, bo do domu bym nie doniosłą. Jakoś... nie wstydziłam się.

Równocześnie z nami nadjechali Gosia i Janusz z lasu. Byli w leśniczówce. Kolację jadłam sama z Orkiem, bo oni jedli u babci Basi baraninę.

Sos miętowy do baraniny z grilla

W szklance oliwy rozprowadzić ciut cukru, soli i pieprzu. Dodać kieliszek białego wina bardzo wytrawnego lub sok z cytryny. Mariam daje jedno i drugie. Listki mięty posiekać drobno, jak też ciut rozmarynu i rozbełtać z oliwą. I już!

Zapełniamy ziemiankę

Pod koniec września, czy jakoś na początku października, zamieszkał u nas znów Wacuś. Z sanatorium przyjechał najpierw do siebie. Posiedział godzinkę i dał się (po raz kolejny) namówić Januszowi do pomieszkania u nas — nad rozlewiskiem. Fochy stroił i stroił, że on jest samodzielny i nie będzie nam przeszkadzał, aż w końcu Janusz użył ostatecznego argumentu, że skoro Gosia jeździ do Kałęczyna, do Mariam na francuski, i do Szczytna (dwa razy w tygodniu!) do fitness-clubu, to ja w tym czasie jestem w domu sama i ktoś przecież musi mieć mnie i moją ciążę na oku. Zgodził się.

Jest cichutki i niekłopotliwy. Dorwał się do Gosinej biblioteki, która się rozrasta i rozrasta, bo Gosia powinna mieć zakaz wchodzenia do księgarń z gotówką. Wacuś kocha literaturę historyczną. Gosia sporo tego nawiozła z Warszawy, specjalnie dla niego. Ma sporo tego po zmarłym teściu!

Wieczorem, kiedy Janusz wraca z gabinetu, siadamy razem do kolacji. To dla mnie nowy rytuał. W Warszawie poza pobytem u Maryni jadałam sama. Teraz też zapewne jadłabym sama, smutna i przygnębiona. Tu — stale są tematy do przemiędlenia.

— Paula, weźmiemy Oresta i pojedziemy do Szczytna na rynek, po jarzyny. Są najtańsze teraz i najdorodniejsze.

— Jasne! A pomidory do słoików zrobisz? Takie jak rok temu?

— Zrobię, co chcesz, tylko mi pomożesz. Ewa obiecała przyjechać na przetwory. Chce z nami porobić sobie do spiżarni paprykę, tę surową, i przecier, salsę i chutneye, ale to umie tylko Basia.

Pojechaliśmy. Uwielbiam takie wyprawy. Rok temu, jak zobaczyłam te wspaniałości z Manią, wielkie stosy papryk, pomidory duże, małe, owalne, śliwki całą gamą odmian — jesienny przepych. Pamiętam z dzieciństwa, jak babcia Malwina zabierał mnie na plac Szembeka. Też tam tak było. Bogato.

Kupujemy wielkie skrzynki tego wszystkiego i Orko tylko kursuje do samochodu. Jem wielką klapsę. Słodki jak ulepek sok cieknie mi po łokciu. Zagryzam kwaszeniakami od pani Stasi. Są chrupiące i koprowe. Bachor chyba chrupie wraz ze mną, bo ciągle mam na coś ochotę. Szturcha mnie przy straganie ze śliwkami. Pęknę! Orest tylko kręci głową i uśmiecha się, widząc mnie ciągle coś żującą.

— Zobacz, jakie pyszne — mówię i wkładam mu do ust wielką, słodką ulenę. — A jakie klapsy! Chcesz?

Chce. Niesie siaty i nadstawia usta po kolejny smakołyk. Śmieje się. Chyba tak otwarcie pierwszy raz. Kolejny kurs do samochodu i kończymy.

— Przeróbmy to wszystko — proponuje Gosia. — Za dwa tygodnie powtórzymy. Kupimy świeże do ziemianki, na zimę.

Wieczorem myjemy słoiki, bo jutro robimy paprykę, pomidory i pikle.

Zaraz po powrocie Orest poszedł do siebie rzeźbić. Nawet obiad zjadł u siebie. Tak czasem ma. Ja tak się opchałam owoców i ogórków, że nic nie jadłam do kolacji.

— Ewa przyjedzie w końcu? — pytam Gosi.

— Zaprosiłam ją. Powiedziała, że się postara. Jutro piątek? No, to powinna wpaść.

Ewa rzeczywiście pojawiła się w piątek, w południe. Przywiozła, jak obiecała Gosi, wielką butlę oliwy. Zawsze coś przywozi, jak robią przetwory, bo to forma rozliczenia za pracę Gośki, produkty. Ona, nasza Gosia, nigdy nie umie powiedzieć, ile co kosztowało. Krępuje ją to, więc Ewa przywozi cukier, morską sól, tę oliwę...

Przepasane fartuchami siadamy w kuchni do obierania papryki. Ja i Ewa obieramy tę słodką, Gosia jest twardzielem, bierze się za czuszkę, ostre, czerwone, długie papryczki jak krasnalkowe czapy. Robi to przy odkręconym kranie, pod wyciągiem, w rękawiczkach i w maseczce. I odkłada co chwila, i odchodzi — łapać powietrze. Obrane „czapeczki" wrzuca do gorącej, bardzo słodkiej wody. Później wynosi je do sieni. Przygotowuje farsz i tę masę wkłada do wyciskarki takiej, jak się zdobi torty. Później wyjmuje z syropu papryczki i nadziewa je delikatnie. Ewa też w rękawiczkach układa je starannie w słojach. Teraz zagotowują do wrzenia olej z oliwą i zalewają.

— Na zimę, w sam raz. Takie ostre, rozgrzewające! Chłopaki lubią je do piwa.

— Mój Wojtek — mówi Ewa — lubi ostre rzeczy. Powinien być zachwycony. W Tunezji zaskakiwał miejscowych odpornością na ostre potrawy.

— A jak z córką? — pyta Gosia.

— Lepiej. Odwiedza nas. Mamy za sobą traumatyczne sesje. Noc zwierzeń. Dzień oczyszczenia... Myślę, że wiele zrozumiała.

Ewa patrzy na Gosię porozumiewawczo. To jej zawdzięcza to wszystko, bo Gosia potrząsnęła nią i kazała zmienić mdłe życie na lepsze, mądrzejsze. Ewa zawsze to podkreśla, kiedy wyjeżdża.

Papryczki gotowe. Stygną na stole. Teraz chwila przerwy. Sprzątamy i robimy małą kawę. Teraz czas na paprykę chrupiącą w occie. To popisówka Gosi. Jadłam to i wiem!

W miednicy leży kolorowa papryka. Mięsista i słodkawa. Gosia gotuje zalewę. Oczywiście, te tam, kminek, kolendra, kulki ziela i pieprzu pływają już. Teraz sól i cukier w znanych jej proporcjach. Na końcu — ocet. Sporo.

W słojach układamy kawałki papryki. Kolorowo ma być. Najmniej jest zielonej, bo nie jest piękna w occie. Teraz gorąca zalewa i szybko zakręcić dekielki. Odwrócić do góry nogami — koniec tajemnicy! Nie gotujemy, nie pasteryzujemy! W zimie, po otwarciu słoika papryka jest jak świeża — chrupie.

Jestem zmęczona i mam nogi spuchnięte. Idę się położyć, a one jeszcze zaczynają salsę!

W ziemiance stoją słoiki z ogórkami, wiśniami i jabłkami do ciast, dżemy, konfitury. Nie we wszystkim uczestniczyłam, ale spisałam trochę. Podoba mi się robienie przetworów. Dzieciakowi mniej. Kotłasi się we mnie i kotłasi, czasem już nawet boleśnie. Kładę się z nogami wyżej i głaszczę bachora.

— Spokojnie, maleństwo. Już mama leży. Już dość pitraszenia. Wiem, że cię to znudziło. Ale papryczkę by się zjadło?

Układam się z książką. *Samotność w sieci* — trochę smutne. Zaczynam czytać, ale nie, literki uciekają, a mnie się chce spać. Jak jakiejś emerytce. Nigdy tyle nie spałam...

Papryczki z serem

Papryczki ostre obrać delikatnie, żeby ich nie porozcinać. Wrzucić do gorącego ulepu, mając nadzieję, że ciut stracą tę ostrość. (Nie tracą, niestety!).

Zrobić farsz. Bułgarski ser owczo-krowi albo fetę, albo bryndzę rozetrzeć z białym tłustym (tłustym!) serem. Dodać siekane zioła — tymianek, bazylię, cząber, pieprz. Trochę soli i cukru.

Nadziać papryczki, położyć na dnie słoiczka pokrojony czosnek i zalać gorącą oliwą pół na pół z Olejem Kujawskim (pierwsze tłoczenie!).

Piekło w gębie, dlatego konieczne jest piwo lub wino. Nie daj Boże — wódka. Spali żywcem. Azjaci gaszą taką ostrość... gotowanym ryżem (prawie niesłonym).

Po weekendzie, po wyjeździe Ewy, w ziemiance jest jak w hipermarkecie. Półki uginają się i wszystko tak malowniczo wygląda! Słoje, słoiki, słoiczki, butelki — pełne pyszności. Także marchew w mokrym piasku, pietrucha, seler. Jeszcze tylko ziemniaki i już! Zima może przyjść.

Orko woził to wszystko w plastikowej Kaściczynej taczce do ziemianki. Ja nic nie robiłam oprócz obierania. Wolno mi! Jestem ciężka — ciężarna!

O tym, co to jest gniazdowanie

Rano dostałam maila od kumpla Jacka:

Cześć, Paula.

Chcemy się spotkać i przeżuć szmaty o tym, jak kto się urządził, co kto robi i w ogóle — wiesz. Szkoda, żeby się nasza grupka rozpadła. W podstawówce mówiliśmy „nasza paczka". W liceum mówiło się: „Nasze towarzystwo". A my — kim my jesteśmy? Głupio tak być ze sobą kilka lat, przeżywać wzloty i upadki, a potem co? Koniec? Mamy się spotykać tylko na ślubach?

(A propos — słyszałaś, że Wiolka się wydała?! Po cichu, bez nas, wstydziła się?!).

Dobra, nie przynudzam. Ostatnia niedziela października, W „La Fiesta", o 17.00. Obecność obowiązkowa.

PS: Podobno wyjechałaś z Warszawy i nie mieszkasz na Chomiczówce. To prawda?! Buziak od Jacusia J. Pamiętasz mnie jeszcze?

Czytałam i czytałam tego maila, i trapiła mnie taka myśl: Co to jest z tym czasem studiów? Przecież to tylko przetrwanie razem okresu nauki. Jest nudno, więc się wspieramy, wariujemy, zdajemy egzaminy, ale czy to już nas upoważnia do ślubu na wieki?

— Gosiu, jak to jest z twoimi znajomościami ze studiów? Utrzymujesz je?

— No, wiesz co... Właściwie, nie. Jakoś tak było, że nie zawiązało się między mną a kimś nic szczególnie bliskiego. Owszem, była koleżanka, nawet bliska, kilku kolegów. O! Był Romek. Bardzo fajny. Miał takie poczucie humoru, gadało się nam dobrze. Zmarł na raka jakieś dwa lata temu i ja nawet o tym nie wiedziałam... Może to moja wina, że nie utrzymywałam kontaktów, nie jeździłam na zjazdy?

— Czemu nie jeździłaś? To, podobno, takie fajne impry?

— Nie czułam bluesa. Nie, nie lubiłam tych wspominek, plotek. To sztuczne. A ty? Pojedziesz na to spotkanie?

— Jasne! Nas było mało, no i spotykamy się taką naszą grupą. Jesteśmy z różnych wydziałów, z różnych bajek, a jednak mamy feng-shui ze sobą i chcemy się zobaczyć.

— Błagam cię! Bądź ostrożna! Albo nie. Jadę z tobą. Nie powinnaś już prowadzić. Pojadę i połażę po sklepach, z Marynią.

Pojechałyśmy.

W „La Fiesta" — spotkanie, oczywiście, jakby nic się nie stało. Na mój widok owacje, oklaski i luz, luz, luz, piwo, piwo, luz. Dopiero później zaczęło się na poważnie:

— Paula, sorki, że pytam, ale znamy go?

— Nie. To tylko dawca.

— No coś ty? Planowałaś? Chciałaś tak?

— Nie. Tak wyszło. Teraz mieszkam na Mazurach u przyjaciół, ale na zasadzie współmieszkańca, nie gościa.

— Chomiczówkę podobno wynajęłaś? Czyli co — na zawsze?

— Chyba. Przecież można żyć wszędzie! Mateusz pozdrawia nas z Cypru. Jego Kaśka jest tam ginekologiem. Mieszają w małym mieście, no i Cypr to dziura — tłumaczę tym moim.

— ...ale ciepła... — rozmarzyła się Marzena.

— Za to wiecie, co mam na Mazurach? Całą rodzinę, z babcią i dwoma dziadkami, psa, kota, ogród, las wielki jak Stumilowy Las, rozlewisko, staw kąpielowy, bezkresy własnego krajobrazu, własne pejzaże, poranne ptasie ćwierkawki i... — zapowietrzyłam się — wszystko za jednym zamachem!

— ...i ciążę — dodała trzeźwo Iwona.

— No i super! Załatwię to teraz i po sprawie! Będę jedną z najmłodszych mateczek w naszym towarzystwie!

Było mi wesoło, gadałam o tym macierzyństwie tak, jakbym świadomie to wszystko zaplanowała. Wszyscy głaskali mnie po brzuchu i mówili, że ślicznie wyglądam, że teraz taka jestem kobieca...

No. A oni pójdą na nocną imprę, bo już są nachmieleni, w samochodach wypalą po joinciku, zabalują do białego rana, a ja — do Mańki, na Saską Kępę lulać grzecznie w łóżku.

Wyszłyśmy z Marzeną na powietrze. Była mi zawsze dość bliska. Szłyśmy wolniutko naszą kochaną Foksal do Nowego Światu.

— Naprawdę jesteś niesamowita, Paula. To odwaga być singielką i to w ciąży. Nie mając stałych dochodów, a tego, jak wiem, nie masz.

— Odnajmuję Chomiczówkę.

— No, i od razu wydajesz na byt. A kumulacja? Stałe jakieś źródełko na niezależność? Benzyna, podróż, coś tam?

— No, właśnie, Marzena — co? Jakie coś tam? — Już chyba poszalałam. Byłam za granicą. Wiem, jak tam jest. Mam tam matkę. Zresztą w naszym zawodzie stały dochód? Po ASP? Ocknij się. Nawet Pakuła dorabia literaturą, bo widać portrety nie zawsze idą. Pamiętasz Jacka Sierkę z rzeźby? Już stroi fochy, że robota, którą dostał, to komercja.

— Co robi?

— Małżeństwo jakieś kasiaste chce mieć w hallu rzeźbę faceta w jeansach, z gołym, greckim torsem.

— Niech się cieszy, że ma choć to... A wiesz, co robi Rafał? Załapał się do filmu i robi dekoracje. Paula, mieszkasz tam sama? Znaczy bez tego faceta? Z kim? Co jest?

— Miałam we Francji bardzo gorący romans, niestety, gościu jest żonaty i... *No way*.

— Nie może się rozwieść?

— Nie. To dobre małżeństwo...

— No... jasne. Dlatego cię bzyknął?

— Marzena, ty nic nie rozumiesz. No, tak już jest i już. Mam dziecko na pamiątkę i jest dobrze! Rozglądam się i myślę, jak się urządzić zawodowo, chociaż nic mnie nie ciśnie. Mam dom i rodzinę „z drugiej ręki" — najfajniejszą, jaką można mieć. Powoli. Teraz muszę urodzić i trochę odchować smarkacza. Potem się zobaczy.

— Ty chcesz tam do końca życia... na tym zadupiu?! — Marzena była naprawdę zdumiona.

— No! To piękne zadupie i facetów tam nie brak!

— W waciakach i gumiakach — parsknęła.

— Sławek jest po SGH, ma tartak, robi meble dla IKEA i biznes w Kazachstanie, Mamadou — po olsztyńskiej weterynarii, zrobił doktorat z genetyki. Jest Malijczykiem i to przystojnym jak cholera! Orest skończył rzeźbę w Moskwie i robi ołtarz do kościoła ewangelickiego, koło Ornety, w... w... zapomniałam. Ma taki styl... trochę jak Dunikowski, ale bardziej surowy. Holendrzy, ekolodzy — Peter i Cedrik, też mili. Mało?

— Pieprzysz...

— No, nie! To tylko kilku moich znajomych. Inni są równie interesujący. Marzena, to już inny świat. Owszem, to jest zadupie, wieś, ale z komputerami, światłymi ludźmi, pięknymi okolicami i naturalnie miejscową biedą, ciemnogrodem, ale na to ja już nic nie poradzę. Moim problemem nie jest to, że muszę tam mieszkać, bo ja tam chcę, bardzo chcę tam mieszkać. Kapiszi? Ja złapałam się na tym, że gniazduję, jak jakaś porąbana.

— Co robisz?!

— Zachowuję się jak typowa samica — gniazduję tylko na wspak. Nie po kolei. Mam już ciążę — teraz szukam samca. Jak nie ja! Zawsze byłam samodzielna. Raczej bez chłopa. A teraz... Zorientowałam się, jak Mamadou zażartował, żebym za niego wyszła, a ja przez moment, przysięgam, przez moment wzięłam to pod uwagę! Bo on może mieć cztery żony. Już Sławek był romansem ciut na siłę, chociaż niczego mu nie brakuje. Wielki, ustawiony, czuły i opiekuńczy. Już go urabiałam, tokowałam jak synogarlica. Rozumiesz? Zidiociałam!

— Jaka znów synogarlica?!

— Głupiaś. Tomasz mi pokazał takie beżowe, gołębiowate, tańczyło parami na podwórku i gruchało. Gruchali. Gniazdowali, no!

— I ty jak ta ptica też tańcowałaś przed tym Sławkiem. Ale po co? Kobieta dziś nie potrzebuje samczyka koniecznie, żeby wychować dziecko.

— A ty i Maciek?

— No, my to już recydywa. Nawyk. Paula, ale poważnie, po co ci facet?

— ...„bo wibrator nie skopie mi ogródka" — ucięłam. — Marzena, ja jestem z tych, co je wychowały samotne kobiety. Nie miałam ojca, moja babcia wychowała moją matkę też bez Antka, bo zginął. Nie wiesz, jak ja cierpiałam, że inne dzieci mają tatusiów! Poza tym to taka norma: jin-jang, ja i on. Dziecko potrzebuje obojga rodziców. Teraz to wiem. Ojciec daje inne wartości, system zachowań niż mama. Tak jest miliardy lat, a my na siłę coś kombinujemy! Byłam na kładce wieczorem i Oreś przyszedł ze swetrem, żebym nie zmarzła, dlatego że się niepokoił, bo jestem w ciąży, i podał mi ramię, bo droga nierówna. Sławek brał mnie na ręce i niósł przez kałużę po przyjęciu u Mamadou, a Tomasz pilnuje, żebym nie miała nostalgii, i kupuje mi czasem piwo bezalkoholowe. Dziadek Wacek, sam po zawale, ma na mnie oko i czuje się odpowiedzialny za mnie, jak nikogo nie ma w domu. Janusz żartuje i rozbawia mnie złośliwościami. Twierdzi, że ja, śmiejąc się, masuję płód przeponą i, że to dobrze robi dzieciakowi. To faceci. Są jeszcze kobiety — babcia Basia, Gosia i Ania Wrona...

— Jezu! Ale kołchoz!

— Jakbyś tam pobyła trochę — pokochałabyś taki kołchoz. Wiesz, brak mi miłości po prostu. Mężczyzny, który miałby te cechy — ich wszystkich. Taki... mój, dla mnie, ja dla niego. Żeby się przytulić. Taki był Jean Philippe... Marzena. Z ciążą zmienia się wszystko. Vitus B. Droscher, taki niemiecki biolog, opisał to w swoich książkach o zwierzakach. Hormon gniazdowania...

— A my jesteśmy zwierzakami i ten hormon nami rządzi — powiedziała w zadumie Marzena.

— Abso fucking lutly — potwierdziłam kodem.

Foksal! Jak ja lubię te okolice! Zaplecze Nowego Światu, zawsze tu chodziliśmy po zajęciach. Piechotą. Trakt Królewski, czyli — nasz! Byłam królową życia! Knajpki, butiki (jak była forsa), ciuchlandy (jak nie). Księgarnia, czasem Chmielna, ale tylko jako spacerniak. Drogo... Później pokochaliśmy „La Fiestę". Byliśmy zaprzyjaźnieni z obsługą. Flirtowałam z kelnerem. Ale cudny był! Westchnęłam.

Wracałyśmy już, widząc z daleka, jak nasi wysypują się z knajpy. Już się nastawili na dalszy ciąg — radośni, roześmiani, wolni. I nie poczułam ukłucia zazdrości. Po tym, co mówiłam Marzenie, jakoś mi odeszło. Jestem inną kobietą. Brzuchatą. Mam po co i dla kogo żyć, dbać o siebie i spać mi się chce. Mam spuchnięte kostki.

— Trochę ci zazdroszczę — powiedziała niespodziewanie Marzena. — Maciek ciągnie nas do ołtarza, a mnie to wkurza. Nawet chciałam z nim zerwać, ale gdzie ja znajdę drugiego takiego świra? Wtedy, kiedy mieliśmy ten idiotyzm z otwartymi związkami — pamiętasz? Polizałam tego miodu, nabzykałam się jak ta głupia i nie było to fajne. Maciek jest jak stary wygodny fotel, po co to zmieniać? Jak powiedziałaś? Gniazduje? No! To u nas Maciek gniazduje. Czekaj, spytam go, może jest w ciąży?

Wróciłam autobusem do domu na Kępę. Gosia i Marynia siedziały na dole, na kanapie i sączyły wino pod cichy śpiew Angélique Kidjo — to nowa miłość Małgosi. Murzyńska wokalistka, piękny jazz. Nawet jeden utwór śpiewa w suahili. Kilka po francusku. Takie to ciut etniczne, kołyszące...

— O, dziewczynki! — wołam. — Jeszcze mruczycie sobie? Ja idę spać. Patrz, Goniu, jak napuchły...

— Podłóż sobie, Paula, zagłówek po nogi, żeby były wyżej, a po powrocie jedziesz do Maślaka. Żeby to nie było zatrucie...

— Nie kracz. Buziaki. Pa.

Część czwarta

JESIEŃ

Śmiech i płacz

Październik. Piękny i grzybny. Nocami pada, we dnie słońce figluje z liśćmi, wodą, rosą. Połyskuje, świeci, zagląda, prześwieca, mieni się i barwi. Kolorystyka łąk przepiękna, las — jeszcze ładniejszy, a stary niemiecki cmentarz tajemniczy, nostalgiczny jak z filmu.

Ja i Paula lubimy te odcienie. Kiedy wracałyśmy z zakupów, zatrzymałyśmy się i poszłyśmy na ten poniemiecki cmentarz, co jest przy samej szosie.

— Gosiu, chodź... Ciekawe, czy ktoś tam w ogóle chodzi?

Wchodzimy zardzewiałą furtą. Wśród grobów jest ciszej niż „na zewnątrz". A przecież cmentarz otacza dziurawy, stalowy płot jedynie.

Takie złudzenie. Idziemy, patrząc na mogiły. Szuramy butami w opadłych liściach, a bluszcz rosnący tu od lat tworzy sprężynujące podłoże. Po nim stąpamy — nie idziemy — stąpamy. Inaczej się nie da.

— Patrz, jest wydeptana ścieżka, znaczy chodzą tu?!

— Znaczy chodzą — potwierdzam, a Paula rozgląda się zdumiona. Mnie nic nie dziwi. Nagle staje i patrzy gdzieś przed siebie, jakby zobaczyła ducha.

Koło wielkiego drzewa stary pomnik, a za nim ławeczka w plamie słońca. Na niej siedzą — Ania i Zuzia. Stareńkie mieszkanki Pasymia. Paula mi śpiewa do ucha:

— *Jest taka ławka w samym sercu parku*
Gdzie przesiadują niedziele
Dwie panny suszone śliwki...

— Co to? — pytam zdumiona. — Ułożyłaś o nich wiersz?

— Nie ja... To piosenka Kaśki Nosowskiej. Ale numer — co?

— Żartujesz — nie dowierzam.

Patrzę na nasze stare śliweczki-koleżaneczki. Zobaczyły nas i machają już jak przedszkolaki, uśmiechają się. Ania właściwie bezzębną szczęką. Przyzywają gestem.

— Dzień dobry! — mówię.

— Witaj, Aniu, witaj, Zuziu! — Paula jest z paniami na ty i obejmuje je serdecznie. Odwzajemniają i ślą jej błogosławieństwo, dotykając brzuszka nabożnie.

— Panie tu... mają bliskich? — pytam z niedowierzaniem.

— Tak, tu tatuś i mamusia nasze leżą. O tu, Zuzi, a moi tam, zaraz za zakrętem! Rodzice Niemce byli, a my to już od wojny Polki, jakby. Mama moja Polka była, z Przasnysza się wywodziła — Ania nas uświadamia, popatrując na Zuzię. — A Paulineczka jak? Zdrowa? — dodaje zainteresowana bardzo.

— Zdrowa, Aniu, i dobrze się mam i ja, i bachorek!

— Ale co, męża nadal ni ma? — Zuzia przechyla główkę z zakłopotaniem, ale zaraz się rozpromienia. — A co tam dzisiaj mąż! Można samej dzieciaczka uchować, a chłop — jest albo go ni ma... No tak?

— Jasne! — Paula patrzy na mnie wesoło. Chyba się lubią z paniami. Zuzia uczyła Paulę tkania na krosnach, dały sobie wiele dobrego.

Żegnamy się skąpane w uśmiechach i błogosławieństwach. Stary cmentarz jest już nam bliższy.

— Paula, Orest proponował pójście na grzyby, co?

— Ja? Ale... Ja nigdy nie byłam na grzybach!

— Jak to „nie byłaś"? Nigdy?!

— Nnnnie. Nigdy. — Paula ma zdziwiony wyraz twarzy. Chyba ją samą to zaskoczyło. Nigdy... Ucieszyła się i gadała ze mną o grzybach aż do samego domu.

Następnego dnia zebraliśmy się rano ja, Paula i Orest. Ładnie wygląda nasza „ciężarówka" w tych swoich ogrodniczkach i białej chusteczce zawiązanej „na gosposię". Zaplotła sobie dwa mikrowarkoczyki, bo włosy ma dość krótkie. Ma dziewczęcy wdzięk, mimo że czasem taka wyzwolona i „hej, do przodu".

Orest naszykował koziki i kosze, ale jak popatrzył na Paulę — uśmiechnął się tylko i pokiwał głową.

— Jak ty nachylać się będziesz, Paulinoczka?

— Pokicam! — zaśmiała się.

— No, chodźmy już! — ponaglił nas, gładząc brzuszek, który już jest sporawy, i zbieranie grzybów chyba znacznie utrudni. Może „pokica"?

Szliśmy zdecydowanym krokiem aż za dąbrowę i wyręb, za mokradło, bo za nim są te grzybne zagajniki i polany, o których nie wiedzieli moi letnicy. Trzeba znać zakamarki, trzeba znać Tomasza, który zdradzi, jak dojść, gdzie pójść. Pokaże groble i skrót. Dotarliśmy do owej grobli i przeszliśmy po niej jak po równoważni, suchą nogą. Za kilkoma drzewami nagle ukazała się wielka polana schodząca w stronę łagodnego zbocza. Obok wyrośnięty już trochę zagajnik sosnowy.

Mimo wszystko Paula wzięła od Oresta kosz. Poszłam w swoje rejony, wypatrując kapeluszy, a oni zostali na polanie obok. Paula pokazała Orestowi coś i spytała władczo:

— A ten... tu?

Orest ukląkł i uciął grzyba, podając go Pauli.

— Ładny kozaczek!

Paula uradowana zaczęła wgapiać się w poszycie. Złapała bakcyla. Szli blisko i Orest swoje zdobycze kładł do swego kosza, a Pauli — ucinał i podawał. Nie musiała kucać.

Później straciłam ich z oczu. Umówiliśmy się, że na przeciągły gwizd spotkamy się na polanie, a tak od czasu do czasu będziemy pogwizdywać, żeby dać znać, gdzie jesteśmy, i żeby się nie pogubić. Ja mam się nie zgubić, bo nie mam orientacji w lesie. Słyszałam jeszcze ich śmiechy i pogwizdywania, gdy Paula poprosiła Oresta:

— O, pokaż, jak gwiżdżesz? Pokaż! A ja nie umiem, jak zwijasz język?... Tak? Popatrz?... Dobrze? Fiu...uuuuu... Nie wyszłoo mi, pokaż jeszcze raz!

Odetchnęłam wilgotnym powietrzem, spokojem, ciepłem. Cisza leśna otwiera czakramy. Można w to nie wierzyć, ale czuje się, że ciało się otwiera, nasłuchuje, oddycha, łapie najdrobniejsze szmery. Chyba nawet usłyszałam, jak opadł liść. O! Tamten! A już jak stanęłam obok mrowiska, niemal słyszę, jaki tu harmider, jakie tuptanie, jakie padają hasła:

„Liście, proszę, na lewo! Szpilki układać tutaj! Zdechła mucha w głąb na czwarte piętro! Proszę podążać prędzej!"

Zwariowałam. Ale tylko trochę. Po prostu czuję las. I dzisiaj tak mi jakoś... dobrze. Spokojnie. Wszystko się oddaliło, jestem ja i kosz z kilkoma grzybami, i to wspaniałe życie dookoła, ta cisza i stoicyzm drzew, dynamizm mrowiska — plątanina taka. Och, jak ja lubię grzybobranie! Zgrabnie ucinam nóżki grzybków i z radością patrzę, jak narasta ich w koszu. Takie różne, takie piękne, kolorowe, choć w podobnych odcieniach — od bieli kości słoniowej do głębokiego brązu przez szarości, rudości, czerwień. I jak pachną!

Mam brudne palce i lubię to. Zjadam spóźnione poziomki, czasem pozostałą z lata zasuszoną jagodę — jak rodzynek, pozostałą na krzaczku.

Tuż za Bugiem z lewej strony...

Każdy zna to z dzieciństwa!

Plecy czasem bolą od pochylenia, ale w ogóle to najlepszy relaks!

Gwiiiiiiiiizd. Odgwizduję i wracam. Niespiesznie, powoli.

Na pniu siedzi Paula z miną zwycięską, umorusana i szczęśliwa. Kolana — czarnozielone, chusteczka na szyi, a we włosach badylki, szpilki sosny i resztki łusek z kory. Wygląda jak leśny chochlik. Ciężarny, oczywiście! Obok leży na plecach Orest z trawką w zębach. Ma zamknięte oczy i wypoczywa.

— Paula?! — Oczy mi wyłażą ze zdumienia. W koszu Pauli dosłownie mrowie maślaczków.

— Poszłam do zagajniczka na siku, patrzę, a one tam, jak na plantacji! No to se uklękłam i tak szłam na „pieska", tylko kosz przesuwałam. To maślaki, na pewno?

— Nu, na pewno! Mówił ci ja! — mruczy Orest.

Wracaliśmy objuczeni. Paula swojego kosza nie chciała oddać Orestowi, więc nieśli go razem.

— Oddam ci, a potem ty powiesz Wronie, że sam nazbierałeś maślaków.

— Ot, wredna jaka! — Udaje złośliwego Orko. — Ja sam ją nauczył grzybów zbierać, a teraz, że ja... — zaplątał się. Patrzy na Paulę. Oj! Miękko on na nią patrzy... A może to moja nadinterpretacja?

Mieliśmy jeszcze dwa takie grzybobrania, a potem zaczęło padać, i zrobiło się chłodno. Państwo Więckowie pochwalili się pięknymi kaniami. Musieli zajść aż na uroczysko, bo tylko tam rosną! Ślązacy. On kucharz w knajpie. Rad, że tu mu pod nos podają i nie musi sam. Po rękach całował za kartacze, za zalewajkę, za krem szpinakowy z rokpolem i gruszką, i babę ziemniaczaną z grzybami w śmietanie.

— Paniom wszystkim dziękuję! Znakomite jedzenie, a za to zdradzę paniom kilka wrednych tajemnic z wielkiej i złej garmażerii...

I zdradził!

Nasze leśne zdobycze stoją w słoiczkach — równiutko, w ziemiance. Paula czasem przystanie przed nimi i pokazuje palcem:

— Patrz, Gosiaku, to moje!

Jest z siebie taka dumna!

Koniec sezonu! Nareszcie!

Pożegnałam ostatnich grzybiarzy, pana Handzlika (jak go żona wołała) z żoną Ireną. Zdjęłam z Anią pościele. Ona przychodziła jeszcze przez kilka dni uporządkować wszystko na czas zimy. Pożegnała się z nami i zapowiedziała, że i tak „wpadnie czasem".

— Pani Gosiu, pani da znać, kiedy Wacek będzie u siebie, to podoglądam go! No, to pójdę... — powiedziała to tak jakoś nieporadnie, że mi się zrobiło miękko na sercu. Podeszłam i uścisnęłam ją, chociaż wiem, że ona jak autystyczne dziecko — nie lubi. A może jednak?

Lubię tę Wronę. Zadziwia mnie jej wewnętrzna siła. Prawie się nie uśmiecha, jest zwięzła i skupiona na pracy. Gdyby nie wódka, mogłaby...

Aaaa, gdybanie. Jest jak jest!

Pojechałam do Szczytna do pralni z pościelą i wracałam przez Pasym. Zaparkowałam pod sklepem już bez szyldu.

Dotąd Elwiry dzieciuch „zaparł się i nie wyłaził" — jak mówiła matka Elwiry, pytana o to, jak się sprawy mają. Miała termin porodu na październik, ale nie wiem, na którego. Pytałam czasem, jak jechałam do Pasymia, a to matkę, a to siostrę Elwiry spotkaną w mięsnym. Nic...

W końcu jednak pojawił się upragniony syn Andrzeja! Elwira była od tygodnia z maluchem w domu, więc zaprosiła mnie telefonicznie:

— Halo? Cześć, Gosia!

— Witaj, mateczko, i jak? Bo już wiem od Gieni, że urodziłaś!

— No i w domu już jesteśmy, a ty — gdzie? Może wpadniesz na kawę? Zobaczysz mojego smoka. Ponad cztery kilo!

Niechętnie chadzam do domów, w których jest taki maleńki dzieciaczek. Nie powinno się go narażać na atak nowych bakterii, którymi ja z pewnością jestem zasypana. W środku ciepło, jak dla mnie za ciepło, i kawa za słodka, bo Gienia posłodziła z rozpędu.

— Jaki podobny do ciebie! — uśmiechnęłam się do małej istoty, podobnej raczej do małpiatki niż ludzika.

Zdecydowanie ciemnowłosy stworek, jak mały troll, zatopiony był we śnie.

— Od pasa w dół... wykapany ojciec! — Andrzej pysznił się i zaproponował nalewkę, ale przecież jestem samochodem. Odmówiłam.

— Jak remont?

— Powoli — Elwira się uśmiecha. — Nie musimy się spinać, byle zdążyć na wiosnę. I tak trzeba będzie pożyczkę wziąć.

— Na razie to się kręcę, żeby to jakoś z głową robić — zezwolenia i te tam...

— Na razie to ty karmisz cyckiem, a o salonie nie myśl! — Gienia jest stanowcza.

Elwira wyciąga mnie do swojego pokoju. Jakaś tajemnicza jest.

— Gosia, ja, wiesz, nie wtrącam się, ale Podolniakowa coś mruknęła wczoraj matce o twoim Januszu.

— Kupuje alkohol?

— Nie... Gorzej.

— Popija z obszczymurami?! Niemożliwe! Poczułabym! Elwira, on się bardzo dobrze trzyma!

— To teraz ty się trzymaj. Mówiła, że coś za często go nosi do tej warszawianki.

— ...której? — szepnęłam.

— Tej Beaty. Gosia, ja nie mówię. Wiesz, jakie to pleciuchy są, ale... Wiara to jedno, a kontrola drugie. Sprawdź!

— OK, sprawdzę. Dziękuję, kochana.

— Elwira, chodźcie no, bo pora karmić! — słyszymy Andrzeja.

— Tatuś! — Elwira parska i cieszy się. Potem siada, wyjmuje wielką pierś i karmi małpiatkę. Mały pyszczek przysysa się do cyca jak zwierzaczek, w kąciku ust widzę rozmazujące się mleko, zamknięte oczka świadczą o błogostanie, w jakim pisklaczek jest.

Patrzymy jak na mistrzostwa świata. Jednak piękny widok!

— Jak mu dacie na imię? — pytam, ale tak naprawdę mało mnie to obchodzi. (...Janusz... do Beaty? Janusz?!).

— Ja to bym mu dała Apollo, bo taki jest piękny, jak tatuś! — Elwira owija sobie Andrzeja wokół małego paluszka. Patrzy na niego zalotnie, a on scukrza się jak pszczeli miód.

No i mają to swoje małe, domowe szczęście.

Teraz następna jest Paula.

Wracam do domu napięta jak struna.

Kolacja i rozmowy toczą się poza mną. Zmywam zamyślona, jak poprowadzić naszą rozmowę? A jak zaprzeczy? Uwierzyć?

Beata...? Czy to możliwe?

Wreszcie Orest poszedł do siebie, Paula też. Wacusiowi dałam świeżą piżamę, bo się zalał mlekiem, i on poszedł spać najwcześniej. Patrzył na mnie, nie pytając o nic. Widzi, że mam zwiechę. Doła jak Rów Mariański.

Zamykam dom, gaszę światła i idę do sypialni jak na proces...

Siadam na brzegu łóżka. Żołądek mam ściśnięty i krótki oddech. Jak zacząć? Czeszę włosy, Janusz czyta.

— Janusz?

— Tak?

— Odłóż i powiedz, miałeś ostatnio sporo pracy — tak?

— Tak.

— Ale... Mariusz nie potwierdza, raczej narzeka na zastój, bo to jesień i wtedy zawsze macie...

— Dzwonisz do Ma...Mariusza z takimi pytaniami?! — Odkłada książkę i jest wzburzony.

— ...bo wracałeś ostatnio... i w gabinecie cię też czasem nie było.

Milczy, oddycha nerwowo. Chciałby uciec od tematu, ale widzi, że to niemożliwe.

— Janusz, spytam wprost — to Beata?

— Ale o co ci cho...chodzi?! — jest oburzony, zły.

— Nie krzycz. „Baby we wsi gadały..."

— Niech się odpierdolą — jest wulgarny i zacięty. — Co to za śle...śledztwo? Co su...sugerujesz?

— Janusz, uważaj, żebyś nie powiedział czegoś, czego się będziesz musiał potem wypierać. Nie mam nic przeciwko twoim przyjaźniom, znajomościom, ale... Między nami się popsuło. Dlatego czuję całą moją kobiecą duszą, że coś jest nie tak.

— ...kobiecą du...duszą — przedrzeźnia mnie. — Daj spokój ta...takim pierdołom! Wierzysz babom, „swojej du...duszy", a nie mnie?! Tak?

— W co mam wierzyć? Janusz, popatrz na mnie i powiedz mi — spałeś z nią?

— Nie — ostre i zdecydowane, ale ucieka wzrokiem.

— Janusz, przecież nie proponuję ci odrąbania głowy, ale... Nie poniżaj mnie. Jest między nami nie tak, oddaliłeś się. Jasne, że nie jestem żoną, więc... ale... Tym bardziej nie oszukuj mnie, nie zasłużyłam...

No i pękam. Beczę, bo już mam pewność, że z nią sypia.

Cisza dzwoni w naszej sypialni. Janusz siedzi i skubie pościel. Nagle wstaje, wkłada spodnie.

— Janusz... Janusz!

Wychodzi, nie patrząc na mnie.

Słyszę tylko, jak ubiera się w kurtkę, i widzę przez okno w łazience, jak wychodzi z domu. Beczę. Zalewa mnie fala takiej żałości, że nie jestem w stanie pohamować wycia, zawodzenia, które rozszarpuje mi piersi.

Zamykam się w sypialni i wyję w poduszkę.

Zdradził mnie... Mój Zielonooki Potwór, mój Janusz, moja miłość i szaleństwo!

Nie wiem, ile czasu tak płakałam. Głowa dosłownie mi pęka. Nos wielki i zatkany potężnie, oczy pieką i bolą.

— Janusz, Janusz — powtarzam jego imię jak mantrę i zamiast wściekać się na niego, czuć nienawiść i agresję... żal mi siebie i tęsknię, Boże! Jak tęsknię do chwil sprzed roku! Do tego, żeby był taki, jak kiedyś... A jednocześnie jest mi obcy, skoro był w stanie obejmo... być z inną. Ale boli!

Nie wraca. Mój Boże, dokąd poszedł?

Zarzucam na koszulę kurtkę, wsuwam drewniaki i wychodzę. Jest ciemno. Wydaje mi się, że stoi na kładce rozlewiska. Każę Funiowi zostać na podwórku i idę.

Chłodne powietrze mnie opływa i schładza gorącą od szlochu twarz, głowę. Idę ścieżką i widzę go dokładniej — jest tam, gdzie kochał się ze mną pierwszy raz...

Wchodzę na kładkę.

— Janusz, nie uciekaj, ja nie chcę cię zabić, chcę zrozumieć, pojąć...

Tak naprawdę chciałabym, żeby zaprzeczył. Przysiągł na nie wiem co, że to pomówienia, kłamstwa, żeby mnie przytulił i żebyśmy zakończyli tę scenę, ten ból.

— Janusz...? — szepczę.

Ma ręce w kieszeniach, stoi bokiem. Opuszcza głowę.

— Wstydzisz się mnie. Ja nie umiem ga...gadać z twoimi. Nie jestem aż ta...taki e...elokwentny.

— Ależ Janu...

— Nie przerywaj! Za...zawsze się czułem zbędny, gdy przyjeżdżała twoja ro...rodzina. A poza tym zawsze już by...byłem ten drugoplanowy, taki... „dodatek do...do pani Gosi" — sarknął, odetchnął i ciągnął dalej: — Ka... każdy mówi, „jakaś ty zaradna, jak so...sobie poradziłaś ze wszystkim, nawet ze mną pijakiem".

— Janusz! — wyrwało mi się.

— Może nie? — patrzy na mnie chłodno, cynicznie. — Dla ciebie się postarałem i nie piję.

— Janusz, ja to szanuję... Ale nie pijesz dla siebie!

— Ale tam! Co ty wiesz? Gośka... Ja pytałem, czy wiesz, po co ja ci jestem potrzebny? Ty jesteś... samowystarczalna, mądra, ta...taka zaradna. Po co ci taki go...gość jak ja? Do czego?

— To źle? Janusz, to źle, że jestem zaradna?!

— Przerywasz...

— OK, przepraszam.

— Jak się tak o...opędzałaś, poznałem Beatę. Straciła ten ma...majątek i była taka połamana. Byłem je...jedyny, któremu to wszy...wszystko wypłakała. Zaufała. Wpadałem tam, bo mó...mówiła, że się lepiej czuje, jak jestem — zamilkł.

Ja też milczałam, nie chciałam tego słuchać, ale musiałam.

— Później mnie po...pogoniła — ciągnął. — Poznała cie...ciebie i pogoniła w cholerę.

— Szlachetna — wyrwało mi się, a Janusz spojrzał na mnie obco.

— To ja jeździłem i pro...prosiłem ją, żeby mnie nie odtrącała, bo sko... skoro się ze mną dobrze czuła — znów zamilkł.

— I...?

— Goniła mnie, a ja prosiłem. Ty się oganiałaś jak od mu...muchy jakiejś. Nie miałaś ochoty, czasu... Wreszcie się poddała. I znów się spotykaliśmy u niej.

— I...?

— I się po...porobiło, bo kiedyś padł prąd...

— Nie chcę tego słuchać — warknęłam.

— Sama chciałaś... — popatrzył na mnie. — Gośka...

Zaczął opowiadać o niej i mówił, mówił, a ja słuchałam z niedowierzaniem.

— Ja...jak to... I ty później ze mną... w jednym łóżku?! Jesteś obrzydliwy... — Odwróciłam się i pobiegłam do domu.

Wpadłam zasapana i weszłam do sypialni.

„Szlag! — myślałam wściekła. — Co za dziwka! Jak śmiała! Przecież to był facet z kobietą! Cudzy facet! Spakuję go i fora ze dwora!"

Wszedł Janusz. Zdjął kurtkę i stał, nie wiedząc, co począć.

— To... skończone już, tamto, znaczy — wyjaśnił.

— Wyjdź — wysyczałam.

Westchnął, zabrał kurtkę i poszedł spać na górkę.

„Będzie mu zimno", pomyślałam z troską. No, to będzie.

Zasnęłam nad ranem. Leżałam zwinięta jak po ciosie w brzuch. Beczałam i beczałam. Wolałam tę chwilową wściekłość, ale wrócił żal, że to nie sen, że się dzieje naprawdę, że jestem sama.

Już? Po miłości?!

Listopadowy blues, listopadowe łzy

Pod koniec października postanowiłyśmy z Gosią, że załatwimy groby za jednym zamachem i nie będziemy jechać na Wszystkich Świętych.

Po powrocie z Warszawy Gosia naciskała:

— Koniecznie niech cię zobaczy Maślak, puchną ci stopy. Niefajnie!

Istotnie — moje palce stóp są jak małe żaróweczki.

Doktor przyglądał mi się znad okularów i mruczał coś do siebie. Macał mi stopy i oglądał przeguby rąk, dłonie. Ściągał brwi, jakby był mimem. Ma krzaczaste brwi i łysinę. Łapy ciepłe i miękką skórę, przyjemny dotyk. Pielęgniarka pobrała mi krew. Oddałam mocz do analizy.

No i wyszło, że mam lekkie zatrucie ciążowe albo jakoś tak, i powinnam jeść bez soli. Całkiem!

Wracałam z Olsztyna powoli. Już listopad. Ostatnie dwa miesiące lokatora i poród gdzieś na sylwestra! Ju-hu!

Szosa śliska, bo padało, i leżą na niej rozjeżdżone, kolorowe liście. Jest ich jeszcze sporo na drzewach, będą opadać teraz jak deszcz. Wszystko dookoła ma fantastyczne barwy. Jak rozmazana paleta. Poszycie — zasłane martwym naskórkiem lasu. Pod nim ostatnie grzyby. Jak one tutaj się nazywają? Gosia mi mówiła... prośnianki! Tak, a Ania Wrona przyniesie i zrobi z nich rosołek, jak obiecała. Mój bachorek poruszył się na samą myśl! Tuż pod biustem wyrosła mi nagle gula, naprężając skórę. To jego głowa! Ale się wierci!

— Już, już wracamy! — gadam do mojego lokatora.

W domu cisza. Taka jak rano, kiedy wyjeżdżałam do Olsztyna.

Jest pora obiadu. Wacuś śpi nad książką. Obok kubek z zimną herbatą. W kuchni nikogo nie ma. Gar z gołąbkami ciepły... Co jest?

Pukam do pokoju Gosi i wchodzę, choć nie usłyszałam zachęty. Gosia siedzi w bujaku i ma twarz odwróconą do okna. Może śpi?

— Goniu... — nachylam się, bo jest szary dzień i szaro w pokoju, nic nie widzę.

Gosia nie odwraca się nawet. Ma mokrą twarz, patrzy przed siebie, w dal za okno. Na dolnych rzęsach wielkie krople.

— Co jest? Stało się coś? — pytam cicho, bo już widzę, że niedobrze. Aż mnie brzuch boli z lęku.

— Nic... Nie mogę mówić — płacz ją dławi. — Daj obiad Orkowi, Wackowi i ty sobie weź. Teraz zostaw mnie, dobrze? Proszę. Przyjdź później.

Poszłam „trzaskać garami", jak mówi Ania. Teraz już nie przychodzi, bo nie ma gości w pensjonacie. Latem, kiedy gotuje z Gosią, tak to właśnie nazywa.

Żre mnie ciekawość i niepokój. Ktoś umarł? O matko!

Orest nic nie wie. Rzeźbi jak wściekły całymi dniami, bo ma wenę, no i dyskretny jest. Wpada na obiad szybko, a kolacje i śniadania chapie byle jak.

— Wiesz, co się mogło stać Gosi? Siedzi u siebie smutna taka — pytam go przy stole.

— Coś stało się? — odpowiada pytaniem na pytanie.

— Nie wiem. Ciebie pytam. Byłeś tu.

— Nie wiem! Ja tam u siebie cały czas... Boh chrani od nieszczęścia! — mówi, martwiąc się.

Wacusia nawet nie pytam. Siorbie sos, paćka w nim ziemniaki zapamiętale, jakby to było najważniejsze na świecie. Tylko dzieci i staruszkowie tak jedzą. Zmywam talerze powoli, dając Gosi czas na pozbieranie się. Wie, że jej tak nie zostawię. Musi się podzielić tym, co się stało, bo pęknę! Może zadzwonię do Janusza? Eeee, lepiej nie. Idę!

— Gosiu...

— Wejdź, Paula — ma zmieniony głos, mówi nosowo, bo nos jest czerwony i nabrzmiały. Chustek na podłodze — cała masa. Nie może zacząć, tylko patrzy na mnie jak zranione zwierzę. O Jezu! Co jest?!

— No, mów! — pokrzykuję.

— Janusz...

— Napił się? Przecież rano było normalnie, zjadł i pojechał...

— ...nie to...

Napinam myśli. A co? Co mógł zrobić, żeby ją tak zranić?...

— Jezu! Baba?!

Gosia kiwa głową i płacze bezgłośnie.

— Ale jak? Kiedy?

— Wracał ostatnio późno — tak? Całe dnie w pracy — tak?

— No, ma robotę... Mówił, tyle protez czy coś...

— Fakt. Nie myślałam o tym, ale wracał bardzo późno. Mało mówił... Tak to te ostatnie dwa miesiące, taki był zamyślony, zajęty.

— Skąd wiesz?

— Po prostu wiem. Wyczułam to i Elwira mi powiedziała, że baby gadają... Zapytałam wczoraj. Wykręcał się, ale wie, że nie ukryje tego. Ja wiem. W końcu przyznał, że „wpadł jak śliwka"...

— Jakaś pacjentka? Laska? Kurczę! Mówiłam, że oni to mają czujki, takie wyczują, że młoda i chętna i wio!

— To nie to. To Elwira kiedyś mówiła. Miała nosa, ale nie do końca. To nie jest była żona ani młoda laska. To... Beata.

— O kurwa! — aż mnie zatkało. — Nie! Żartujesz! Jest brzydsza od ciebie, ma nadwagę, nie maluje się. Coś ty, Gosiu, niemożliwe!

— Możliwe — Gosi znów popłynęły łzy. A kiedy odzyskała oddech, kontynuowała, patrząc w okno: — Możliwe, Paula. I dlatego to mnie przeraża. Młoda laska, siusiara jakaś to małe miki. Wróciłby. Znam go. Młoda nie zadba tak o niego, nie da uczucia ciepła i bezpieczeństwa. U niego to podstawa. On tego potrzebuje. A Beata jest ciepła i kobieca.

— Ale brzydsza! Męża ma! Dzieci... Co go wzięło?

— ...bo: „Ona taka nieszczęśliwa i mimo to taka dzielna". Rozumiesz, o co tu chodzi? On stał się nagle takim rycerzykiem pani Beaty. Rozmawiali, rozmawiali, aż się dogadali — prychnęła. — On poczuł się silny, potrzebny, ważny. To fantastyczna kompilacja, jemu bardzo odpowiadająca. Z jednej strony ona jest taka... mamusiowata, mądra, wiesz, „po przejściach"... a z drugiej strony, ta jej sytuacja, to mieszkanie samej w tym wielkim dworku, tragedia, jaka ją dotknęła, i on — rycerz wybawiciel.

Oczywiście z otchłani łez ją wybawia, bo pomóc formalnie lub materialnie nijak nie jest w stanie. Na wiosnę, jakoś tak, ma ten jej majątek przejąć syndyk. Więc do wiosny on tam... — Gosia urwała, bo głos jej się załamał.

— Może tylko tam siedzi i ją pociesza? No, głupio robi, ale nie wiesz, spał z nią czy nie. Czy... wiesz?

— Paula! Ja za stara jestem, żeby mnie zabolało to, że „przewalił jakiś towar". Czort z tym, byle w gumce i bylebym nie wiedziała! Ale to, co boli, to bliskość, troska, jaką on jej funduje. Zdrada na poziomie emocji, uczuć! Rozumiesz to? Pamiętasz, jak cię dźgnęło, kiedy zobaczyłaś Jeana Philippe'a z Margeritą? Zakochanych małżonków? Dźgnęło?

— Noooo — burknęłam, bo dopiero teraz załapałam. Tu ją boli! To, że on oddaje siebie, swoją uwagę i czułość Beacie! Swoją drogą ona podła jest, że na to idzie. Wie, że Janusz ma kobietę. — Wyliniała suka — powiedziałam na głos.

— Może trochę... Ja ją nawet rozumiem. On jest uroczy, kiedy jest taki... opiekuńczy, kiedy słucha i głaszcze po dłoni.

Gośki łzy leciały grochem na spodnie, a ja miałam ochotę pojechać do tej nieszczęśliwej gęsi i dać jej w łeb. Była tu! Widziała, że się kochają! Nie mogłam wyjść ze zdumienia. Odebrać innej kobiecie faceta? Tak po prostu?

Tak, tak, tak, Gosia mi to tłumaczyła, gdy się przypucowałam po powrocie z Francji, że mam romans z żonatym. Właśnie. Tak musiała czuć Margerite — żona Jeana Rudzielca. Biedna! Zrobiło mi się głupio. Powiedziałam o tym Gosi.

— To się właśnie nazywa empatia — powiedziała spokojniej już.

Do wieczora nie mogłam się skupić. Siadałam do krosien, ale jednocześnie nie chciałam zostawić Gosi samej i zaglądałam do Wacka. Tatko Janusza jakby czuł burzę i pilnie oglądał telewizję, zjadał wszystko, co mu podetkałam, łykał grzecznie tabletki i milczał. Uśmiechał się, szukając w moim wzroku czegoś miłego. Postawiłam mu na noc czystą kaczkę, żeby sam po nocy nie łaził, bo się zaziębi.

Ta cisza w domu była okropna.

Janusz wrócił późno. Słyszałam, jak rozmawiali w pokoju. Cicho, spokojnie. Okropnie. Wolałabym, żeby się kłócili, rzucali talerzami! Wtedy wyładowaliby swoje emocje i po sprawie, a ta spokojna rozmowa nie oznaczała nic dobrego.

Zaczął padać deszcz. Nie mogłam spać. Wielkie jednostajnie padające krople bębniły o szybę. Były ogromne jak łzy Gośki. Ale ma bal...

Przysnęłam na łóżku, w szlafroku. Obudził mnie silnik samochodu. Wyjrzałam przez okno. To samochód Janusza.

— Cholera jasna! — zaklęłam, włożyłam szlafrok i pobiegłam do ich pokoju.

Do rana byłam z Gosią. Wlazłam do jej łóżka. Leżała już, nie płacząc, obok mnie, i była jak półmartwa. Cierpiała cicho, i było mi strasznie źle, bo byłam bezsilna. Trzymałam ją za rękę i tyle...

— Jak chcesz, zawiozę cię rano do leśniczówki — powiedziałam cicho.

— ...nie. Mama się przestraszy, zdenerwuje. Pójdę po południu... Jak tam nasz bachor? — spytała, zmieniając temat.

— Zdrowy, potrzymaj tu, właśnie się wierci — mówiąc to, położyłam jej dłoń na głowie mojego mieszkańca. W duszy prosiłam go: „Bachorku, poruszaj się, cioci Gosi będzie miło".

— Wybrałaś imię? No właśnie, a Maślak coś wyśledził? W końcu to chłopię czy panna?

— Maślak coś ściemnia. Raz miał popsuty ultrasonograf, później dzieciak pokazał tylko plecki, a ostatnio byliśmy w gabinecie bez tego tam... ultrasonografu. Ten szpitalny stale w użyciu, więc dajemy spokój. Ważne, że jest w porządku. Znaczy Maślak mówi, że jest. Moim zdaniem to Filip będzie!

— Basia mówi, że panna. I co wtedy?

— Nie wiem. Podobało mi się kiedyś Filomena, ale by mnie sklęła, jakby się już nauczyła mówić.

— No. Chyba tak.

Gosia miała opuchnięte oczy. Było mi jej żal bezbrzeżnie, więc głaskałam ją po głowie i mówiłam dalej:

— A jakby tak „Basia"?

— No, ładnie. A ... — namyślała się — jakby „Bronia"? Po babci? Czy może Malwina, po twojej?

— Fajnie! Tylko, że ona będzie tutejsza, to może Bronia, bo Malwina to jakoś tak... Zresztą będzie Filip! Zobaczysz!

Potem zamilkłyśmy, a deszcz jęczał jednostajnie za lodowatym oknem. Rano obudziłam się sama w Gosi łóżku. Ona, oczywiście, była już na nogach i gadała w kuchni z Orestem.

Deszcz wciąż lał. Listopadowa szarzyzna nie dawała żadnych szans na poprawę pogody. Ranek był zimny, ciemny i okropny. Zdecydowaliśmy, że mimo ciepłych kaloryferów rozpalimy babci piec, będzie milej. Termoregulator ustawiłam na „2", niech dzisiaj piec kaflowy popracuje, a gaz przyda się zimą. Oreś przyniósł drewna i rozpalał nieudolnie. Widział, że coś jest nie tak, bo popatrywał na Gosię ukradkiem z troską i niemym pytaniem w oczach. Pokręciłam głową na znak, że nic nie da się zrobić i żeby nie pytał.

— Pójdę do siebie — Gosia skończyła zmywać i zdjęła fartuch.

— A babcia?

— Są z Tomkiem w Olsztynie. Pojadę tam po południu. Napiszę do wydawnictwa, żeby mi dali więcej roboty.

Jest zasępiona, skupiona, głęboko nieszczęśliwa. To już nie jest nasza mamcia. Wesoła, współczująca, kochana Gosia. To taka bieda, że mnie aż ściska w dołku.

Orest rzeźbił u siebie. Dyskretny jest.

Pół dnia tak łaziłam, aż zadzwoniłam do Mańki:

— Cześć, Maniuśka. Co robisz?

— Uczę się. Tato w pracy, Adam u rodziców w Kaliszu. Cisza, spokój, a u was?

— No, właśnie... Niewesoło. Janusz dziś w nocy wyjechał.

— Dokąd? Coś z jego tatą?

— Nie, Mańka. Gorzej. Zostawił Gosię i ona ryczy.

— Jezus, Paula! Mów jaśniej. Jak to „zostawił"? Poszedł precz? Do innej?

— Bingo.

— Kurwa jego mać, rybi fiut! — zaklęła Mania jak nie ona. — Kto to? Jakaś lafirynda? Pacjentka?

— Poniekąd. To... — zrobiłam dramatyczną przerwę — Beata, ta, co zbankrutowała.

— No, co ty? Paula, ta, co pisałaś? Poważnie? Ona?!

Mania też nie dowierzała, więc jej wyłuszczyłam wszystko.

— O kurczę — szepnęła. — Fiuty oni wszyscy.

— Jacy wszyscy? On fiut.

— Kuba też, pamiętasz? Maszę, tę amerykańską Indiankę, adorował rycerzyk! I co? Mama przeżywa?

— Mańka, ja sama beczę, jak na nią patrzę.

— Boże — szepnęła Marynia — musiało ją wziąć! Mam przyjechać?

— Nie. Będzie jej przed tobą niezręcznie. Daj jej czas, my się nią zajmiemy. Ty zdaj egzaminy. Znajdź jej jakieś magisterki do redagowania, coś... Ona chce się utopić w pracy. Mądrze.

— Czytałam o tym, że trzeba ból wyboleć, odpłakać, wykrzyczeć. Niech płacze. Miej ją na oku i kup kalmsy. Mnie pomagały.

— A mnie nie, ale kupię.

— Pomoże — powiedziała Mania autorytatywnie. — A jak twój lokator?

— Dobrze. Doktor Maślak stwierdził, że mam lekkie zatrucie ciążowe, ale pewności nie ma. Dlatego puchną mi ręce i stopy. Mam nie solić i już.

— To całuski, Paula, tobie i dzieciakowi i, proszę, dbaj o nią!

— O Gosię? No, jasne. Pa!

— Pa.

Chodziłam zła jak osa. W końcu, kiedy Gosia poszła do leśniczówki, ja pojechałam do Janusza. Do gabinetu. Już nie lało, nawet przejaśniło się. Kałuże wsiąkały w piasek na poboczach, ale inaczej niż latem. Wolniej, bo chłodno jest.

Zastałam go. Weszłam jako ostatnia pacjentka i zobaczyłam, jak na mój widok zbielała mu twarz.

— Paula... — zamilkł.

— Wyjaśnij mi jak trzylatkowi. Wyjaśnij, Janusz, bo nie kumam — mówiłam dobitnie, hamując gniew.

Długo milczał i bawił się lusterkiem. Jąkał się bardziej niż zwykle.

— Po co tłu...tłumaczyć, jak i tak już mnie o...osądziłaś?

— Nie, nie. Zacznij jeszcze raz. Nie rób z siebie ofiary. Jest coś, co cię usprawiedliwia? Jest?

— Chcesz słu...słuchać czy tylko wrzeszczeć na...na mnie?

— Słucham.

— Nie chciałem. Tak ja...jakoś wyszło. Ona, Beata, jest w fatalnym stanie. Już wie, że nie ma chę...chętnych na kupno tego jej majątku, jakiś dłużnik cią...ciąga ją po sadach, wali się jej to wszystko na gło...głowę i jest w tym wszystkim sama. Sama!

— Ma męża w Warszawie, biedna rybka.

— Niby ma...

— Janusz!

— Nie wiesz wszystkiego, Paula. Ja zresztą też. Ale tam nie jest ró... różowo.

— Więc ty postanowiłeś ją pocieszyć? Szlachetne!

— Kpij.

— Kpię! — wrzasnęłam. — Ty wiesz, co narobiłeś?! Jak zraniłeś Gośkę? Wiesz?!

— Paula. Mnie też jest ciężko. Pie...piekielnie. Ja je obie kocham.

Zatkało mnie. Kocha! No... w mordę! „Kocha obie!" Patrzyłam na niego długo i nagle zobaczyłam, że tak jest naprawdę. Majtał tym lustereczkiem, łapy mu drżały i siedział zgarbiony, nieszczęśliwy, patrzył tak... tak niepewnie. Był chyba przerażony tym, co powiedział, ale zaraz się upewnił, że dobrze myśli. Usłyszał własne słowa i w nie uwierzył! Wyprostował się, czekając na cios. Patrzył na mnie wyczekująco.

— Ty... palancie — sarknęłam i wyszłam, trzaskając teatralnie drzwiami.

Dogonił mnie na parkingu.

— Paula. Potrzebuję czasu. Mó...mówiłem to Gosi, ale ona nie chce, nie rozumie. Jestem jej potrzebny, znaczy — Beacie. Jest tak przerażająco sa... samotna, nieszczęśliwa, coś wy...wybuchło między nami.

— Pocieszyciel się znalazł! Naturalnie spałeś z nią? — walnęłam z grubej rury.

— Nie...nie sprowadzaj tego do pa...parteru — prosił.

— Spałeś... — nie mogłam uwierzyć. Chciałam usłyszeć w imieniu Gosi, że nie, że to tylko przyjaźń. — Janusz? Jak mogłeś? — przygwoździłam go dramatycznym szeptem.

— Już za...za daleko zaszło — plątał się. — Przy Gosi czułem się taki... no, wiesz przecież, że piłem. Taki, ciut po...podległy...

— Niedowartościowany? — kpiłam. — A Beata cię traktuje, no, właśnie, jak? Jak rycerza? Silnego bohatera, co ją od smoka uwalnia?

— Pieprzysz.

— Sam pieprzysz. Imponuje ci, bo taka silna, boją się jej w okolicy, a ty ją poznałeś jako nieszczęśliwą myszkę. Pokazała ci swoje „puszyste, różowe wnętrze". Dopuściła do konfidencji!

— Co ty wiesz? — zamilkł.

— Janusz! Ocknij się! Myśl! Czuj! Zraniłeś Gosię mocno. Za mocno. Nie zasłużyła.

— Wiem, ale nie mogę Beaty zostawić sa...samej. Nie teraz.

— Nie możesz? Czy nie chcesz?

— Sama jej żałowałaś! — krzyknął na mnie. — Sama! Ona jest sa... samiutka, załamana. Będę z nią tylko do wio...wiosny. Potem... — zawiesił głos dramatycznie.

— Co „potem", wrócisz do Gosi?! Kurwa! Ty zwariowałeś albo jesteś dureń! Nic nie kapuję!

— Nie musisz — odwrócił się i poszedł.

Stałam z rozdziawioną gębą. O matko! Mówi poważnie i wierzy w to, co mówi! Wracałam do domu.

Piknął SMS: „Zostaję u mamy — Gosia".

W domu zajęłam się kolacją. Wacek i Orko zaraz przyjdą. Właśnie — Wacuś. Jak to ma być? Znów piknął SMS: „Jutro przyjadę po tatkę — J." Jakby mnie wyczuł!

Jesienne smutki

Tęsknię za Januszem.

Nie mogę...

Nie mogę zebrać myśli, nie mogę pisać. Paula niech pisze... Niech coś zrobi...

Życiowe doły

Rzeczywiście Janusz przyjechał po ojca. Wacuchna nawet się ucieszył, że wraca do domu. Ania Wrona ma go doglądać przedpołudniami pod nieobecność Janusza.

Zostaliśmy na rozlewisku we troje: ja z moim bagażem Brzuchatkiem, Gosia ze złamanym sercem i Orest ze swoimi rzeźbami.

Wlókł się ten listopad zimny i mokry. Marynia zdała zaległy egzamin i przyjechała. Chciała zabrać Gosię do Warszawy, ale Gosia nie chciała. No, jasne! Wobec Konrada czułaby się niezręcznie. Chodziły obie w kaloszach po mokrych polach, nad rozlewiskiem i gadały. Nawet podczas mżawki. Gosia trzymała Mańkę za rękę, zatrzymywała się, gestykulowała i wycierała oczy. Widziałam, jak Marynia ją przytula i pociesza. Dobrze tu nam kobietom, że mamy siebie!

W kuchni ze mną siedziała babcia Basia.

— Paulinko, co o tym sądzisz? — spytała, patrząc na mnie znad okularów.

— Ja bym, babciu, jaja mu urwała! Matoł jeden! Paniczyk pieprzony!

— Nie wyrażaj się przy dziecku — babcia uśmiecha się lekko i zaraz dodaje poważniej: — Mój Boże! To nie takie proste...

— Tylko go nie broń! — warczę naprawdę zła.

— Nie poradzę, zawsze widziałam obie strony. Dobrze, nie zawsze, od niedawna. Paulineczko, to nie jest tak, że on jest po prostu, skurwysynem.

— No, a jak?

— Rozmawiałam z nim. Czuł się odsunięty przez Gosię. Dzwonił wczoraj i gadaliśmy z godzinę. On cierpi właśnie dlatego, że kocha je obie, ale umyślił sobie, że Beata jest słabsza, więc zdecydował się jej pomóc, dać siebie. Buchnęła straszna miłość, afekt — jak to mówiono dawniej. To różnica!

— Jaka? Jaka różnica, babciu? Zdradził i już! Kocha i zdradza?!

— Paula, wybacz, ale pamiętasz, jaka ty wróciłaś z Francji? Obchodziła cię żona Jeana, jej uczucia? Wzięłaś za dobrą monetę jego tłumaczenie, że nic już ich nie łączy, że związek otwarty... Gadanie takie. Pamiętasz?!

— Tak — przyznałam się.

— A Janusz nie oszukuje. Powiedział mi, jak jest potwornie rozerwany, jakie ma wyrzuty i jaką podjął decyzję, kiedy go Gośka wyrzuciła. Wtedy, w nocy! Mówił mi też o wyrzutach sumienia tej Beaty. Ona też go wyrzuciła!

— Ale przyjęła z powrotem!

— Ciężko im, ale kochają się bardzo. Bardzo. Ja, mimo że to moja córka, rozumiem to. Żal mi ich wszystkich i jedyne, co mogę, to kochać Małgosię najszczerszej i wspierać ją. Cóż mogę więcej? Januszowi współczuję.

— Ja nie — byłam wściekła.

Zła jak osa na Janusza tkałam na krosnach zapamiętale. Musiałam to robić zaciekle i głośno, bo wpadł do mnie Orko.

— Nie przeszkadzam? Co tak walisz? O, ładne jakie!

— Chodź...

— Paula, powiedz mi, w czym rzecz? Gosia smutna chodzi, zapłakana. Janusza i jego taty nie ma. Co to, rozwód czy co?

— Rozstali się. Pokłócili. Mogę nie wdawać się w szczegóły?

— Ja wczoraj piwo pokupał, w Pasymiu. Elwirę widział. Nu, urodziła chłopca! Wiesz? I ona mnie wszystko powiedziała. I że on, Janusz, u tej Beaty jest i, że ona pali się ze wstydu i do Pasymia nie jeździ wcale. I jeszcze, mówiła Elwira, że Janusz cierpi mocno.

— I co jeszcze? — szydziłam.

— Nic. Powiedz, Paula, ty wiesz coś.

— Nie rozumiem tego, Oreś. Nawet babcia Basia jakoś to chwyta. Mówi, że to cierpienie ich wszystkich i że Beata i Janusz są no, w afekcie.

— W czym?

— To, jak grom z jasnego nieba. Miłość szalona, wariacka, straceńcza. Ona ma rodzinę i wróci do domu... Wiosną.

— To jakże tak? On wie, że to na krótko?!

— Wie...

— Boże mój! Jaki ból!

— Czyj, do cholery? — krzyknęłam, bo i Orko jakiś zamyślony.

— Wszystkich. To taka miłość tragiczna. Bez rozwiązania... Boże mój!

No, nie! On też taki wyrozumiały! Porąbało go? Dla mnie sprawa jasna: dupek zdradził Gosię. Czemu oni wszyscy są tacy łaskawi?

W nocy zrobiłam gruntowną analizę. Nie wyciągnęłam wniosków, bo zasnęłam. Nie wiem, może nie umiem współczuć? No tak, moja historia była podobna. Też oszalałam dla rudzielca Jeana. Nawet noszę jego dziecko i kocham je! Poszaleli! A ta Beata taka rozsądna? Mądra? Stoicka? Kurczę! Dla takiego... doktorka jąkały? A on? Przecież Gosia taka ładna, fajna, tyle zrobiła, żeby go zrozumieć, a Beata nic. No, no! Żadna laska. Więc miłość? Taka miłość? O matko! Wymiękłam.

W kuchni ciągle wiszą koło pieca grzyby. Od października. Najpierw pachniały jak wściekłe, powodując ślinotok. Cudny zapach! Muszę je zanieść na strych, wyjąć pranie z pralki, zrobić zakupy, bo w lodówce echo... Teraz ja ogarniam to wszystko, bo Gośka pracuje albo jest nieobecna. Zapomniała o tych grzybach, o wszystkim.

Wczoraj znów miała obsuwę nastroju i została u Basi.

Orko przyniósł skądś, chyba ze spaceru po lesie — prośnianek, i jakichś jeszcze, ostatnich tej jesieni grzybów i stanął do smażenia. Czułam cebulę, liść laurowy i te grzyby. Czad! Tkałam czuby końskiego szczawiu grubą, rudą wełną. Stukałam krosnami, a tu nagle, jak mnie mój lokator nie wierzgnie! Wypiął się jakoś tak w poprzek, że mało nie spadłam ze stołka. Zatkało mnie. Powoli wrócił oddech.

— Jesteś już coraz większy i ciasno ci? — spytałam na głos.

Siedzę już w rozkroku, jak tłusta baba, bo mi też ciasno. Brzuszysko-

-futerał zrobił się spory i uda mam jakieś wielkie. Śpię na boku i mam poduchę między kolanami, jak na amerykańskich filmach — super! No i kręgosłup czuję i pęcherz — latam co pół godziny.

Stopy mi już tak bardzo nie puchną, ale palce u rąk mam jak parówki. Oreś stawia mi stołeczek, żebym kładła nogi wyżej, jak sugerował Maślak, i nie soli potraw, jak pitrasi. Kupił gdzieś sól potasową — ohyda!

Podaje mi talerz z grzybami. Pieprzne, smażone w całości, z liściem i zielem, w cebuli krojonej w „piórka", zaciągnięte śmietaną.

— Koniecznie w piórka — mówi.

— Dlaczego? — siedzi we mnie przekora.

— Nieznaju. Babcia tak smażyła i tak ma być!

— Aaaa, skoro babcia — mówię, bo wiem, że babcie mają swoje receptury i nie należy z nimi polemizować.

Ja z polecenia babci Basi mam brać codziennie kąpiele w ciepłej wodzie, do której wsypane jest pół kilograma igieł z sosny, jodły i świerku! Kąpać się jak rusałka w leśnym jeziorze. Dodatkowo codziennie szklankę naparu z liści brzozy, nasienia pietruszki, korzenia wilżyny ciernistej i owoców jałowca. Nie powiem, by smakowała tak jak nalewka. Wszystko to, by zeszła mi opuchlizna. Powinnam też częściej posiedzieć z nogami na poduchach. Rzeczywiście, jak pracuję przy krosnach, ręce robią mi się serdelkowate, nabrzmiałe nogi „balonikują". Po babcinej kąpieli i ziółkach jest mi lepiej. Mnie lepiej, Gosi gorzej. Jest w okropnym stanie! Milczy. Cała szara i nieobecna. Smętnie jakoś tak u nas.

Byłam w leśniczówce naradzić się z babcią Basią. Zrobiła mi kakao, usiadła i westchnęła:

— Nic nie poradzimy. Ból musi wybolеć. Łzy muszą wypłynąć co do ostatniej.

— Marynia mówi to samo i takim samym tekstem.

— W końcu — wnuczka!

Babcia rozmawia ze mną spokojnie, jej cichy, dość niski, aksamitny głos napawa mnie pewnością, że wszystko się rzeczywiście ułoży, że cierpienie Gosi ustąpi i że Janusz ruszy rozumem albo jakoś tak.

Tomasz z Bobkiem są w lesie, a na mnie Funio czeka na podwórku, koło budy Bobka. Wyjada mu chrupki z miski i widać sprawia mu to frajdę.

— Poczekaj, Paula. Mam coś dla was. Dla Gosi szczególnie.

Babcia wraca ze swojego pokoju i kładzie przede mną gruby zeszyt. Niepodpisany. Na burej okładce mnóstwo rysunków konferencyjnych, jakieś telefony i babci podpis.

— To mój pamiętnik. Nie zamierzałam go nikomu pokazywać. Gosia zna moje powody, splot okoliczności. Nie mogę jej tego gadać w kółko. Nie będę wiarygodna. Niech przeczyta. To powinno jej pomóc przez to wszystko przejść.

— A ja mogę też czytnąć cosik? — pytam.

— Czytnij. Intymna szkoła życia. Z perspektywy moich lat nie mam się już czego wstydzić. Czytajcie. Pomyłki, nietrafne wybory to rzecz ludzka. Ważne, że dużo można naprawić. Jak się chce!

— Moja pani od rysunku tak mówiła. Pa, babciu.

— Pa, dzieci! — uśmiecha się promiennie i klepie mnie po brzuchu.

Wracam zimnym lasem. On teraz rozbiera się i rozrzuca wokół swoją kolorową, poszarpaną kapotę i za niedługo zamrze w bezruchu. Mam ciepłą kurtkę i tę babci chustę. Jak się nią owijam, żadne zimno mnie nie dotyczy.

Szuram butami po wilgotnych liściach, czasem wzbijam je do góry, depczę. Są jak zużyte bilety do lata. Już po sezonie. Już po lecie.

Brulion mam w reklamówce.

— Brulion — mówię na głos, bo moje pokolenie już nie używa tego słowa. Siadam na pniu, bo zżera mnie okropnie ciekawość, jak babcia pisze o swoim życiu. Brulion otwieram tak, by osłonić go przed mżawką.

Ładne pismo. Staranne, okrągłe, pękate brzuszki, owale lekko kręcone, żadnych zawijasów, udziwnień.

Maj. Sobota. Pasym.

Już trzeci dzień jestem u mamy pod Pasymiem. Andrzej wrócił na łono rodziny, chociaż ujął to inaczej. „Basiu, muszę być tam dla chłopców". Nie rozmawiamy już nawet telefonicznie. Już po miłości.

Jestem zmęczona tym wszystkim. Wpakowałam w nasz związek wszystko i wszystko przepadło. Mama nie komentuje, ale jej spojrzenia są jednoznaczne. Gani mnie. Powinnam być żoną i matką, a nie wariatką.

Lekkim gestem pozbawiłam się męża, córki (O Boże, wybacz) i miłości, jakiej już nie zaznam... Broni zabrałam wnuczkę. Jestem pokaleczona, głupia, samotna i rozstrojona.

Pasym — dziura, rzeczywiście, nie ciągnie mnie wcale. Do Szczytna daleko, do Olsztyna jeszcze dalej. Trzeba pociągiem. A w Warszawie i Toruniu — wszędzie blisko. Przyzwyczajam się do tutejszych zapachów. Są takie inne! Dom pachnie inaczej, żywiej. Mama ma swój zapach. Myje się zwykłym mydłem „Jeleń" i kupuje glicerynę do rąk i twarzy. Używa talku do ciała. Ma taki ładnie pachnący, „Yardley", od jakiejś pani z Warszawy.

Łąki, pola okoliczne, rozlewisko — wszystko pachnie inaczej. Mój pokój też. Był długo pusty i tą pustką tak pachnie.

Kaśka popatruje na mnie z boku i przyzwyczaja się. Długo nie widziałyśmy się i teraz jest taka zażenowana mną, tym, że się zmieniłam, jestem inna niż wtedy, kiedy bawiłyśmy się w „wio, koniku" i w chowanego jeszcze w starym domu.

Po ślubie ze Stachem byłam tylko raz z Gosią. Miała wtedy roczek i postanowiłyśmy, że tu, na wsi u mamy będzie nam najlepiej. Nie było.

Okropny wysyp komarów zagryzał nas dzień po dniu. Gosia bała się

Kaśki, a ta ciągle chciała ją lulać. Ja dostałam ostrego rozstroju żołądka i skończyło się to kroplówką w Boskupcu. Pamiętam, że mama i ja jechałyśmy furmanką. Ojciec Czarka zaprzągł konia, wymościł słomą, nakrył kocem, a mama dała poduchę i drugi koc. Byłam zwiędła, czyściło mnie z dwóch końców i było mi zimno, mimo słońca i upału. Przysypiałam obolałym snem całą drogę. W szpitalu pracowała jeszcze Marina — lekarka, koleżanka mamy. Podłączyła mnie do kroplówki i głaskała po głowie. Jak dostałam na wieczór kleiku, była to najpyszniejsza zupa świata. Po trzech dniach głodówy i rzygania jej smak pamiętam do dziś!

Już nigdy nie byłyśmy tu z Gosią. Jeździłam z nią do Rabki. Druhna Anna wreszcie była zadowolona, bo „po co to dzieciaka na wieś ciągać, jak w Rabce sanatorium jest i płuca leczą i... w ogóle. Na wsi brudno i proszę, o mały włos zmarłabyś na dezynterię". Zaraz po tym zatruciu przyjechała po mnie wojskowym „gazem" i zabrała do Warszawy.

Teraz jestem tu sama u mamy, na wsi...

Maj. Niedziela. Pasym.

Byłam z mamą i Kaśką w Pasymiu. Kaśka na mszy, a my siedziałyśmy na ławce nad wodą koło ośrodka i patrzyłyśmy na letników.

Z megafonu ładnie śpiewa Krysia Konarska. Dziewczyny kręcą się nerwowo po pomoście, pozierając na chłopaków. Piją oranżadę i mrużą oczy. Mama nie jest zachwycona „golizną".

— Basiu, ty chyba nie nosisz tego bikini? Stateczna jesteś i z dobrego domu! — Mamo, a co to ma do rzeczy? Tak. Jestem stateczna...

Jestem. Teraz tak. Z Andrzejem nad Wisłą leżałam w czerwonym bikini, kupionym u prywaciarzy w pawilonach na Marszałkowskiej. Miałam też „kocie" okulary na słońce (Włoskie! Bazar Różyckiego!) i czułam się jak Monica Vitti... Andrzej też w okularach, wysoki, wysportowany, piękny jak bożek miłości, prężył się, stojąc i rozmawiając z kolegą z AWF-u. Byliśmy tam całą niedzielę. Gosia z druhną Anną pojechała na biwak, na kolejnej sprawności w Puszczy Kampinoskiej, Stach w delegacji, w Pradze. Ja tu.

Poleciały mi łzy. Mama nie zadawała pytań.

Przywykam do życia tu, pod Pasymiem. U mamy jest mi bezpiecznie. Kaśka już mnie akceptuje. Lubi, jak zaplatam jej warkocz i układam w koronę. Ma takie długie włosy! Grube i falujące, przepiękne! Zostawiam jej pejsy i wplatam drobne, białe kwiatki, w niedzielę. W tygodniu ma warkocze i „koszyk" albo jeden warkocz.

Od proboszcza dostała piękny różaniec.

Maj. Środa. Pasym.

Byłam w miejscowej szkole. Potrzebna im biolożka. Nie mam praktyki, ale miałam przecież zajęcia ze studentami, poradzę sobie. Zaczynam od września!

Zwariuję przez czas wakacji. Co robi Gosia? Pewnie myśli o obozie harcerskim, a Stach załatwi jej kolonie nad morzem. Może pojadą w góry? Stanisław umie łazić po górach i zawsze dobrze się rozumieli na szlaku.

Boże! Jak ja nie znosiłam tych gór! Tych mieszkań u gazdów, śmierdzących capem, tych odległości, wysokości. Mam lęk...

Zazwyczaj zostawałam z książką na łące... Gazda mnie podglądał, jak opalałam nogi, zadzierając spódnicę. Strasznie mnie namawiał, żebym poszła z nim „het, na hale, łobacyć kierdel". Jakbym poszła, to by mnie wywrócił na siano. Na pewniaka! Miał to w oczach.

Okropny ten Pasym. Dziura taka. Restauracja, ośrodek nad jeziorem Kalwa i Dom Kultury. Tęsknię za Toruniem. Muszę tam pojechać i polikwidować swoje sprawy. Mieszkanie, takie tam.

Za dwa dni wyjeżdżam. Zaczyna mi się przyglądać posterunkowy. Nic dziwnego. Namówiłam mamę i z zasłon, tych, które kupiłam jeszcze w Toruniu, uszyła mi szmizjerkę! Ale jaką! Materiał odpowiedni, lekko sztywny. Na wiśniowym tle, jakby mazanym grubym pędzlem, zielone i czarne esy-floresy. Jak japońskie litery. Ma halkę z tafty i tiulu, więc spód jest jak bania. Mama się śmieje, że wróciły krynoliny. Gorsecik wcięty, rękawki „siedem ósmych" i wielki kołnierz wokół dekoltu-łódki. Szał! Jak paraduję po tych kocich łbach po Pasymiu, do szkoły — posterunkowy aż przystaje swoją WFM-ką, zdejmuje kask i się kłania. Ma ładne oczy.

Nocami płaczę. Za wszystkim. Za życiem, za miłością, za głupim Andrzejem, który mnie rzucił — też.

Maj. Sobota. Pasym.

Jadę do Torunia.

Mama cieszy się, że myślę o przyjeździe tu na dłużej. Ja zastanawiam się, czy może nie spróbować powrotu do Warszawy? Może Stach pozwoliłby mi widywać się z Gosią? Przemyślę to. Druhna Anna pisała, że Stach „ułożył sobie i Gosi życie i lepiej go nie burzyć". Może ma rację? Co ja powiem mojej córce, że poszłam za facetem? Że zdradziłam jej tatę? Że go nie kochałam?

Nie! W życiu! Nie przejdzie mi to przez gardło. Umrę ze wstydu i ona zresztą nie zrozumie... Rzeczywiście, może nie burzyć jej świata? Taka jestem... gorzka, smutno mi. Co ja jej dam? Ten smutek? Tę beznadzieję?

Muszę to wszystko odpokutować. Tu, u mamy. Tak będzie dobrze. Żadnych pokus, facetów, miłości. Dom, mama, Kaśka. Koniec!

Czwartek. Toruń.

Dzwonił Andrzej. Nie mamy sobie już nic do powiedzenia. Kręcił, mówił coś bez sensu. Odłożyłam słuchawkę.

Piotr i Hania też cieszą się, że myślę o życiu u mamy. Stara jest, Kaśka wymaga opieki, obejście... Hania chyba w duchu myśli, że dobrze mi tak.

Jest taka religijna! Pryncypialna. Uprzejma, miła, ale jakaś taka daleka. Od kiedy dowiedziała się, co narobiłam, trzyma dystans. Piotr nie. Jest serdeczny i rozumie, że mi nielekko. Jest między nami nić sympatii. On jest introwertyczny, cichy taki i dobry.

Złożyłam już wymówienie. Pakuję się powoli.

Za oknem brzydko. Pada. Czytam Londona Maleńką Panią wielkiego domu. *Piękna opowieść. Drażnią tylko imiona chińskich służących. Można to w ogóle lepiej przetłumaczyć. Zadziwiające, jak London, taki twardy mężczyzna, mógł opisać kobiece, rozdarte serce? Jak bohaterka mogła kochać dwóch naraz? Trudna miłość dla wszystkich trojga. Czy jest łatwa miłość?*

Czerwiec. Poniedziałek. Toruń.

O mój Boże! Mama zmarła!

Dostałam dziś rano telegram od Karolaków. Jadę popołudniowym pociągiem. Jeszcze i to?!

Nie zdawałam sobie sprawy, ile dla mnie znaczyła. Była jak chiński mur. Coś stałego. Wiecznego. Jej poczucie przyzwoitości, moralność były jak wzorzec metra z Sévres pod Paryżem. Jej pryncypia nie zestarzały się. Za mało rozmawiałyśmy ostatnio. Bałam się dezaprobaty, której i tak nie czułam dojmująco. Mama była dyskretna i nie zrzędziła. Powiedziała mi, jak już zwąchała, o co chodzi, jak odeszłam od Stacha, Gosi, że „...i tak już taszczysz swój krzyż, dziecko". Wiedziała, że oszalałam z miłości, że postawiłam wszystko na jedną kartę i ona okazała się blotką. Że przebiła mnie dama kier z czerwonymi jak krew paznokciami.

Mamo! Wracaj! Pogadajmy na werandzie! Połóż mi na policzku dłoń, pomarszczoną z zewnątrz, od środka mięciuchną i ciepłą. To od gliceryny...

Mamo, nie zostawiaj mnie teraz z tym całym majdanem. Nie znam wsi na pamięć jak Ty. Nie znam się na tylu rzeczach, a nie pytałam, bo po co? Byłaś zawsze obok. Kaśka wariuje bez Ciebie. Ja niedowierzam. Jeszcze nie czas było. Powinnaś jeszcze mnie kołysać, uczyć, pocieszać! Mamo, poproś Boga, On Cię posłucha, liczy się z Tobą, wróć!

Czerwiec. Poniedziałek. Pasym.

Już po pogrzebie. Dobrze, że Piotr i Hanka zajęli się wszystkim, bo Kaśka zupełnie oszalała. Płacze i rozpacza. Biedna! Nie umiem jej wyjaśnić, czemu Bronia ją opuściła. Rozmawiamy o niebie i o jego mieszkańcach. O mamie Mariannie, o tym, że Bronia jest już z Michałem i że anieli Ją prowadzili do Niego. Wtedy Kaśka się uspokaja.

Boże! Jak mi ciężko!

Całą stypę zrobiła Czesia Karolakowa z Hanią. Hania zachowuje się jak Basia Niechcicowa z Nocy i dni.

— Pani Karolakowa, potrzeba trzech kaczek. Oskubie?

— A jakże, pani Haniu, oskubię. — Karolakowa spogląda na Hankę i śmieje się w duchu.

— Czy Stefan mógłby pomagać tu tymczasem w obejściu? No, bo któż, moja złota? Basia się nie zna na niczym — mówi szeptem do Czesi i kręci głową.

— Pomożem, ja i dziewczynki pomożem! — Czesia uśmiecha się jak Gioconda.

Głupia ta Hanka. Piotr łazi po polach i chlipie. Nie chce, żeby ktoś widział jego łzy. Wróci do Torunia, uspokoi się. Ja muszę tu znaleźć spokój.

Zamknęłam brulion.

„Każda z nas ma swój krzyż" — tak mawiała babcia Malwina. Zawsze sądziłam, że ten „krzyż" dostaje się pod koniec życia, a tu okazuje się, że któregoś dnia, tak po prostu, Pan Bóg cichutko nam go kładzie na plecy i już! Teraz go nieś!

Moje kumpele nie niosą chyba żadnych krzyży... No, może Marzena. Jej mama ma Alzheimera. Kiepsko jest. Na razie lekka postać — zapominanie. Całe mieszkanie mają oblepione karteczkami z nazwami wszystkiego. Mój Boże! Taka młoda! Ma dopiero 58 lat. Jak się zastanowić, to ona, Marzena, ma większy ten krzyż ode mnie.

Krzyż?! O mój Boże? Jaki znów krzyż? Grzeszę — co nie? Sorki, Panie Boże, ale najpierw tak mnie wystraszyłeś tą ciążą, że wiesz — dostałam świra. Teraz to nie żaden krzyż, tylko bachorek-amorek! Rośnie mi w brzuchu i wierzga. A z tego brzucha zrobiła mi się kopuła cerkiewna. Z pępka — takie wynicowane coś... W porządku jest, Panie Boże! A już myślałam, że chcesz mnie ciężko doświadczyć! To Marzena ma ciężko. Gosia ma ciężko, a ja? Ja luzik! Spoko jest, Panie mój!

Uradowana tym dyskursem weszłam do domu. Dałam Gosi brulion. (Dziennik? Pamiętnik?). No właśnie! I spytałam, czy mogłybyśmy razem to czytać, bo babcia pozwoliła. Od tej pory czytamy sobie wieczorami na głos. Jest super! Olewamy telewizję, palimy w piecu i siadamy. Czasem Orest siada z nami i udaje, że nie słucha, próbuje czytać biografię Gaudiego autorstwa Gijsa van Hensbergera. E tam! Słucha, na sto procent! Nie przeszkadza nam, i tak jest lepiej, że z nami. Jak nie rzeźbi, nie spędza wieczorów u Stefana, przyłazi i pyta, czy może posiedzieć. Jest ciemno i zimno, ma być sam?

Czerwiec. Czwartek. Pasym.
Poznałam miłą osobę.
Było tak:

Pojechałam rowerem do leśniczówki, do Zawojów, zamówić drewno na zimę. Karolaki potną, a i ustawią sterty.

Nikogo nie było, tylko Lidka, żona młodego Zawoi. No, to zaraz herbatka i gadu gadu, bo ona też tu samotna, na tym wygwizdowie, i z miasteczkiem nieobeznana. Bardzo miła i melancholijna dziewczyna. Trochę podobna do Reny Rolskiej, ale nie taka temperamentna. Cicha.

Wszedł Tomek. Trochę zdumiał go mój widok. Ach, to jego widziałam na siodełku posterunkowego! Zawsze patrzył, jak posterunkowy witał mnie elegancko. Kiwał głową i patrzył... Ma piękne włosy i twarz taką ogorzałą. Wyrósł z niego przystojniak! Pamiętam go jako takiego smarka! Jak przyjechałam na pogrzeb starego proboszcza, gapił się na mnie nieprzyzwoicie! No, ale ja byłam „miastowa", to się gapił nie tylko on!

Od słowa do słowa, ple ple — zaprosiła mnie Lideczka (jego żona właśnie) na smażenie dżemu z bagnówek. Tomasz przywiózł jej z bagien biebrzańskich dwa wiadra. Wielkie, jak dzikie czereśnie!

Czerwiec. Piątek. Pasym.

Byłam u Lidzi. Jaka to miła osóbka! Bardzo sprawna w kuchni. Smażyłyśmy te dżemy, paplając beztrosko, jak nigdy! Oczywiście, przyniosłam swój cukier i słoiki. Kaśka została z Karolakową.

Gosia złożyła brulion na kolanach i zamyśliła się.

— Nie przypuszczała, że ten od Zawojów zwojuje ją kiedyś! — powiedziałam na głos.

— Była zamknięta na miłość. Nie zauważyłaby wtedy nikogo, nawet adoratora z kwieciem, na białym koniu — odparła Gosia.

— Trzeba być otwartym? Po prostu trafia Amor tą strzałą i już!

— Jak się jest zamkniętym, jak się odwróciło plecami do uczuć — trudno jest się poddać. Trzeba być chętnym, chociaż podświadomie. Trzeba tego chcieć. Wtedy łatwiej... Ona była zamknięta. Nie widziała w oczach Tomasza nic. Plotkowała z Lidką nieświadoma niczego. Skazała się na brak miłości.

Tego wieczoru nie rozmawiałyśmy już. Ja oglądałam *Magnolię*, ciężki amerykański film. Gośka zmywała w kuchni i gadała cicho z Orkiem.

Właściwie słuchała go, zamyślona, potakująca machinalnie.

Rano przyjechał Piernacki, wściekły jak ranny ryś.

— Skurwysyny, no! — Usiadł w kuchni zasapany. — Dzień dobry paniom, no, mówię wam, kary boskiej na nich nie ma! Jest u mnie w gościach Niemiec, pan Günter z żoną. Pojechał w odwiedziny na dwa dni, do znajomych na Łysą Górę — tę kolonię, koło jeziora, tym swoim mercem terenówką. Mówię mu jak człowiek: „Zostaw pan w garażu u nich, bo złaszczy się jakiś". On mi w śmiech, że ma super zabezpieczenie. Zostawił przy ogrodzeniu, bo na podwórku u tych znajomych było ciasno, sam z żoną poszedł na pogawędki do przyjaciół. Ile siedzieli? Dwie godziny? Bryki ni ma!

— Ukradli? — Gosia pokiwała głową ze zrozumieniem.

— Jak swoją! I teraz szukaj, bracie po rezerwacie!

— A policja? Zawiadomiliście? — spytałam.

— Pani Paulina optymistka! — Piernaś sarknął. — I co, że zawiadomili? To Wielbark! Na sto procent! Ta mafia cholerna tyle już nakradła! I żadnego bata na nich nie ma!

— A policja co? — drążyłam.

— A policja gówno, z przeproszeniem pani Paulinki.

— Co, sponsorowana jest przez tę mafię?

— Ha ha! Ładnie to pani ujęła! Nie wiem, pani kochana, ale za żadnym razem nie odnajdują, ręce rozkładają, a i tak wiadomo, gdzie szukać!

— Gdzie?

— Toć w Wielbarku na części rozkładają, jeśli to nasze maluchy, „poldki" albo inne fiaty. Ładniejszym już we warsztatach przebijają numery i rozbrajają te tam, alarmy. A takie cacka jak ten, już pewnie TIR-em zaplombowanym na Białoruś albo do Rosji zapodaje! Psia krew!

— Ja bym pojechała do Wielbarka. Za okup oddadzą.

— Płacić za swój?! W życiu!

Patrzyłam na Piernackiego i przyznawałam mu rację, ale jak do obszczymurów z Wielbarka, to trzeba jechać, bo policja, jak mówi Piernaś, ospała.

— Dawno to się stało? — spytał Orest.

— Wczoraj po południu.

Oreś wyszedł, zadzwonił po Bartka i pojechali z Piernackim.

Wrócili bardzo późnym wieczorem, właściwie nocą. Twarze mieli wesołe.

— I co? — spytałam, witając ich w szlafroku.

— Nic. Bryczka jest! Znaczy już ją przejęła policja i jutro oddadzą! — Bartek się uśmiechał.

— Byliście w Wielbarku? Niemiec zabulił? — tym razem Gosia spytała obojętnie.

— Nie tak łatwo. Pojechaliśmy po Leona, to nasz posterunkowy, ale ma wuja mechanika w Wielbarku. Tam wujo zasięgnął języka i powiedzieli mu, że już chyba w taki TIR go spakowali. Pojechaliśmy na przejście graniczne, to najbliższe, koło... no... dobra tam, i po drodze mijamy TIR-a! No to my gazu i na granicę przed nim. Ale była jazda! Ten Niemiaszek to normalnie się spocił! Na granicy lecimy do celnika i nadajemy temat, a on, że jak papiery są, to nie może rozplombować TIR-a bez nakazu. No, to Leon, że jest z policji i że trzeba, bo taka sprawa. Tamten, że za nic, bo przepisy, i nakaz musi być! Wtedy ten Niemiec zaczął z nim gadkę po swojemu, cholera wie po co, bo widać, że nieugięty gość jest, a my poszliśmy patrzeć, czy ten TIR jedzie. Jechał! Cholera jasna, a jak go służbista nie roztworzy? — Bartek dramatycznie zawiesił głos.

— I?... — dopytywałam się.

— Roztworzył! Ale zdziwko! No i dopiero afera, policja, te rzeczy. No, to pytam tego celnika potem, jak już policja odjechała, czemu nie chciał roztworzyć, jak my mu nadali rzecz o kradzieży, a on na to po cichu, że ten tirowiec mu płaci trzysta euro za to, żeby nie roztwierał.

— No i...?

— Ten Niemiec go przebił! Dał pięćset.

— O Jezu! Ale wstyd przed światem! — powiedziałam, zbierając szklanki po kawie. Bartek wstał i pożegnał się. Przy furtce zapytał cicho:

— I co? Wrócił?

— Kto? Janusz? Nie...

— Kutafon! — powiedział Bratek i poszedł do samochodu. Zaraz za nim wyszedł Orko i zamknął bramę na noc.

Dobrze, że mamy oświetloną posesję. Jest ciemno i chłodno. Końcówka jesieni. Rozlewisko milczy i nawet trzcin nie widzę. Ściana lasu jest ogromna i czarna. Trochę gwiazd, które nic nie oświetlają. Małe, smutne, dalekie.

Frąckowiak tak śpiewała:

Na niebo spojrzyj na samotność gwiazd,
W bezdenną noc bez dnia.
Czy gwiazdy wiedzą, co to lęk,
Czy gwiazdy znają strach?
Serca gwiazd — twardy lód...

Mama śpiewała to, jak wracała napita z imprez... Dopiero teraz rozumiem, co czuła.

Orest patrzy na mnie i pyta:

— Nie zimno ci? Nie wzięłaś swetra ani chusty.

— Nie zrzędź. Nic mi nie będzie. Dobranoc!

— Dobranoc.

W domu chłodno. Janusz umiał regulować temperaturę na piecu. Gosia chodzi jak w malignie, zamyślona, zapiekła w bólu i milcząca. Ożywia się przy ludziach, udaje zainteresowanie, rozmawia. I tak wiem, że to sztuczne. Znam ją na tyle. Nawet jej głowy nie zawracam. Zadzwonię jutro do Tomasza po instrukcję, co naciskać i jak. Sama wyreguluję to coś!

Leżę pod ciepłą kołdrą. Maluch we mnie śpi. Mój sen nie przychodzi.

Jak można się tak nieodpowiedzialnie zatracić? Babcia Malwina byłaby oburzona. Babcia Basia nie pochwala, ale „rozumie". Ja nie mogę. Ja też się zakochałam jak wariatka. Wiem, ale nie miałam nikogo! Jestem młodsza, głupsza! A ona, ta Beata? Tak mi jej było żal... Jak ona mogła? Stanowczo muszę z nią pogadać.

Wczorajszy mail od Mańki:

Paula, sorry! Tyle się dzieje! Mama na Twojej głowie! Postanowiłam zmienić kierunek studiów. Nie dokładnie kierunek. Idę na ścieżkę angielską. Nie chciałam Wam mówić, ale ostatni rok latałam na uzupełniające lekcje „Business english" i zdałam egzamin. Mam na roku fajnych ludzi i chyba dlatego. Poznaliśmy się rok temu w Krakowie i ciągnęli mnie do siebie. Rektor postawił warunek — angielski na światowym poziomie. Ufff!

Adaś ma szansę nagrać płytę z kolegą. Zrobili piękne transkrypcje klasyki na fagot, wiolonczelę i skrzypce z orkiestrą kameralną. Aranżacja taka z „poszumem nowego", czyli dyskretną perkusją, i w całości — lekko i miło. Słyszałaś może transkrypcje klasyki André Rieu? Nieee. Na pewno nie. To coś jak on!

Ostatnio miałam mało czasu na koncertowanie.

Jak mama? Po co pytam? Gadałam z nią ostatnio, ale jakaś taka dziwnie lekka. Oszczędza mnie.

Dbaj o Nią. Poboli i przestanie — sama mi tak mówiła.

Janusz odzywał się? Nie wiesz? Jacy oni są... Palanteria!

Jak tam Twój brzuszek? Jedz, spaceruj po świeżym powietrzu i nie tyj tak! Na ostatnich zdjęciach okrąglejesz ponad miarę. Będzie Ci ciężko zrzucić, a Ty taka trzcinka byłaś zawsze.

Mam lekkie zapalenie gardła. Tyle u mnie. Pa, kochana. Aha! Był Janne! Dumny jak paw, że mu w tej Chorwacji tak dobrze idzie. Kazałam mu zadzwonić do Ciebie. Dzwonił? Pa!

Mańka

Rano wstałam kompletnie przerażona ciszą. Zawsze słyszałam Gosię w kuchni! Jak nie słyszałam, to byłam głęboko przeświadczona, że ona już wstała i coś robi. Tak było zawsze. Teraz cisza i chłód i jakby dom zamarł.

Leżałam, zamartwiając się — a może podcięła sobie żyły? Nałykała się prochów? Powiesiła na strychu? To idiotyczne, ale naprawdę tak myślałam. Wyskoczyłam z łóżka i weszłam na bosaka do kuchni. Ani zwierząt, ani śladu Gosi. „O Jezu! Tylko nie to! Nie umiem odcinać wisielców ani rozpoznawać, kto trup, a kto nie..." Uchyliłam drzwi do jej sypialni i zobaczyłam Funia, który spał w jej nogach na kołdrze, i Blankę ciut dalej. Bałam się podejść. Śpi?!

Zwierzęta poznają, jak kto umrze, i wyją... Nasze rozpieszczone to nie wyją. Boję się podejść, stoję i szczękam z zimna. Wzięłam z sieni chustę i poszłam do Oresia. O matko! U niego to dopiero zimnica! Golił się przed lustrem.

— No, co się stało?! — patrzył zdziwiony.

— Gosia jeszcze nie wstała i leży — powiedziałam, a właściwie wysapałam dramatycznie.

— No, śpi?

— Ona nigdy tak nie śpi! Zawsze jest od rana na nogach. Mówi, że tak ma ustawiony zegar biologiczny.

— A on zaciąć się nie miał prawa? — kpił.

Wtedy zrobiłam taką minę, że szybko wytarł resztki pianki i popchnął mnie lekko, ale zdecydowanie do wyjścia.

— ...i na dodatek goła latasz, bez skarpet, dziecko zaziębisz! — zrzędził.

Weszliśmy do kuchni. Cisza. Do pokoju Gosi powolutku... Cisza.

Zwierzaki patrzą się na nas z niedowierzaniem i politowaniem, a Gosia leży zupełnie bez ruchu...

— Niech pośpi jeszcze — szepcze mi na ucho białoruska zrzęda.

— Ale... żywa? Oddycha? A jak się prochów nałykała? — pytam też szeptem, bo strasznie boję się sama to sprawdzić.

— Po pół litra żubrówki też bym tak spał! — szepnął Orest, wypychając mnie z pokoju Gosi.

— Skąd wiesz? — pytam.

— Stoi na szafeczce nocnej — popatrz!

Nie zauważyłam! Rzeczywiście, stoi puste szkło — flacha i kielonek! No, niech mnie!

— Niedobrze — mówi Orko, pijąc kawę w kuchni.

— Czemu? Babcia Malwina mówiła zawsze, jak wracałyśmy z cmentarza: „Na smutki trzeba się napić wódki" i wypijały z mamą kieliszek koniaku albo właśnie żubrówki.

— Ale samemu?! — spytał zdumiony. — Samemu na rozpacz się pije! Temu źle! Niechby powiedziała, to my razem napiliby się! Podaj sól, twarożek niesłony. Masz dymkę?

— Mam cebulę. Skroić ci? Może nie, bo będziesz się z kimś całował?

— Całował? Chyba z moimi figurami...

— Co robimy, Oreś? Może pójdę jeszcze raz do babci?

— To idź. Jakichś ziół jej da? Zaczyni?

— Ziół? Na pęknięte serce? Co ty gadasz? Ale pójdę, tylko najpierw się ubiorę.

On tak dziwnie je tę cebulę. Posypuje solą i ciutką cukru, kładzie grube plasterki na chleb i wtranżala jak salceson. Gosia mówiła, że to cukrowa. Wielka i nieostra, ale ja nie wierzę. Cebula? Nieostra? Niemożliwe!

Do leśniczówki pojechałam samochodem. Musiałam odsunąć siedzenie, taka jestem gruba! Nie powinnam już prowadzić — mówił mi Maślak, bo mogłabym urazić się kierownicą w brzuch. Jak mi to powiedział, to aż mnie coś ścisnęło, jak to sobie wyobraziłam!

Obiecuję Orkowi, że będę ostrożna, i jadę się naradzić. Po drodze mija mnie ciągnikiem Bartek z tartaku. Po co jedzie? Dokąd? Nie wiem. Samym ciągnikiem bez przyczepy... Siedzi taki jakby śpiący, i tylko kiwa w powitalnym, niemrawym geście. Wjeżdżam w las.

Lubię późnojesienny las. Jest taki cichy. Przytulny. Wyobrażam sobie, jak w norach śpią zające i zajączki na kolorowych poduszkach, jak liski przeciągają się pod kocami, a wiewiórki śpią pod kapą z patchworka! Zwariowałam. To wszystko wina bachora! Myślę, jak mu opowiadać bajki o śpiącym lesie. Gdzieniegdzie powoli opada spóźniony liść i kładzie się miękko do snu. „Do jakiego snu, głupia? Wysechł i spadł!" No, ale tego dzieciakowi nie powiem. Nie zrozumie!

Babcia i Tomasz palili zeschłe liście. Pachnący dym snuł się tajemniczo, a oni w dresach zajęci byli grabieniem Tomaszowego podwórka.

— Paulina! — babcia ucieszyła się na mój widok. — Zostaniesz z nami? Pieczemy ziemniaki! To dziś nasz obiad, a do tego jogurt, ten „Bałkański". Jadłaś go? Jak galareta, pyszny!

— Nie, babciu. Przyszłam, bo z Gosią źle. Jak wychodziłam, spała jeszcze, myślałam, że się czegoś nałykała.

— A co się stało?

— ...nawaliła się jak szpadel...

— Upiła się? Czym?

— Żubrówką.

— No, to świetnie! Tak też niektórzy reagują. Widać w nocy ją żarło bardziej niż za dnia i napiła się. Dziś będzie ją głowa bolała. Daj jej dużo picia i aspirynę.

— Wpadniesz ją poodczyniać? — pytam babcię.

— Na kacu? W życiu! Za kilka dni się za nią zabiorę, obiecuję. Tomasz! Przynieś kilka ziemniaków więcej, bo Paula...

— Nie, babciu. Pojadę. Chcę z nią być, jak wstanie. Buziak. Pa, Tom!

Byłam rozczarowana.

Jak babcia nie pomoże, to kto? Wysłałam SMS do Mańki: „Przyjedź, bo Gosia więdnie".

Nie chce mi się żyć

Nie chce mi się nic robić. Zapadłam się w sobie.

Próbowałam się zająć pracą, ale ciężko mi idzie.

Dzwoniła Marysia, że przyjedzie, ale ją zastopowałam. Nie. Nie chcę. Najlepiej mi samej.

Rano, kiedy otwieram oczy, patrzę na poduszkę obok, leży pusta już bez śladów Janusza. No i zaczyna się. Samoistnie ciekną mi łzy, nie mam ochoty wstać, rozrywa mnie ból i żal.

Czasem tak leżę i leżę, aż nie wzbudzę podejrzeń Pauliny, która ubzdurała sobie, że mogę się otruć prochami, więc gdy zagląda do mnie, mówię;

— ...żyję... Choć niechętnie!

Paula uśmiecha się i wraca do kuchni, ja się zwlekam. Śniadanie robi Paula i Orko. I tak nie chce mi się jeść. Tylko kawa mi wchodzi.

— Powinnaś się wściec, nakurwić mu ostro, wtedy byś się otrząsnęła — rzuciła Paula.

— Powinnam... — mruczę.

Nie chce mi się z nikim rozmawiać, jeść, robić myśleć.

Chcę, żeby było jak dawniej.

Czemu on sobie poszedł?!

Czemu ja byłam taka zaślepiona, nie widziałam, że cierpi, że się tu źle czuje? Nie umiałam pomóc mu w zaaklimatyzowaniu się i odpychałam każdy gest, strosząc piórka przed letnikami. Popisując się, jaka to jestem miła i fajna. Po co? On czuł się odrzucony. A ona, Beata, to wykorzystała.

To tylko pensjonariusze, letnicy, a Janusz... Mój najbliższy mi mężczyzna zszedł na daleki plan. Może niefajnie postąpiłam, że aż poczuł się zbędny, bo Lisowska, jego eks-żona wpędziła go w przeświadczenie, że jest nikim, że... Powinnam być mądrzejsza.

Zaraz, a on?

A Beata...?

Jak ona mogła?! Szlag by ją trafił!

Znów beczę, znów nie myślę racjonalnie. Nie chcę niczego już, tylko tak leżeć i zdychać. Nie być, nie istnieć. Nie czuć.

Nie słucham Pauli, Oresta, chociaż on się nie wtrąca zanadto, tylko popatruje na mnie. Nie chcę rad mamy.

Nie odbieram telefonów (chyba że to Marysia).

Nie włączam komputera.

Nie chce mi się żyć...

Zeznania Beaty. Brzmi prawdopodobnie, ale wcale mi jej nie żal

Nie umiem trafić do Gosi. Jest niekontaktowa, depresyjna. Zdechła.

Zeźliłam się, zebrałam się na odwagę i... pojechałam prosto do Beaty. Janusza u niej nie ma, ma dziś rano gabinet. Pogadamy.

Kiedy zajechałam pod ten jej dworek, pałacyk, cholera wie co, zobaczyłam ją przy samochodzie. Robiła porządki.

— Cześć, Paula.

Po tym, jak to powiedziała, już wiedziałam, że ona wie, po co przyszłam.

— Wejdziesz na górę? — zaprosiła mnie bez uśmiechu.

— Nie, dziękuję. Ja na krótko. Powiedz mi, co jest grane?!

Nastała cisza. Beata zrobiła się czerwona i zagryzła wargi.

Po chwili spojrzała na mnie i powiedziała:

— Nie wiem... Straciłam kontrolę. To się tak potoczyło. Usiądź, jak już masz mnie osądzać.

— Dziękuję, postoję. Nie bardzo mam prawo. Sama nie jestem bez winy.

— Jak mam to rozumieć? — zmrużyła oczy, bo jest dziś słonecznie i nawet ciepło.

Usiadłam na ławce stojącej opodal.

— Moje dziecko — zaczęłam — pochodzi z Francji. Tam miałam romans gorący i taki... ostry, z jednym Francuzem. Był żonaty, ale gadał mi coś, wiesz, że „żona go nie rozumie", takie tam...

— Janusz nic złego o Gosi nie mówił.

— I — udałam, że jej nie słyszę — Gosia dała mi w łeb za to, bo uważa, że kobieta, która włazi w związek z żonatym i zabiera tej żonie męża, jest wyliniałą suką.

— Przecież Janusz i Gosia nie mają ślubu...

Beata podeszła i też usiadła zrezygnowana.

— Jesteś głupia czy udajesz? — spytałam ostro.

— Tak. Masz rację. Ja nie chciałam. Janusz też nie. Posłuchaj, proszę. Początkowo tylko tak zamieniliśmy kilka słów. Robił mi koronkę. Grzebał w pysku. To mało romantyczne. Później wpadł kilka razy. Obejrzeć piec, jakieś kafelki miałam na zbyciu, kawa, pogaduszki...

— Nie wiem, czy chcę tego słuchać.

Beata zamilkła. Siedziałyśmy takie obce sobie, bez cienia sympatii. Objęłam mój brzuch i westchnęłam:

— Dobrze. Mów dalej.

— Było coraz fajniej. On zaczął mówić o sobie, odkrywać się. Wiesz, że nie lubi mówić. Jest skryty. Introwertyczny. I nagle otworzył się. Mówił jak na spowiedzi. O byłej żonie, o piciu, o Gosi, o Olgierdzie. Przestałam myśleć o sobie. Jakoś mnie wciągnął do swojego świata. Zaczęłam się śmiać, weselej mi było. Wtedy pojawiły się pierwsze wyrzuty. Janusz mówił, że nawet nikt nie zauważa, że go nie ma, bo są goście w pensjonacie i wasza rodzina wpada, i nie czuje się tam taki...wklejony. Taki... nie wasz. Nie lubi spędów. Czuje się zawsze obco.

— Tak ci powiedział? — zakpiłam. — Szkoda, że nie widziałaś, jak gra z chłopakami w piłę na polu, jakie dowcipy sadzi przy stole, jak się przekomarza ze mną, Mańką. Nikt go nie alienował!

— Twierdzi, że tak kameralnie u mnie jest mu lepiej i że ja go tak dobrze rozumiem. Słucham, nie przerywam. Nie zbywam. Że Gosia go goniła, jakby była już nim znudzona, a uśmiecha się do letników i dla nich zawsze ma czas.

— Wierzyłaś mu?

— Chciałam.

— No, właśnie. Omotał cię, bo ty sama tego chciałaś.

— Chyba tak. Zdychałam na samotność. Osiemdziesiąt hektarów, pusty dom i świadomość, że to idzie w cudze ręce, że tego już nie da się uratować i ja muszę tu tego pilnować.

— I akurat Janusz rozgonił ci chmury?

— Tak, on. Potem zaczęłam się załamywać. Poznałam was, ciebie, Gosię. Zrobiło mi się potwornie głupio. Pogoniłam go. Beczałam, miałam depresję. On siedział pod domem w samochodzie i nie chciał do was wracać. Nakrzyczałam na niego, pojechał. Po dwóch dniach znów przyjechał i...

— Daruj sobie ckliwe klimaty. Poszłaś z nim do łóżka?

— Tak nie miało być! Dostałam wtedy telefon z Warszawy, wpadłam w histerię, on był akurat... i... stało się. Teraz mi wszystko jedno. Mogę być wyliniałą suką. I tak wyjeżdżam na święta i już nie wrócę. Nie mów mu. On sądzi, że mamy czas do wiosny.

— Na co czas?

— Na... miłość. To taka dzika namiętność... Mówiłaś, że przeżyłaś coś takiego.

— Nie bierz mnie pod włos. Gosia jest w depresji. Pęknięta na pół. Jak mogliście! Nie potrafię, Beata, dać ci rozgrzeszenia. Mimo że jesteś starsza, niby mądrzejsza.

— Na to nie ma mądrych.

— Widzę. Cześć. Życzę ci zapomnienia.

Wracałam inna. Już rozumiałam, o czym mówiła babcia. Widziałam w relacji Beaty swoją namiętność i determinację. Nieliczenie się z nikim. Burzę miłosną. Potem choćby śmierć! Wariaci! A Gosi żal.

Gosia siedziała w kuchni i piła zieloną herbatę. Orest wałkował ciasto dłonią na gruby wałek i kroił kopytka. Milczeli oboje. Ona obolała, na kacu, on też zawsze milczy, nie pytany. Przyniosłam brulion babci i po prostu zaczęłam gdzieś w środku:

Toruń. Upał dziki. Lipiec.

Już się żegnam z miastem. Odtąd będę wieśniaczką. Dobrze mi tak! Wyrodna matka, egoistka, egzaltowana gęś. Postawiłam na miłość, jakby było warto! Szlag! Diabeł mnie podkusił!

Staram się o realną ocenę sytuacji i... nie da się. Kochałam bardzo i pięknie. To była taka nagła namiętność, burza! Wszystko przestało się liczyć. Nawet Stasia, mojego pierwszego Stasinka tak nie kochałam, jak Andrzeja. Andrzej był wspaniały pod każdym względem. Kłamstwo. Był cudowny w łóżku. Okazał się słaby. Słaby? Z mojego punktu widzenia — tak. Zostawił mnie, mimo że według jego deklaracji nigdy nikogo tak nie kochał. I teraz to widzę, nie odszedł do tej swojej Heksy, tylko do chłopców!

Jak mogłam tego nie widzieć? To on jest silny jak tur. To on wyrywa z serca naszą miłość i wypełnia je chłopcami, którzy teraz, gdy doroślëją, potrzebują go najbardziej na świecie. Mój Boże! A ja tak łatwo zostawiłam Gosię! Anna opowiadała mi, jak ona spokojnie to przyjęła, jak Stach otoczył ją opieką. Później ponoć miał flamę. Anna była zła, ale mówiła, że Gosia nad podziw dobrze to przyjęła, więc po co według Anny miałam się znów wkręcać w ich życie? Stach mi nigdy nie wybaczy. Teraz zamieszkanie w Warszawie jest niemożliwe, bo kto zajmie się Kaśką? Nie dane mi być matką. Gosia ma tatę, Kaśka — nikogo. Muszę z nią być.

— O Boże! Ale wyboru musiała dokonać! — powiedziałam na głos.

— Nie dokonała. Życie zdecydowało. Gdyby żyła Bronia, mama pewnie wróciłaby do Warszawy i odnalazłaby mnie. Z dwojga złego lepiej się stało, że Kaśka miała Basię. Ja już byłam duża i poradziłam sobie z jej nieobecnością.

— No, a teraz prześladuje cię syndrom opuszczenia — snułam naszą kuchenną psychologię. — Jesteś słaba i nie umiesz przyjąć kolejnego odejścia bliskiej osoby. Powinnaś, jak mi wtedy po powrocie z Francji doradzałaś, dać Januszowi kopa w dupę i wkurzyć się, zezłościć, a nie mazać się i upijać.

— Oj, Paula! Zrzędzisz jak mamuśka, a wczoraj akurat miałam doła i nie mogłam spać. To się napiłam!

— Przestańcie — powiedział spokojnie Orko. — Z jakim sosem kopytka? Pieczarkowym czy może cebulowy, palony zrobić?

— Daj spokój! Jaki chcesz. My tu robimy psychodramę — ofuknęłam go, żeby rozładować atmosferę. Nie wyszło. Gośka poszła po chustki. Znów ją ruszyło. Prawie nic nie zjadła. Chciałam iść za nią, ale Oreś powiedział zdecydowanie:

— Siądź i zjedz! Co da takie łażenie? Daj jej spokój!

— A ty co?

— Nic. Trzeba to jakoś ogarnąć, jak to wy mówicie, i już. Zjedz, ja pozmywam, potem róbcie, co chcecie. Jakiś porządek musi być. W domu, jak się spóźniałem na jedzenie, to babka ścierką mi przez plecy jechała!

Oreś ma rację. Rozlazło się wszystko po odejściu Janusza. Gosia się maże, ja fruwam niespokojnie, a dom zarósł, pory posiłków się rozmyły i wszystko jakoś się pogubiło. Szkoda, że Wrony nie ma. Już słyszę, jak ofukuje nas wszystkie: „Jest się czego mazać! Za chłopem? Za chłopem?!".

— Orysiu — biorę go pod włos — pomożesz mi? Posprzątamy wszystko, i będzie jak dawniej.

— Orysiu? Ładnie. Nikt tak nie mówił do mnie. Ale jak dawniej, to nic nie będzie, dopóki Gosia się nie zaśmieje, tyle że posprzątać trzeba, a ty z brzuchem, co chcesz robić? Siedź i dyryguj!

Wzięłam się za brud. Nalałam do michy wody i nie nachylając się, wycierałam wszystko po kolei. Orest chwycił za odkurzacz, potem ruszył w tango z mopem. Ja pochowałam naczynia z suszarki i okolic. Ruszyliśmy do kolejnych pomieszczeń. Gośka wyskoczyła do nas zdziwiona i czujna:

— Co to? Co wy?

— Nic — powiedziałam. — Życie toczy się dalej.

Spojrzała na mnie przeciągle, potem na podłogę mokrą po czyszczeniu mopem i poszła do łazienki. Po chwili usłyszeliśmy włączoną pralkę.

— Na życie jej idzie — powiedział Orest i wytarł mi kapcie mopem.

— Orek! Co robisz?!

— Orek, też ładnie! — śmieje się.

Grudniowe chłody i jak babcia gada z diabłem

Czwartego grudnia na Barbary nie byłam w stanie namówić Gośki do czegokolwiek. Kukła. Nic jej nie interesuje. Łazi po domu, a raczej siedzi w podomce, włosy niedbale związane frotką, zero makijażu, nic... Wrzasnęłam na nią, to się ruszyła, umyła głowę, wysuszyła i dała się zaciągnąć do leśniczówki.

Jak zobaczyła na imieninach babci innych gości, wymiksowała się, nawet nie wiem, kiedy wróciła.

— Zostaw ją — babcia powiedział to ze smutkiem. — Nie poradzisz nic. Jutro pojadę z nią do psychiatry po jakieś antydepresanty.

— Leki? Przecież ma chorą duszę!

— Coś trzeba, żeby się nie zapadła w sobie.

I rzeczywiście, babcia przyjechała nazajutrz i zabrała Gośkę do koleżanki lekarki, do Szczytna.

Wróciły z opakowaniem prozacu.

— Pastylki na deprechę?

— Właśnie tak! — Babcia popatrzyła na mnie uważnie. — Najważniejsze w depresji — nie zanurkować za głęboko. Prozac dla depresantów to taki kapok.

— A przyczyny?

— No, z przyczynami sobie poradzimy, muszę z nią więcej rozmawiać. Bo do psychologa nie chce. Chyba że do Danki! Poczekaj, zadzwonię do niej.

Babcia poszła dzwonić, a ja zajrzałam do pokoju Gosi. Znów leżała zwinięta na łóżku i gapiła się w okno.

— Chcesz coś? — spytałam, dotykając jej włosów. Tak mi jej szkoda.

— ...żeby tu był — szepnęła.

Nawet nie polemizowałam.

To jej uczucia, jej ból i żal. Ona go ciągle kocha!

Śnieg zaczął prószyć dziesiątego. Taka kaszka osadzająca się wszędzie, bo przymrozki są już gdzieś od tygodnia.

Przypomniała mi się pani Kaczorowska. Była przedszkolanką, a później zaczęła uczyć w naszej szkole. Gdy przychodził pierwszy śnieg, przerywała lekcję i kazała nam wstać i śpiewaliśmy różne piosenki o zimie. Najbardziej pamiętam tę:

Pada śnieg, biały śnieg
Zima, zima, zima
Idzie Mróz, Dziadek Mróz
Wielką torbę trzyma!

Zawsze śpiewaliśmy ją jako pierwszą. I jeszcze była taka o śnieżynkach, co tańczą, i o zającu na śniegu. Później mieliśmy już inny nastrój. Nasza pani znała mnóstwo piosenek na różne okazje. Na Gwiazdkę też nauczyła nas piosenki:

Stała pod śniegiem panna zielona
Nikt prócz zająca nie kochał jej
Aż przyszły Święta i przyszła do nas
Zielony gościu, witamy Cię

Choinko, piękna jak las
Choinko, zostań wśród nas!

W drodze powrotnej do domów darłyśmy się wniebogłosy pieśniczkami świątecznymi, a chłopcy walili w nas śnieżnymi kulami. Wracałyśmy mokre, uśnieżone i zdyszane. Od progu wołałam: „Babciu! Jeeeść!".

Babcia Malwina nie była specjalnie religijna. Ale był to czas adwentu, więc dostawałam talerz barszczu z ziemniakami i racuchy albo ziemniaki i śledzia w śmietanie, naleśniki... Babcia kazała mi się rozebrać z mokrych ciuchów, wkładałam jej szlafrok, wielki i puchaty, skarpety i siadałam w kuchni nad talerzem. Czułam już atmosferę świąt całą sobą. Moja mama miała to w nosie i często pojawiała się tuż przed Gwiazdką z papierosem w palcach i z idiotycznym pytaniem: „Pomóc coś?".

Babcia i ja miałyśmy już wszystko porobione i wysprzątane. Nawrocka, żona dozorcy, myła okna w listopadzie, a ja i babcia trzepałyśmy dywan i dywaniki już wcześniej. Przedświąteczny czas przeznaczałyśmy już tylko na udekorowanie domu, choinki i przygotowanie potraw świątecznych. Naturalnie bigos, który gotował się i stygł, i znów gotował, aż robił się ciemny, o głębokim smaku.

Mama zupełnie nie umiała się skupić na pitraszeniu i tylko zrzędziła: „A po co to? A na co? Komu to potrzebne". Paląc, obierała śledzie i potem na święta bywały śledzie z popiołem z carmenów.

Zasiadałyśmy we trzy. To było takie smutne! Aż kiedyś, jak Nawrocki spadł z dachu i zabił się, zaczęła z nami spędzać Wigilię stara Nawrocka i było fajniej. Jednak takiej Wigilii jak tu, nad rozlewiskiem, nie widziałam nigdy, chyba że na filmach.

Teraz mam „motyle w brzuchu", oczywiście, latające wokół bachora. Kręci mnie na samą myśl o zbliżających się świętach, bo babcia Basia powiedziała, że przyjdzie i wszystko ogarnie, bo Gośka się maże i trzeba ją pogonić do roboty.

Już jest biało.

Babcia przychodzi codziennie i zabiera Gośkę na spacer.

I nawet ostatnio Gocha roześmiała się, wkładając buty, i rzuciła do mnie:

— Idę na psychoterapię!

Babcia puściła do mnie oko. Łażą i gadają. Czasem przysiadają na ławce koło naszego basenu. „Żują szmaty" — jak mówi Tomasz. Gośka wraca jakaś żywsza, czasem nawet coś ogląda, siada do komputera.

Rozlewisko zamiera, cichnie jesienią, a teraz jest jakby zatrzymane w czasie. Pokrywa je zimowa patyna. Patrzymy z okna — ja i bachorek. Używa mnie jak peryskopu. Słońce pomarańczowieje nad lasem, chociaż jest jeszcze wcześnie. Dopiero połowa dnia! Cienie drzew koło kąpieliska są długie, ślizgają się po bieli. I ta cisza... Obok starego sadziku stoi od niedawna cysterna na gaz. Gosia miała zasłonić ją jakimś płotkiem, ale wyszło jej to z głowy. Pan, który przyjechał z dostawą gazu, marudził, że jak będzie rozmokła droga, nie przyjedzie. Boi się.

— Trudno — powiedziała Gosia. — Dopalimy sobie piecem.

Tomasz pokazał mi, jak regulować temperaturę na piecu. Ciepło jest w domu, chociaż smutno. Pytałam Oresta, czy jedzie do domu na święta. Nie wie jeszcze. Korci go, żeby zostać.

— Dużą rodzinę mam po stronie ojca, ale jakaś taka... Nu, nie dogadujemy się. Może tu? Stefan prosił, Gosia zaprasza...

Ja na pewno spędzę Wigilię tutaj! Może znów będzie nas dużo? Nie mam prezentów! O matko! Jutro jadę do Olsztyna, zaliczę Maślaka, zrobię zakupy, a ponieważ nie powinnam prowadzić, Gosia pojedzie ze mną. Postanowione. Wywlokę ją, choćby siłą!

Po południu pojechałyśmy do Olsztyna.

— Cześć, dzieciaku! — tak wita mnie stare Maślaczysko.

— Dzień dobry, doktorze! Ultrasonograf działa? — pytam, bo może wreszcie upewnię się, że to Filip.

— No, ale jest na oddziale, bo się ich spsuł! Rano dali mi go do przychodni, ale teraz znów jest na porodówce. Mają tam trudny przypadek. Połóż się i pokaż ten swój bębenek.

Doktor nachyla się i słucha. Potem głaszcze, naciskając lekko, i mówi:

— Ale spryciarz! Ustawił się głową w dół. Daj dłoń, o tutaj, ściśnij lekko. Czujesz? — Położył mi rękę na samym dole brzucha i pomógł namacać.

— O Jezuuuuu! — zawołałam wzruszona. — Czuję! Czuję! Pan zawoła Gosię, siedzi w korytarzu, proszę!

— Gosiu, zobacz tu! O, tu! Chwyć tutaj, to główka! Główka mojego dziecka! Jezu, czujesz?

Pod palcami wyczułam wyraźną krągłość... Gosia też. Beczałyśmy obie ze wzruszenia.

— Ajajajaj! — kpił Maślak. — Roztkliwiły się! Głupi bachor się wykręcił, a one w bek! Zwariuję! Może się jeszcze przekręcić. Uprzedzam!

Później wyjaśnił mi, że w ten sposób dzieciak szykuje się do drogi. Za wcześnie... Miało być na sylwestra, na bal, a tu może być niespodzianka.

— Uważaj, dziecko — prosi Maślak — jak tylko poczujesz skurcze, bóle — wio do nas albo gdzie bliżej. Umawialiśmy się tu, ale wiesz, że może być różnie. Dzwoń, jakby co, dzieciaku... Tak. No, do zobaczenia. Daj pyska staremu doktorowi, jakbyśmy się do świąt nie widzieli!

Podał nam szorstką dłoń, wycałowałam go i pożegnałyśmy się.

Pewnego dnia zginął brulion babci. Nigdzie go nie było. Przeoraliśmy caluteńki dom, nie ma i już! W końcu wpadliśmy na pomysł, że może babcia go zabrała, bo się rozmyśliła.

Zebrałam się w końcu na odwagę i spytałam ją o to.

— Nie. Nie wzięłam. A co? Diabeł ogonem nakrył?

— Nakrył. Nie ma brulionu nigdzie, przepadł, nigdziesieńko!

Babcia zamyśliła się, wzruszyła ramionami. Wreszcie powiedziała:

— Daj mi pasek do szlafroka albo apaszkę. Tak, apaszkę.

Kiedy jej przyniosłam moją ulubioną indyjską, podeszła do drzwi kuchennych i zawiązała ją na klamce na supeł. Później cofnęła się dwa kroki i patrząc srogo na ten supeł, krzyknęła głośno:

— Oddaj mi zeszyt! Oddaj! — i tupnęła nogą. Potem odwróciła się do nas i spokojnie powiedziała: — Najdalej jutro się znajdzie, ale węzeł musi wisieć!

— A gdzie się znajdzie? — spytałam zdumiona.

— Sam wejdzie w łapy. Odda! Zobaczysz!

Następnego dnia rano wstałam dość wcześnie i pierwsze kroki skierowałam do kuchni. Weszłam do kuchni i rozejrzałam się ciekawie. Na stole pusto, na kredensie pusto... Jest! Leży na parapecie, pod cukiernicą! Jakby tam leżał zawsze. Oddał! Naprawdę oddał. Wysłałam babci SMS, że oddało diablisko jej brulion.

Otworzyłam warszawskie zapiski, te, nim babcia Basia osiadła nad rozlewiskiem.

Sierpień.

Wróciłam do domu jeszcze przed Gosią. Jest na zbiórce harcerskiej. Stanisław z reguły późno wraca, a dzisiaj jest w Działdowie na kontroli.

Jestem rozedrgana i szczęśliwa! W ramionach Andrzeja spędziłam cudne chwile! Skończyliśmy lekcje o pierwszej. Jego chłopcy są dziś na angielskim, a potem u dziadka. Pojechaliśmy do niego.

Każde Jego dotknięcie, każdy pocałunek oddaję Mu w dwójnasób! Jak tylko zamknęliśmy za sobą drzwi na zasuwę, gdy tylko mnie dotknął, już byłam rozpalona, spragniona. Tapczan — nasza wyspa szczęścia. Dobrze mi na chropowatej kapie, dobrze, gdy mnie dotyka, pieści najczulej!

Mój Andrzej! Cała pachnę Nim i naszą miłością. Teraz, gdy zdejmuję bluzkę, czuję z zagłębienia między szyją a obojczykiem. Jego zapach! A moja bielizna ma zapach grzechu... Boże! Jeśli patrzysz na moje szczęście — rozgrzesz mnie — błagam! Ukarz mnie, jeśli trzeba, ale patrz, ile piękna jest w naszym uczuciu, ile bólu w naszych życiowych pomyłkach!

Nie powinnam tak spieszyć się z zamążpójściem, gnać do ślubu, tylko po to, by zagłuszyć żal po odejściu mojego Dawida! Andrzej też ożenił się niepotrzebnie...

Teraz cierpimy wszyscy. Boże! Jesteś taki wspaniałomyślny! Pomóż! Spraw, żeby się wszystko poukładało. Te ekspiacje mnie zabiją!

Zamknęłam zeszyt i zamarłam. Nie. Nie mogę pokazać tego Gosi. Chyba nie chciałabym czytać takich rzeczy o swojej mamie... A może moja też tak oszalała z miłości? Może Serge jest jej szaleństwem i ona świata poza nim nie widzi? Mimo wszystko jest z nią, wychowuje ich wspólne dziecko. Pierwszy raz pomyślałam o swojej mamie normalnie, jak o kobiecie. Nie miała męża. Miłości też jakiejś wielkiej nie przeżyła, aż do francuskiego kochanka. Tego, co ją wywiózł do Paryża i porzucił. Potem zakochała się w tym świrze Serge'u. Może... może i on ją kocha po swojemu, skoro są razem?

Gosia weszła do kuchni. Ja siedziałam w dresie i piłam kakao, fastrygując wstawki do powłoczki.

— Cześć wam — mówi do mnie i mojego brzuchatka i uśmiecha się, widząc, że brulion leży obok kubeczka. — Oddał? Wiedziałam!

— Ale czad! Co? Przecież szukałyśmy wszędzie! Poczytaj tu — mówię i podsuwam Gosi brulion.

Wrzesień. Pasym.

Czwartek. U mamy.

Byłam cały dzień u Lidki w leśniczówce. Pojechałam rowerem Kaśki i dostało mi się, bo miałam jechać z mamą do Pasymia po zakupy.

Zagadałyśmy się z Lidzią. Robiłyśmy dżem ze spadów jabłkowych i łączyłyśmy go z malinami. Nazbierała wczoraj, to ostatki. Krzaki, mówi, wyskubała do cna. To jej tajne miejsce. Malinowy chruśniak. Lidka nie zna Leśmiana i nie wie, co to za wiersz, a Tomek Zawojów, jej mąż, pił kawę i uśmiechnął się, jak to powiedziałam. Jak tak spojrzał na mnie znad szklanki, poczerwieniałam, jakbyśmy byli w jakieś konfidencji, a przecież cytowałam tylko ten wiersz...

Wieczorem.

Siedzę na werandzie i czytam tego Leśmiana. O matko! Jak on czuł miłość fizyczną! Jak mi brak Andrzejowych dłoni, ust! Chropawej kapy... Już nigdy?! Nigdy?!

Nie mogę pisać. Boli.

Poniedziałek.

Kaśka spadła z drzewa. Niby nic się jej nie stało, ale napędziła nam stracha. Wlazła na tę starą jabłonkę, co jest na wpół uschnięta, i zbierała resztki. Wyciągnęła się po kosz i trrrrach! Gałąź pękła, a Kaśka jak wór ziemniaków na dół. Odbiła się o dolny konar, to ją wyhamowało. Leży potłuczona i obolała. Był lekarz. Nie stwierdził złamań ani urazów wewnętrznych. Ale dziewczyna ma fart!

Na poczcie spotkałam Tomasza Zawoję. Proponował, że mnie podwiezie, ale byłam na rowerze. Kiedy ze mną rozmawia, nachyla się lekko i mówi takim miłym, niskim głosem. Schyla się, bo jestem pokurcz. On ma ze dwa metry! Mówi starannym językiem, nie klnie... Jest dobrze wychowany i przystojny. Z tego, co wiem, nasi rodzice się przyjaźnili. Pewnie lodołamacz niewieścich serc, chociaż plotek o nim nie słyszałam. Może taki wierny Lidce? Może są tacy? Bardziej urzeka mnie ten jego kolega — naczelnik naszego posterunku. Ten, co jeździ WFM-ką i zawsze się zatrzymuje, żeby się przywitać. Jest, co prawda, piegowaty, ale mnie akurat bardzo się podoba! Nieśmiały taki. Szarooki. Muszę spytać Tomasza, jak ma na imię. Podobno Arnold, ale czy na pewno?

Październik.

Pada już tydzień. Leje. Drogi rozmokły i do miasta trzeba chodzić piechotą. W radiu Szczepanik śpiewa te swoje Kormorany *i wtedy tak mi się na duszy robi jakoś... Wolałam* Augustowskie noce *Koterbskiej. Jakieś takie weselsze. Przy* Kormoranach *ciężko mi się robi na sercu i tęsknię za Andrzejem.*

Chłopaki z tartaku zajeżdżają, jak jadą do Pasymia traktorem. Tu mówi się „ciągnikiem". Co za różnica?
Zawoja też zajeżdża, gdy jedzie do leśnictwa, i pyta, czy podwieźć. Jak jest bez Lidki, to mi głupio i odmawiam. W końcu — żonaty!

— Patrz, Gosiu. Jak chodzili koło siebie. Czekaj... omiń to, bo to już czytałam. Nic szczególnego, jesień i takie tam... O, teraz! Tu...
Gosia czyta:

Luty. Środa.
Lidka milkliwa i jakby smutna. Zamyka się w sobie. Mówiła mi, że nie mogą mieć dzieci. Może to jest główny powód? Ona jest stworzona do rodzenia. Szerokobiodrzasta, piersiasta — jak Jagienka. Byłaby świetną matką!
Rzadko u niej teraz bywam. Jest miła, ale smętna i zamyślona. Nie będę się wpraszać!
Bierzemy się z Kaśką za grzyby...

Opuszcza trochę. Pokazuję jej, gdzie ma czytać dalej.

Marzec. U mamy. Piątek.
Spotkałam Tomasza. Kazałam pozdrowić Lidkę i wtedy on mi powiedział, że Lidki już nie ma. „Jak to nie ma?", spytałam, a on na to, że odeszła do innego. Byłam w szoku. Mówił, że poznała korespondencyjnie kogoś i odeszła, i że nie byli, on — Tomasz, i Lidka ze sobą szczęśliwi. Mówił to bez emocji, a ja... aż głupio o tym pisać, ucieszyłam się. Patrzył mi w oczy i uśmiechał się, a potem pożegnał się szybko i odjechał.

❋ TOMASZ ZAWOJA ❋

Imię i nazwisko Tomasza było pięknie wykaligrafowane i ozdobione kwiatkami.
— Widzisz? Już się zakochała czy jeszcze nie? — spytałam Gosi.
— Już! Tylko jeszcze o tym nie wie! A komendant posterunku? Hmmm, ciekawe! Dobrze. Co robimy na obiad?
Nie zdążyłyśmy się zastanowić, bo zadzwoniła Mańka. Rozmawiała najpierw z Gosią, a potem ze mną. Jej przyjaciele ze studiów pytają, czy mogą u nas spędzić sylwestra, i kilka dni po.
— Szczegóły w mailu, Paula... uważajcie na siebie — zakończyła idiotycznie.
Idiotycznie, bo co to znaczy „uważajcie"? Ona na mnie, ja na nią? Oczywiście, że staramy się nie świrować, chociaż akurat Gosia nie ma nastroju do świrowania, a ja jestem za ciężka. Czuję się jak lokomotywa wtaczająca się latem na stację. Uważamy na siebie, Maniuśka!

Mama zabrała mnie do psychiatry, swojej koleżanki w Szczytnie.

Ta wypytała mnie o samopoczucie, porozmawiała, aż wreszcie powiedziała:

— Dość klasyczna depresja. Zdarzało się to już? Proszę pani, nie zaczaruję pani życia, w pani przypadku przyczyna jest no... psychologiczna, zewnętrzna. I nie poradzę nic na ból serca, zawód miłosny, ale mogę złagodzić to uczucie pustki i beznadziei farmakologicznie.

— Nie chcę — powiedziałam jak uparte dziecko.

— Ale trzeba, moja droga, depresja taka długa zadręczy panią, może dać objawy psychosomatyczne, a przede wszystkim pchnąć do nieprzemyślanych pochopnych decyzji.

— ...że mogę się powiesić? Myślałam o tym, ale nie zrobiłabym tego Pauli, Marysi, mamie...

— No właśnie, ja panią jednak poproszę o zaufanie. Depresja to jak tonięcie. Niby się pani zdaje, że umie pływać, ale nie bardzo się pani chce, bo pod wodą jest cisza i błogostan. Tak jest, jak pani leży w ciemnym pokoju, prawda?

— Prawda.

— Prozac jest antydepresantem i mimo kontrowersji ja go cenię. On... pomaga utrzymać panią „na powierzchni", sprawi, że świat zewnętrzny nie będzie pani drażnił ani nie będzie raziło słońce, zacznie pani logicznie rozmawiać. Właśnie — rozmawiać. Sam prozac nie uleczy pani duszy. Trzeba psychoterapii, która pomoże pani znaleźć wyjście z sytuacji patowej. Rozumiemy się?

A więc leczę się.

Robię to dla Pauli, mamy. Na myśl o Januszu czuję bolesny skurcz. Ja chyba nigdy tak nie kochałam...

Zaniedbałam dom, obejście. Zrzuciłam wszystko na ciężarną Paulę i Oresta. Oj! Czas wracać do żywych!

Mama kładzie mi do głowy, że mam dbać o swój ogonek.

Namawia mnie na rozmowę, zadaje pytania, słucha. Głęboko sięgamy. Ja sięgam. wiwisekcja. Po niej, w dzień jest jako tako, wieczorem, w sypialni — paskudnie. Wraca niewytłumaczalny, nieracjonalny ból.

Już grudzień? Szybko zleciało. Smutnie zleciało, i ze wstrętem myślę o świętach. Nie chcę tu szumu, tego całego zamieszania.

Mama tłumaczy, że jest Paula, ona z Tomaszem, zapewne przyjedzie Marysia... Nikt nie rozumie, że mam w nosie to wszystko? Że karp mnie nie interesuje? Ani choinka, ani ciasto drożdżowe?!

Beznadziejne życie! Tyle lat z Konradem, w chłodnym bezsensownym związku, i teraz ta miłość, upaprana w zdradzie, zniszczona.

Nie chodzę do Elwiry, nawet nie oddzwaniam do niej. Lekcje u Mariam zawiesiłam. Muszę sobie coś poprzestawiać w głowie, bo dłużej tak już nie mogę. A ponoć mamy mieć gości na sylwestra.

Po co mi to?

Mama wparadowała, dosłownie, po południu do mojego pokoju, wzięła mnie za rękę i zawlokła do komputera.

— Siadaj i patrz!

Wklikała jakiś adres i otworzyła się strona tego powszechnego szaleństwa — Nasza klasa.pl. Ludzie poszaleli. Sprzyjająca, dobra, pomyślna koniunktura! To się nazywa strzał w dziesiątkę.

Mnie raczej to nie interesowało. Nie cierpię takich owczych pędów, więc się tam nawet nie rozejrzałam. Po co mi te nostalgie?

Byłam na spotkaniu klasowym kilka lat wstecz i było średnio.

Afektacja sztuczna dość i chyba udawana, bo zgraną klasą to nie byliśmy i tematy się skończyły po kilku „A pamiętasz?".

Mama naklikała i wreszcie zaprosiła mnie gestem:

— Patrz!

O! Jej profil, galeria jej zdjęć z młodości. Jaka była śliczna! O, a tu w szmizjerce i końskim ogonie, już taką ją pamiętam. Pamiętam, jaką miała talię! I szpileczki. Piękne, pozowane zdjęcie.

— Skąd je masz? Kto ci robił?

— To? Kiedyś mnie tak wzięło, chciałam, żeby Andrzej miał mnie na fotografii, taką najpiękniejszą na świecie. Byłam zakochana i dlatego piękna. Patrz na ten wzrok! O, tak, kochałam go strasznie!

— Miałaś piękne włosy. Czekaj, a to kto się dopisał? „Taką Cię pamiętam... A."... on?!

— Tak, pokazać ci go? Poczekaj.

„Klik" i wyskoczył ten jej niegdysiejszy Andrzej. Starszy, zapasiony, siwy chłop. W galerii kilka fotek z młodszego okresu i jedno z dawnych, szkolnych lat. No, tak! Tu widać jego ówczesną urodę.

— To licealne zdjęcie, później był przystojniejszy — szepnęła mama z uśmieszkiem chochlika.

— Od kiedy wiesz, że on tu jest?

— Od niedawna, jak tylko się zalogowałam, zaraz mnie odnalazł.

— Korespondujecie?

— Tak, już na privie. Opisał mi swoje życie, a ja mu swoje... Z taką jakąś niewymowną frajdą opisywałam moje życie z Tomaszem! Bo wiesz co? Dopiero opisywanie tego swojemu byłemu, który mnie nie chciał, pozwoliło mi na werbalizowanie wszystkich myśli. Pisząc do Andrzeja o Tomaszu, używałam słów „szczęście", „pewność", „chiński mur".

I kiedy napisałam, że nie, nigdy nie żałowałam, zdałam sobie sprawę, że to prawda. Opowiadałam ci, Gosiaczku, jak to było z tym... pomówieniem Tomasza przez pannę spod Bisztynka, że niby on jest sprawcą jej ciąży? Mogłam nie uwierzyć jego zapewnieniom, tupać, obrażać się. Nasze My i tak było poddawane wielu... eksperymentom. Nadszarpnięte jego zazdrością i moją także, ale ja właśnie wtedy postanowiłam, że nie oddam go nikomu, nawet, gdyby miał płacić alimenty. Poczułam, że choćby nie wiem co, on jest moim przeznaczeniem na resztę życia i już! Razem przez to przeszliśmy, i warto było.

— Wiem, mamo. Ale nie wiem, czy ja to samo myślę o Januszu.

— Ty na razie myślisz bólem i zazdrością, bardzo się podle czujesz. Poczekaj. Jeśli jesteście sobie pisani, to... pisani i już! Matka Natura was splecie i wtedy już konsekwentnie, nieodwołalnie. Albo nie. Poczekaj — nic na łapu-capu!

— Łatwo ci mówić.

— Gosieńko, nie bronię go. Postąpił paskudnie, ale musiała być jakaś przyczyna... Chyba że źle oceniłaś jego miłość. Pamiętasz, mówił, że po rozwodzie z żoną już nie chce być kaleczony i nie zamierza, a jednak z tobą był i żył... Coś go wypchnęło z domu i coś zatrzymało w ramionach tamtej. Coś, czego zbrakło u ciebie. I teraz — albo tego nie masz i koniec, spodobało mu się coś całkiem z „innej bajki", albo coś mu odebrałaś, czegoś poskąpiłaś... pomyśl.

— Mamo. Nie umiem tak na zimno. Zranił mnie.

— Wiem, kochanie, wiem. Musi zarosnąć, zanim się pozbierasz. Pokaże ci teraz profil mojej dalekiej krewnej. Słuchaj, nie widziałyśmy się trzydzieści lat! Dasz wiarę?

Niepostrzeżenie mama wciągnęła mnie w różne historie. Popatrzyłam na jej życie od innej strony — przewijały się jej zdjęcia na jakimś klasowym tableau, fotki jakichś kuzynek, chłopaków, adoratorów starych już i siwych, ale piejących pod zdjęciami mojej siwej matki hymny uwielbienia.

Spędziłam na tym portalu resztę dnia, a wieczorem po kolacji... zalogowałam się.

— Halo, Marysiu? Cześć, kochanie! Co u ciebie, Myszeczko?

— O, mama! Żyjesz? Odetchnęłaś?

— Daj spokój. Żyję. Marysiu, wiem, że mi tu szykujesz nalot na sylwestra!

— No, obgadałam wszystko z babcią i Paulą, bo ty...

— Wiem i dziękuję za kwarantannę. Będę żyła. Maryniu, w szufladzie mojej szafki, tej pod oknem, są płyty, a wśród nich taka z napisem „foty moje". Wrzuć ją na komputer, kotku, i wyślij mi te zdjęcia w małych formatach. Takie po 100 kilo, nie więcej, w kilku porcjach — oczywiście.

— O! Widzę, zalogowałaś się na Naszej klasie?

— Aaaaa. Jak wszyscy, to wszyscy.

Czekając na zdjęcia, pofruwałam po portalu i zapoznałam się z jego funkcjonowaniem. Znalazłam swoje szkoły, nawet drużynę harcerską, i mnóstwo znajomych! Napisałam przywitajki do dwóch koleżanek z drużyny i poszukałam mojej pierwszej szkolnej miłości — Mikołaja z ósmej „d".

Ojej... Ale wyłysiał! Jaki papcio! A ja po nocach wiersze o nim! A może będzie tu taki chłopak z wakacji, zaraz... skąd on był? Z Łodzi? Całowałam się z nim nad morzem jak opętana. Był z innego obozu, śliczny taki, cherubin. Zaraz, jest kilku o tym nazwisku. Jest! No... Nawet go ząb czasu nie sponiewierał — Zygmunt Wraczek, Łódź/Essen. Emigrant, jak widzę...

Siedziałam do pierwszej. Po raz pierwszy od tygodni ożywiona, ciekawa, uwiedziona nowym portalem. Wysłałam moc maili — ciekawe, kto mi odpowie?

Rano ledwo otworzyłam oczy, wskoczyłam w kapcie, szlafrok i do komputera! Na poczcie siedem zawiadomień „Masz nową wiadomość na portalu Nasza klasa"! I dwa ciężkie od zdjęć maile od Marysi.

No, muszę uzupełnić profil!

Co najpierw? Wiadomości odebrane.

— Gosiu...? — Paula zajrzała do pokoju i uśmiechnęła się. — Jajówkę zjesz? Chodź, kawę ci nalałam!

— Och, Paula, przepraszam! To ja powinnam o ciebie dbać, grubasku, chodź. Zalogowana jesteś tu?

— Jasne! Chyba wszyscy są zalogowani. A widziałaś profil babci? Czytałaś te komentarze? Tomasz powinien zobaczyć, jaką ma Carmen! Łamaczkę serc. Jakie peany, zachwyty! Au! — sapnęła, łapiąc się za brzuch.

— Co się stało? — spytałam, spłoszona tym jej „Au". Czekałam w napięciu, aż się Paula wyprostuje, bo się zwinęła.

— O, juuuuż. Jak się tak czasem napręży mały akrobata, to mi dech zapiera.

Po chwili wszedł Orest.

— Witam — powiedział spokojnie uśmiechnięty i niemal usłyszałam, jak mu kamień spadł z serca. Oj, musiałam tu im dać popalić tymi moimi nastrojami.

— Lepiej? — pyta.

— Lepiej. Mama mnie odczarowała. Wepchnęła mnie w wesołe towarzystwo i już!

Musiałam mu tłumaczyć co i jak z tą Naszą klasą.

— Tak, tak — westchnął Orko. — Z ludźmi lepiej się jakoś znosi... Dobrze widzieć cię uśmiechniętą. No, na śniadanie proszu!

Plany sylwestrowe i kulig dla mieszczuchów

Rano wreszcie Mańka przysłała mailem dla mnie i Gosi więcej szczegółów o swoim przyjeździe i pomyśle.

Kochane!

Moi frendowie zapałali chęcią. Znużyły ich widocznie Alpy i Słowacja. Na ostatniej imprezie słuchali o rozlewisku i nagle Mati powiedział: „Mańka, a są może u was miejsca na sylwestra? Bo my z Asią byśmy chętnie w takich ciut domowych klimatach" i zaraz reszta się sypnęła, że oni też.

Macie wolne pokoje? Z tego, co mówiłaś, to chyba tak.

Wyślę ci grafik, jak ich kłaść. Jedzą wszystko, co domowe i mamusiowe. Muzykę przywieziemy własną. I wiesz co? Dziewczyny chcą eleganckiego balu, więc udekorujemy salę. Wykombinowały, że trzeba przewietrzyć balowe kiecki, co wiszą w szafach. Chłopaki cierpią, bo sądzili, że będzie jak w PTTK–u, w sweterkach, a tu nie! Mają być wygajerowani. Mamy też taki pomysł, żeby się umówić z fryzjerką, bo dziewczyny chcą mieć „chałki" á la lata 70. Da się załatwić?

Zadzwoniłam do Elwiry, Elwira zadzwoniła do Fabiszewskiej i ta się zgodziła. Przyjadą obie z Elwirą i poplotą im te chałki, koki i loki. Elwira najpierw przyjedzie, ponakręca wałki pannom, a potem Ryksińska pokaże swój kunszt! Elwira mówi, że nie umie robić koków takich, jak były modne w PRL-u.

Fabiszewska zdziwiła się trochę, ale chętnie wpadnie, bo już jest na emeryturze. Gosia zaśmiała się (!) i powiedziała, że trzeba zadzwonić po Wronę. Jej też przyda się kasa. Popitrasi, pozmywa.

— A my?

— Co my? — odpowiedziała Gosia.

— Sylwestrujemy jakoś?

— Się obie nadajemy! Pamiętaj, że w sylwestra to ty możesz akurat mieć bóle parte i po balu, „panno Lalu".

Pocieszyła mnie!

Żeby nie zostawiać wszystkiego na ostatni moment, pojechałyśmy do Olsztyna, do „Rastu", po mięsa i inne produkty — mąki, cukry, zapachy do ciast, bakalie itp. To duży, prywatny sklep spożywczy, na zasadach hurtowni niemal. Ladę mięsno-wędliniarską ma długą na kilometr i solidnie zaopatrzoną. Wszystko nęci i ślinię się tam jak nienormalna. Nie! Jak każdy. Pierwszy raz widziałam tyle odmian kaszanek z prywatnych masarń, pasztetówek, wędzonych i nie, salcesonów i kiełbas. Uwielbiam małe „kindziuczki" — jak paluszki, kiełbasę „bolońską" Balcerzaka i kiszkę ziemniaczaną. A wędzona kiszka podgardlana (O matko! Ale nazwa — kiszka) podbiła moje serce i jadłam ją prosto z flaka w samochodzie!

Przy mięsie Gosi zapaliły się ogniki w oczach, jak zobaczyła jagnięcinę.

— Paula! Mam pomysł! Kupmy jagnięciny i pojedziemy zaraz do spółdzielni „Las" po sarninę. Tego tam w Warszawie nie ma. Będzie coś innego.

— Umiesz to przyrządzić? — spytałam niepewnie.

— Jasne. Co? Zły pomysł?

Dobry, bo Gosia się angażuje i cieszy. Może być baranina i sarnina, i nawet ludzina, jeśli Gośka zapomni o łzach i głupim Januszu.

Zamrażarka ledwo się domknęła. Na dolnej półce poukładałyśmy głęboko mrożone ryby od rybaka z Rum. Kiedy nam je dawał, zaproponował, żeby wcześniej zadzwonić, to nam nawędzi pychot różnych. Fajny jest! Wesoły, tęgawy, jowialny. Ma wielką wiedzę i można z nim tak gadać o tych rybach i gadać!

Rano Orko pomagał Gosi w porządkach, odkurzał, czasem palił w piecu, a później szedł do siebie rzeźbić.

Przy obiedzie, patrząc na mnie, rzucił myśl:

— Paula, napalę u siebie w pracowni mocno, ciepło będzie, a ty posiedziałabyś? Mam pomysł na Madonnę ciężarną, taką zmęczoną w fotelu. Do bocznej części ołtarza. Płaskorzeźbę taką! Może rzeźbę?

— Ja? Płaskorzeźbą? Popatrz na mój brzuch. To będzie wypukłorzeźba. Ale jak ci zależy...

Co mi szkodzi? Posiedzę dla dobra sztuki sakralnej. I tak nie na wiele się zdaję. Babcia teraz zagląda codziennie i razem z Gosią mówią już o świętach, przygotowują się do sylwestra. Ania Wrona była. Mówiła, że tatko Janusza słaby i kiepski, ale jakoś nie było zainteresowania tematem. Ania przyjdzie na tydzień przed sylwestrem, przygotuje z Gośką pokoje i pomoże dziewczynom w kuchni. Tak, na zasadzie „Wylej wodę, wyrzuć psa", bo babcia już kombinuje, co z tą dziczyzną i baraniną porobić, a to oznacza, że do pitraszenia nikogo nie dopuści. Najwyżej do pomocy — pokroić, wypatroszyć, zrobić kluseczki.

Wychodząc, Ania szepnęła mi w sieni:

— Janusz w domu siedzi, bo tamta wyjechała w cholerę, na zawsze!

— I co? Koniec pieśni?

— No. Siedzi w domu z tatkiem i smutny taki... kur... — łapie się za usta. (Pani Ania nie klnie od śmierci Karolinki). — Jakby było o co! Dureń!

— No, dureń, pani Aniu, ale co zrobić? Sam chciał...

— By poszedł do pani Gosi i przeprosił, bo gdzie mu lepiej będzie? Z jaką lafiryndą?... Ale! To nie moja sprawa! Ja to bym mu w łeb dała. Do widzenia!

— Ja też! Do widzenia, pani Aniu!

Aaaa! Czyli „Turbo Finto", skończyło się love story!

Teraz każde z nich cierpi osobno. Jak ja, kiedy wracałam z Prowansji, po romansie z Jeanem.

Teraz trzy osoby cierpią i to tak idiotycznie. Czy Gosia przyjęłaby Janusza z powrotem? A on? Zdjąłby koronę z głowy i przeprosił? Posypał ten durny łeb popiołem, padł na kolana? Skleiliby jeszcze tę swoją miłość? Diabli wiedzą. Naiwnie, to ja nawet chciałabym. Jak dziecko rozwiedzionych rodziców tupałabym nóżką i żądała, żeby było „jak dawniej". Tylko, co to da?

Nie powiem Gosi. Jakoś nie wiem, jak zacząć i czy w ogóle mówić?

I tak cieknie ten grudzień nieśpiesznie, powoli. Chodzę siebie i bachora dotlenić. Biorę Funia, czasem idzie z nami Oryś i Blanka. Ona za nami, że tak niby jej nie zależy. Funio przodem — strażnik! Już się przekonałam do Oresta.

Idziemy zaśnieżonym lasem. Szeroka droga odśnieżona, a właściwie rozjeżdżona ciągnikiem z tartaku.

— Orko, potrzeba więcej śniegu, to zrobilibyśmy dzieciakom kulig.

— Jakim dzieciakom?

— Tym od Mani, mieszczuszkom. Załatwiłbyś to ze Stefanem?

— Co, śnieg? Nie da rady, nie w naszych kompetencjach!... Dobrze. Zajdziemy do niego i pogadamy — proponuje.

Do Stefana jest ciut dalej, za tartak. Domek ładny, murowany, z beżowym tynkiem. W podwórzu garaż i maleńki ogródek z jedną sosną i jakimś iglakiem.

W środku elegancko i czysto. Stefan przyszedł ponaglony telefonem. Usiedliśmy w jego kuchni przy herbacie. Początkowo drapał się w głowę, kombinował, ale później załapał i zdecydował, że dobrze będzie za ciągnikiem przypiąć niskopodwoziówkę ze słomą i ewentualnie doczepić saneczki.

— O, jak dawno nie robilim kuligu! — westchnął. — Krzysiu i panny już duże...

Poczułam zmęczenie i Orko chyba się zorientował, że nie dam rady człapać na nogach. Pożyczył sanki od Stefana i wiózł mnie do domu jak wór ziemniaków. Blanka zostawiła nas jeszcze przed tartakiem, za to nasz pies myśliwski skacze wokół sanek i szczeka. Rzucam w niego kulami. Hałasujemy, a Orko ciągnie szybko sanki i para mu leci z ust, i śmieje się!

Za młodniakiem położyłam się na tych sankach na plecach i tak jechałam, patrząc w niebo. No, kto by mnie tak woził po Marszałkowskiej?

Później, po obiedzie u niego w pracowni siedzę w fotelu i gapię się, jak on obrabia kawał drewna. Silnymi ciosami siekierki ociosuje, dopatrując się jakiegoś kształtu. To będę ja!

— Orest, jak ty w kawale drewna widzisz rzeźbę? Skąd wiesz, jak zaciąć? Co odłupać?

— Tak jak ty, Paula. Ty siedzisz nad krosnami i widzisz coś, czego jeszcze nie ma. Albo jak nad kartką papieru siedzisz, i widzisz już swój rysunok. I ja widzę. Tam, w drewnie, rzeźba już jest, ja ją tylko wydobywam!

— Wydobywasz? Skromniś! No, dobrze. Wierzę ci. A kiedy wydobędziesz?

— Nie znaju... — mówi i zamyka dyskusję. Wali siekierką i milczy. Będę rzeźbą!

Część piąta

BOŻE NARODZENIE I NIE TYLKO

Orko nie wyłazi ze swojej pracowni. Dłubie i dłubie z wielką gorliwością tę ciężarną madonnę. Jak mam czas, pozuję mu, a jak nie mam, to dopieszcza, cyzeluje to, co wyciosał. Jest mało towarzyski.

Kiedy Gosia wróciła z miasta, wzięłyśmy się do zdobienia domu. Chłopaki (bo jednak Oreś wylazł z nory) wieszali lampki na domu i pensjonacie, a my w kuchni robiłyśmy stroiki do pokoi. Nie wiem, co mnie naszło, ale jak zapadła dłuższa cisza, wypaliłam:

— Beata wyjechała już na amen.

Zrobiło się cicho. Gosia zastygła na chwilę, a potem wybałuszyła oczy na mnie, babcia zaś rozlała wrzątek obok filiżanki.

— Skąd wiesz? — spytała babcia, przerywając tę niezręczną ciszę.

— „Baby we wsi gadały" — odpowiedziałam tekstem Piernackiego.

— A ośrodek?

— Nie wiem... Mówiła, że gdy syndyk przejmie, ona wróci do Warszawy.

Babcia postawiła herbatę i pogłaskała Gosię po włosach. Nie powiedziała nic.

— Wiecie co? Napijmy się — poprosiła Gosia.

Babcia Basia stanęła na palcach i wyjęła z kredensu karafkę ziołówki Tomasza. Przyniosła ją wczoraj i pili ją do kolacji. Zieloną, przeźroczystą jak szmaragd wlała do kieliszków.

— Na pohybel smutkom! — powiedziała pogodnie.

— Witajcie nadchodzące święta! — dodała Gosia.

Kilka dni później już drżeliśmy świątecznie. Ja nie, bo byłam cała opuchnięta i wielka, i siedziałam na kanapie z nogami na stołku. Tomasz przyniósł choinkę, Gosia i babcia ją ubierały, a mnie było wszystko jedno.

Głaskałam mój wielki bęben i chciałam już urodzić. Już miałam „po kokardę" tej całej ciąży, ciężaru, sikania co pięć minut, bólu w kręgosłupie, opuchniętych stóp i niewiadomej. Tęskniłam do tego, żeby wziąć mój pakuneczek, mojego lokatora całego owiniętego w kocyk na ręce i zobaczyć nareszcie. Mam taki śliczny kapturek z białej wełny. Jak go zrobić, znalazłam w książeczce *W wolnym czasie dla rodziny*. Becik z białej flaneli w niebieskie gąski uszyłyśmy z Gosią. Maleńką niebieską czapeczkę, pajacyk w kolorze gąsek na beciku i biały kaftanik znalazłam w szmatlandii w Szczytnie. Leżą uprane, pachnące, w szafce mojego dziecka. Bo moje dziecko ma już swoją szafkę!

Znalazła ją Ania Wrona u tatki Janusza na strychu. Orko zdarł jakieś olejne farby i nasączył białą, transparentną bejcą. Środek drzwi pomalował na biało, a ja namalowałam na nich niebieskie gąski i o wiele bardziej mnie to wciągnęło niż zdobienie domu ostrokrzewem i świeczkami.

Uwielbiam układać te maleńkie ciuszki. Zachwycają mnie kiczowate słodkości: zajączki, wisienki, zielone motylki, miśki i żabki... Zachwyca mnie kaliber tego. Już nie mogę się doczekać tych rytuałów przebierania, kąpania, przewijania. Jak kiedyś, na podwórku zabawa lalkami. Moja była ładna. Holenderska. Taki prawdziwy niemowlaczek. Babcia Malwina uszyła mnóstwo ciuszków i z półmiska zrobiła wanienkę. Ależ ja mamuśka byłam!

Święta jakieś dziwne w tym roku. Może ta atmosfera, skażona jednak brakiem Janusza? Nikt o nim nie mówi, a i tak jest Wielkim Nieobecnym.

Gapię się za okno. Od trzech dni pada bezustannie i śniegu jest mnóstwo! W dodatku w tartaku popsuł się spych i jeździć można było do niedawna tylko dłuższą drogą, przez las. Teraz i tam zaniosło. Płaty śniegu są wielkie i lekkie. Widać je w świetle lampy stojącej koło werandy. Powoli opadają, wirując w wielkiej chmarze, jak białe ćmy. Wieje, więc nie widać nawet, gdzie jest droga. Na podwórku rosną zaspy śniegu, chłopaki co rano odśnieżają, ale to robota głupiego. Śniegu przybywa w zawrotnym tempie. Pada i pada.

Tak. Ta Wigilia to był wieczór niespodzianek, niewątpliwie.

Po pierwsze, koło szesnastej zadzwonił do Gosi Janusz.

Siedziałyśmy w kuchni i piłyśmy herbatę, i gadałyśmy o przyjeździe tych Mańki studentów, gdy zadzwoniła Gośki komóra i po jej twarzy wiedziałyśmy kto. Jak odebrała, zrobiła się zielona i niepewna.

— O... — powiedziała tylko i wyszła porozmawiać do swojego pokoju.

Po powrocie była już czerwona, ale spokojna i powiedział nam:

— Dziś nad ranem zmarł Wacek.

— Oj... Potrzebna mu pomoc? Znaczy Januszowi? — spytała przytomnie babcia.

— Nie. Już była policja i pogotowie i zabrali ciało. Pytałam, czy chce przyjść, ale jak się domyślacie — nie. Nalegałam, bo w Wigilię nikt nie powinien... Prawda, mamo?

— A po co policja? — spytałam.

— Muszą orzec wraz z lekarzem, że śmierć była naturalna. Taka procedura.

— Gdyby jednak przyszedł, zachowujmy się przyzwoicie. — Babcia ze smutkiem popatrzyła na nas. — Rzeczywiście, nie powinien być sam. Tomasz, pojedź po Janusza, proszę cię!

— Wariatki jesteście — powiedział Tomasz i zaraz dodał: — Ale za to was lubię! Czy to konieczne?

Babcia nie odpowiedziała, ale zrobiła taką minę, że Tomasz westchnął ciężko i... wyszedł.

Niechętnie wsiadał do samochodu. Droga zasypana, wieje i sam fakt, że ma jechać po Janusza i nie nakłaść mu po zębach, był dla niego trudny do pojęcia. Mężczyźni jednak mają jakąś lekkość w zmianie zdania w obliczu takich spraw. Tomasz wrócił wściekły po półgodzinie. Zakopał się. Nie dojechał nawet do szosy. Orest i Adam poszli go odkopywać. Już byliśmy podenerwowani.

— A jak zacznie pić? — zaczęłam idiotycznie.

— To, cholera z nim! — Babcia układała śledzie na półmisku, popatrując w okno.

— Zadzwonię do niego. — Gosia wstała, a babcia posłała mi ostrzegawcze spojrzenie. Milczałam.

Gdy wróciła, powiedziała obojętnie:

— Zostawi samochód za zakrętem, przy szosie i przyjdzie pieszo. Jest roztrzęsiony, nie chciał, beczy, ale go namówiłam, więc proszę was...

— Och, ty Matko Małgorzato z Kalkuty... — nie wytrzymałam i zamilkłam, bo spostrzegłam karcące spojrzenie babci.

Chłopaki wrócili zgrzani, ale zadowoleni, bo im się udało odkopać ten odcinek od Tomaszowego auta do nas, a do szosy już nie. Okropnie wieje. Może Stefan jutro nareperuje spych?

— Nie nareperuje, bo święta są! — zmitygowała nas babcia.

Tomasz wpadł przodem auta do rowu, bo nie było widać drogi. Chłopaki mieli miny zwycięzców, bo w końcu go wypchnęli, a Tomasz był zły, bo przypalił sprzęgło. Ważne, że wyjechali z rowu, ale o jechaniu dokądkolwiek nie ma mowy.

Trochę mi niewesoło, bo od rana mam dziwne bóle w krzyżu, a jak zacznę...? Eeee! Nie. Jeszcze prawie tydzień! Nie będę panikować.

Piernacki zadzwonił, że przyjdzie jutro, jak drogi odśnieżą. Nie chce ryzykować zakopania w śniegu.

Gdy siadaliśmy do stołu, zrobiło mi się dziwnie. Brzuch stanął mi na chwilę. Tak śmiesznie i boleśnie naprężył się, aż stęknęłam i oparłam się o krzesło. W tej chwili wszedł Janusz wprowadzony przez Gosię.

— Dobry w...wieczór — przywitał się niepewnie.

— No... to ja, do kuchni — powiedziała Gosia i zwyczajnie poszła sobie.

Zrobiło się na chwilę cicho, ale zaraz Tomasz spytał Janusza o Wacka i jakoś poszło. Później wszyscy starali się być normalni, ale oczywiście wiało sztucznością. To jedyne, co w tej sytuacji mogli zrobić. Oni, bo ja miałam to w nosie. Nasłuchiwałam brzucha.

Rozmawiali w gościnnym o śmierci tatki Janusza, o przyczynie zgonu, o firmach pogrzebowych, a mój bachor się prężył coraz częściej, a mnie się aż słabo robiło. Najwyżej wcześniej się położę, przeproszę. Wreszcie Tomasz zagrzmiał:

— Kobiety, zasiądźmy już!

Siadłam, bo nie popisałam się dzisiaj.

Przy opłatku było już trochę lżej. Gosia miała kamienną twarz, składając życzenia Januszowi. Jemu wyraźnie było głupio. Ale chyba lepiej, że jest z nami. Według mnie sam w domu narąbałby się jak nic! I tak cud, że nie zrobił tego do tej pory i że przyszedł trzeźwy!

— Życzę ci, żebyś zmądrzał wreszcie — szepnęłam mu do ucha, gdy podszedł do mnie.

Małpa jestem. Żmija!

Wreszcie śledź, wódeczka, sałatka i wciąż sztywnawo, więc wszyscy gadali jakoś tak intensywniej. Źle się czułam, ale przecież nie będę robić scen, więc milczę i grzebię na talerzu. Wreszcie, gdy Tomasz podniósł w górę półmich karpia w galarecie — swoje dzieło, jak nie stęknę na cały regulator!

Ucichło. Babcia patrzy na mnie okrągłymi oczami.

— Paula, błagam cię — szepcze. — Nie teraz! To nie jest dobry pomysł!

Oddycham głośno i jakoś tak głęboko, bo czuję, że zaraz stęknę raz jeszcze, bo gdzieś z krzyża czuję taką falę, która jak *el ninio* — zbiera się, zbiera i koncentruje jakoś tak od środka, od miednicy.

— Oooo! — wyrywa mi się, jakbym podniosła coś ciężkiego.

— Jezus! Masz bóle? Przesz?! — Janusz rzuca się do mnie. — Dzwońcie po po...pogotowie!

— Jak oni tu dojadą? — pyta Gosia w panice. — Paula, do mojego pokoju! Mamo, ty z nami, Orko, prowadź Paulę, Tomasz dzwoń do Maślaka albo od razu na pogotowie do Olsztyna! Nie! Do Szczytna będzie bliżej! Kurczę! No!

— Nie chcę do Szczytna! — krzyczę głośno. — Maślak mi obiecał... Oooo!

— Paula, jaki to ból, powiedz? Z krzyża czy party? — babcia zagląda mi w twarz z nadzieją, że powiem coś mądrego.

— Nie wiem! Auuuu! Z krzyża to chyba było w dzień, a teraz to mi brzuch tak się pręży i tak jakby... Uaaaaa!

— To nie przyj! Wy...wycisz się, oddychaj — Janusz jest napięty. — Nie pa...patrzcie tak. Nie może przeć. Ja nie miałem za...zajęć z ginekologii, mnie tylko kolega o...opowiadał i byłem przy porodzie kilka razy u ku... kumpla na oddziale. Ja od zębów jestem! Ja nie umiem!

Patrzy na nas, jakbyśmy go do czegoś zmuszali.

Wtedy Orko spokojnie powiedział:

— Paula, zdejmuj z siebie wszystko. Gosiu, daj jej koszulę. Janusz, uklękniesz za nią i będziesz trzymał.

— Jak klęczeć? — pytam spanikowana, gdy babcia nakładała mi koszulę przez głowę. Jestem pozbawiona wstydu, przebierają mnie przy dwóch facetach, a ja nic! W nosie to mam, bo czuję znów... Oj, idzie,

idzie! I... fala ciepłej wody po moich udach chlusta na podłogę. To ze mnie?!

— Wody poszły. No to mamy dziecko w drodze! — zawyrokował Orest, jakbyśmy nie wiedzieli. — Paula, oprzyj się plecami o Janusza.

Położyłam się i oparłam o Janusza.

— Oooouuuuuh! — Ta fala napięć była mocna i taka rzeczywiście boleśnie wypychająca ze mnie wnętrzności. Jezu! Rodzę! Naprawdę! Jezuuuuu! Nie teraz! Ooo mamo! Nie teraz!!!

Gosia ma oczy jak żarówki. Wielkie z przerażenia. Babcia też jakoś dziwnie patrzy. Obie są w panice.

Tylko Orest nie. Wrócił z łazienki z umytymi łapami i jest spokojny jak anioł.

— Pauliczka, nie bój się. Babka moja, ta Ula, co ci opowiadałem, była we wsi akuszerką, Janusz jest, poradzimy! — Oryś pociesza mnie. Jest najspokojniejszy z nas. — Ja bym sugerował ci, nie leż, uklęknij przy łóżku i rozsuń kolana. Janusz, ty usiądź tu i trzymaj Paulę, pomagaj.

— A my? — to Gosia pyta.

— Wy też! Wspomagacie poród! Przygotujcie wodę, szmatki, ręczniki — widziałyście na filmach? Dziecko trzeba owinąć, kobietę umyć, no? Nożyczki w spirytus, do pępowinki, no, już! Już, kobiety!

— Jadą! — Tomasz wpadł do pokoju, nie pukając. — Wyjechali z Orżyn, tam była karetka do jakiegoś złamania. Zostawili połamanego gościa i tu jadą!

— Jeśli dojadą — mruczy Basia. — Tomek, zadzwoń do Karolaków i spróbujcie coś z tą drogą, odśnieżyć, poznaczyć jakoś!

Klęczę wsparta o kolana Janusza. Mam jego tors pod twarzą i czuję, jak masuje mi drętwiejące ramiona, kark, głaszcze i uspokaja. Każe oddychać — zipać jak na kasecie „Nasz poród". Za mną Orest delikatnie rozciera mi krzyż. Ale boli! A jaka ulga...

— Uwaga — uprzedzam, bo znów czuję falę i już wiem, że będzie mocna.

— Luźno, luźno... Paula, spokojnie... teraz nabierz powietrza i...

Czuję taki dziwny ból — nie ból, takie „rozłażenie się w szwach", jakby mi miednica powoli, z trzaskiem pękała na pół. Długo to trwa, booooli! A mnie już sił braknie i wrzeszczę z wysiłku, bo coś się ze mnie pchaaa!... Z kolejną falą ciepłych wód wypycha się ze mnie bolesny tłok. Zipię szybko, bo to mała ulga. Mała. Nie wszystko wyszło, nie koniec jeszcze... O, czuję...

Orest zadziera mi koszulę i rozsuwa szerzej kolana i dotyka... ale nie mnie. Czegoś.

— Główka! Główka jest! Zbierz się teraz, Pauliczka, oddech i wypychaj! Nooo! Pchaj!

I wypchnęłam tę resztę z dzikim, krótkim bólem, mokrym mlaśnięciem, opadając na Janusza całym ciężarem ze zmęczenia, z ulgą. Orest powiedział tylko:

— Już, odpocznij. Tak, a pani, o, tutaj, podwiąże — to chyba do babci. Szumi mi w głowie. Klęczę taka rozkraczona, zmęczona nieludzko, ale wolna! Ledwo łapię oddech, zamykam oczy, leży moja głowa na Januszowych kolanach, na jego jeansach. Coś ciepłego spływa mi po udach. Janusz wciąga mnie na łóżko. Zwijam się w kłębek, ale Orko podchodzi i mówi:

— Teraz odetchnij głęboko, połóż się na plecach i jeszcze raz przyj.

— Nie chcę! Po co? Co tam jest, to moje?

— Tam? Diewczynoczka, takaja krasawica! O, słyszysz?

— Dziewczynka?! Niemożliwe. Sprawdź! — mówię jak dureń.

O matko! Słyszę, jak zakwiliła. Tak płaczliwie, żałośnie. Jak mała kaczuszka. Takie „uaaa".

— Co? Co? — jestem przerażona.

— Nic. Oddycha już sama! I daje głos! Zaraz ją utulisz, tylko wypchnij łożysko, nu, zaraz znów poczujesz parcie, ostatni raz, nu!

Plask! — wypluwam coś ciepłego, meduzę jakąś. Ufff! Wszystko. Cisza... Ogarnia mnie spokój. Ulga wielka jak las. Jak ocean.

Gosia myje mnie ciepłą wodą, nie czuję wstydu. Czuję gigantyczne zmęczenie za cały ten dzień...

Babcia podaje mi zawiniątko. O, jaki Paszczak brzydki! Taka zmęczona, pomarszczona! Ma zaciśnięte powieki i piąstki.

„Ty, paskudo moja!", chcę powiedzieć, ale już beczę. Boże! Jestem taka szczęśliwa! Urodziłam dziecko! Babko Malwino! Słyszysz? Widzisz tam, z góry? To ja, twoja Paulineczka. Mam dziecko!

Wszyscy nachylili się, żeby ją obejrzeć. Zobaczyłam pod łokciem babci, że Orest wyszedł ciężkim krokiem i wycierał oczy. Płakał.

To nie był koniec niespodzianek. Po jakiejś godzinie, jak już nikt z nas nie pamiętał o tym, zajechało pogotowie. Jak zajechali? Diabli wiedzą. Tylko po co? Chyba żeby nas wkurzyć.

Na szczęście sytuację uratował Janusz, bo inaczej byłoby ostro.

Przyjechała pani doktor, starsza i okropnie zmęczona dyżurem.

I od razu dała dyspozycję:

— Zabrać ich, proszę!

A ja zaparłam się, że nie.

Krótko trwały perswazje, że nigdzie nie pojedziemy. Owszem, zbadała mnie. Koszmar, już nigdy w życiu nie chciałabym być tak badana. To było gorsze od porodu. Lekarka miała zimne ręce, była obrażona, zmęczona i obcesowa.

— Pani jest niewygolona!

— Mam termin... miałam na za tydzień, nie zdążyłam.

Małpa! A ja nawet nie popękałam! Pani się zdziwiła niemile, bo miałaby pretekst, żeby mnie zabrać na szycie.

— Główka mała, kształtna, to nie pękła pani — rzekła oschle, jakby rozczarowana.

A jak badała moją małą rybkę, chciałam ją pogryźć. Dla niej była nawet miła, chwaliła, że ładny dzieciak, ale moja maleńka płakała, bo było jej zimno, a ta sprawdzała te „Apgary". Odjęła jej punkt za kolor skóry.

— Umylibyście dziecko! — zgromiła Gosię.

Orko spokojnie wyjaśnił:

— Zaraz. Nie potrzeba za szybko z dziecka zmywać mazi.

— A pan co, położnik?

Orko się zmył i miał rację.

Janusz gadał bez końca, ugłaskiwał sytuację, aż wreszcie zostawili nas w spokoju, wydając jakieś dokumenty, że urodziłam. To już załatwiali z Gosią, w jadalni. Jak tylko Tomasz odprowadził ich do drzwi, babcia wręczyła im aluminiowy półmisek z ciastem i drugi ze smażonym karpiem, bo i tak już ich nikt nie jadł. Gdy tylko usłyszeliśmy, że powoli nikną za bramą, zaczęliśmy klaskać i śmiać się z radości.

Orest przyniósł szampana, Tomasz ziołówkę i impreza przeniosła się na moje porodowe łoże. Nasza wspólna córeńka spała snem sprawiedliwego, a my bawiliśmy się i kontynuowaliśmy Wigilię, choć już bez smażonego karpia.

Gosia i babcia nachylone nad moim dzieckiem spytały:

— To jak ma na imię ta nasza kruszyna?

— Myślałam, żeby może Bronia, jak już ma być dziewczynka? — powiedziałam z wahaniem, bo sama jeszcze nie byłam tego pewna.

— Bronia? — babcia uśmiechnęła się szczęśliwa. — Bronia? Jesteś pewna?

— Tak. Jak jej się nie spodoba, zmieni sobie. Niech, babciu, będzie Bronka, Broneczka.

Sama nie byłam do końca przekonana, bo to dziwne i stare imię. Wyjęte z lamusa, niemodne. Skoro jednak mogą być Angeliny, Kosimy, Xaviery i Fanny, czemu nie Bronka?

— Witaj, Broniu! — zakrzyknął Tomasz i wypił.

Ponownie polał się szampan i wszyscy zaśpiewali *Sto lat*. Janusz się uśmiechał, patrzył na nas świetlistym okiem, jakby nie dowierzał, że go nie pożarliśmy żywcem, że darowaliśmy mu życie. Jakoś tak się zrobiło, że śmierć tatki Janusza zbiegła się „duchowo" z narodzinami mojej córeczki i radość wyparła smutek. Te oba uczucia huśtały się ewidentnie w sercu Janusza, bo raz śmiał się dyskretnie, raz tylko uśmiechał, to znów zapadał w sobie, poważniał, smętniał. Gosia zachowywała się naturalnie, chociaż i ona spoglądała na niego badawczo, czasem z bólem, a czasem z jakąś tkliwością? W każdym razie nie była zła, obojętna, złośliwa. Jest świetna. Trzyma fason i jest taka naturalna. Kocha go. A on?

Kiedy wszyscy poszli sobie, przeniosłyśmy się, ja i Broneczka, do siebie i babcia pokazała mi, jak mam trzymać pierś, a właściwie okrągłego sutka w pyszczku mojej żabki, bo trzeba przecież nakarmić to małe coś. Gdy zassała, jakby to robiła od zawsze, babcia Basia westchnęła i powiedziała:

— No, to idę. Gosia jest u siebie, a wy śpijcie. Za dużo wrażeń.

— Mam zostać sama? — spytałam.

— Natura ci wszystko podpowie. A jak nie, wołaj Gosię.

— Pa, babciu. Aha! Gdzie dziś śpi Janusz? U nas?!

— W gościnnym, na górce. A co myślałaś?

Dziecięce narodzenie

Życie to takie jest wykrętne!

Paula miała termin na sylwestra, a wzięło ją w samą Wigilię!

A nad ranem, dwudziestego czwartego zmarł Wacuś.

Dziwne. Śmierć i nowe życie.

Zaprosiłyśmy Janusza na Wigilię, świadome tego, żc Janusz cierpi, bo zmarł jego ojciec, i świadome też tego, że taki „zjadany" wyrzutami sumienia, poszarpany wyjazdem Beaty, dobity śmiercią ojca, mógłby wrócić do picia.

Popaprało się wiele. Uradziłyśmy jednak z mamą, która zawsze ma na uwadze dobro ludzkie, że złożymy propozycję Januszowi.

Ja złożę.

Zadzwoniłam, zdejmując koronę z głowy i kładąc ją obok, na biurku.

— Halo? Janusz?

Cisza. Jest zaskoczony i chrząka.

— To... ty, Gosiu? (Wdech bez wydechu).

— Janusz, mama... Nie, to nie tak, my tu wszyscy, ale i ja, uważamy, że nie powinieneś być sam...

— Daj spokój, Go...Gosiu. Daj spokój. W porządku, dziękuję.

Milczę, bo nie wiem, co dalej mówić.

Słyszymy swoje oddechy.

— Janusz, powiem wprost — naprałabym ci po pysku, ale wiem, że jak będziesz sam, to cię poniesie i się upijesz. Daj się zaprosić. Szkoda tej twojej trzeźwości... No!

— W imieniu mo...mojej trzeźwości dziękuję. Nie trzeba było...

Znów oddechy i niezręczna cisza.

— Jak chcesz, ale myśmy lubili Wacka.

Słyszę, jak chlipie i pociąga nosem.

— Janusz, odłóż durną dumę na serwantkę i przyjdź... Nikt dzisiaj nie powinien być sam.

— Nie... Nie będę wam psuł świąt...

Łamie się.

— Nie zepsujesz. Mam tu statek z rozbitkami, oprócz mamy i Tomasza, oczywiście. Marysia i Konrad zostali w Warszawie, jest Paula i Orest — żadna rodzina, ale też samotni, no i ja samotna (ale daję po bandzie!), i ty... — mówię to, co chyba chce usłyszeć.

Czekam, aż przestanie pociągać nosem.

— Janusz...?

Chrząka, wzdycha. Wiem, głupio mu, mnie też.

— OK, ale... obiecaj, że na... natrzaskasz mi po gębie...

— Daj spokój. Uważaj, bo u nas zawiało drogę. Załóż wysokie boty. Cześć.

Siadłam z wrażenia. Co ja robię? Czy to nie przesada?

Zgodnie z ogólnie przyjętymi zasadami powinnam już nigdy się do niego nie odezwać, w końcu bardzo mnie skrzywdził.

Ja też chyba nie byłam bez winy, ale... Dobrze już, na razie mam dość wiwisekcji, analiz itp. Święta są. Szkoda, że bez Marysi.

Byłam tak zaprzątnięta tym zaproszeniem, emocjami z tym związanymi, że nie dostrzegłam, jak Paula schodzi nam wszystkim z drogi, jak przystaje, sapie, przytrzymuje się mebli i jak ją... boli. Jeszcze tydzień, termin ma na sylwestra, więc zlekceważyłam to, skupiając się na sobie.

Mama weszła do mnie, do pokoju.

— Gosiu? Jak?

— Nie było łatwo, ale chyba dał się przekonać. Mamo, naprawdę uważasz, że dobrze robię? Zdradził mnie!

— No, to taki sprawdzian, ty zadzwoniłaś mimo wszystko, on mimo wszystko przyjął zaproszenie, to coś tam oznacza!

— Że nie wygasło. Chodź. Pomożesz mi, bo Paulineczka jakaś słaba, ciężko jej już.

Janusza wypatrzyłam przez okno.

Szedł pod wiatr zgięty wpół, to znaczy, że zostawił samochód przy szosie, żeby się nie zakopać. Cały w śniegu. Z lewego boku i z przodu pokryty grubą warstwą śniegu. Ale zawieja! Serce mi mocniej walnęło i poszłam do sieni, do drzwi. Nie pukał. Stał tam. Chyba się namyślał i wahał troszkę. Otworzyłam drzwi. Janusza z impetem wwiało do środka. Z hukiem zamknęłam za nim. Zdjął czapkę i stał z głupim wyrazem twarzy, więc zamachnęłam się i trzasnęłam go w twarz, aż się zatoczył.

— OK? — spytałam.

Nie odpowiedział. Był całkowicie zaskoczony, ale zaraz próbował się uśmiechnąć.

— Dzięki — wysapał głupio i zaczął zdejmować kurtkę. Stałam i gapiłam się na niego, zastanawiając się, co czuję i chyba... nic nie czułam. Znaczy chyba nic wstrząsającego.

— Chodź — powiedziałam, jak już się wysupłał z ciuchów i sięgnął po swoje tutejsze kapcie (!).

Popatrzył na nie, zanim je włożył, i spojrzał na mnie ciepło. Potem jakby się zawstydził. Kiedy przechodził obok mnie, wziął mnie za rękę i pocałował. I już żadnych innych ekspiacji, gestów. Nic.

Dalej szło już normalnie, jeśli nie liczyć naszego lekkiego zakłopotania, spojrzeń i nawałnicy myśli — u mnie i zapewne u niego. I nie wiem, jakby się to potoczyło, o czym rozmawialibyśmy przy stole i po Wigilii, gdyby nagle Paula nie zdecydowała się urodzić dziecko.

I urodziła!

Prawdziwe dzieciąteczko, córeczkę.

To była wariacka Wigilia. Śmierć ojca Janusza i narodziny córki Pauli.

Pierwszy raz w życiu widziałam poród, i zapewne — ostatni. Ja i mama jako kobiety nie spisałyśmy się po bohatersku. Mnie zatkało i po prostu zamarłam z przestrachu, mama chyba też. Na całe szczęście dowodzenie objął Orest i dzielnie pomagał mu Janusz. Strasznie spięty, ale dzielny. Nie dał po sobie poznać, że był przerażony jak my wszyscy.

Twarz Janusza była czerwona po tym obiecanym policzku, który wycięłam mu i to nie bez satysfakcji. Jednak nie przyniosło to ulgi ani jemu, ani mnie.

Mama pościeliła mu w gościnnym pokoju na górce. Nie było sensu pozwolić mu wracać w tak paskudną noc. Samochód pewnie zakopany po dach, w domu cisza i wszystko, co przypominało Wacusia.

Mama i Tomasz też zostali u nas na noc.

Mama zaglądała nocą i nad ranem do Pauli, zdejmując mi z głowy ten problem, a nazajutrz nie padało, i mimo święta stary pan Roman z Pasymia przejechał naszą drogę od szosy do lasu ciągnikiem z pługiem, po telefonie Tomasza.

Ja i mama dokończyłyśmy sprzątanie po poprzednim wieczorze. Ja poszłam do Pauli i zabrałam Broneczkę, żeby Paula sobie pospała. Głęboki fotelik z becikiem postawiłam na stole. Maleńtas spał. W końcu zasiadłyśmy do porannej kawy.

— Co zjesz?

— Nic, mamo, napasłam się wczoraj pierogami, to chyba z nerwów po narodzinach Broni.

— Ale historia, co? Byłam u nich raniutko, jeszcze ciemno było. Ty wiesz, że ona w nocy sama przewinęła maleńką? Podaj mi mleko.

Zaraz wszedł Tomasz i za nim Orest. Wkrótce też i Janusz zaspany, z czerwonym policzkiem. Paula weszła do kuchni. Wdzięczna za opiekę nad dzieckiem, zatrzymała się na chwilę, wypiła łyk mojej kawy, zjadła kawał sernika i pogadała, pośmiała się i poszła dospać. Panowie zjedli pół foremki ciasta drożdżowego, popijając wielkimi saganami kawy z mlekiem i pogapili się na dziecko. Potem Tomasz zabrał mamę do leśniczówki. Orest i Janusz siedzieli, nic nie mówiąc. Janusz ziewał. Wreszcie wstali i poszli — każdy do siebie.

Zostałam sama z moimi myślami i śpiącą Bronią.

Co do zaproszenia Janusza na Wigilię — sprawa jest bezdyskusyjna. Postąpiłam słusznie. Nie mógł być sam. Co innego, gdyby żył Wacek. Zapewne nie odezwałabym się.

Tak naprawdę nie wiem, czego chcę. Naiwnie — żeby było jak dawniej, ale tak, już nigdy nie będzie. Nie zdążyliśmy porozmawiać, a zresztą chyba nie jesteśmy gotowi do rozmowy. Mama miała rację — gdyby on uważał, że koniec z nami, nie przyszedłby, gdybym i ja tak czuła — nie zadzwoniłabym. Proste.

Poczułam wewnętrzną pustkę, nie wysiedzę dłużej w tej kuchni, więc wstaję, zanoszę małą panienkę do Pauli i ubieram się ciepło.

Wychodzę na podwórko, biorę szuflę i zaczynam odśnieżać.

Powoli, metodycznie — raaaz i siup, na bok. Raaaz i siup! Ciężko, ale dobrze mi. Dotleniam się. Czuję zmęczenie mięśni, wszystko się we mnie napina. Jest lekki mróz, słońce za chmurami, śnieg chrzęści miękko, bo nie jest mokry. To jeszcze wciąż puch nawiany wiatrem wczoraj.

Janusz chciał iść do domu. Coś się w nim kotłuje, i dobrze.

Z pensjonatu wyszedł Orest. W samym dresie.

— Pomóc?

— Nie, Orko, ja dla zdrowia! Ciepło masz w pokoju?

— Aż za ciepło. Pogoda się zrobiła, tak cicho. Uch! Za to wczoraj — co za dzień!

— Świetnie się spisałeś! Naprawdę twoja babka była położną?

— U nas nie dziwne, czasem karetki nie dojeżdżali, szpitali daleko, to po wsiach ciągle akuszerki byli. Kiedyś izby porodowe byli, potem je polikwidowali i znów kobiety bywało — rodzili po domach. Ja z babką Ulą chodził do porodów. Jak Paulina po nocy? Pani spyta, czy już sikała, bo to czasem kobiety problem mają.

— Pytałam — sikała. I dziecko spało ładnie. Nie mów mi „pani", tyle czasu już u nas jesteś. Małgorzata jestem. Gosia.

— No, dobrze. Ja pójdę z Januszem odśnieżyć mu samochód. Pójść? — zapytał mnie nagle, jak sędziego.

— No co ty! Idź! Tylko ubierz się cieplej!

Skłonił się i poszedł w stronę domu. Po Janusza i po kurtkę. Miły jest. I dobrze, że się u nas pojawił ten „ruski Wit Stwosz".

Panowie przyprowadzili samochód Janusza na podwórko. Namówiłam go, żeby został. Dziś i tak nic nie załatwi. Ma sam siedzieć w pustym domu?

Kiedy już wszyscy sobie poszli i zostałyśmy tylko my dwie — ja i moja maleńka córeczka — patrzyłam na ten mój cud. Na cienką, różową skórę, już nie tak czerwoną jak tuż po porodzie, na spokojnie zamknięte maleńkie powieki, zakończone rzęsami. Prawdziwymi! Maleńkimi!

Robiłam to, co wszystkie matki świata — poznawałam każdy milimetr ciała mojej córeczki.

— Aleś się przyczaiła, moja mała! To ja tu tkwiłam w przekonaniu, że jesteś Filipem, a ty nawet nie zaprzeczyłaś? Musiałaś się dobrze bawić! Pokaż łapkę. Ale masz małe paznokietki! Cała jesteś taka... Mała Mi, jak ta z *Muminków*! Będę tak cię nazywać!

Potem zasnęłam, bo powieki jak betonowe płyty spadły mi na oczy znienacka. Z hukiem. Ciężki sen pochłonął mnie po prostu. Po paru godzinach (przysięgłabym, że minutach!) obudziła mnie kręcąca się główka mojej małej córeczki. Taki niesłyszalny dźwięk, a ja już otworzyłam oko! Usłyszałam!

— Wiesz co, Brońciu? Mam instynkt! — pochwaliłam się, żeby wiedziała, że ja, mamusia, jestem porządnym, niewybrakowanym egzemplarzem z mlekiem i instynktem!

Kręciła tą główką, wykrzywiając pyszczek i marszcząc się, więc „otworzyłam" bufet i nakarmiłam ją znów, jakbym robiła to od tysiącleci.

— To proste! Prawda? Tylko pytanie — masz już mokrą pieluchę czy jeszcze możesz pospać? To porządny pampersik, a mnie tak się nie chce sprawdzać!

Zmieniłam go po półtorej godzinie. Mała Mi skrzeczała jakoś tak inaczej, nie kręciła główką, gdy ewidentnie coś ją wkurzało. Zapaliłam lampkę i przystąpiłam do zadań specjalnych. W mokrym pampersie zlokalizowałam też zielony kleks. Dziwne...

— To na pewno twoje? — spytałam mojej córki, ale ona udawała śpiącą i nie przyznawała się do niczego. Zastanawiałam się, czy powinnam ją teraz wykąpać, ale byłam senna i tak spragniona snu, że wytarłam mały tyłeczek „baby chusteczkami" i poszłyśmy obie spać. Babcia poradziła mi, żebym zawinęła ciasno Bronię w kocyk, bo jak powiedziała: „Bachorki tuż po urodzeniu nie marzą wcale o przestrzeni. Dziewięć miesięcy było im ciasno i to właśnie daje im poczucie bezpieczeństwa. Matki myślą inaczej i wyzwalają je na noc, przykrywając kołderką, żeby mogło się dziecko ruszać. A ono boi się, na razie, takiej swobody i płacze!".

Brzmiało logicznie. Malutka śpi zawinięta w naleśniczek swoim kocykiem w gąski. Zasypiam i ja, zachwycona swoim wyczynem. Nie potrzebowałam żadnej pomocy i sama przewinęłam dziecko! To takie proste!

Rano jeszcze raz nakarmiłam pannę i dobra Wróżka Gosia zabrała mi ją, żebym mogła pospać.

— Płakała? — spytała, wizytując mnie rano w szlafroku.

— Ona nie płacze, tylko skrzypi — wyjaśniłam. — I właściwie tylko dwa razy się budziła. A kupę zrobiła zieloną! To coś nie tak?

— Pierwsza prawie zawsze taka jest. Śpij. Zabiorę ją — dobrze?

Pogrążyłam się w kamiennym śnie. Głęboko, mocno. Dopiero szósta! Gośka jest kochana, a ja zmęczona!

Kiedy wstałam na dobre, było już jasno. Umyłam się ciut obolała, włożyłam dres i weszłam do kuchni. Leżaczek gniazdo stał na stole. W nim spała snem sprawiedliwego Bronia, a dookoła wszyscy domownicy gapili się na nią.

— Zwariowaliście? — spytałam z udawaną obojętnością. — Kocica nie może wejść na stół, a bachorka mi na nim stawiacie?

— Bronia to nie kocica i swoje prawa ma. Sprawdzamy, do kogo podobna.

— I...? Jakieś sugestie?

— Moim zdaniem — powiedział Tomasz — do siebie. Ja nie widzę żadnego podobieństwa do nikogo, kogo widziałem.

— Do Jeana — wypala Gosia.

— Skąd wiesz? Przecież go nie znasz? — odparowałam.

— Bo niepodobna do ciebie. A Jeana widziałam na zdjęciu. Będzie ruda!

— Skąd wiesz? Na razie ma ten meszek szary jakiś... — pogłaskałam kłaczki mojego dzieciucha.

— Pod światło mają taki refleks... Będzie ruda! — powtórzyła Gosia.

— Wacek powiedziałby z ruska, że „ryżeńka", tak Orest? — wtrącił nieśmiało Janusz.

— Nu, u nas na Białorusi rzekliby „ruda", a „ryżeńkaja" — to Rosjanie — odpowiedział Orko.

— To może tak jej dać na imię: Rudencja albo... Rudmiła? — Gosia ruszyła konceptem.

— Sama jesteś Rudencja. Bronia jest i już! Poza tym podobna do Małej Mi — broniłam mojej córki przed „Rudencją" i „Rudmiłą".

Jedliśmy śniadanie nieśpiesznie, nalewając sobie kawy, kakao lub mleka i pojadając ciasta świąteczne. Bronia spała na stole w swoim nosidełku. Zupełnie umknęło nam, że to pierwszy dzień świąt. Babcia i Tomasz pojechali do siebie i dziś zapewne wpadną dopiero na późny obiad.

Wszyscy mnie gonili do łóżka, więc poszłam.

Wstałam w południe i zabrałam Bronię do kuchni. Nie chcę jej nigdzie samej zostawiać. Pić mi się chciało.

Nagle drzwi się otworzyły i wparował pan Henio Piernacki.

— Tylko was zostawić na trochę samych, a wy od razu dzieciaka zmalowujecie? — zakrzyknął i dodał: — Pokażcież ten cudzik mały! — już słodko, czule. Podszedł do stołu. Zaszkliły mu się oczy i patrzył niemo na Bronię, mnąc łapami czapkę.

— Królewna ty! Królewna malutka! W Wigilię narodzona! Ot, czorcie mały, sobie czas piękny znalazłaś, tak? Tak?

Piernaś stał i gadał tak do siebie rozczulony.

— Panie Heniu, jak pan do nas dotarł? Samochodem czy sankami?

— A kobyłkę zaprzągłem do sań, sanie pewniejsze! U was, widzę, Roman też pługiem przejechał? To dobry człowiek jest! Karetka podobno była? Pani Basia mówiła, że była. A samochód czyj stoi przy bramie?

— Mój — odpowiedział Janusz.

Piernacki pokiwał głową jakby nigdy nic. Gapił się na Rudą rozmodlony, a z oczu kapał mu żywy miód.

— O mój Boziu kochany, jaka śliczna. Jak cukiereczek, jak aniołek, jak mały Jezusek, co się wczoraj narodził! — I popłakał się.

Nie zajmowałam się obiadem, gośćmi, nikim. Byłyśmy — ja i Bronia, udzielnymi księżnymi. Zajmowałyśmy się każda tym, co najważniejsze — ja spałam i karmiłam ją czasem, zmieniałam coraz sprawniej pampersa, wycierając pupinę chusteczkami, gapiłam się na nią, jak na cud objawiony, a ona... spała dzielnie i pracowicie. Koło późnego obiadu poczułam niepokojąco wezbrane piersi. Jakby się w nich gotował wrzątek.

— A odciągasz pokarm? — spytała Gosia.

— Nnnie.

Szczerze mówiąc, sądziłam, że mnie to ominie.

— Przecież karmię — nadęłam się, obrażona na fizjologię.

— Popatrz na nią. Jest jeszcze za mała, żeby ci odessać całą twoją produkcję! Musisz ściągać, bo będzie bolało i dostaniesz zapalenia! — pogroziła mi palcem.

Poszłam po maszynę straszynę do odciągania mleka. Mam taką japońską — od Mani. Mania kupiła przez net. Wyjęłam z opakowania, przeczytałam instrukcję, która najfajniej wyglądała po japońsku, i zabrałam się do dojenia. Gdy podciśnienie wciągnęło mój obolały sutek do środka, wrzasnęłam z bólu i upuściłam na ziemię narzędzie tortur.

— W życiu! — krzyknęłam wściekła. — Jezu, jak to boli!

— Pokażę ci, jak to robić ręcznie. Stare sposoby najlepsze, jak widać. Szkoda, że męża nie masz. Oni to robią najlepiej.

— Zwariowałaś? Odsysają?

— Mogą, jak chcą pomóc. To nic takiego. Naturalna, bezbolesna pomoc. Zobacz teraz, weź sutek, o tak, i naciśnij tu kciukiem. Wyczuj kanał mleczny. A tu masz miseczkę. I do miseczki! No, pracuj, pracuj, bo zastoina boli.

Nie było to trudne ani tak bolesne jak wsysanie cycka do tego japońskiego aparatu. Siedziałam i wyczuwałam kanały, a do miseczki skapywało białobeżowe mleko. Wejście Janusza mnie nie skrępowało. Pokiwał głową, patrząc na mnie, i spytał Gosi, czy ma już jechać. Tak jakoś nieporadnie, jakby pragnąc z całej duszy usłyszeć, że nie.

— Bo ja wiem? — odpowiedziała zwyczajnie. — Jest tu co robić. W domu, u siebie, będziesz sam. A u nas możesz przecież obejrzeć telewizję, poczytać w pokoju, iść do Oresta do pracowni albo... usiądź i kręć ciasto na kluski francuskie.

— A co do klusek będzie?

— Baranina na ostro, w sosie myśliwskim.

— To nie lepsze byłyby pyzy?

— A zrobisz? Bo ja mam co robić. Trzeba ugotować z kilo ziemniaków, utrzeć surowych... Sporo nas będzie.

— To ja zrobię! — Janusz przymilnie spojrzał na mnie, szukając... aprobaty.

Olałam go. Dostojnie się zdajałam i milczałam też dostojnie. Pyzy? No, rób, Januszku. Staraj się. Podlizuj! Mam na nie wielką ochotę! A Gosia? No, nie wiem, czy pyzami ją przekonasz do siebie...

Gosia robiła buraczki na zimno, doprawiała mięso, Janusz obierał ziemniaki i było prawie jak kiedyś. Prawie, bo jednak czułam napięcie między nimi. Jak ona może być taka spokojna? Sieka cebulę pochłonięta tym tak, jakby tylko ta cebula się liczyła, a przecież za plecami siedzi Janusz nad wiadrem i obiera ziemniaki jak gdyby nigdy nic. Cisza jak pełny wór wisi między nimi.

Zrobił z siebie nieodpowiedzialnego gnojka, a teraz obiera ziemniaki! Też coś! A Gosia... taka stoicka. Miesza te buraczki, sięga do lodówki po zamrożone zioła, miesza sos i milczy. Rozmawiali czy nie? Ciekawość mnie zżera.

Baranina po myśliwsku — najprościej

Trzeba ją zabejcować, to znaczy natrzeć pieprzem, obłożyć cebulą, czosnkiem, liściem laurowym i zawinąć w płótno ciężkie od wody z octem. Ma być kwaśna, ale nie sam kwach! Ocet winny jabłkowy, tylko nie zwyczajny. Może też być jogurt — zanurzamy w nim baraninę. Niech tak leży w lodówce kilkanaście godzin. Nawet dobę!

Opłukać szybko pod bieżącą wodą. Osączyć, wytrzeć papierowym ręcznikiem. Mam nadzieję, że jest pokrojona w duże kawały. Jak nie — pokroić. Na patelni rozgrzać mieszankę tłuszczu — smalec i oliwę (ale tę do smażenia).

Zrumienione, wkładać do żeliwnej rynienki. Podrzucić zrumienioną cebulę, marchew i śliwki wędzone. Kilka. Zalać wodą. Dusić na wolnym ogniu dłuuuugo. Na końcu wrzucić ciut tymianku, liść, ziele. Jeszcze dusić, aż zapachy się rozejdą po domu. Na zakończenie, po zdjęciu z ognia — rozgnieciony czosnek, paprykę ostrą, pomidora bez skórki lub przecier — łyżeczkę i szklankę wytrawnego wina. Zakryć i czekać z pół godziny, aż smaki poszaleją. Wyjąć mięso na chwilę do miski. Wyrzucić listek, a resztę zmiksować. Babcia nie miksuje, tylko dusi widelcem resztki marchwi i śliwek.

Do tego pyzy — warszawskie, poznańskie albo kluski śląskie. No, mogą być kładzione francuskie, ostatecznie!

Z rusztu — fantazja

Przepis cypryjski, ale „zakażony" Brytyjczykami

Zabejcowane, jak uprzednio, płatki baraniny kłaść na gorącym jak diabli — ruszcie. Niech skwierczy!

Podać sos:

W salaterce nalać oliwy z oliwek, czosnek i świeże zioła — miętę i ciutkę tymianku, kolendry zielonej, trawki cytrynowej. Bardzo wytrawne wino białe i sok z cytryny. Sól, cukier (odrobina) i pieprz biały. Polewać baraninę tym cudem i jeść z wielkimi kaparami, w ogóle — piklami.

Zapisałam. Te przepisy Gosia ma od Basi i z wyjazdu na Cypr. Wszystko zapisuję! Będzie jak znalazł na późniejsze życie!

Nareszcie jest Basia. Zostawiamy Gosię i Janusza. Idziemy wykąpać moją Małą Mi. Tomasz idzie z wanienką wody, a ja siedzę i zdajam drugą pierś.

— Babciu, czemu Gosia go toleruje?

— A co? Miała go pogonić, skoro zaprosiła? Niech sami załatwią swoje sprawy. „Ich małpy, ich cyrk". Powiedz, gdzie masz ręcznik i myjkę. I patrz, jak to się robi, bo nie zawsze Tomasz będzie pod ręką.

— Ja? A co? — Tom zdziwił się, że się go kojarzy z kąpielą. — Ja nigdy tego nie robiłem! Ja — nie!

— Masz wielkie łapy, więc się nadajesz — babcia była spokojna jak generał na manewrach. — Ja rozbiorę maleńką. Zawsze lubiłam się bawić lalkami.

Broneczka leżała obok mnie, a babcia Basia zdejmowała z niewymowną radością z niej ciuszki.

— Teraz, Tomku, weź ją na dłoń tak, żeby był podparty karczek i główka. O, baaardzo dobrze! Widzisz? Mieści ci się na dłoni jak bochenek chleba. Jest bezpieczna. Teraz do wody i stale trzymaj jej łebek nad powierzchnią. Nie za dużo nalaliśmy? Pępuszka nie zamocz!

Bronia uchyliła jedno oko i popatrzyła na twarz Tomka uważnie, jakby sprawdzając, czy facet wie, co robi. Musiało być w porządku, bo zamknęła je i przycisnęła małe piąstki do siebie.

— Chyba się jej podoba — zauważyłam.

Poszło gładko. Tom był tak zafrapowany swoją nową umiejętnością, że szepnął tylko:

— To ja pójdę na kielicha, dobrze, Basiu?

— Idź! Zasłużyłeś!

Ubrałyśmy pannę już skrzypiącą i wiercącą się, bo zgłodniałą.

Już czułam, że ta opróżniona najpierw pierś jest już gotowa do akcji. Uff! Coś takiego, co za nadprodukcja! Jak ja wytrzymam tę stałą, bojową gotowość? Chodzę i mleczę. Noszę wkładki w staniku, bo mi się leje, jak wiejskiej mamce.

Mały smok zassał ślicznie i sprawniej niż dotąd. Już wie, na czym to polega. Ja z grubsza też. Tylko, że zasypia prawie natychmiast i muszę ją budzić. Dmucham w jej małe nozdrza, gadam do ucha, że „wystygnie", drapię w podeszwy. Trochę pomaga. Trochę.

Z każdą godziną stajemy się rutyniarami. Mała Mi śpi rewelacyjnie, a także wydala, ssie wszystko, jakby to robiła od dawna. Ja coraz lepiej radzę sobie ze ściąganiem pokarmu.W drugi dzień świąt wieczorem tak mi wezbrało, że po bokach piersi poczułam kamienie i ból.

— Boli? — spytała Gosia i poszła zadzwonić do Basi.

Gdy wróciła z pokoju, poszła prosto do sieni po ziemniaki. Ugotowała je i zrobiła kompresy. Jezu! Jaka ulga! O, jak dobrze! Czuję, jak od tych okładów buzują gruczoły, i zaczyna mi ściekać. Ulga!

Po świętach rano przyszła nieśmiało Ania Wrona i popłakała się ze wzruszenia, gdy jej położyłam becik z Bronią na ręce. Usiadła w kuchni i nic nie mówiła, tylko patrzyła na małą.

Trzymała ją jak skarb, łzy lały jej się z oczu, kołysała się i coś szeptała do małej.

Oddała mi ją, nic nie mówiąc, wzruszona, przejęta.

Potem sięgnęła do kieszeni i wyjęła... sweterek i biały czepeczek jak dla lalki. Ładny, z falbaneczką i wrobioną jakby... gąską i podała mi go. Na sweterku — też gąska.

— Pani Paulina ma taki kocyk, to ja...

Uścisnęłam ją mocno. Mam mokre oczy i tak mi jest jakoś, nie do opisania!

— Ja takie mojej Karoli robiłam. O, tu przepis nawet zachował się, to też dam. Dzieci szybko rosną. Tylko, że czepeczek to na drutach, a kaftanik, znaczy... Ja sama Paulinie pokażę, jak będzie chciała, bo to szydełkiem!

Chyba się zawstydziła, bo pogłaskała Bronię po główce jakaś taka przejęta.

Podała mi zdjęcie sweterka i czepka z przepisem.
O mój Boże! Jaka ta Ania dobra.

Kapturek niemowlęcy

100 g włóczki średniej grubości

Druty nr 3,5

Splot — francuski (wszystkie oczka na prawo)

Wiek — 0,5 do 1 roku

Wykonanie. Nawinąć na drut 60 oczek (30 cm) i przerabiać skróconymi rzędami splotem francuskim w następujący sposób: 1 rząd — 59 oczek, ostatnie zatrzymać na drucie — bez przerabiania, 2 rząd — 58 oczek, 3 rząd — 57 oczek i tak dalej, aż na drucie pozostanie 30 oczek.

Dalej przerabiać w ten sposób: 1 rząd — 31 oczek i odwrócić robotę, 2 rząd — 32 oczka, 3 rząd — 33 oczka itd., aż do uzyskania 60 oczek, czyli tyle, ile było na początku. Po uzyskaniu główki należy wykonać tzw. falbankę. W tym celu dodaje się 60 oczek równo rozdzielonych wzdłuż jednego rzędu. Na drucie będzie 120 oczek. Dalej przez 4 cm przerabiamy prosto i zakańczamy.

Wykończenie. Zrobić sznureczek i przeciągnąć go przez oczka pierwszego rzędu obramowania. Zawiązać na kokardkę.

Wszystko napisane niezgrabnymi kulfonami Ani Wrony.
Później poszła do pensjonatu, bo nazajutrz po południu miały przyjechać mieszczuchy na sylwestra.
I po świętach — przyjechały.
Po południu zajechali samochodami koledzy Mańki i Adasia i oni sami. Od razu pokazali klasę, bo spytali grzecznie, gdzie parkować, żeby nie sprawiać kłopotu. No, no!
Wszystkich wymiotło do pensjonatu — witają się, hałasują, czyli poznają. Zostawiłam Małą Mi na chwilkę na łóżku i poszłam do kuchni po kompot. Muszę dużo pić. A ten z suszu — zostało go dużo z Wigilii — bardzo mi smakuje. A najbardziej lubię wyjadać rozmokłe śliwki.
Janusz wrócił z zakładu pogrzebowego i znów zajechał do nas.
— Janusz? Co ty tu robisz? — spytałam obcesowo.
Wtedy wybuchnął:
— No? Co? Nie jest mi łatwo...
— Domyślam się, ale jak ty to sobie dalej wyobrażasz?
— Wiedziałem, że mnie osądzisz. Sczyściscz. Paula, jestem prze...przemielony jak w wy...wyżymaczce. Gdybym teraz był sam, nie da...daję głowy, czy bym nie za...zapił.

— Uważaj, bo się popłaczę... I co? „Jak trwoga, to do Boga?"
— Tak to może wy...wyglądać z boku... Ja nie chcę być sam!
— No, proszę cię! Słyszysz siebie? Egoizm jak mamut. „Ja nie chcę być sam!" — parodiuję go zła. — A Gosia musiała być sama, jak poczułeś się w obowiązku zatroszczenia się o samotność Beaty?
— ...wiem — zamilczał.
— Rozmawialiście? Ty i Gosia?
— Nnnie. Nie było jakoś o...okazji. Sama widziałaś. Narobiłaś dy... dymu z porodem, że nie zdążyliśmy po...porozmawiać.
— Akurat! — parsknęłam. — Moja wina — sorry! Janusz, my kobiety potrzebujemy rozmowy. Idź, zabierz ją do pokoju, na spacer... Byle nie nad staw.
— Czemu? — zdziwił się.
— Bo może cię tam utopić. Idź. Gosia wraca z pensjonatu. Idź do niej! Wyjaśniaj, przepraszaj. No, kurczę! „Zrób coś, mów coś, nie stój, bo zardzewiejesz!" — zacytowałam babcię Malwinę i zaśmiałam się pojednawczo. Niech ma!

Usiadłam do komputera.
Muszę w końcu zawiadomić mamę. Muszę.
Mail do mamy:

Kochana mamo!
Już po wszystkim! 24., w samą Wigilię urodziłam córeczkę — Bronię. W domu, bo była zamieć i karetka się spóźniła. W zasadzie lekko poszło i nawet nie pękłam, bo Bronia ma małą, ładną główkę. Jest zdrowa i „żarta". Naturalnie karmię piersią. Babcia Basia powiedziała mi, żebym nawet butelki nie kupowała, bo to właśnie psychika jest odpowiedzialna za mleko. Za laktację. Można podświadomie tęsknić do butelki i mleka w proszku i wtedy laktacja słabnie. Tak mówiła i ja mam mleka jak jakaś mleczarnia. Duuużo! Wysyłam Ci MMS-em zdjęcie mojej Poczwarki. Brzydka — prawda? Ale to zrobił Adaś zaraz po urodzeniu. Drugie jest z wczoraj, jaka różnica! On ma taki model telefonu, że nawet niezłą rozdzielczość mają te jego zdjęcia. Od jutra robię dokumentację na całego moim aparatem, bo właśnie mi go przywieźli z Warszawy. Kamerę też już mamy sprawną, więc będzie i film.
Pozdrów Serge'a i mojego brata. André, bądź grzeczny i słuchaj mamy!
Pa, mamo. Paula.

Po piętnastu minutach (ale się spięła!) dostałam odpowiedź:

Cześć, córeczko!
Wspaniała wiadomość! Gratulacje od nas! Jak to w domu?! Jak to, nie

dojechali na czas?! Jakieś średniowiecze! Czy wiesz, co mogło się stać?! O mój Boże! Szczęściem nic się nie stało — jak piszesz.

Dlaczego „Bronia"? No, ale u nas też w modzie stare imiona...

Oczywiście musiałaś mi dopiec tą laktacją, a ja zwyczajnie nie miałam pokarmu. Wcale to nie chodziło o urodę! Zresztą to było dawno, więc dość już o tym! Od kiedy tam zamieszkałaś, wierzysz w gusła i zabobony — trudno. Widać, to ci odpowiada. Jak chcesz, wyślę ci odżywki i witaminy. Powinnaś mieć w domu butlę choćby do rumianku, koperku. Dzieci miewają wzdęcia.

Jakoś w lecie może wpadniemy do Polski. Całuski. Mama.

PS: Serge mi uświadomił, że uczyniłaś mnie babcią. Zrobiło mi się przykro, bo nie wyglądam, ale zaraz się zaczął do mnie dobierać i mruczeć, że jak na babcię jestem bardzo apetyczna. Zwariować można z nim! Pa!

Wściekła się, jak pomyślała, że jest babcią. Zafundowała sobie André nie dlatego, że „wpadli", bo już dawno nauczyła się zabezpieczać, i niech mi kitu nie wciska. Przeczytała artykuł w prasie kobiecej, że późna ciąża odmładza, no i chciała usidlić Serge'a. Się odmłodziła! Fakt, że waży czterdzieści osiem kilo, jest chuda i nakremowana, posolaryjna, wymasowana. Trenuje pilates, a ten jej Serge tai-chi. Niestety zmarszczki ma od solarium i szyję jak indyczka. Ogólnie pozazdrościć, bo ja się sobie wydaję grubą parówką i niczego nie ćwiczę poza dojeniem się. A z tym średniowieczem poszła po bandzie! No, jakby we Francji nie mogło się coś takiego wydarzyć! Zresztą, tam panuje jeszcze większa moda na naturalne metody, takie porody w domu. Udajc troskę. Przynajmnicj to!

Patrzę przez okno. Gosia i Janusz poszli nad rozlewisko. Może wreszcie go utopi? Udusi? Idą powoli, każde z nich trzyma ręce w kieszeniach. Jeszcze niedawno trzymali się za ręce... Niech gadają!

Pensjonat rozogniony, rozświetlony, rozćwierkany. Słyszę pianino i klarnet Adasia. Ale im wesoło! A mnie wzięła nostalgia! O matko! Czemu ja nie mam takiego luzu? Czemu nie przyjechałam tu, jak oni, wolna, z facetem na ferie? Będą pić, bawić się, śmiać i kochać nocami... a ja? Jestem już w jakimś innym świecie!...

Ten mój świat właśnie zakwilił.

— No co, kurczaczku? — przytulam malutką, ciepłą Bronię. Pachnie mlekiem i sobą tak upojnie, ślicznie. Moja mała przytulanka. Mój cały świat! Już mi odpuszcza ta tęsknota za luzem. Coś za coś! Za to w pamiętniku babci znalazłam takie info, że szok!

Czerwiec — Wianki.

Na przystani była potańcówka z okazji Wianków. W Warszawie na statkach wiślanych i na lewym brzegu Wisły też pewnie, jak co roku — zabawy i potańcówki. Lubiłam te rozświetlone wieczory. Sznury żarówek, zbite z desek „kręgi taneczne". Na statku grała kapela z Chmielnej te swoje „Ojdyrydy", a pod Stadionem Dziesięciolecia ustawiono estradę, koło taneczne i grali Niebiesko-Czarni, Karin Stanek i Kasia Sobczyk... Pamiętam!

U nas w Pasymiu grają muzyczne pocztówki przez megafon i też jest dobrze! Cały wieczór przetańczyłam z posterunkowym, czyli z Arnoldem. Okropnie się złości, jak mówię do niego „Panie komendancie". Włożyłam tę szeroką spódnicę w kwadraty, rozpuściłam włosy i natapirowałam je jak BB, przewiązałam opaską... Ładnie mi. Arnold nie odstępował mnie na krok i jak poczuł, że nie jest mi obojętny, poszedł do recepcji i po chwili usłyszałam moje ukochane Mazurskie jeziora *i* Kormorany. *Wiedział, jak mnie podejść!*

Był też Tomasz Zawoja, ale krótko. Nawet chciałam z nim zatańczyć, ale on jakoś tak zasępił się i nie prosił... Gapił się na Arnolda zły. Zgłupiał? Młody i zazdrosny. Za młody dla mnie! Lidka dopiero co wyjechała i co on sobie myśli?

Szczeniak. Przytuliłam się do mojego komendanta, gdy tańczyliśmy Żółty, jesienny liść, *Tomek to widział i poszedł jak zmyty.*

Czwartek.

Rozmawiałam z Tomkiem, gdy wracałam z miasta. Niósł mi zakupy. Chyba mi się tylko zdawało, że się mną interesuje w szczególny sposób. Jesteśmy kolegami i już. Tłumaczył, że wtedy podczas Wianków miał rozmowę zamiejscową z Lidką. Powiedziała mu, że odnalazła szczęście i miłość. Lekko to znosi. W końcu odeszła od niego żona... Może nie kochał jej aż tak? Tak. Zdecydowanie przyjaźnimy się i to wszystko. Jak mogłam podejrzewać, że jest inaczej? Śmieszne.

Dużo rozmawiam z Olą Karolakówną. Mój Boże, jaką ta dziewczynka ma fantazję!

Sporo babcia pisze o tej przyjaźni, pisze o tej Oli i jakimś jej Janku. O! Jest też o spotkaniu w leśniczówce i jak się całowała z Tomaszem.

Sobota.

Długo się zastanawiałam, co jest ze mną nie tak. Oczywiście chodzi o Tomka Zawoję. Intuicja mi mówiła, że nie tylko przyjaźń nas łączy. Skoro pojawiły się intymne rozmowy, spacery po lesie, uśmiechy takie... niedopowiedziane słowa, to oznaczałoby coś więcej, a tu nic! Czuję przez skórę, że nie jestem temu młodziakowi obojętna i nawet mile mnie to łechce. A Arnold? On się stara i nawet byliśmy w Olsztynie w teatrze. Wybrał idiotycznie — Skąpca *Moliera. Nudnawe i takie sobie jak na randkę. Nawet mnie to wzrusza, że Arnold taki nieporadny. Całowaliśmy się kilka razy po kinie, na krzyżówce. Zaraz milknie zawstydzony.*

Z Tomkiem jest inaczej. Tematy nam się nie kończą. I dreszcz mnie przechodzi, jak on milknie w pół zdania i patrzy mi w oczy głęboko. Zaraz potem wraca do przerwanego wątku i po twarzy błądzi mu taki uśmiech... Intryguje mnie to. Jednak on nic nie robi w tym kierunku, żeby być jakoś bliżej!

Kilkanaście stron dalej.

Zima. Piątek.

Byłam u Tomasza w leśniczówce. „Na kawie" — jak zawsze. Nastawił muzykę, ma całą płytotekę Krysi Konarskiej. Stare to, ale fajne. Młodzież teraz słucha bigbitu. I owszem, lubię Skaldów, ale na takie wieczory Konarska jest w sam raz. Znów siedzieliśmy na tej wielkiej otomanie, blisko, i gadaliśmy, czytaliśmy. Przysięgłabym, że czuję bicie jego serca, że chce mnie dotknąć i... nic! Zaczęłam wariować. Poczułam, że Andrzeja już nie ma w moim sercu, że już zapomniałam o nim, a teraz mam w nim... Tomka. Przecież, gdy idę do Niego na kawę, stroję się, w lesie serce mi się tłucze jak synogarlica, i idę tak „nad ziemią".

Tomek. Tomasz.

I... stało się!

Kiedy wychodziliśmy, bo zawsze mnie odprowadza, wskoczyłam na powalony pniak, niby tak obojętnie, żeby nie widział, jak mi płoną oczy, jaka jestem „w uniesieniu dysząca" — jak śpiewa Demarczyk. I jak tak skakałam radośnie jak kozica, omsknęłam się i spadłam prosto w ramiona Tomasza. Trzymał mnie, drżąc, i patrzył w oczy pytająco. Nachylił twarz nade mną i pocałował delikatnie, nieśmiało. Lawa się we mnie rozlała. Całowałam go tak namiętnie jak tylko to możliwe. Modliłam się, żeby mi nie uciekł, bo zapragnęłam go z taką siłą jak onegdaj Andrzeja...

Boże! Dzięki Ci, żeś mi odpuścił! Co prawda straciłam rodzinę i będę cierpieć do końca życia, ale znów żyję, kocham!

Zawróciliśmy do leśniczówki. Szalona noc. Fajerwerkowy seks, mocny czuły, żarliwy! Żyję! Żyję! Dzięki Ci, Panie!

Zamknęłam zeszyt ciut zażenowana. Jakbym wykradała babci tajemnice. Gosia i tak to przeczyta. Każda z nas teraz bierze go sobie do sypialni, czyta kawałek i odnosi na okno, na „czarcie miejsce".

Przez podwórze idzie Orest. Rzuca kulami w Funia i bawi się z nim chwilę. Blanka też oberwała, ale zaraz zrobiła taką minę, że już wiadomo, co myśli o niewybrednych zaczepkach. Zaglądają do nas, do pokoju.

— Dobrze jest? — pyta w progu Oryś i zaraz dodaje: — Paula, a ty szto? Smutna taka? Źle coś?

— Nie, Orciu. Tylko tak mi żal młodości, beztroski. Oni tam się bawią, śpiewają...

— Zobacz, śpi nasza królewna. Ja posiedzę, a ty idi tam. Poznaj ich, pośpiewaj. No, idi! Nie boisz się chyba zostawić jej ze mną?

— Coś ty! Ty jak... ojciec — chlapnęłam niezręcznie i zaraz dodałam: — Jak jakiś... anioł opiekun. Pójdę co?

I poszłam. Dziwne, bo spodziewałam się malkontenckiej hałastry, a tymczasem bardzo fajni wszyscy.

Mateusz z Alą — on spory, misiowaty typ z ładnymi oczami. Takie są... ciepłe, miłe. Ala, wysoka, smukła (wszystkie one smukłe!), a oczy ma jak sarna. I cała taka (babcia powiedziałaby) subtelna.

Ania i Radek. Ona zjawiskowa. Nie dość że smukła, to delikatna w każdym calu i ma królewskość w gestach. Jakby urodzona na ziarnku grochu. Jakie włosy! Blond ogon do pupy (drobnej — nie tak rozlazłej jak moja) i błękitne oczy. A on sam — duuuży facet. Jowialny, „brat łata", gęba roześmiana i bezpośredni. Podobno, Mania syknęła mi do ucha, „tęgi łeb do finansów".

Hubert — samotnik bez kobitki. Też duuuży blondyn, milczek, informatyk. Obserwator. Bardzo interesujący. Niby bezpośredni, głośny, ale czuję, że w środku delikatny. A może to tylko moja projekcja?

Marcin Panter — myślałam, że to ksywka, a to nazwisko! Cherubin. Blondas jasny. Kręcone włosy, marzące, szare oczy. O kim? Podobno właśnie go rzuciła. Głupia, bo jak mówi Mańka, on, ten Panter, fajny gość. Jego spojrzenie jest jednak po chwili bystre, analityczne. Czuję się „przeszyta wzrokiem". Mam go na oku. Też...

Szopen i Asia — przybyli chyba z innego wymiaru. Oboje tacy... rozmiar XS. On drobny, ciemnooki i ciemnowłosy, ciut spięty albo mi się zdaje. Bystrzaczek taki. Ona też kobieta „pocket-mini". Blondyneczka. Ale się dobrali!

Jeszcze Iza i Bartek, Krzyś i Ania, Dominika i Łukasz jakoś chmarą się przedstawili, więc nie utknęłam w szczegółach. Chyba tylko, że ta Dominika ma nieziemskie rzęsy i prawie czarne oczy.

I wszystkie one chude!!!

Zjedliśmy gorącą kolację — nasza Ania zrobiła gołąbki z farszem kaszano-grzybowym i z ciemnym sosem. Poemat! Musiałam niestety unikać kapusty, bo Broneczka by mnie zburczała, wyjadłam więc trochę farszu.

Znów zrobiło się muzycznie i wesoło. Są zgrani. Znają się, lubią. To widać. Żadnych fochów. Zwyczajni. Całe szczęście!

Sposób na zastoiny mleka

Ugotować ziemniaki. Roztłuc je i włożyć do woreczków foliowych. Woreczki owinąć pieluszką, szmatką, ściereczką — co tam jest pod ręką. Włożyć pod pachy, żeby wezbrane kanały (najczęściej tam bolą) rozgrzać. Zdoić resztki do sucha. Pamiętać, żeby nie dopuszczać do zastoin, bo wtedy trzeba dokarmiać dziecko butlą — a po co?

Nie, nie rozumiem...

Paula znakomicie sobie radzi. Sądziłam, że będę jej stale potrzebna, a ona jak dyplomowana mamuśka opiekuje się Broneczką i sobą.

Janusz załatwia pogrzeb Wacka. Coś się ciągnie i będzie dopiero jutro. Szkoda naszego sucharka, lubiłam go, ten jego nieśmiały uśmiech i to, jak mówił na Janusza: „Janusiu". To, z jaką... miłością patrzył też na mnie. Lisowskiej nie lubił — wiem to. Janusz cierpi po stracie ojca.

Nic umiem zapomnieć, a on chyba też się uwikłał w to swoje oczarowanie Beatą i nie wie, jak sobie poradzić z nami. Dwiema kobietami, bo jednak jest z nami, ze mną od Wigilii. Szczerze mówiąc, lepiej mi, jak on jest. I gorzej...

Po świętach miałam ochotę na spokój, a tu, nie dość że ten pogrzeb, to jeszcze przyjazd koleżanek Marysi. Ania Wrona zdjęła mi trochę tego kłopotu z głowy, ale zamiast odpoczywać, leżę i rozczulam się nad sobą.

Paula czyta na głos pamiętnik mamy. Ciekawe... Ależ moja mama miała życie emocjonalne! Może ja mam po niej to poszukiwanie miłości i spełnienia?

Mama wiedziała, że Tomasz to już taki mężczyzna na amen. A ja, czy słusznie upieram się przy Januszu?

Nalegał, więc dałam się wyciągnąć na spacer.

— Janusz, po co? Nie za wcześnie?

— Chodź. Proszę.

Idziemy nad rozlewisko, wszystko tu załatwiamy. Na tej ścieżce, wśród łąk, które lubię, i na kładce, na której... Wzdycham. Janusz milczy — wiem, zbiera się w sobie, a ja mam jakiś wewnętrzny spokój. Będzie, co będzie, na razie jednak nic, bo nie mam ochoty na cokolwiek. Jestem zraniona.

Ze śniegu sterczą suche badyle, słońce chyba gdzieś jest, ale chmury jak to w grudniu suną nisko i mimo wczesnej pory jest już zmierzchowo, smutno.

— Wiem, że strasznie na...narozrabiałem.

— Nie chcę tego słuchać, wiesz? — mówię spokojnie. — Pogadajmy o Wacku, tak go lubiłam! — usiłuję zmienić temat.

— Gosiu, pozwól, tak mi ciężko, taki czu...czuję niesmak — Janusz upiera się, widocznie to jest zasadniczą częścią jego bólu.

— Janusz, ale to twoja sprawa! Nie szukaj u mnie rozgrzeszenia, bo to, szczerze mówiąc, podłe.

— Podłe? — przystanął. — Po...podłe?! Chcę to jakoś wyjaśnić...

— Co to da? Przerzucisz swój ciężar na mnie? Mam pokiwać głową i powiedzieć: „Ojej, rozumiem?". Chyba ci odbiło.

Westchnął i milczał, a mnie wzięło na moralizatorstwo:

— Szukasz u mnie usprawiedliwienia i rozgrzeszenia, bo jestem typ „mamuśki"? Janusz, to za łatwe. I nie wmawiaj mi, że to przeze mnie. Może mam małe poczucie winy, że cię nie dość... Ale nie jesteśmy dziećmi! Widziałeś, ile mam pracy w sezonie!

— No, właśnie wi...widziałem ile i jak sobie ra...radzisz! I tylko dla mnie nie miałaś ani czasu, ani siebie! Ciągle wszy...wszystko ważniejsze! Dla każdego miałaś czas, nawet o dwunastej w nocy, pamiętasz?!

Pamiętam. Któregoś dnia o północy przybiegła do mnie młoda pannica z pensjonatu, że jej chłopak poszedł się wieszać, bo ona coś tam... Na nic tłumaczenia, że się nie powiesi, a tylko ją szantażuje. Poszłam z nią szukać go i wysłuchałam jakiejś idiotycznej historyjki egzaltowanej panny. Narzeczony spał na ławce nad naszym stawem kąpielowym, uśpiony flaszką czystej. Znalazłyśmy go o trzeciej, jak już jaśniało.

Następnego dnia, gdy przyszedł mnie przepraszać, opieprzyłam gówniarza ostrym słowem. Pomagałam jakimś pannom w przygotowaniu imienin, zasiedziałam się tam do późna, bo było miło i nawet zatańczyłam z panem Bogumiłem, i tej nocy po raz kolejny odsunęłam Janusza.

— Ja czasem muszę...

— Nie mu...musisz, chcesz, to różnica.

— Tak bywa. A jakby się ten palant powiesił? Policja, prokurator, potrzebna mi taka reklama? — zmieniłam temat.

Szedł cicho i nagle przystanął:

— Na wszystko masz wy...wytłumaczenie...

Chciałam coś powiedzieć, ale tylko wziął moją dłoń i pocałował.

— Daj spokój... Beata potrzebowała kogoś... Była na dnie ro...rozpaczy.

— Przestań! — parsknęłam. — „Na dnie rozpaczy"! To jej słowa — prawda? Cholera jasna! Retoryka Ani z Zielonego Wzgórza, tyle że Beata, zdaje się, jest dorosła! Nie karm mnie takimi historyjkami, to nie fair!

— Tylko tłumaczę. A ty nie chcesz słuchać.

— Co to za tłumaczenie? Poczułeś się u mnie zbędny i poszedłeś się pocieszyć do innej... Mam się rozpłakać w ekspiacjach? Słyszysz te brednie?

I wtedy powiedział coś, co zabolało chyba bardziej od zdrady:

— Jesteś jak Lisowska. W ogóle mnie nie słuchasz, je...jestem nieważny. Tylko ty cierpisz, tylko ty masz patent na...na prawdę. Ty — święta! I świetna. Idę. Pa. Masz rację.

I poszedł.

Zostałam ogłupiała.

— Janusz! Poczekaj! Jaaaa-nusz!

Goniłam go wściekła, ale poczułam, że gdzieś jest zaszyte ziarno prawdy. Miał rację — potraktowałam go jak mebel, jak łóżko, do którego się kładę, gdy jestem zmęczona, a to jest mężczyzna zraniony w poprzednim związku.

— Janusz — dogoniłam go — nie rozstawajmy się w żalach. Poczekajmy jeszcze trochę, aż opadną emocje — dobrze?

— Ja...jasne — patrzy. — Gosiu... nie chcę cię stracić.

Chciałam coś powiedzieć, ale dałam spokój. Po co? Jest jak jest.

Ja też nie chcę go stracić. Mimo wszystko.

Wróciliśmy ze spaceru, milcząc. Pod domem Janusz wziął mnie za rękę.

— Narobiło się. Wiem, i...idiotycznie. Poczułem się wa...ważny, bo umiałem pomóc ta...takiej warszawiance... Źle zrobiłem, ba...bardzo mi głupio.

— Już przestań. Dajmy sobie czas. Dobrze?

— Dobrze. Pojadę do siebie. W domu Sa...Sajgon, trzeba posprzątać.

— Jedź.

Wiem, wiem. Mało kto to zrozumie, znów miasteczko będzie miało używanie. Doktorek uwikłany w dwie warszawianki... I ja, ta głupia, przyjmuję go u siebie, wspieram! Ale to moje życie, cholera jasna! Nie potrafię go wykreślić, skopać, zelżyć... No, nie umiem! Co poradzę, że nie czuję nienawiści, tylko żal. A teraz, po śmierci jego ojca ciężej mu dodatkowo, to, co go będę dobijać? Paskudnie mi z myślą, że bywał u niej. Ale raczej nie w złość to idzie, a w żal, babskie łzy.

No i kocham go, bo... tęsknię. Bardzo. Do jego zapachu, ramion. Słów, śmiechu. Do tego czarownego czasu, kiedy po prostu był...

Ma rację, traktowałam go jak mebel...

Wina zawsze pośrodku.

A ta małpa nie powinna była! Tak! Gdyby nie ona...!

Hmm. Uśmiechnęłam się do swoich wykrętnych myśli. Na kogoś musi być!

O tym, jak zabłądzili w lesie

Marynia i Adaś całkiem niechcący urządzili survival. Umówili się ze Stefanem na kulig za ciągnikiem, a Adaś uprosił go, że poprowadzi, bo w zasadzie umie. Przygotowania trwały, bo trzeba było zabrać ze sobą grzańca, więc dziewczyny w kuchni podgrzewały miód, korzenie i wino, wlewały w duże termosy, później zapakowały się na przyczepę ze słomą. Nie chciały koców.

Ruszyli. Adasiowi się zdawało, że już zna nasze leśne drogi. Dojechał do potoku i pomylił rozjazdy. Łatwo pomylić, bo są dwa w prawo — jeden ostrzejszy, drugi łagodny. Jeden prowadzi do tartaku, tak jakby „od tyłu", ale podjeżdża pod sam tartak. Ten drugi — „w cholerę gdzieś", jak mówi Gosia.

Jak pomarzli i wciąż nie widać było skrętu na tartak, zaczęli niepotrzebnie kombinować, zamiast zawrócić. Wymiotło ich na jakieś puste pola. Mróz się popisał i było prawie minus piętnaście. Wino wypite, koców brak — bieda! Naddali jakieś dwadzieścia kilometrów i przyjechali późno sini z zimna.

Ania od razu ich zburczała, że głupki, i postawiła sagan gorącego krupniku na kaczych korpusach. Wymietli wszystko, a jak zobaczyli pierogi — prawie się popłakali. Ania wie, czym ich kupić. Narobiła ruskich, takich według starego przepisu z ciutką kminku, kwaśnym twarogiem, ziemniakami i cebulą zrumienioną na złoto. Pieprzne. Do tego podała gorące, wielkie skwarki z boczku w jednej miseczce, a w drugiej — śmietanę. Wtedy im zdenerwowanie odeszło. Po obiedzie wkroczyła do jadalni (a jakże!) Gosia z aspiryną. Nikomu nic się nie stało. Nawet nie kasłali.

Pod wieczór, po drzemce znów zajęli jadalnię i grali w zgadywanki. Muszę przyznać, że są świetni. Grają chłopacy kontra dziewczyny. Laski wzięły mnie do swojej grupy, bo chłopaków więcej. Pokazują gestami, mimiką. Tytuły filmów, zwariowane i trudne. Jeszcze *Zbieg z Alcatraz*, *Kabaret* — to małe miki. Zdumiał mnie Panter, jak pokazał *Piknik pod wiszącą skałą*, Szopen, który z mety odgadł nasze hasło *Kroniki portowe* i *Wystarczy być*.

Bawiłam się doskonale. Zapomniałam o wszystkim. Hazard wciągnął mnie jak lej po bombie, dopóki nie przypomniały mi się moje gruczoły, więc pobiegłam do domu. Co prawda Bronia spała, chociaż nie jadła już cztery godziny. Kiedy nakarmiłam i przewinęłam Mi, poproszono mnie o możliwość zobaczenia bachora.

No i teraz już wiem, co to takiego instynkt! Owszem, miło jest słuchać, jaki to piękny dzieciuch, i ajajaj, ale jak tylko zobaczyłam, że ktoś z nich chce dotknąć rączki — syczałam bezwiednie i cała sprężyłam się do skoku. Spojrzeli na mnie z lekkim zdziwieniem i szybko się zmyli. Teraz mi głupio.

Gosia mówi, że reaguję prawidłowo.

— Każda samica tak się zachowuje, jak zobaczy intruza przy gnieździe — mówi to, jakby mi oświadczała, że mam rękę albo nogę.

— Powiedz mi, bo pęknę — zmieniam temat. — Gadaliście?

— Oj, Paula! Tak, gadaliśmy.

— I co? No, powiedz!

— Powoli. Wie, że nawywijał.

— No, to bystrzak z niego! — kpiłam.

— Wiesz, im się trudno przyznać do błędu. Zresztą, nie wiem, czy powinnam oceniać to jako błąd. Pognał za głosem serca. Z założenia chciał dobrze. No, tylko, że posunął się za daleko. Wiem, co myślisz, że jest strasznym wałem i że powinnam go spuścić w kanał?

— A co? Przytulić do piersi i wytrzeć łzy? Gośka! Już miękniesz? Usprawiedliwiasz go? Jaką masz pewność, że cię znów nie zostawi?

— Żadnej...

— I wybaczysz mu?

— Najpierw myślałam, że nie, ale teraz nie wiem. Nie chcę być sama, bez niego. Paula, kochałaś kiedyś tak bardzo, że nic innego się nie liczyło? Mam opory, owszem. Jestem zraniona, owszem, ale też kocham. Chcę to posklejać. Sądzę, że powinnam wybaczyć. Jakoś się zabliźni. On naprawdę czuje skruchę. Jest mu bardzo podle na duszy. Nie jest zimnym sukinsynem. Etap wściekłości mam za sobą. Już nie umiem być aż tak zła. Nie jestem jeszcze gotowa, ale już nie wściekła.

— Nie rozumiem cię, Gosiu. No, nie rozumiem!

Chyba nie umiałabym wybaczyć takiej zdrady. Ale babcia Basia ma rację: „Ich cyrk, ich małpy". Wyciągam babci zeszyt.

Wtorek.

Tomek robi mi wyrzuty o Arnolda. Zazdrosny jest, a nie ma o co. Na zabawach w ośrodku, na przystani, owszem, tańczymy czasem, ale tylko dlatego, że Tomek nie lubi. Tańczy słoniowato. Arnold — fantastycznie! Już wie, że pary z nas nie będzie, ale tańczyć możemy na konkursach! Rocka wywijamy z figurami jak na maratonach w warszawskiej Stodole! O właśnie. Czytałam o filmie z Jane Fondą Czyż nie dobija się koni. *Właśnie o takim maratonie. W „Filmie" było kilka fotek. Ładna jest! U nas w Pasymiu niestety tylko jugosłowiańska produkcja* — Winnetou *z Pierre'em Brice'em — francuskim ślicznym facecikiem. Nudy...*

Pożarłam się z Tomkiem na amen!

Zrobił mi dziką awanturę o Arnolda i nie rozmawiamy ze sobą. To nie!

Poniedziałek.

Wybuchła bomba. Tomasz jedzie aż pod Bisztynek objąć leśniczówkę. Idiota! Miał też propozycję tu, niedaleko za Trelkówkiem. I to tylko, żeby zrobić mi na złość! Tłumaczyłam jak komu dobremu, że ja i Arnold to przeszłość, on swoje, że w takim razie, dlaczego tańczymy na letnich potańcówkach?!

— Nie znoszę zazdrośników! — krzyknęłam zła, żeby go jakoś otrzeźwić.

— Dobrze. Nie będziesz musiała mnie znosić!

Później się dowiedziałam o tym Bisztynku. Wariat! Kretyn! Ma za swoje!

Później na kilkunastu stronach babcia stygnie i tęskni. Żałuje, że się tak rozstali. Tomasz zaciął się i trwał na posterunku pod Bisztynkiem... zaraz... zaraz... cztery lata! W tym czasie babcia dopieszczała Kaśkę i Olę Karolaków, flirtowała z Arnoldem, aż ten się wziął i ożenił, bo w międzyczasie zrobił jakiejś pannie z Elanowa brzuch. No, no! Się działo!

Wrócili do siebie — babcia i Tomasz, jak zmarła mama Tomka w zakładzie dla ociemniałych. Była już bardzo stara i od siedmiu lat przebywała u sióstr — dementywna i niewidoma. Po pogrzebie babcia Basia została w leśniczówce i znów się kochali jak gołąbki.

Odkładam zeszyt. Muszę to wszystko przemyśleć! Widać nie tylko ja mam takie zawirowania w życiu. U babci jest jeszcze ciekawiej!

Niespodziewanie, a może spodziewanie, zadzwonił Sławek.

— Cześć, Paula! Właśnie wróciłem. No, co tam u ciebie?

— Córeczka — wypaliłam.

Zatkało go. Milczy. Jakby sądził, że mi się ta ciąża rozwieje z wiatrem czy jak?

— Już?! Szybko — słyszę jakieś dziwne stękanie, sapanie. — Tak?

— No, miała być na sylwestra. Pospieszyła się. Wpadniesz?

— Nie wiem, czemu myślałem, że jakoś na wiosnę...

— Przestań myśleć, bo ci to nie wychodzi za dobrze i wpadnij.

— Kiedy?

— Jutro przed południem. Aha! I kwiaty kup!

— A... A co? Dla kogo? — pyta kompletnie zbity z pantałyku.

— Dla nas, gapo!

O mamo. Czasem się zastanawiam, skąd on wie, że jest chłopczykiem? Rozkojarzony w podstawowych dziedzinach życia.

Gdy już siedział w moim pokoju, obok śpiącej kuleczki, nie wiedział, co powiedzieć, tylko patrzył i się uśmiechał. Jakby dostał cukierka albo piątkę z rysunków.

— Ładna... — szepcze.

— W tatusia... — odpowiadam złośliwie i prawdziwie jednocześnie.

— Moja taka nie była.

— Była, tylko nie pamiętasz.

— Dawała po nocach strrrrasznie, tylko tyle pamiętam — znów szepcze.

— Mów normalnie. Ona śpi snem kamiennym, możemy gadać głośno, tylko nie klnij.

— No, coś ty — obruszył się. — Zresztą, skoro nie słyszy...

— Ale jak się osłucha, będzie sama klęła jak szewc!

— Coś ty! Taka śliczność nie będzie klęła.

— Jak urośnie i jakiś palant nadepnie jej na odcisk, zaklnie. Mówię ci! — tłumaczę mu i dodaję: — Jak jej powiem, że mnie nie chciałeś, zeklnie cię na bank!

Sławek poczerwieniał. Popatrzył na mnie wnikliwie i powiedział:

— Ty wiesz, Paula, że ja się nie nadaję. Spytaj Gosi. Zresztą teraz... Eeee, muszę z nią porozmawiać.

— A jej co do tego?

Wtedy poczerwieniał po uszy. Spuścił oczy i bąknął coś, bo wiedział, że chlapnął.

— No? — ponagliłam go.

— Nie mówiła ci?

— Nie, nie mówiła — dawaj! Wszystko! O czym to ja nie wiem?

— Bo kiedyś... — zaczął i dalej chował wzrok. — Ja w ogóle cię nie znałem, no, tyle co z tamtego sylwestra!

— Dobrze, ale co jest? — Nie rozumiem, co Sławek chce. — Coś było między wami? O matko, było? Tak?

Nagle zdałam sobie sprawę z tego, co odgadłam. Jezu! Oni?!

— Mów — zgrzytnęłam.

— Janusz ją wtedy zostawił. Była taka samotna i ja też, bo wiesz, Paula, ona mi się podobała, chociaż starsza ode mnie, i nawet Beata mnie posądzała, że ja i Gośka...

— Zostaw tę Beatę! — prawie krzyknęłam.

Broneczka na chwilę otworzyła pół oka. Kontrolnie.

— No i... — kontynuował — pojechaliśmy nad morze odpocząć trochę. Gosia chciała nad morze, bo ja namawiałem ją...

— Przestań — zakończyłam ostro.

Poczułam jakiś żal. Jak to? To ja jestem „ta druga"? Dostałam go w spadku po Gosi? Siedział czerwony.

— Paula, to była pomyłka. I ona, i ja to wiem. Wmawialiśmy sobie coś, udawaliśmy coś, czego nie było. To... no, trudno, stało się, ale to nie było ważne, spytaj ją!

— O nic nie będę jej pytała. Dość ma własnej biedy.

— Stało się coś?

— Nie udawaj! Pół miasta wie, że Janusz odszedł do Beaty!

— Przecież wyjechała na dobre... — nie zrozumiał, ale zaraz dotarło do niego. — Jak to Janusz?! Z Beatą?! — usiłował zrozumieć, usprawiedliwić.

— Tak, Janusz odszedł do Beaty. To znaczy romansowali. Ty nic nie wiesz, co się tutaj dzieje? Mamadou ci nie mówił przez telefon? Gosia nawet przestała chodzić na francuski do Mariam.

— Niemożliwe, przecież Beata jest...

— Przestań! Nie tłumacz jej, odebrała innej kobiecie faceta, cholera jasna! Tak się nie robi! — moralizowałam jak najęta.

— Nie klnij przy dziecku! — zgromił mnie.

— Gdzieś ty był człowieku?! Wszyscy wiedzieli! Gośka morze łez wylała, nawet się upiła! A teraz Januszek został na lodzie i chce się wkraść z powrotem w łaski.

— Ale numer — szepnął Sławek.

Chyba naprawdę nic nie wiedział.

— Pójdę już. — Wstał. — Mogę wpaść czasem?

— Możesz, jasne. Buziaka mi daj! Wujciu!

— Nie gniewasz się? — był zdumiony.

— Na ciebie? Bo coś kiedyś było? Żarty... O przeszłość? No, Sławek, proszę cię!

Kiedy wyszedł, zastanawiałam się, czy porozmawiać z Gosią o tym, co było między nią a Sławkiem. Eeeeee, nie! To zły pomysł. W końcu, co mnie to? Po co wywlekać stare pomyłki?

— Widziałaś, jakiego masz wielkiego wujcia? — spytałam mojej Śpiącej Królewny. — Fajny, co? Niestety nie da się usidlić. Nie gniazduje! Właściwie szkoda, lubię go i tak nam było fajnie...

Zajmowanie się moim małym stworem przynosi mi więcej radości, niż sądziłam. Te wszystkie zabiegi, przebieranie, przewijanie, kąpiel, karmienie — czarowna chwila, takie bycie razem, tylko ona i ja.

Patrzę na nią, na każdy cal jej buzi. Czemu nie „twarzy"? Bo dziecko ma buziaka, buźkę, pyszczek, a nie twarz. Twarz ma doroślak. Jej skóra jest cieniutka i taka alabastrowa. Widać maleńkie żyłki — rzeczki rozpływające się po całym jej ciele. Maciupeńkie, ledwo widoczne, błękitne.

Rzęsy. Na jednym oku dziewiętnaście, na drugim, ciągle mi się myli, ale coś koło tego. Oczy granatowe patrzą tak, jakby kontrolowały przez chwilę, czy ja, to ja. Na przegubie stopy ma maleńkie czerwone paciorki. Oczywiście od babci Basi. Żeby odpędzić złe siły.

Czasem wiążę sobie kolorową chustę babci na szyi i noszę Broneczkę po domu, jak Cyganka.

— Marianna tak nosiła Kaśkę — powiedziała babcia i uśmiechnęła się.

— A myśmy z Adasiem widzieli na jakiejś imprezie chłopaka, co chodził z taką chustą. Był jakiś wieczór w klubie i coś tam się święciło. Adaś, pamiętasz, co to było?

— Rocznica powstania tego wydawnictwa muzycznego, tego no... no...

— Nieważne — Mania była pod wrażeniem i mówiła dalej: — I patrzymy, co on nosi w tej chuście? Gościu cały etno-espadryle, lniane spodnie, płowa czupryna, fajny taki! I gada sobie z ludźmi i pojada frykasiki ze stołu, więc podchodzę do niego, bo Adaś się wstydził, i pytam, a on uśmiechnął się i pokazał. A tam, w tej chuście, golutki bobas taki! Żona, mówił, musiała pilnie wyjechać do rodziców, więc on się zajmuje bachorkiem.

— No, ale goły?

— To było latem, upał był straszny. Też go spytałam, czemu choć pampersa nie ma? A on, że po co? Jeszcze by się maluch zaparzył, a tak, powiedział, „jego szczynki — jak perfumki, zaraz odparują". Matko! Natchniony tatuś! Jak mi się to podobało! Facet, co jest taki czuły i troskliwy wobec dziecka, ma w sobie potężny ładunek... No, nie wiem seksapilu, czegoś fascynującego.

Patrzyłam na Adasia. Podniósł oczy i tak zabawnie przyglądał się Maryni. On jest taki stoicki, a w oczach ma iskierki. Zazdroszczę jej tego związku. Są różni i uzupełniają się. Widzę, jak Mania się przy nim czuje. Taka spełniona, kwitnąca... Czasem tylko ogania się jak od mężą Papucia i mówi tak: „Oj, Adaś, daruj sobie!" albo „Adaś, urwij się!". Ale chyba w łóżku wszystko dobrze... Seks... odłożyłam go na półkę. Nie mam głowy do seksu — stwierdziłam fakt, ale bez żadnych wycieczek osobistych. Zresztą Adaś nie jest w moim typie, no i jak mnie nauczyła Gosia, nawet nie patrzę na faceta, który jest w związku.

Spowiedź Sławka

Sądziłam, że Paula i Bronia będą bardziej absorbujące.

Paula zadziwia mnie swoim zorganizowaniem. Przez całą ciążę szyła te swoje pościele, haftowała, tkała kilimy i wysyłała albo zawoziła do swojej znajomej do butiku. Ma stałą klientelę na swoje dzieła, bo te hafty są niby ręczne, ale jednak robione na maszynie. Richelieu, piękne. Paula robi je osobno i wszywa w poszwę i poszewki, tak obrabia, że wyglądają jak przedwojenna pościel ręcznie szyta. Kilimy też są klimatyczne. Ona ma nieziemskie wyczucie barw, faktury. Zarabia na siebie od dawna.

— Żadna ze mnie artystka, Gosiu. To rzemiosło.

— Jak to?! To wyroby artystyczne!

— Artystycznie to ja się wyżyję kiedyś, a teraz zarabiam na życie i już. Jak Orest.

— To rzeźbiarz! Ta madonna w ciąży, no, co mu pozowałaś, piękna jest! To sztuka!

— No, może też, ale jak się coś robi dla kasy, to raczej rzemiosło.

— Eeee. To kwestia umowna, Paula. Bartek i Stefan pracują w drewnie od lat, od urodzenia, a tylko procę umieją wystrugać...

Na tym stanęło. Skromna jest. Pracowita. Ostatnią partię pościeli wysłała przed świętami z listem, że prosi o dłuższą przerwę.

— Moja pani z butiku da mi odpocząć, bo od stycznia do maja zastój w handlu... Będę mogła zająć się dzieckiem — tłumaczy mi.

I zajmuje się. Ja pomagam jej kąpać Bronię i coś prasuję, czasem jak mała marudzi w nocy, zabieram tobołeczek rano, żeby Paula dospała. Radzimy sobie. Wpada mama z Tomaszem. Spokój jak w najprawdziwszej rodzinie.

— Gonisiu? — mama podnosi na mnie wzrok znad herbaty. — Przepraszam, że pytam. Jak z Januszem?

— Powoli, mamo. Pyskówki już za nami. Wywalone flaki na stół. I nie chcę ich ciągać w nieskończoność.

— Słusznie. Można sobie tak życie zatruć, ale... stanęło na czymś?

— Na tym, że się odzywamy do siebie, ale każde musi odchorować. Za wcześnie na cokolwiek.

— Wiem. A ty?

— Co ja? Wyrzygałam mu moją gorycz... Mamo, starsza jestem od niej.

— Przestań, nie tu pies pogrzebany. I...?

— On swoje. Tłumaczy mi coś, czego nie chcę pojąć.

— To wiem. Pytam, kochanie, co dalej?

— Nie wiem. Chciałabym zapomnieć, wykreślić to, co się wydarzyło. Na razie ważne, że nie ma wojny, milczenia, zaciekłości — nie zniosłabym tego, to tak wykańcza!

— Mądrze mówisz. I cud, że tak potrafisz. Wiesz, ile kobiet żyłoby nienawiścią? Wojną? A to zabiera mnóstwo energii i zdrowia. Niepotrzebnie. Każdy czasem błądzi, a wina bywa po obu stronach.

— Właśnie Janusz mi to uświadomił, mamo. Powiedział, że w pewnym momencie poczuł się znów jak z Lisowską, że go goniłam, zapomniałam o nim... Lekceważyłam jego potrzeby.

— Za mało ci pomagam w prowadzeniu pensjonatu — mama posmutniała.

— Nie, to chyba ja jestem za mało asertywna. Jest Ania, jestem ja, ale nie mogę być dwadzieścia cztery godziny dyspozycyjna. Janusz potrzebuje... potrzebował uwagi, miłości, a ja się wkręciłam w tę pracę i pławiłam w zachwytach, jak to wszyscy się dobrze czują, jak w rodzinie. Tylko, że to nie oni są moją rodziną, a Janusz...

— No. Prawda. Pójdę do kuchni, do Ani. Obiecałam upiec ciasto do kolacji dla tych Marysi dzieciaków. Zdaje się, że miłe bachorki?

— Miłe!

Jak tylko mama wyszła, zadzwonił... Sławek.

— Małgoś? Muszę z kimś pogadać, to ważne.

— No to wpadaj!

— Nie. Nie u ciebie. Wpadnij do mnie. Proszę.

Pojechałam do Pasymia po zakupy i w drodze powrotnej do Sławka.

Posprzątane... Maleńka choineczka na stole.
— Kawę ci zrobić?
— Zrób.
Kiedy już usiadł, widziałam po jego twarzy, że to ważne, bo spoważniał.
— Wiesz, że ja jestem taki... samotny strzelec.
— Wiem i...?
— Małgoś... Kurczę, nie wiem, od czego zacząć. Porobiło mi się.
— Zawodowo? — podpuszczam go.
— Nie, zawodowo jest OK. Nawet bardzo OK. Mamy podpisaną umowę na drewno z Litwą. Z Kazachstanem też ładnie nam się handluje, zamówienia są, jest dobrze, nie narzekam. Ludzie tylko, jasna cholera, tacy są w tym wszystkim byle jacy... Ale też już od czterech miesięcy nikogo nie wywaliłem, może się nauczą wreszcie szanować pracę?
— To sprawa osobista, tak? — zgadywałam.
— Bardziej, niż sądzisz. Pamiętasz, opowiadałem ci, że jak się tu sprowadziłem sześć lat temu, byłem już po rozwodzie, a żona z córką wyjechały za granicę i cześć. Umiem być sam i nikogo nie potrzebowałem na stałe.
— Wiem. Kobitki na raz i już!
— Małgoś, ale ty to co innego...
— Sławek, daruj sobie, to była pomyłka i wiemy to oboje. Ja wtedy, bo mnie Janusz... O Jezu... — jęknęłam.
— Co ci jest? — Sławek się zaniepokoił.
Oczywista analogia po prostu mną szurnęła. O mój Boże. Ja nie bez winy. Przecież, kiedy mnie zostawił, nie chciał, ja rozpaczliwie szukałam szczęścia, spełnienia, miłości. Może zbyt rozpaczliwie? I stąd ten Puck, moja ze Sławkiem mała przygoda.
Sławek czekał, aż przemyślę to nagłe olśnienie.
— Nie, nic. No, mów.
— I... Posłuchaj... Była taka Ilona z Biskupca, ładniutka. Kilka razy nawet tu u mnie była i coś się niby kroiło, ale wiesz, młoda taka siusiara... miała ze dwadzieścia pięć lat. Nie. Ja się nie nadaję i wiesz...
— Wiem. „Adiu Fruziu", cześć pieśni, bo ty nie chcesz, nie umiesz „z psem i paprotką"?
— No właśnie. A teraz czytaj... — I położył przede mną kartkę papieru na stole.

Szanowny Panie,
Jestem mamą Ilonki, nazywam się Chłyśniak Romana.
Piszę, choć córka mi zabroniła i kazała na krzyż przysięgać, ale teraz inaczej się sprawy mają.
Od początku to było tak, że Ilona po tym, jak od pana odeszła, w ciąży

była. To ambitna dziewczyna i chciała tego dzieciaka bardzo. Pracę miała, my z mężem oboje mamy emerytury, to i przecież jakoś damy radę.

Urodził się mały — śliczny i zdrowy. Ale zaraz Ilonka się pochorowała. Białaczka. Pożyła jeszcze dwa lata i pochowaliśmy Ją z mężem we łzach i rozpaczy.

Dzieciaczek chowa się zdrowo i Rysiu mu na imię, po moim mężu, tatusiu Ilonki. Mąż właśnie zmarł na serce, a ja mam sześćdziesiąt cztery lata i rentę zdrowotną. Teraz mam lęk, co będzie z Rysiem, jak i mnie Bóg powoła?

Nie mamy komu go oddać. Na razie jest ze mną, ale ja mam astmę i chorobę wieńcową i coraz mi ciężej.

Nie chodzi mi o pieniądze, ale co z tym dzieckiem dalej będzie?

Niech Pan rozsądzi w sercu.

Romana Chłyśniak

O matko. Sławek?

— Patrz na datę. Pisała to w październiku — mówię, podnosząc wzrok.

— Wiem, od października z tym łażę.

— Odezwałeś się chociaż?

— Byłem tam...

— I...?

— No, jest ta pani i dzieciaczek. Taki blondasek, ale nie wiem, czy mój.

— O mamo... I co?

— Może to głupie, ale poprosiłem o badania genetyczne. Ta pani przyjęła to normalnie. Wyjaśniałem jej, że to nie było jakieś love story, tylko taka pomyłka. Że my...

— Pomyłka! Z tej „pomyłki" Rysio paraduje po Biskupcu.

— Nie używałem wtedy gumki. Dopiero od kilku lat bardzo uważam, by któraś mnie na dziecko nie zahaczyła. I patrz...

Zamyśliłam się nad tym, czy Sławek byłby dobrym ojcem?

— A... no, a badania?

— Moje... — Sławek powiedział to jakoś głucho, smętnie.

Siedzieliśmy w ciszy. Ale się narobiło! Co za rok jakiś?!

— Co zamierzasz?

— Nie wiem... Co ja mogę? Jak ja z małym dzieckiem? Chciałem się teraz budować... albo wyjechać. Nie mam czasu na dziecko.

— Jak mam to rozumieć?

— No, kupiłem ten taki poniemiecki dom, ten tu, blisko, za tartakiem Karolaków, jak się nad jezioro jedzie. Do remontu. Ale niedawno chciałem to wszystko sprzedać wspólnikowi i pojechać gdzieś w cholerę. Ja wiem, może do Francji? Mamadou i Mariam mają tam znajomych, już gadałem z nimi.

— A... dlaczego? Skoro jak mówisz, interes idzie?

— Nie wiem, tak jakoś nudno mi się zrobiło, stale robię to samo... Zachciało mi się być rentierem albo coś zmienić.

— Oszalałeś? W twoim wieku? Zwariowałbyś już po pół roku. — Miałeś jakiś urlop ostatnio?

— Niee, nie było czasu na urlopy. Wiesz, zresztą, jedyny oddech to wtedy ten Puck z tobą.

— Tylko?! Sławek, ty to jesteś egzemplarz. Moim zdaniem najpierw urlop, potem remont domu i... dogaduj się z babcią Rysia w kwestii opieki.

— Jak to?

— Srak to. Twój synek ma iść do domu dziecka?

— Ale jak... jak ja? Co ja mogę mu dać? Ja nie umiem!

— Sławek, bo cię zaraz palnę! Jak to nie umiesz? Rysio potrzebuje ciepła, jedzonka, tatusia.

— Mamusi. To maluch.

— Mamusia już jest aniołkiem. Na razie ma babunię, a w międzyczasie może znajdziesz kobitkę...?

— No, pojadę na targ w Szczytnie i tam znajdę z mety taką, która będzie chciała przechodzonego rozwodnika i cudze dziecko na dodatek. Małgoś, proszę cię!

— No, nikt nie mówi, że będzie łatwo!

— O rany, ale mam pasztet!

Sławek był autentycznie po uszy w problemie i wcale mu nie zazdrościłam.

Tłumaczyłam, czego potrzebuje dziecko, i że remont domu to dobry pomysł, bo ta jego gawra za daleko od miasteczka i w ogóle.

— Dzieciaczek będzie potrzebował przedszkola, kiedyś szkoły, nauczysz go łowić ryby, grać w gałę... Jak nie, to my go tu adoptujemy — jestem ja, Ania Wrona, mama, Tomasz, damy radę! — zażartowałam.

— Wiśta wio — odpowiedział Sławek niezbornie.

Jest wystraszony, ale chyba jeszcze nie skory do wyjazdu, zresztą... Rentierem? Jako czterdziestolatek z takim powerem? Eeee!

Atrakcje wiejskie

Dzieciaki warszawiaki wpadły zapytać, czy po rozlewisku można jeździć na łyżwach. Ach! Cwaniaki! Wzięli ze sobą łyżwy! Zeżarło mnie z zazdrości. Moje leżą na Chomiczówce, na antresolce. Do głowy mi nie przyszło, że mogłabym tu... Głupia!

Jestem karmiącą matką, ale... poszalałoby się! O, tak!

Patrzyłam z okna w kuchni. Pogoda dobra na łyżwy. Co prawda nie świeci słońce, ale jest jasno, śnieg skrzy i tafla jest płaściutka jak brzuch tej Radkowej Anusi... Przy brzegach sterczą martwe i poszarpane wiatrem trzciny, pośrodku widać wyleżałe w wodzie grube konary. Leżą tu od dawna. Skąd się wzięły? Tam lubią gnieździć się łabędzie. Między gałęziami są zeschłe trzciny i tam zeszłoroczne gniazdo.

Chłopaki najpierw próbują odśnieżyć taflę. Dołączają dziewczyny i pracują zawzięcie wszyscy. Musiałam wejść na piętro, żeby to widzieć. Jeżdżą, wygłupiają się, kręcą piruety i przewracają się. A ja nie...

No cóż. Muszę wziąć pod uwagę, że jakbym tak poszalała, jak na Torwarze w młodości, mleko jak nic ubiłabym na masło!

O, tak! Byłam szalona. Prawie co niedziela na Torwarze. Kiedy poczułam, że jeżdżę już naprawdę dobrze, nagle zapragnęłam speeda. Gnałam z chłopakami na oślep, na zabój! Byle szybciej. Kilka razy zdarłam kolana, kilka razy hamowałam boleśnie na bace. Raz tak mnie bolała głowa po tęgim upadku, że myślałam, że mam wstrząs mózgu. Nic się babci nie przyznałam. To było w podstawówce. Miałam ksywkę „Speeda" i tylko Robert z równoległej klasy był ode mnie lepszy. Miał dłuższe nogi. Właściwie składał się głównie z nóg. Był jeszcze Jędrek, ale nie można było tak na niego mówić, tylko Rogu. Rogu był w jakimś gangu i chyba był dilerem. Straszny ryj. Tępak i zakapior. Uwielbiał mnie, bo mu w szatni dyktowałam wypracowania, a czasem też pisałam... jego charakterem pisma, gdy w tym czasie on ściągał matmę od Konia. O Boże! Koniu! Niesamowicie zdolny. Super łeb i też zakapior jak Rogu. Podobno taki był tylko do zawodówki, bo dyro go przerobił i zaproponował po roku zawodówki technikum. Tam Konia wzięło na naukę. Zmienił się, nabrał ogłady. Mówili, że poszedł na studia, ale dał ciała, bo olał pierwszy rok. Co za czasy! Dzięki Koniowi i Rogowi nikt z Powiśla mnie nie tknął. Miałam glejt!

Pamiętam też Rutka z mojej klasy. Ale śliczny był! Potwornie się jąkał. Przy nim Janusz to małe miki. Ale śpiewał fantastycznie i grał na gitarze. Był najładniejszy z całej szkoły. Taki śniady, delikatny. Miał włosy do ramion. Powtarzał trzecią i szóstą klasę przez to jąkanie. Chwalił się, że jak miał piętnaście lat, bzyknął sąsiadkę — trzydziestolatkę. Całowałam się z nim w ósmej klasie na zabawie karnawałowej. Na korytarzu. Wsunął mi rękę pod bluzkę.

— Ale masz małe cycki — powiedział romantycznie.

— Głupi cham — syknęłam i zrobiłam w tył zwrot.

Poszedł do... liceum pielęgniarskiego! Mówił, że teraz ma koło siebie same cipki i on jeden! W drugiej klasie, w przerwie świątecznej, wyjechał na narty do Zakopanego i tak mu się dobrze zjeżdżało, że został tam na dłużej, tym bardziej że i robotę jakąś podłapał, jako kelner (za żarcie). Wrócił w lutym i zdziwił się, że go skreślono z listy uczniów.

— Co robisz? — spytała mnie Gosia, wchodząc. Właśnie wracała z pensjonatu.

— Wspominam podstawówkę. Kolegów, łyżwy... — westchnęłam ciężko. — Gosiu, a jak jest?... Janusz to tu wraca?

— Nie. Pojechał do siebie. Żal mi go, też go boli.

— Matko święta! Ty nie masz na drugie Teresa?

— Paula. To nie ma nic do rzeczy. To ludzki odruch. Nie jesteśmy gotowi, żeby sobie paść w ramiona, ale i nie żremy się jak pitbule.

— Właśnie. Czemu? Ja bym mu rozszarpała aortę za to, co ci zrobił.

— Przestań. Nie warto być tak zaciekłym, mściwym, złym.

— Tylko dobrotliwym...

— ...głupkiem? To chciałaś powiedzieć?

— Lamerem, ale na to samo wychodzi. Dlaczego nie warto? Tłumić uczucia? Moim zdaniem to zdrowo wyżyć się, zrobić awanturę.

— Zapytaj Basi. Taka piana, wściekłość ponad miarę, złe myśli, zajadłość, to wszystko odbije się na twoim zdrowiu. To złe emocje. Tak karmisz jakąś chorobę, a już z pewnością rysy twarzy. Zmarszczki Zła.

— Nadinterpretacja, Gosiu, ale fajna! Kupuję. Tak czy siak, ja bym mu dogryzła!

— Ma to już za sobą. Wtedy jak przyszedł na Wigilię, wywaliłam z siebie całą moją złość. Uderzyłam go nawet!

— Coś ty? Super! A on co? Dałaś mu w twarz?

— No. Mocno. Naprawdę!

— A on?

— Nic. Sam prosił...

— Przestań, bo wyrzygam. Taka słodycz? Tanio cię wziął.

— Idź, Paula, bo Bronia skrzypi, idź. Chciałaś, żebym go pobiła, skopała po sercu? Utopiła?

— Tak! — krzyknęłam z sieni.

Przewijanie to już rutyna. Brońcia wie, jak sygnalizować śmierdzący problem, ja wiem, co robić. Teraz to już sprawność i spokój.

Zauważyłam, że jak Bronia się dosysa, buzują mi piersi. Bulgoczą, jakby wzmagała się produkcja. Doskonale wymyślone — Panie Boże! Gratulacje! Nic nie muszę, żadnego pitraszenia, robienia kanapek, po prostu wyjmuję cysternę i już!

Broneczka, najedzona i zadowolona z życia, zasypia, kiedy słyszę rejwach dochodzący z kuchni. Są tu prawie wszyscy, totalnie przerażeni, a na podłodze kałuże wody...

Okazało się, że Mati z Alą podjechali za blisko potoku, a w nim woda nie zamarza, bo wpływa do rozlewiska, i lód jest cienki. Ala wpadła, a Mati za nią. Na szczęście wyciągnięto ich, ale są mokrzy, zmarznięci i ledwie żywi. Półprzytomną Alę chłopaki zanieśli do pokoju Gosi, Mati trzęsie się z przerażenia i zimna. Dziewczyny zdzierają z niego ubranie, a on jakby nie kontaktuje, tylko trzęsie się jak w febrze i bełkocze coś, płacze. Aniusia, ta śliczna, od Radzia, opowiada mi, jak okropnie wyglądała Ala, a właściwie tylko jej głowa wystająca ponad lód. Przerażona. Oniemiała. A oczy miała wielkie i wystraszone. Za to Mateusz wpadł tuż obok i ratując ją, wydzierał się do chłopaków:

— Radek! Kurwa, Radeeeek! Panter, ratujcie nas! Kurwa! Panter! Aaaaasiaaaa! Jezu, Ala! Ala!

Tam jest dość głęboko, ale też dużo konarów zatopionych w wodzie i na takim się zapewne wspiął czy co według relacji Ani, bo nagle wynurzył się do połowy i położywszy się na tafli, czołgał do Ali. Chwycił ją, a jego za nogi ciągnęli chłopaki.

— Umierałyśmy ze strachu. To tak długo trwało — mówi Ania szeptem. — Jezus, a jakby... O matko! Nie chcę o tym myśleć! — Zasłoniła oczy i ciężko westchnęła.

Przyniosłam szlafrok Janusza (zostawił, spryciarz!) i okryłam tego zmokłego, gołego Matiego. Cały jest w dygotach. Maleńka Asia Szopenowa i Dominika masują go i obejmują, żeby rozgrzać. Marynia dzwoni po lekarza, a Adaś — przytomny nasz Adaś nalewa po kielichu miodówki Piernackiego.

— Skąd wziąłeś? — spytałam, bo nawet ja nie wiem, gdzie stoi.

— Zadzwoniłem do babci Basi, dobrze zrobiłem? — No, Jezu! Jasne jak słońce, głupi to on nie jest!

— To pewnie zaraz tu będzie?

— Nie. Tomasz się źle czuje. Prosiła, żeby lekarz później podjechał do leśniczówki.

Do nocy już było cicho i refleksyjnie. Z pensjonatu nie słyszałam już radosnych śpiewów. Ala i Mateusz spali aż do kolacji. Lekarz zbadał ich i na szczęście nie znalazł powodów do niepokoju. Pojechał do leśniczówki. Mati zapytał Alę, czy chce wracać do domu, ale odłożyli decyzję do jutra. Wrona przejęła się tak bardzo, że aż nie zrzędziła i zrobiła na kolację pyszny rosół na indyku i gęsinie i domowy makaron. Od siebie dorzuciła szarlotkę z pianką cynamonową.

Nie podoba mi się to, co się dzieje w leśniczówce. Gosia pojechała zaniepokojona. Czekam. W międzyczasie zajmuję się Broneczką, ale ona chyba wyczuwa, że nie należy przeszkadzać i nie przeszkadza. Śpi sobie.

Hura, dostałam maila z galerii, że moje dwa tkane dywany-kilimy poszły tuż przed świętami, i część pościeli. Kupiły je jakieś Żydówki i pytały, czy latem też będą. Kasa! Fantastycznie, bo już robiło się cienko... Jasne, że będą! Coraz sprawniej mi to idzie, coraz ładniej wychodzą chwaściska na łące. Tkaninę wolę od pościeli, bo pościel to już rutyna. Kilimy — sztuka! Chcę znów zrobić taki cały płomienno-jesienny w kolorowe liście. Drugi oliwkowo-zielony. Mam je w głowie. Powielę ten wzór z jesieni.

Gdzie ta Gośka? Co się tam dzieje? Na szczęście jest Orest.

— Orko, coś się dzieje w leśniczówce, inaczej babcia nie wzywałaby lekarza. Nie chcę dzwonić. Pojadę. Zostań z Bronią.

— Dobrze. A ty pamiętasz, że lekarka mówiła, że dziecko zarejestrować trzeba? Jutro ostatni dzień.

— Fakt, zapomniałam. Dziękuję. Jadę.

Parkuję pod płotem. Jest tylko samochód Gosi. Bobek drze się na mnie zza swojego ogrodzenia. Jest pobudzony. Zły.

— Cześć, przepraszam, że przyjechałam, ale się niepokoję.

— Moja kochana! — babcię rozczula moje zainteresowanie.

— Tomasza wzięli do szpitala, bo mu serce znów fiknęło — tłumaczy mi Gosia.

— Zapierał się? — zgaduję.

— Nawet nie za bardzo. — Babcia patrzy ze smutkiem. — Musiało mu ostro dokuczyć, bo tylko trochę wierzgał. Sylwestra spędzę z nim, w szpitalu!

— Pojadę z tobą — deklaruje Gosia. — Paula, zostaniesz z Orestem?

— Zostanę, zostanę. Wujcio Orest zdaje się lubi niańczyć maluchy. To ja wracam! Babciu, rozchmurz się! Będzie dobrze!

Ma smutne oczy. Boi się o Tomka. Siwe włosy smętnie zwisają obok okularów i łańcuszka z piórek i koralików. Dotykam jej policzka pierwszy raz tak poufale, ale odważnie. Chcę jej pokazać, jak mi zależy na nich, na niej.

I wróciłam do domu. W kuchni Orko siedział przed oknem z nogami na taborecie i lulał Bronię, nucąc jej coś ładnego. Nie zauważył, jak weszłam. Stałam w drzwiach i słuchałam. Coś bardzo sercowego, melodyjnego i tęsknego.

— Co to? — spytałam, żeby jakoś dać znać, że jestem.

— A... taka pisnia, pro boru, a tam drewo stoit.

— Wszystkie wasze piosenki takie ładne?

— Wszystkie. Jak cała nasza Białoruś — uśmiechnął się nostalgicznie i popatrzył w okno.

Wzięłam śpiący tłumoczek i poszłam do siebie. Jutro sylwester!

Elwirowe szczęście

Zabawne te dzieciaki i zabawna Marysia w tym wszystkim. Moja córeczka — jaka organizatorka, jak sprawnie tu wszystkim kieruje. Miło mi. Naprawdę niewiele muszę, oni wszystko mają przygotowane, wymyślone, kupione.

I te fryzury! Przepięknie wyszły!

Wpadła do mnie Elwira, jak już dogadała się z pannami.

— Oj, jak ja tu dawno nie byłam! Matko święta! Gosia, schudłaś chyba! Patrz, a ja — taka jestem po tej ciąży — zrzucić nie mogę! Andrzej, wiadomo, nie narzeka, ale ja nie chcę być taka. Jakąś dietę by trzeba, a tu... Co u ciebie? — strzela jak z karabinu maszynowego.

— U mnie? No, wiesz. Mówiłam ci, że mam „krzywe kluski" z Januszem?

— Wiem, sama ci nakablowałam na niego... I co, rzeczywiście, potańcował z tą Beatą?

— Ano potańcował. Nawet nie zaprzeczał.

— Oni to wszyscy tacy — parsknęła Elwira.

— Oj, nie wszyscy, Andrzej chyba siedzi pod twoim pantofelkiem?

— No, na razie siedzi! Gosia, bo ty taka jesteś miękka. Ja bym pojechała i pióra tamtej powyrywała, czego ciąga łapy po obcego chłopa?

— Elwira, ale do tego trzeba dwojga! Miałam pretensje do Janusza, a ona...? Co mnie ona?

— Miałaś? Jakbym mu drzwiami przytrzasnęła... wiesz co!

— Nie tylko jego wina.

— No, tak, twoja, bo go zaprowadziłaś do tej lafiryndy i kazałaś... Ej, nie bądź już taka święta!

— Zeklnij mnie, ale nie toczmy wojny. Lepiej opowiedz, co u was — zgrabnie zmieniłam temat.

— O, kochana! U nas tak — Michałek rośnie w tatusia. Spory dzieciaczek, a jaki ma apetyt! Dominika — opiekunka na całego, moja mama tylko na żylaki narzeka, ale za dużo wnusia nosi! Wiesz, natchniona babunia. Andrzej ma trasy, jeździ i teraz to mu obiady w słoiki robię! Pamiętasz, co mówiłam?

— Pamiętam! To szczęściu końca nie ma?

— No, nie jest tak słodko. Całe pieniądze wpakowałam w ten zakład, teraz się drapię w czaszkę, jak pójdzie? Już mam prawie gotowy. Już nawet sufity, ściany pomalowane, podłogi, podłączenia do myjek, i zamontowane umywalki do włosów, do nóg. Pokupowałam wyposażenie z ogłoszenia, tak, jak mi radziłaś. Z Warszawy się zakład modernizował i wyprzedawał. Ale super, mówię ci!

Siedzi ta nasza Carmen i opowiada mi. Szczęśliwa, płonąca cała.

Nie wytrzymałam i opowiedziałam jej o Sławku.

— Oj, a ja się domyślałam, bo jakaś cipcia się parę lat temu dopytywała mojej matki o Sławka. Ja wtedy dopiero zaczynałam tu w sklepie, i matka siedziała za mnie. Przyszła taka trzcinka i podpytywała, ale myśmy same niewiele wiedziały. Zaraz, a on nie z waszą Paulą kręci?!

— Z Paulą? — zdziwiłam się, że Elwira wie. — No, już nie.

— Oeeesuuu — Elwira zrobiła minę. — Ten to sam nie wie, czego chce!

— On poparzony po poprzednim związku — tłumaczę jej.

— Gosia, ty to taka jesteś naiwna... On chce sobie polatać z kwiatka na kwiatek, bez żadnych tam zobowiązań i tyle, a ty, że poparzony! Ale pitolisz! I co teraz zrobi? No, bo jak zrobił genetyczne, to już kicha — jego i koniec — tak?

— No tak! Tamta babcia, znaczy mama tej Ilonki, słusznie zrobiła, wiesz, astma i wieńcówka to groźne choroby, i co, jak się zawinie? Namawiam Sławka do dogadania się z babcią. Póki co, niech Rysio mieszka z nią, a w weekendy niech go Sławek zabiera...

— Dzieciak się przyzwyczai — kontynuuje moją myśl Elwira. — I jak już babcia wysiądzie — to będzie miał tatusia. No tak?

— Ba! Żeby to Sławek zrozumiał!

— To go przekonaj! Ty jesteś, Gośka, jak kaznodziejka — przekabacisz go! Idę, bo my z Andrzejem też mamy sylwestra! W naszym lokalu! Będzie moja siostra z mężem, Dominika z koleżankami i kilka sąsiadek. Może wpadniesz?

— Nie, dzięki. Córka moja jest, pobędę z nimi. Ale będę twoją klientką! Ach, słuchaj! Zapomniałam ci powiedzieć! Dzwoniła do mnie z życzeniami koleżanka z firmy i wiesz co? Jej siostra pracuje w dużej agencji reklamowej i opracowywała jakiś piękny folder o naszym Pasymiu! Okazało się, że jakaś grupa budowlana będzie na półwyspie domy budować! Takie wiesz, super!

— Aaaa! Mówiła coś żona burmistrza, ale szeptem, że być może, że jest szansa... I że dla bogoli.

— Dla kogo?!

— No, dla bogoli, takich, co wiesz, kasy mają po kokardę.

— A! I dobrze! Byłaby klientela! No tak? Życzmy sobie tego, na ten rok! Niech się wreszcie Pasym ruszy! I twoja firma, i w ogóle, daj buziaka!

— Gosia — uścisnęła mnie i mówiła jakoś ciszej, tkliwiej: — wiesz, czego ci życzę, jak nie ten chujek, to inny, ale żeby cię kochał i nosił na rękach! Blondyn ma być tak?

— Tak i żeby był dentystą w Pasymiu...

— Odwaliło ci na niego. Pa, kochana, to ja... Pamiętaj o zaproszeniu, pierwszy zabieg masz gratis!

Matko Boska, daj Elwirze szczęście! Spraw, żeby ten zakład jej ruszył z kopyta i dał dochód, przecież ona jest tego warta!

Przytyła po ciąży i chyba jeszcze wypiękniała. Jest jak bogini macierzyństwa. Piersi wezbrane, spora pupa i rozkołysane biodra, niedbale związany czarny warkocz i ognie w oczach, uśmiech spełnionej, pięknej kobiety.

Elwira, oby ci się...! Oby nam się...!

O Nowym Roku i o tym, z kim go spędziłyśmy

Panny rzeczywiście poszalały z fryzurami.

Rano przyjechała Elwira i ponakręcała im włosy na wałki.

Po południu przyjechała fryzjerka i zaczęła czesać nasze gwiazdy.

Wychodziły z pokoju na parterze koło jadalni, gdzie urządziły zakład fryzjerski, jedna po drugiej i ćwierkały na całą jadalnię.

Na głowie miały pięknie splecione chałki à la Stasia Gierkowa. Babcia Malwina nie lubiła chałek, właśnie ze względu na nią. Kiedy weszły w modę w latach sześćdziesiątych, kiedy pierwszy raz pokazała taką Catherine Deneuve, a u nas Irena Santor i spikerki telewizyjne — babci się podobało. Ale kiedy kilka lat później zobaczyła Stanisławę Gierek w misternie plecionym koku, który podobno robili jej we Francji (latała tam, też podobno, samolotem rządowym), babcia parsknęła tylko i powiedziała: „fryzura dla gawiedzi!", „polliturowany fiok!".

Nasze warszawianki miały takie właśnie fioki. Wyglądały fantastycznie. Rzeczywiście inne to od wiecznie rozpuszczonych włosów. Powpinały w te loki kwiaty, jakieś ozdoby Wschodu, tylko Ala miała kok z poskręcanych pasemek, pozwijanych w małe dżdżowniczki.

— W co się ubierzesz? — spytała Marynia, bawiąc się stopą Brońci.

— Ja?!

— Ty. No chyba pobawisz się trochę z nami?

— No wiesz... Ja?

— Ty chyba odjechana jesteś przez to macierzyństwo. Przesunięta w skali. Paula, to tylko domowa prywatka. Odwaliło ci?

— Z kim zostawię dziecko? Gosia jedzie z Basią do Olsztyna, do szpitala, do Tomka.

— Z Orestem!

— Mańka, nie mogę go traktować jak służącego. Już i tak dużo dla nas zrobił. O kurczę! Zapłacę karę!

— Za to, że go tak traktujesz?! Ocipiałaś całkiem?!

— Nie. Zapomniałam o rejestracji dziecka. Kurczę! No dobrze, może się zgodzi, ale wpadnę tylko na toast.

— Godzinę przed. Pokręcisz się, potańczysz, lubisz przecież. Mam płytę Abby, tę, wiesz którą, ale uważaj! Wideo! Puścimy je na duży ekran w sali i zatańczymy nasz układ, dobrze? Już z grubsza pokazałam dziewczynom kroki. Nie gniewasz się? To takie fajne!

Wariatka! Rzeczywiście oszalałyśmy dla tańców pod Abbę. Chodziłyśmy na taki aerobik w Warszawie, który prowadziła fantastyczna kobitka. Miała pięćdziesiąt osiem lat, boską figurę i robiła z nami układy właśnie pod Abbę. W grupie było różnowiekowo i wesoło. Byłam zaskoczona, jak można się tak zgrać i polubić. Można! Zawsze witałyśmy się jak najlepsze koleżanki. Szkoda mi tego aerobiku. Przydałby się teraz...

Mail od mojej mamy:

Cześć, słoneczko moje!
W Nowym Roku życzę Wam, żebyście były zdrowe i wesołe. Tobie, Paula, żebyś wróciła do swojej wagi, była atrakcyjna i piękna. Broni, żeby była zdrowiutka i nie ząbkowała boleśnie. (André znosił to potwornie! Wyślę Ci takie gryzaki, co się je trzyma w lodówce).
Jak zamierzasz dalej żyć? Jakie masz plany? My zaraz idziemy na plac z fontanną i karuzelą. Serge przyniósł od stryja butlę szampana (wszak jesteśmy w zagłębiu, a stryj ma wytwórnię!). Będzie tam wielka uliczna fiesta, a o dwunastej pokaz sztucznych ogni. André oszaleje! Pa, kochane moje!
Mama i bab... nie, nawet napisać tego słowa nie mogę! Nie umiem nią być i się nią nie czuję!

Cała mama! Biologicznie jest babcią i już, ale ona nie! Nie ona! „Ona się nie czuje babcią!"

Odpisałam:

Mamo, Serge i André — mój bracie! (taka jestem milutka!)
W Nowym Roku życzę Wam szczęścia i miłości. Oczywiście powodzenia w interesach, chociaż z tego, co wiem, biuro idzie całkiem, całkiem.
Nie mam pojęcia, co będę robić, jak ułożę sobie życie. Za wcześnie na odpowiedzi. Karmię piersią i niańczę maleńką istotę. Dobrze mi tu i na razie nie zamierzam niczego zmieniać. Nikt mnie stąd nie goni. Czas pokaże, co i jak.
Całujemy Was i życzymy szampańskiej zabawy — Paulina i Bronisława

Trudno to nazwać eksplozją uczuć, ale i tak dobrze, że do siebie piszemy...

Po południu zajechał Mamadou z Mariam, z życzeniami. Jadą na bal do Dolotowa, do jakiejś wyczesanej knajpy z widokiem na jezioro. Socjeta z uniwerku olsztyńskiego. Mariam wygląda ślicznie. Ma fantastyczny strój. Czekoladowy w wielkie czerwono-pomarańczowe kwiaty hibiskusa z jakimiś pajetkami i takiż turban. Wygląda ekstrawagancko, etnicznie i zarazem bardzo interesująco. Ma piękny uśmiech i zalotne spojrzenie. Mamadou też odstawiony, prosto z Francji. Właśnie wrócili z Paryża. Błękitnobiała koszula i lekko stalowoszary garnitur — no, przystojniak z niego!

— Mamadou, czemu ty nie masz na sobie malijskiej szaty? — pytam.

— A dlaczego miałbym mieć? Ja nie jestem wieśniak dzisiaj! Ja jestem elegancki Europejczyk z Kałęczyna w garniturze od D&G!

— A Mariam? — przekomarzam się. — Ona ma etniczną suknię!

— To kobieta, jej wszystko pasuje. Nawet jakbym ją owinął w „Gazetę Olsztyńską", będzie piękna!

— Ładnie, że bronisz żony!

— Ja nie bronię. Ja po prostu lubię mieć ładne rzeczy i kobiety! Króliki też mam ładne, widziałaś.

Śmiejemy się. Oni tacy są, że roztaczają wokół siebie humor. Składają nam życzenia i odjeżdżają.

Gosia rzeczywiście ubrała się ładnie, złożyła nam życzenia i pojechała z babcią do Olsztyna. Sylwester na OIOM-ie — ale numer! Dzięki Lisowskiej mogą tam siedzieć, bo Tomasz jest niestabilny. Podobno przeszedł wczoraj lekki zawał przedniej ściany. Lisowska uspokajała babcię, że jest w dobrym stanie, chociaż enzymy są kiepskie.

— A Janusz? — pytam ją w drzwiach szeptem.

— Co Janusz? — odpowiada pytaniem. — Jest u Mariusza. Nie niańczę go i nie popędzam. Zapewne będzie mailował z Beatą — parsknęła i pomachała nam.

Już ciemno. Wieczór taki sam jak zawsze. Tylko lampiony na pensjonacie kołyszą się na lekkim wietrze. Reszta świata w lesie i na polach śpi już. Orest odśnieża podwórko, bo zaczęło sypać. Droga rozjechana spychem Stefana. Też był z życzeniami. Piernacki dzwonił. Ma gości z Niemiec. Janne też zadzwonił z Finlandii. Jest u rodziców. W kuchni puszczam Katie Melua. Bronia śpi na rękach zawinięta w becik. Stoję z nią obok kuchenki i wyjadam zimny żurek z obiadu. Jest pyszny, czosnkowy i z tą kiełbasą, którą lubię, bo taka mięsna, dobrze uwędzona, z dzika, od pana Romana.

Z pensjonatu huknęło już muzyką. Słychać rytmiczne basy. W telewizji nudy. Egzaltowane pierdoły, jak co roku. Coś nam się stało z konwektorem i nie mamy satelity.

— Słyszałem — powiedział Orest, wchodząc — że mam cię podmienić? Jak chcesz, to idź, pobaw się. My tu z Bronią pośpiewamy. Idź!

I poszłam!

Zrobiłam makijaż, włosy, włożyłam jeansy, bo w sukienki nie wchodzę jeszcze, a te spodnie nosiłam do szóstego miesiąca ciąży. Kupiłam je w Szczytnie na targu za grosze i bardzo je lubię. Do nich biała bluzka z falbanami, od początku była za duża, więc teraz jest akurat na tę moją mleczarnię.

Jak tylko weszłam, poczułam nastrój. Niezdarnie jakoś podeszłam do stołu i od razu klapnęłam. Jestem taka... kluchowata. Nawet napić się nie mogę! Karmię za dwie godziny.

Hubert od razu się dosiadł i nakładał mi na talerz. On jedyny się mną zajął i dzięki niemu nie czułam się źle. Mańka wywijała na parkiecie z Adamem. Później z Panterem. Jakby zapomniała o mnie... Hubert okazał się świetnym kompanem. Mało tańczyłam, ale gadało się nam tak dobrze, że poszliśmy na spacer, bo w sali było za głośno. Zaimponował mi skromnością. Tak lekko i swobodnie mówił o krajach, które zwiedził, studiach, które skończył, o pracy, którą sam sobie organizuje mimo posiadanej kasy. „Dobrze zorganizowany i wie, czego chce!" — pomyślałam. Nie chciałam wyjść na gęś, więc popisywałam się erudycją, plotłam jakieś pierdoły i śmiałam się za głośno — jak nie ja! W życiu się tak nie zachowywałam. Co jest? Mam kompleks wieśniaczy? Ja? Idiotyzm. Chcę wyjść na mądrzejszą, niż jestem?

— Paula, sorry, że pytam, ty tu na tej „wsi wesołej" to tak... na długo? Na poważnie?

— Wiesz, to było tak, że Gosia złożyła mi tę propozycję w samą porę. Byłabym sama na Chomiczówce z tą ciążą i wiesz, bez rodziny.

— Planowana? — pyta mój śledczy i zaraz dodaje: — No, wybacz, ale tak szczerze lecimy...

— Nie. Naturalnie, że nie. Przyleciało i jest!

— Nie chciałaś sobie jakoś dać luzu czy było za późno?

O, rzeczywiście szczerze lecimy! — pomyślałam.

— Hubert. To była moja decyzja i teraz nie będę rozpatrywać innych wersji.

— No, ale gdyby... — zaczął mądrze.

— Gdyby w dupie były ryby — zamknęłam tę rozmowę mało elegancko.

— Przepraszam.

Dalej już nie ciągnął tematu mojej ciąży. Znów opowiadał o podróżach. Zaczął o Japonii. No, zazdroszczę!

Nawet nie zauważyłam, jak minęły dwie godziny, i usłyszałam Oresta:

— Paula!

Tak już jest. Obowiązki zaczynają pojawiać się już w przedszkolu i powoli wypierają przyjemności. Zapomniałam, że można zagadać się, nie patrząc na zegar, olać wszystko i pojechać przed siebie, robić, co się chce. Już nie. Mój Mały Obowiązek leży i patrzy na mnie. O Jezu! Patrzy! Dotąd tylko „fleszowała". Łapała mnie na chwilę i zamykała oczy, a teraz patrzy! Podobno jestem zamazana i odwrócona do góry nogami. Ale ona widzi mnie! Jej spojrzenie jest takie świadome! Wodzi wzrokiem za mną. Mam już mokre oczy. Jakie wspaniałe chwile! Nikt mi nie mówił, że dziecko...

— Mysiu mała! Moja maleńka! To ja! Mama! — szepczę do niej.

Ssie i gapi się. Z kącika ust sączy jej się na bródkę kropla i druga —

mleczka. Czasem mlaśnie smakowicie, a jak wyleci sutek z jej buziaka, wścieka się i szuka dookoła, ssawka moja śmieszna. Jak już chwyci, zasysa łapczywie i leniwieje. Małpeczka moja. Człowienio!

Orest zapukał do nas.

— Paula, będę jeszcze potrzebny? Mogę posiedzieć.

— Możesz? To jeszcze pół godzinki dobrze? Przewiniesz ją?

— Pampersem? Pokaż, to się nauczę.

Zmieniamy pampersa zgrabnie i z łatwością. Oreś bierze Bronię i kołysze lekko, delikatnie mrucząc coś melodyjnego.

— To my będziemy w kuchni. Jak zaśnie, położę ją.

— OK! Zaraz po dwunastej wrócę, bo już jestem senna. Pa!

Wybiegam jak gazela. Ciężka gazela. Hubert pali cygaretkę na werandzie naszego domu i czeka na mnie! Znów gadamy o czymś i nagle milkniemy. Temat uciekł czy co? Hubert nachyla się i całuje mnie w usta zupełnie bezceremonialnie! Zaraz też bierze mnie w ramiona. Chwila... zupełnie nie miałam tego w planach!

— Eeee — chcę coś mądrego wydusić, ale mi nie idzie. Za to on, proszę, jaki przygotowany do lekcji!

— Paula, oczywiście jakbyś miała ochotę, to możemy pójść do mnie, na górę?

— Ale ja mam...

— No, ale ktoś tam cię zastępuję, tak?

— Wiesz, no... tak, ale Orest nie jest niańką i ma własne plany, i tak robi mi grzeczność.

— OK, nie było tematu. Szkoda. Zdaje się, że nie masz nikogo? W sensie — nie wcinam się?

— Nnnnie, ale jakoś nie jestem w nastroju. Ja... wiesz co, Hubert? Karmię jeszcze!

— I...?

— No, w tym okresie kobieta raczej nie szaleje za seksem. Sorry i bez urazy. To nic osobistego.

— Rozumiem. Nie było tematu. Paula, a tak z innej beczki — ty tu tak zamierzasz spleśnieć?

— Czemu spleśnieć? — szarpnęło mną.

— Wybacz, ale jakoś nie mogę pojąć tego, że taka kobieta jak ty osiadła w takiej głuszy z własnej woli.

— Hubert, ja mam samochód, komputer, internet, a przede wszystkim wolną wolę. Sama chciałam ciążę i poród spędzić wśród najbliższych. Nawet tylko nominalnie — najbliższych. Nie mam rodziny w szerszym sensie. Moja niezrównoważona matka mieszka we Francji z młodziakiem starszym tylko trochę ode mnie. Babcia Malwina nie żyje, a o reszcie — nie wiem. Pewnie są jacyś, ale nie utrzymywałyśmy kontaktów. Zresztą powyjeżdżali w sześćdziesiątym ósmym — wiesz...

— Masz żydowską domieszkę? — spytał bezceremonialnie.

— Chyba tak, ale nigdy w to nie wnikałam. Przeszkadza ci to?

— Bynajmniej. Po prostu to tłumaczyłoby twoją urodę. Masz piękne rysy, namiętne usta, szlachetność w podbródku i butę w oczach. Taki efekt dają zazwyczaj boskie mieszanki, a Żydówki bywają piękne, a już półkrwi...

— Kadzisz, bo chcesz mnie zaciągnąć do łóżka?

— No, nie mówię „nie", chętnie bym cię przytulił, ale skoro nie chcesz... — mruknął. — Chodź, zjemy coś przed dwunastą. O! Już za siedem!

— Za siedem?! Już? To musiałby być baaardzo szybki numerek! — roześmiałam się pojednawczo, żeby zostawić sobie otwartą furtkę. Może kiedyś?

Radek, Panter i Mati zajęli się przygotowaniem sztucznych ogni. Reszta wytoczyła się na podwórze z kieliszkami, szampanem i śmiechem. Tylko Ala, była topielica, stała z boku, uśmiechając się, i czekała na ognie.

Sztuczne ognie chłopacy ustawili za garażem w stronę łąk. Ledwo zdążyliśmy z szampanem, gdy wybiła dwunasta. Pary doskoczyły do siebie. Hubert składał życzenia Panterowi. Stałam sama, głupia. Chwyciłam ze śniegu butlę szampana i pobiegłam do kuchni.

— Orest! Broniu! Pijemy za Nowy Rok! — krzyknęłam zdyszana, gdy za mną huknęło jak z dział. — Oreś, dziękuję ci bardzo i życzę... no, czego mam ci życzyć? — przekrzykiwałam race.

— Niczewo! Ja wsio mam! — odkrzyknął i pociągnął mnie do okna.

Ognie strzelały w niebo kolorami z hukiem, sykiem, wizgiem. Pióropusze, bukiety, fontanny i spirale. Kiedyś zachwycało mnie to, dziś martwię się, że Bronia się obudzi, przestraszy, i martwię się o leśne zwierzaki. Tomasz opowiadał, jak one się boją.

Kiedy ucichło, powiedziałam:

— Idiotyczne te pokazy. Tylko zwierzaki straszą.

Orest stał i patrzył w mrok. Resztki iskier dopalały się na śniegu i gasły szybko. Milczał z rękami założonymi na piersiach. Patrzyłam na jego plecy i zastanawiałam się, co go tak zajęło w tych ogniach.

— Or... — zaczęłam.

— Dobranoc — odpowiedział i wyszedł jakoś szybko.

Zasypiając we własnym łóżku, z moją maleńką córką — darem tego mijającego roku, myślałam o tym, że zaczynam całkiem nowe życie. Że pożegnałam zdecydowanie lata fruwające i lekkie, luzackie i wesołe. Nieodpowiedzialne, wariackie. Już koniec! Melancholijnie patrzyłam za okno, chcąc jeszcze wymyślić coś w miarę filozoficznego, ale zasnęłam z ustami przyklejonymi do główki mojej Małej Mi.

Dzieciaki pobyły do drugiego. Marysia przyszła do mnie z poczuciem winy:

— Mamuś, sorry! Zajęłam się sobą, nimi, mało czasu spędziłam z tobą. Może wpadnę jakoś podczas przerwy wiosennej?

— Maniu, daj spokój. Jesteś dorosła. Ja też. Wiem, że masz swoje życie, ja swoje, wystarczą mi te drobne chwile, o, nawet tu i teraz!

— Ale ja się przyszłam pożegnać. Jedziemy razem wszyscy. Patrz, jaka pogoda. Nie zostanę, jak obiecałam.

— Jasne i nie przejmuj się.

— Mamcik, jak... Janusz?

— Napiszę ci. Nie ma wojny. Nie jest to cud, ale rozmawiamy bez kłów i obelg.

— Super. Jesteś dyplomatką i politykiem! Zawsze potrafiłaś pokojowo!

— Oj, Maryniu, nie zawsze! Daj buziaka i bądźcie ostrożni. Pisz. Dzwoń.

Wszedł Adam pożegnać się, więc nałożyłam kurtkę i wyszłam z nim i Marynią na podwórko. Zrobiło się głośno i serdecznie.

— Dziękujemy, nie wiedzieliśmy, że tu tak cudnie i fajnie, i zabawa wspaniała była. Zdjęcia wyślemy.

Anię Wronę wyściskali, jak kochaną ciocię, i dziękowali za „matczyną opiekę", więc się nasza Ania popłakała. Pożegnanie było wylewne, wesołe i miłe. Takich gości mogę mieć co rok!

Jak tylko pojechali, poszłyśmy z Wroną ściągać pościele, przełączyć ogrzewanie na minimum, posprzątać. Na stoliczku, na piętrze, przy doniczce z paprotką stała koperta z kwiatkiem, zaadresowana „Pani Ania". W środku stówa i podziękowania za troskę.

— O Matko Boska! — Ania złapała się za usta. — Co oni? Pani mi przecież zapłaciła!

— Pani Aniu, napiwek się chowa z radością do kieszeni. Widać zasłużyła pani.

— No bo po prawdzie to ja im sprzątałam codziennie po pokojach, nie tak, jak mówiła Marysia, tylko, jak mnie pani nauczyła.

— No to się odwdzięczyli!

Biorę pościel i wychodzę. Ania dokończy, a ja jutro do pralni.

W domu dzwoni telefon.

— Gosia?

— Cześć, Mariusz, z życzeniami? To przyjmij od razu ode mnie!

— Obawiam się, że... Spotkalibyśmy się? Nie wybierasz się przypadkiem do Olsztyna?

— Nnnie... A... coś się stało? Nie możesz przez telefon?

— Mogę, chociaż wolałbym „paszczą”, Gocha... Jak to z wami jest? Sorry, że się wtrącam. Wiem o tej Beacie...

— A! Wiesz?! No... Widzę, że dobre wieści szybko się rozchodzą.

— To nie była dobra wieść i żebyś wiedziała, jak nie rozumiałem tej akcji. Opieprzyłem Janusza, ale on coś przynudzał, że ty go nie zauważasz, że nie jest ci potrzebny...

— A jej jest potrzebny i że ona go nosi na rękach.

— Gocha, on wpadł na chwilę w takie zauroczenie, bo facetowi fajnie jest, jak się czuje jedyny i wyjątkowy, najwspanialszy i wiesz... Janusz chodził do szkoły z internatem, a że był najmniejszy, to go zawsze gonili albo wysyłali po fajki, a jak szli na disco, to go przepędzali. On nie lubi czuć się „ogonem”... Żaden z nas nie lubi.

— Jesteś jego adwokatem? — spytałam zdziwiona.

— Gośka... Był u mnie w sylwestra, niestety nie upilnowałem go i się nawalił jak szpadel. Gadał tylko o tobie.

— Nawalił?! Pozwoliłeś?

— Przypomnę ci, że jest dorosły.

— Cholera jasna i co?

— I nico. Wytrzeźwiał i jest u nas. Teraz dzwonię, bo poszedł z Wiolką i psem na spacer. Ja z Kacprem robimy obiad.

— O, obiad? To Wiolka ma z tobą raj! Trzeźwy już? — wróciłam do tematu.

— Trzeźwy, trzeźwy, z przepranym mózgiem, ale dzwonię do ciebie, jak mam go ustawiać. Ty go pogonisz czy dasz szansę?

Westchnęłam.

— Nie wiem, Mariusz. Jak ja mam z nim żyć z takim naderwanym zaufaniem? Mnie to bardzo zabolało.

— To twoja sprawa. Mnie się podobał Janusz, jak był z tobą. Fajna z was para. Posrało się, wiem, Gocha, ale nie skreślaj go.

Nie wierzę, że tego słucham... Wszyscy mnie namawiają, oprócz wściekłej na Janusza Pauli i nadętej Ani Wrony. Adwokaci!

— Mariusz?

— Gocha, wracają, muszę kończyć, sorry!

— OK. Pozdrów Wiolę.

Mariusz się rozłączył, a po jakimś czasie przysłał SMS: „Nie bądź taka, wybacz mu”.

Odesłałam tylko smileska, bo... Sama nie wiem.

Nie mogę myśleć tylko o tym, bo zwariuję. Za dużo emocji.

Siadłam do komputera i odpalam Naszą klasę.

— Paula?

— Tak? — pyta moja druga córka, siedząca z Bronią przy piersi, w fotelu. Podnosi na mnie wzrok. Mateczka karmiąca! Jakie są śliczne obie!

— Dziewczynki — mówię do Pauli i Broneczki. — Mam w Warszawie spotkanie klasowe. Pojadę, co?

— Jasne! Jedź i zapomnij!

— Przestań. To spotkanie po latach, chociaż nie wiem, czy to dobry pomysł, ale mnie moja klasa zmolestowała. Jadę jutro, a co tam!

I pojechałam.

Nie lubię jeździć zimą, bo boję się poślizgów. To irracjonalne, bo mam ciężki samochód, szerokie porządne zimówki, ale... rok temu, zanim zmieniłam opony, miałam taki ślizg do rowu, że mi sierść stanęła dęba i serce. Niby nic się nie stało, ale od tamtej pory nie cierpię na szosie lodu, a tak oblodzona jest droga do Nidzicy.

Może trzeba było jechać przez Wielbark?

W domu, na Saskiej Kępie, porządek, podlane kwiatki i czysto.

Wzięłam kąpiel w mojej starej kochanej wannie. Stroiłam się, jakbym szła na wybory Miss Polonia. Hmmm. Raczej Mrs Polonia...

O jak ja dawno się tak nie stroiłam!

Włosy co prawda nie widziały fryzjera też od dawna, ale są czyste i ładne, więc upnę w kok i już.

Wchodzę we wszystkie łaszki z czasów agencyjnych! Schudłam i kiedyś cieszyłabym się bardzo, a dzisiaj wiem, ile zapłaciłam za tę figurę. Wiem o Januszowym piciu. Szlag! Te cholerne skurcze żołądka, uczucie, jakbym się czymś zatruła, marazm, brak apetytu. Ale przecież wiem, że ja mu nie pomogę, dopóki on sam...! Cholera jasna! Głupi, głupi, głupi!

Włożyłam kostium sprzed lat. Rdzawa wełna, wcięcie w talii (O! Pojawiła się! Guziczek się zapina bez łaski!). Bluzeczka z dekoltem, makijaż ledwo, ledwo i wio! Życie czeka, ile można płakać w poduszki?

Taaaaaaak.

To był wieczór niespodzianek!

Spotkaliśmy się w miłej knajpce na Starówce. Nie ma wielkich zmian, tylko kilogramowe. Dziewczyny się roztyły po ciążach, ale rysy twarzy zostały im te same. Zmieniły kolory włosów, fryzury. Jedyna Zuzia zeszczuplała, ale jak mi szepnęła w łazience Nelka, nasza klasowa gospodyni, Zuzka, jest po mastektomii. O mamo!

Krystyna spytana, co robi, żeby mieć takie piękne piersi, pokazała nam ćwiczenia, jakie wykonuje podczas jazdy samochodem. Śmieszna jest. Prowadzi jakiś fitness na swoim osiedlu. Nie byłyśmy przyjaciółkami. Ja trzymałam z Wandą — jak ja związaną z harcerstwem, tyle że ona w „Gawędzie". Uległa niedawno wypadkowi, spadła ze ścianki, bo się wdrapywała z synem, i paskudnie złamała nogę. Napisała mi w mailu, że na razie niechętnie się pokazuje. Zresztą po szkole nasz kontakt się zerwał. Na zdjęciach jest surowa, włosy utkane srebrem, wysportowana.

Za to nasi panowie pozmieniani. Przyprószony siwizną Aleksander, całkiem siwy Witek, wyłysiały Zbyszek, Wojtek właściwie zero zmian, Karol też się trzyma znakomicie.

— A Jasiek? Wiecie coś o Jaśku?

— Jasiek podobno mieszka w Hamburgu!

I takie tam miłe ple-ple, przy winie i serach, ciągnęło się z godzinę, dopóki nie przyszedł nasz klasowy Don Juan — Kamil Wereszczański.

O! Los dla niego łaskawy, bo ponoć śpi na pieniądzach i uroda mu pozostała mimo drobnej siwizny na skroniach.

Nie lubiliśmy się. Był z innej gliny. Narcystyczny i wpatrzony w siebie, i gulgotał jak indyk, gdy się śmiał. No... gulgotał tak jakoś.

Wysoki, szczupły i bezczelny. Zawsze niesforna grzywa opadała mu na oko, a on odgarniał ją dłonią albo ruchem głowy i tak jakoś zawsze omiatał nas wzrokiem, jak tani książę. *Bon vivancik*, wówczas — dyskoteki, narty, panny.

Dzisiaj naturalnie spóźnił się, żeby zrobić sobie entrée.

Gorące powitania, ciepłe słowa dla każdej z nas, uścisk dłoni dla kumpli i oczywiście wziął cały wieczór w swoje ręce. Natychmiast zamówił kolację, więcej wina i posypały się wspominki, żarty...

Trzeba przyznać, że fantastycznie nas rozruszał. Nawet Zuzka zaśmiewała się, czerwieniejąc od wina i dowcipów Kamila. Jest bardzo urokliwy — to prawda. Życie go podszlifowało i dodało czegoś szlachetnego.

Na korytarz wyszłam z Jolą „przypudrować nos" i po prostu odetchnąć.

— Oj, Gośka, nic się nie zmieniłaś! A wiesz, ja już jestem babcią! No, moja Kasia ma synka Antosia, mówię ci, królewicz! Emil i Damian jeszcze kawalerowie. A ty? Podobno mieszkasz na wsi? To prawda?

Słuchała mnie byle jak, nieuważnie, zapalając nerwowo papierosa i dmuchając w otwarte okno.

— Nie zaziębisz się? Nie palisz? — pytała nerwowo.

— Jolka, co ci? — pytam, bo widzę, że coś z nią niehalo.

Miałam nosa. Jola popłakała mi się, bo mąż ją zostawił dla młodszej. Musiałam wysłuchać opowieści, na którą nie miałam ochoty.

— A nasz Kamil? — Jolka uśmiechnęła się, wycierając niemalowane oczy. — No, sama powiedz! Królewicz! Ach! Niektórym to los sprzyja!

Kamil brylował cały wieczór.

Rozstawaliśmy się na ulicy, wymieniając wizytówki.

— Małgoś, z tobą mam najmniejszy kontakt! — Kamil patrzył na mnie, przechylając głowę. — Podobno rozstałaś się z mężem, to prawda? Przepraszam, ale tak się mówiło...

— Baby we wsi gadały?

— O, ładne — uśmiechnął się.

— Ja na wsi mieszkam, to też wiesz?

— Już nie pracujesz w reklamie?!

Nie miałam ochoty, ale wymusił na mnie spotkanie następnego dnia.

Zaliczyłam fryzjera, zmieniłam kolor włosów ponownie na płomienny, rudozłoty balejaż i poszłam.

Utwierdziłam się w przekonaniu, że kobiecie z problemami doskonale robi zalotnik. Nie, żeby zaraz kochanek, chociaż patrząc na Kamila, sądzę... no, wiem, że gdybym się wysiliła... Taki... kogut, puszy się i popisuje.

Zalotnik — nadskakiwał mi, zalecał się i podkreślał, że jestem piękna i atrakcyjna. Śmiał się z moich żartów, chciwie słuchał opowieści o pensjonacie i po prostu był czarujący. Komplemenciarz! Zwariowałabym z takim mężem, ale jako kumpel — spisał się na medal.

— Czemu? — zdziwił się po tej mojej uwadze wypowiedzianej na głos. — Ja jestem znakomitym mężem!

— Nie wątpię, ale ja zwariowałabym z tobą. Jesteś bardzo... absorbujący.

— Tak, to prawda! Ale życie ma się jedno i ja złapałem je za gardło. Stale ta sama żona. O! Pokażę ci jej zdjęcie, teraz jest w Aspen z dzieciakami. Najmłodszymi, bo starsze studiują.

— To ile macie dzieci?

— Pięcioro. Te najmłodsze to po moim braciszku. Miał wypadek z żoną, zginęli na miejscu i została po nich trójka maluchów. Teraz są z nami. Nasze!

Oniemiałam. Kamil? Pospieszyłam się z oceną...

Wyjął zdjęcia.

Na fotografii zobaczyłam jego żonę, Marcelinę z klasy niżej, z naszego liceum. Odwieczna para, schodzili się, rozstawali... Piękna, zadbana.

— O, wy ciągle razem! Co robisz zawodowo?

— Prowadzę agencję nieruchomości. Z Marcyśką i kolegą z podstawówki. Wspólnik. Jest na chlebuś — roześmiał się.

— ...i na Aspen — dodałam. — Kamil, czegoś nie rozumiem. Nadskakujesz, uwodzisz... A Marcelina?

— Ja już taki jestem, Gosiu. Nadskakuję, uwodzę, ale moja Marcyśka ma mnie na wyłączność. I ona to wie.

Zrobiło mi się strasznie wstyd.

Przez chwilę wzięłam jego zaloty, żarty za... prawdę.

Nie, żebym skorzystała, ale sądziłam, że się nie zmienił, że to stale Don Juan, co z nim Marcysia zerwała, to on miał panien na pęczki, potem, gdy ją ubłagał, znów tylko ona, i tak falowali zabawnie. Ale ja zawsze go miałam za lekkoducha.

— Kamil, a ty zawsze taki wierny byłeś?

Roześmiał się głośno.

— Poproszę o następne pytanie! Oj, Gośka, kiedyś mnie strasznie ofuknęłaś, pamiętasz? W pierwszej klasie, jeszcze Marceliny nie znałem. Ja w zaloty, a ty mi po łapach. Kochałem się w tobie do końca drugiej! Ach, były czasy! No to za spotkanie, za życie i miłość! — podniósł kieliszek z koniakiem. — Ale wiesz co, Gośka? Ciebie to by mi Marcyśka wybaczyła. Wyglądasz wspaniale i taka jesteś...

— Jaka? — dopytywałam się ciekawa, co powie.

— Taka... kobieca, ponętna. Ech, wiek ci służy! Stale ten sam mąż?

— Nie, niestety nie. Nowy związek i to w dodatku trudny.

Opowiedziałam Kamilowi, sama nie wiem dlaczego, o moich peregrynacjach z Januszem.

— Hmmm. I teraz jesteście...

— Jesteście w takiej jakby separacji, znaczy rozleciało się, pogoniłam go, ale nie mogę tego jakoś zaakceptować, bo Janusz jest... Bo ona wydawało mi się...

— Gośka. Daj wam szansę! Wy, kobiety, tak łatwo się obrażacie, ujmujecie honorem, czasem to żadna zdrada... Facet się po prostu... zapomniał.

— Nie, no proszę cię! — żachnęłam się.

— Gocha, chciałaś gadać, to słuchaj. Wy słuchacie zawsze tylko siebie i tak się czasem zapominacie w tym, że my możemy się zagadać na śmierć, a wy i tak nie słuchacie, bo nie chcecie. Może miał rację? Może się poczuł... Wiesz, prawda leży zawsze pośrodku. Albo szukaj innego!

— Innego kogo? Faceta? Nie, Kamil. Adoracja to co innego. Miłe to, ale ja nie mogłabym z żadnym już. Jestem zaszczepiona Januszem, nie chcę żadnego innego. Kocham go, cholerę jedną! Głupio, co?

Oczy mi się zaszkliły.

— O, widzisz. Jest na czym budować. W sądzie sąd słucha obu stron. Ty bądź mądra i tego wysłuchaj, wyciągnij wnioski. Kochasz i to jest ważne. A on?

Wróciłam do domu oszołomiona. Czemu nie trafiłam w życiu jak Marcelina? Na wielkiego, pięknego mężczyznę, z temperamentem, swadą i takiego radosnego jak Kamil? Życie go tak zmieniło! Jaki mądry! A ja sądziłam, że już zawsze będzie taki... *bon vivant*!

O mój Boże! Jak my sami sobie pleciemy życie. Sami wybieramy partnerów, a później mamy pretensje do Pana Boga, jak nam coś w życiu nie wyjdzie. Kochał mnie Kamyk (tak na niego mówiliśmy), więc mogłam z nim flirtować, a ja go olałam i nie lubiłam do matury! Do dzisiaj.

— Taki lajf... — powiedziałam na głos, ale chyba bez żalu, w kuchni. W mojej niegdysiejszej kuchni.

Wieczorem zjadłam z Marysią i Konradem kolację, opowiedziałam o porodzie Pauli, o kłopotach z sercem Tomasza, o spotkaniu ze znajomkami i takie tam opowieści dziwnej treści.

— Konrad, a ty się zalogowałeś?

— Gdzie? — zdumiał się.

— Na Naszej klasie! Ty wiesz, ilu tam się poznaje ludzi? Znajomych? Z rodziny?

— Wybacz, ale chyba nie mam takiej potrzeby, my z Adą...

No tak. Ada — dama nie z tej epoki...

To już nie mój świat — Warszawa, Saska Kępa, mój dom. Marysi dom obecnie. Mimo wszystko — nie. Spotkanie klasowe uświadomiło mi, że jednak mądrze zrobiłam. Że jest mi dobrze nad rozlewiskiem.

Wracam do mojego domu. Na Mazury.

Spotkanie po latach było świetne, wesołe, czasem smutne. Serdeczni jesteśmy dla siebie, i to dobrze, ale ja już nie czuję do nich tego, co dawniej.

— Gocha, jakby co, to ci pomogę! Mogę ci kasy pożyczyć albo podesłać wspólnika — deklarował się Kamil.

— Dzięki. Radzę sobie, ale jakby co, mam w pamięci. Pozdrów Marcelinę.

W domu na Saskiej też miło, ale jednak to już nie moje życie. Wracałam. Tęskniąc do mojej łazienki, mojego łóżka i dresu, do mamy, która wszystko rozumie... Kurczę i jednak do Janusza. Do myśli o Januszu.

Marysia dyskretnie milczy i nie udziela mi rad. Konrad tym bardziej. Jest taktowny.

Wracam. Mam zamówienie, zaległą korektę, i zbiór wierszyków o kredkach i malowaniu. Jeszcze dwa i skończę. Łatwo mi się piszą takie wierszowane historyjki, na przykład o tym, co można namalować zieloną kredką.

Zielona kredka wbiegła na kartkę
Dorysowała Zuzi — kokardkę
I trawę, po której Zuzia skacze
I wielkie drzewo i mały krzaczek
Piłkę plażową — biało-zieloną
I owoc kiwi, i winogrono

W tym tonie rymowanki same mi wychodzą, a nasz ilustrator ma pole do popisu. Tworzy śliczne ilustracje.

To jest książeczka edukacyjna i lekko nam idzie!

Pracować! Nie myśleć o żalach, nie rozdrapywać!

Mama powtarzała, że „czas leczy rany". Jak ona to mówi, wierzę jej.

W piątek była w Pasymiu wielka feta. Elwira zrobiła otwarcie swojego lokalu. Pojechałam na eleganckie party.

Miło było włożyć pantofelki, pończochy i kieckę. Zrobić sobie pazurki i fryzurę. „Przebrać się za kobietę" — jak mówię, kiedy zamieniam kalosze i kubrak na coś damskiego.

Ludzi masa i różowa kokarda w poprzek drzwi. Piękne — z mlecznego szkła, na nich złocisty napis:

ZAKŁAD KOSMETYCZNY
ELWIRA

Jest i samochód proboszcza! Widać Gienia się uparła, żeby było „po bożemu". Parkuję pod Domem Kultury, bo już miejsc nie ma koło domu Elwiry. Właśnie z podwórka wychodzi Elwira z matką i babcią Różą. Dominika stoi z Andrzejem pod lokalem. Elwira wygląda olśniewająco! Uśmiecha się i śmieje wesoła, wyluzowana, triumfująca!

— A oczywiście, babciu, peeling i maseczkę babci położę, to się babcia tak odmłodzi, że się jeszcze wyda! — dobiega mnie jej deklaracja.

Witam się ze znanymi mi mniej i bardziej ludźmi. Jestem pod obstrzałem, bo jestem tu też postacią do oplotkowania. Rozglądam się, ale Janusza nie ma.

Elwira z gracją przecina wstążkę i wchodzimy wśród oklasków do środka.

Jest ciemnawo.

Elwira wraz z matką podchodzą do okien i otwierają żaluzje, wpada mnóstwo światła. Lokal jest naprawdę pięknie urządzony. Bardzo subtelnie. W zasadzie dwukolorowo — mlecznobiałe szkło, marmurowo-bladoróżowe akcenty, kilka złotych detali. Na blatach zamiast kosmetyków, szczotek i cążków, dzisiaj, kieliszki do szampana i maleńkie kanapeczki, koreczki, patery z owocami.

— Pięknie, co? — Dominika podchodzi do mnie uśmiechnięta i dumna.

— Pięknie! — zachwycam się i nachylam nad małą. — Zapisz mnie jakoś, najszybciej, co? Po znajomości? Patrz, jaką mam cerę.

Pokazuję Dominice palcem skórę pod oczami. Ona przygląda mi się poważnie i ocenia w mig:

— Peeling aż się prosi! I solarium! Powiem mamie, żeby zapisała panią szybciorem!

I wybucha śmiechem dziecięcym, gardłowym, bo wie, że sobie żartujemy, ona i ja. Potem ciągnie mnie za rękaw i szepcze poważnie:

— Mama przedwczoraj zrobiła mi peeling brzoskwiniowy, a Andrzejowi — cukrowy! Fajnie było! I wklepała kremy! Zobaczy, jaką mam teraz gładką cerę! — chwyta moją dłoń i przesuwa sobie po dziecięcym buziaczku.

Wreszcie Elwira się uwalnia od ludzi. Podchodzę do niej i wręczam jej prezent na otwarcie — cztery identyczne, piękne białe kitelki, które kupiłam w Szczytnie w szmatlandii, i dziwaczną kolumnę z muszlą, która umie robić parę z wody. Kiczowate, ale fajne.

— No to, kochana, zapisz mnie na zabieg jak najszybciej!

— Za dwa miesiące, co? Wczoraj dostałam odpowiedź, że licznika mi nie mogą założyć, bo zabrakło. Akurat wymiana jest. U was już byli?

— Poczekam! Oby ci tu się dobrze działo — życzę jej i spluwam na podłogę, przydeptując. To tajna nauka Dominiki. Czary.

Kiedy wyszłam, zaczerpnęłam powietrza w płuca i... poszłam do Janusza. Dawno się nie widzieliśmy, spytam, co u niego, czemu nie był na otwarciu, opowiem o klasowym spotkaniu.

Otworzył mi po dłuższej chwili. Powinnam odejść.

— Wejdź — rzekł i odsunął się, żeby mnie przepuścić.

Poczułam zapach wódki.

W kuchni usiadłam w kurtce przy stole.

— Janusz? Dlaczego? — spytałam ze smutkiem.

— Dlaczego?! Dobre pytanie! — Janusz był wódczano-błyskotliwy. — Bo jestem alkoholikiem! Tak? Prawda?! Pani to powinna wiedzieć, proszę pani — kpił, zachowując powagę. Nie cierpię tego jego cynizmu.

— Skoro nim jesteś — nie powinieneś pić.

Wstałam. Nie mogę z nim rozmawiać, kiedy jest napity. To go tylko rozdrażni. Rozdrażniło, miałam rację. Bluzgnął potokiem słów. Gadał dużo okropnym mentorskim tonem, poniżał siebie, mnie... Kpił i żartował żartami unurzanymi w żółci.

— Pójdę już. U Elwiry było fajnie — pojednawczo zmieniłam temat. To go kompletnie zbiło z pantałyku. Nie zareagowałam na jego pijane wywody. Byłam zdruzgotana, smutna.

— Nie ma jej, jesteś tylko ty! Gosiu, tylko — rozumiesz? — dodał dramatycznie jak kiepski aktor z serialu.

— Rozumiem, Janusz. Porozmawiamy później, co? — uśmiecham się i zapinam kurtkę. Janusz podchodzi, obejmuje mnie i wkłada mi ręce w spodnie, przyciąga do siebie i szepcze:

— Zostań, jestem w dobrej formie, zostań, przecież zawsze lubiłaś.

— Przestań. Nigdy po pijaku, puść mnie!

Musiał chlapnąć sobie tuż przed moim przyjściem, bo widzę, jak mu oczy zachodzą mgłą i mówi niewyraźnie:

— Śmierdzę ci — tak? Śmierdzę?

— Puść, Janusz, proszę! Beacie się taki nie pokazałeś, prawda?! — wołam zła.

Ściska mnie za mocno, ale na moją prośbę grzecznie puszcza, szepcząc:

— Przepraszam już... — i chowa twarz w dłoniach.

Wychodzę, becząc. Nienawidzę go takiego!

Dzwonię do Mariusza.

Część szósta

PRZEDWIOŚNIE I NIE TYLKO

Kiedy wreszcie wiosna?

Nie wiem, jak ja przeżyłam tę zimę. Tak ścisnęło w styczniu, że aż trzeszczało. Potworne mrozy. Większość czasu spędziłam przy krosnach, bo Broneczką zajmowali się wszyscy. Babcia, Orest, Tomasz. Naturalnie karmiłam, kąpałam, przewijałam i ćwierkałam, ale trzeba też pracować! Jak ja siadałam do krosien, Gosia była mamą zastępczą. Jak ona siadała do komputera, dołączał Orest, babcia Basia, Tomasz. Każde z nas domowników coś tworzy. Orest rzeźbi, głównie rano. Tak, do popołudnia. Ja, wiadomo, tkaczką się stałam, skoro jest zamówienie, to tkam. A Gosia postanowiła pisać. Ma nieziemski zmysł do lekkiego wierszowania i wypisuje dla dzieci wierszowane historyjki. Niedawno wyszła drukiem śliczna historia biureczka. Sosnowego. Takie na podobieństwo dziecka wesołe biurko. Mam egzemplarz dla Broni!

Janusz zaciął się w sobie i żyje w samotności. Z rzadka dzwoni. Rozmawiają o wszystkim i o niczym. Żadne nie potrafi zrobić pierwszego kroku. Babcia mówi, że Janusz przeżywa rozstanie z Beatą i swoją... głupotę, a Gosia jest ostrożna. Chodzą jak żuraw i czapla... Prasnęłabym go w łeb, i w ogóle... pogoniła w diabły. Nie mój typ faceta!

Pod koniec stycznia wstawiałam na kilka godzin wózek z moją małą zawiniętą po uszka do pokoju gościnnego, nieogrzewanego prawie i z otwartym lufcikiem.

W lutym odważyłam się wystawić Bronię na werandę i to na kilkanaście minut. Było mocne słońce i minus dwadzieścia, na werandzie zacisznie, ale chłodno. Zawinięta jak mały Eskimosik, spała smacznie. Przy takim mrozie! Mocne!

Gośka zawiozła mnie do Olszyn, do sołtysa. Nazywa się Rząp i jest... niezwykły!

Nie jest zwykłym rolnikiem, jest tu sołtysem od 20 lat, szczupły, ogorzały, ma szpakowate, długie włosy i... prowadzi u siebie prywatne Muzeum Mazurskie.

Oryginał!

Gosia chce odnowić wielkie tremo. Wynalazł je Bartek Karolak koło Bartążka, u jakiejś rodziny, u której naprawiał dach. Chcieli to lustro wyrzucić, bo „stare i porysowane". Stało koło stodoły upaprane obornikiem, ale całe!

Sołtys ma „szpital" starych mebli: „chirurgię", „dermatologię" i „klinikę estetyczną". Muzeum sztuki użytkowej i stodołę pełną połamańców czekających na renowację.

Gosia zagadała się z miłą panią przyjmującą zlecenia, a w tym czasie sołtys Rząp oprowadził mnie po swoim muzeum.

Czego tu nie ma!

Maszyny rolnicze, sprzęty domowe, meble, bibeloty i ciekawostki.

Na przykład „dysecka do kracek”, to deseczka do przygotowania lnu lub konopi do tkania. Ładna i kolorowa, malowana we wzorki. Bywała częstym prezentem od chłopaka dla ukochanej panny. Także fantastyczna pralka kręcona, na korbę, z poziomym kręcidłem w balii z drewna, i inne rzeczy czy sprzęty, które musiał mi objaśniać. Cieszył się, gdy czegoś nie wiedziałam.

— Proszę, a to dywanik PRL-owski!

Pokazał mi dziwne dzieło. Beżowobrązowe, sztuczne w dotyku...

— Co to? Z bistoru? — popisuję się wiedzą.

— ...z rajstop! Drugie życie rajstop, które zleżałe puszczały oczka zaraz po założeniu!

— To na zwykłych krosnach? — dopytuję się.

— Pokazać pani? Jak pani widzi, jedna osnowa wystarczy.

— Nie — tym razem ja go zaskakuję — mam krosna i sama tkam! Dwuosnowowe!

Pokazał mi typowe mazurskie dywaniki i kolorystykę.

Piękne beże i rudości, dyskretne brązy, czerwień i zieleń.

Czytałam, że rzadko używano zieleni i brązu, ale tu, proszę, i brązy są!

Po chwili zaskoczył mnie, pokazując piękny, pękaty, szary garnek.

— Garniec, urna na prochy? — staram się nie wyjść z roli.

— Ależ bez przesady! To zwykły garniec! Niegdyś tu, w okolicy, było zagłębie garncarskie! Nidzica–Pasym–Szczytno–Wielbark. Pieców i garncarzy było w bród! Teraz sztuka zaginęła, a szkoda! Tutejsza glina taka właśnie, ładna szarawa. Dowie się pani więcej w muzeum w Szczytnie i w Olsztynie.

— Nie polewane?

— Nie. Właśnie nasze garnki są tylko wypalane.

— Korci mnie to. Ma pan może koło garncarskie?

— Nie mam, ale łatwo zrobić! Gorzej z piecem. Zdunów już mało takich, którzy umieliby piec ceramiczny postawić. Niby żadna sztuka, a jednak...

Gosia podeszła ciekawa.

Już w samochodzie powiedziałam do niej:

— Ceramika! Podoba mi się! Miałam zajęcia z garncarstwa i byłam niezła, ale w Warszawie, sama wiesz, na Chomiczówce piec?...

— A tu, u mnie?

— Pomyślę! Piec znajdę w necie! Ważne jest miejsce na wysychanie, glinę chyba znajdę w okolicy... Oj, pomysły mi się lęgną! Wracamy?

No i mamy nowego przyjaciela!

Pan doktor pediatra!

Przyjmuje od niedawna w Pasymiu i jest fantastyczny! Z początku robi dziwne wrażenie, bo jest dość nieśmiały, bardzo szybko mówi, jest wielki, ma duże dłonie, szopę niesfornych włosów, lat... trzydzieści parę? I nie patrzy mi w oczy, znaczy w twarz, jak mówi do mnie. Szkła bardzo mocne i chyba nerwus z niego.

Za to nawiązuje doskonały kontakt z dzieckiem. Jego wielkie dłonie są jak koszyki i dzieciak jest w nich bardzo bezpieczny podczas mierzenia, ważenia, bo on robi to sam! Odniosłam wrażenie, że on jest jak jakiś przyjazny olbrzym ze świata baśni i dlatego dzieci tak go lubią. Jedna z tutejszych babć opowiedziała mi w poczekalni, jak jej wnuczek miał atak bólu brzuszka i nic, nawet żadne domowe sposoby nie zadziałały. Ponieważ było coraz gorzej, babcia przywiozła go do pana doktora. Nasz Pan Doktorek — Leśny Stwór (tak go nazwałam) zbadał pięciolatka baaaardzo dokładnie i powiedział:

— No, malutki, ale tobie nic nie jest! Powiedz mi, o co tu chodzi?

Mały usiadł i szepnął wprost do ucha panu doktorowi:

— A, nic tam! Kciałem do pana doktora...

Bronia chyba też go lubi, bo daje się przewracać jak kotlet, obmierzać i ważyć, i tylko się gapi lekko otwartymi oczkami, zadowolona wielce, mrucząc coś do siebie. Gdy jej osłuchiwał serce, łapała za słuchawkę.

Jak już doktor zbadał i poklepał ją po brzuszku, nagle roześmiała się zalotnie. Albo może nie zalotnie — gęgająco. Śmiesznie.

Do mnie pan doktor mówi niewiele — wszystko do Broni.

— Popatrz, Broniu, ile ważysz! O, naprawdę ładnie! A teraz zmierzę ci rozumek! 38 centymetrów! Co za głowa! Sprawdzimy teraz, co ci w brzuszku gulgocze i jak tyka zegareczek. Zegareczek, zegareczek! Jak ładnie serduszko bije! Chce mamusia posłuchać? (To do mnie!)

I nakłada mi słuchawki.

Potem dwa lub trzy słowa i już!

Nasza Bronia rośnie zdrowo i pogodnie. Każdy dzień przynosi coś radosnego. A to gardłowy śmiech, prawie rechot, i to wtedy, gdy Orest coś do niej mówił i dostał czkawki. Roześmiała się całą sobą! A to jakieś „gugu" i „emo" w całkiem nowym języku, a kiedy indziej poklepała mnie łapką po piersi, wyszedł taki głośny poklask i tak ją to rozbawiło, że zaczęła puszczać bańki z mleka, bo miała pełne usta.

Włosy rzeczywiście jej rudzieją i zawijają leciutko na końcach! Oczy nie są już takie granatowe. Szarzeją. Chciałabym, żeby poszły w... zieleń.

W marcu Henio Piernacki złamał nogę. Teraz dogląda go Ania Wrona. Kobieta lubi to. Ma pracę, a opieka to jej powołanie. Zrzędzi, ściąga brwi, ale dogadza Heniowi, sprząta, wypełnia sobie czas. Młoda jest, a zachowuje się jak stara. Jest zniszczona fizycznie i psychicznie. Jej mąż znów częściej niż latem zapija się. Normalnie to ona pędzi go do chlewa, ale w te mrozy zamarzłby. Za co pije? Odśnieża posesje za grosze i pije coraz gorsze wynalazki. Spirytusy techniczne, borygo... Widziałam go, jak wracałam z przychodni — jest taki... siny. Okropny.

Spotkałam też Elwirę z Michałkiem. Pokazywałyśmy sobie te nasze skarby, choć niewiele było widać, bo ja wychodziłam z tłumokiem, ona wchodziła też z tłumokiem. Mróz, to nasze dzieci jak w kokonach. Bawi mnie to, że mam tu takie dość nietypowe grono przyjaciół, z Elwirą pogadałyśmy o karmieniu piersią, o kupach i kolce. O masowaniu brzuszka i takie tam matczyne tematy.

— Najbardziej lubi — opowiadam o Broni — jak jej brzuszek masuje Orest. On ma wielkie i ciepłe łapy i zaraz jej przechodzi, ale i tak on musi jeszcze potrzymać „termoforek".

— Andrzej tak samo! O, tatuś z niego! Dba o syncia! Ale — Elwira nachyla się i zniża głos do szeptu — Dominikę też traktuje jak własne dziecko! Ona go uwielbia po prostu! Dobrze, jak chłopa się ma! Oj, przepraszam — dodaje.

— Eeee, daj spokój, Elwira. No, nie mam, ale czy to problem?

— A przepraszam, Paula, że się wcinam, ten Orest... nic? Bo on taki, no, no, no... jest na czym oko zawiesić, a mówisz, że do dziecka taki zręczny...?

— Elwira, jakby ci tu powiedzieć? No... nie mam do niego nic, oprócz przyjaźni i wdzięczności.

— A! Kumam! Bywa, ale przypatrz się! Ty artystka, on artysta...

Michaś miał dość tych babskich plot, więc się wydarł i Elwira pożegnała mnie szybko.

Ja wsiadłam do samochodu i do domu. Przejmujący ziąb!

Niemoc i moc

W marcu Elwira ochrzciła Michasia.

Chrzciny wyprawiła w swoim nowym lokalu, który ciągle jeszcze nie jest otwarty.

Pod oknami zasłoniętymi teraz wertikalami w kolorze bladolilaróż stał szwedzki stół. Przyjęcie było niezwykle eleganckie, a prezenty wkładało się do głębokiego, misiowego wózka. Rozmawiałam trochę z Elwirą, trochę z Andrzejem, a później stałam z Paulą w kącie, a ona z Bronią w chuście przy piersi, i pogryzałyśmy ekologiczne marchewki i migdały.

— Elegancja, nie? — Elwira podeszła do nas i roześmiała się. — Siostra mnie tak podpuściła. Ja to bym położyła kiełbas i wędzonych ryb, postawiła wódkę i byłoby jak zawsze na wsi na chrzcinach, ale Ewelina się naczytała o tych tam, trendach, i musicie jak wiewiórki orzechy łupać!

— Nie przejmuj się, Elwira! Jest super! Patrz tylko, co powie Lady Karolina, bo właśnie weszła!

Księdzowa matka, nasza szara eminencja, weszła z burmistrzową i jej synową. Kłaniała się i witała, aż podeszła do nas i uśmiechnęła się przymilnie.

— Witam panie warszawianki!

— Pani Karolino, my już jakby tutejsze!

— No, nie do końca asymilacja się udała, bo wprowadzacie panie nową modę, a ona nam tu się słabo wszczepia!

Satysfakcja i przygana, z jaką wysyczała nam to nasza lady, wkurzyła mnie tylko.

— Mówi pani o noszeniu dzieci w chuście? — sprowokowałam ją.

— Naturalnie, że nie! — księdzowa matka była głośna i pewna swego. — Mam na myśli wolne związki i niechrzczone dzieciątka! A ostrzegałam panią, pani Gosiu! Jak matka!

Paulina popatrzyła na nią spokojnie, wzięła mnie za rękę i ruszyła w kierunku drzwi. Mijając panią Karolinę, powiedziała spokojnie:

— Pani poprosi syna, to pani w Google znajdzie „ksenofobię" pod „k"!

Elwira, jak tylko złowiła uchem naszą akcję, nadleciała jak kokoszka.

— Pani Karolino, no i jak pani uważa, do kogo Michał podobny? Do ojca, co? Wykapany ojciec! O, nigdy nie pytałam, a nasz wielebny? Też do tatusia? Czy do pani? Jakoś do tej pory nie poznaliśmy tatusia naszego wielebnego! Właśnie, miałam już dawno spytać, pani wdową jest czy rozwódką?

Pani Karolina zapowietrzyła się i spurpurowiała, a Elwira z uśmiechem dokończyła lekkim sykiem:

— Może jednak nie będziemy zaglądać ludziom do łóżek, kombinować czy i jak wierzą? Dla mnie nie ma to znaczenia, a dla pani?

— Jednak — odzyskała rezon pani Karolina — jesteśmy tu społeczeństwem katolickim...

Nie dokończyła, bo odezwała się głośno moja mama, choć zagadana była z naszą pielęgniarką, ale widać podzielną ma uwagę:

— Ja jestem protestantką, pani raczy pamiętać, pani Karolino!

— A ja jestem agnostyczką! — dodałam.

— Ja jestem prawosławny — odezwał się Orest z ciemnego kąta, w którym rozmawiał ze starym Janem, malarzem ze Szczytna.

— A ja... jestem... Żydówką! — Paula głośno i poważnie palnęła swoje.

Zrobiło się cicho i niezręcznie i tylko Elwira szepnęła zachwycona:

— O, ja pierdolę! — i zachichotała Andrzejowi w marynarkę.

— Ciiiiiii — zmitygował ją wielkolud.

Ksiądz już dłużej nie mógł udawać, że się zagadał z żoną burmistrza, odwrócił się, wzniósł oczy do nieba w niemym akcie zniecierpliwienia i westchnął tylko:

— Mamo, tyle razy mamę prosiłem!

Roześmialiśmy się.

Kiedy wychodziłyśmy od Elwiry, zobaczyłam Janusza w samochodzie, jak skręcał w swoją uliczkę. Ścisnęło mnie w dołku. Jedzie, znaczy nie pije!

Paula nie zauważyła tego, zajęta swoim zawiniętym dzieckiem. Otworzyłam jej drzwi i wsiadłam do samochodu. Orest podbiegł i też wsiadł.

— Przepraszam, zagadałem się! — wysapał.

Myślałam, że jestem na dobrej drodze do zapomnienia, ale nie...

Widok samochodu Janusza sprawił mi ból. Myśl o Januszu sprawia mi ból.

Chcę, żeby było jak dawniej!!! Orest podążył za mną wzrokiem i uśmiechnął się jakoś tak miękko, ze współczuciem.

W domu mail od Maryni relacjonujący mi kolejną kłótnię z Adą. Zawiadomienie o tym, że moje książeczki dla dzieci już są w księgarni i wierszowana bajka o biurku już dołączyła do antologii, i lada miesiąc się ukaże.

Pozdrowienia od Wiktora — szczęśliwego tatusia małej Joasi, i od Moniki — jego żony, która chyba nie za bardzo mnie lubi. Mail od Kamila z podziękowaniem za mój mail ze zdjęciami z liceum i mail od Janusza... zawiera tylko dwa linki.

Klikam. To muzyczne nagrania — *Ne Me Quitte Pas* Brela i Michał Bajor ze swoją interpretacją tegoż, bez żadnego dopisku.

Zaczęłam słuchać.

Chcesz mnie zmiękczyć? Brelem?! Janusz! Jakie to tanie! Poza tym ja już nie mam dwudziestu lat, żeby mnie wzruszyły trele Jacques'a.

To już nie ta pora, kiedy kobiece serce ulegało łzom, zapewnieniom... szeptom i zaklęciom, ale kiedy włączyłam Bajora... polski tekst mnie jednak wziął, ujął i w połowie rozbeczałam się.

Wyłam i wyłam, aż w końcu poszłam do łazienki obmyć twarz i wyjęłam Januszowy szlafrok. Stałam, nie mając pojęcia, co robić dalej ze swoim życiem. Przypomniałam sobie jednak triumfującą twarz Lady Karoliny, ganiącą mnie jak niesforną uczennicę.

Wróciłam do komputera i napisałam do Janusza:

Janusz,

Wiem, o co Ci chodzi z piosenkami. Ładne. Piękne, ale nie trafiasz. Nie potrzebuję rozmemłanego chłopca, nie chcę słabego pijaka, kajającego się co rusz za wódczane wybryki, nie czas też na romantyczne śpiewki.

Jestem dorosła i potrzebuję mężczyzny — silnego, takiego jak chiński mur, jak hummer, jak Tomasz. To nie prawda, że jestem taka silna, taka zaradna, Kaśka Kariatyda. Musiałam się taka stać.

Potrzebny mi partner, mężczyzna, a nie — romantyczny chłopczyk. Oboje dostaliśmy po łapach, teraz pytanie — czego nas to nauczyło?

M.

Nie odpowiadał dwa dni. Aż zaproponował:

Spotkajmy się. Nie umiem tak pisać jak Ty.

Wtedy zrobiłam rzecz przemyślną i celną. Przepisałam na maila i wysłałam mu jego list sprzed lat.

Kochana Małgosiu,

Głupio wyszło ze wszystkim. Najbardziej żałuję, że wmanewrowałem Cię w moje własne problemy. Miałaś prawo nie wytrzymać tego. (...)

W domu siadłem pod gruszką w ogródku i nagle zatęskniłem do Twojej głowy na moim ramieniu, do Twojego oburzenia: „Lekarz i takie głupoty robi ze swoim życiem?!", do Twojego uśmiechu i Ciebie całej.

Zrobiłem Ci krzywdę. Wiem i zrozumiem, jeśli mnie kopniesz w dupę. Nie chcę już romansować z Tobą. Chcę z Tobą żyć naprawdę.

Janusz

Chyba przegięłam, bo się nie odezwał.

Ja też zamilkłam. Nie honor było mi zabiegać i zabiegać. Zresztą wzięłam się do pracy, Paula też, bo coś krucho się zaczęło robić z pieniędzmi.

Janusza widywałam czasem w mieście, ale z daleka i rzadko. Elwira mi raportowała, że rzeczywiście mało go widać, że tylko Mariusz do niego wpada i czasem jadą gdzieś razem. Trudno. Nic nie poradzę.

Któregoś dnia, był to najcieplejszy jak dotąd wiosenny dzień, spotkałam przed lokalem Elwiry Andrzeja na ławce. Drzemał leniwy na słońcu, a Elwira w środku kłóciła się z elektrykiem.

Koło Andrzeja klęczała Dominika i coś mu robiła na odsłoniętym ramieniu. Zatrzymałam samochód i zagadnęłam:

— Cześć! Jak tam tatuńcio?

— Cześć, Gosiu! Oj, ciężko. Młody ząbkuje już któryś miesiąc, marudny, obolały, już i takim żelem mu smarujemy i babka skórkę chleba daje, ale nocami... — pokręcił głową — ciężko jest!

— No, ciężko — Dominika odwróciła się do mnie z dramatycznym wyrazem twarzy.

— A ty, co robisz? — zaciekawiło mnie dzieło Miśki.

Dominika mozolnie malowała Andrzejowi flamastrem na bicepsie... anioła.

— Tatuaż mu robię, bo on nie ma! Taki chłop i bez tatuażu!

— Anioł z czarnymi włosami?

— No, a jakimi? Skoro się w takiej czarnej zakochał, to i jego anioł musi mieć czarne włosy! — Dominika zaśmiała się całą sobą do własnego pomysłu i strzeliła zalotnym wzrokiem na Andrzeja. Kontynuowała.

Pożegnałam tę fajną parę. Andrzej wystawił twarz do wiosennego słońca, a jego anioła dostawała właśnie od Dominiki lewe skrzydło.

Wsiadałam do samochodu, gdy zadzwoniło wydawnictwo. Kiedy skończyłam i lokowałam się w fotelu za kierownicą, podbiegła Dominika i coś mi podała.

— To od mamy!

Elwira przez szybę pomachała serdecznie.

Zawiniątko obwiązane czerwonym sznurkiem.

W domu dopiero sprawdziłam zawartość. To był... lalek. Ten sam, którego Elwira uszyła, żeby zaczarować swoje samotne życie.

Dołączyła do niego kartkę: „Zmień mu koszulę, ja mu zmieniłam włosy".

Faktycznie. Tamten lalek miał czarne włosy (Andrzej się goli na łyso), ten miał żółte i był bez koszuli.

Posadziłam go koło monitora. A później... Poszłam do brudownika i znalazłam stary podkoszulek Janusza. Głupio, co?

Lalek siedzi teraz w granatowym podkoszulku, na Januszowej poduszce i się gapi. Mały dureń!

Wiosna idzie, kochać chce się...

Wiosna jakoś przelała mi się wraz z hektolitrami mleka, które wypiła moja Broneczka.

Już kwiecień. Wszyscy byliśmy bardzo zapracowani. Gosia swoją dziecięcą literaturą, Orest wykańczał ciężarną madonnę, a ja wychowywałam dzieciucha i tkałam kilimy, uszyłam kilka zmian ekskluzywnej pościeli... dla dzieci. Może butik przyjmie? Królewski haft, miękka bawełna, falbany. Olśniewająca biel.

Kupiłam piec ceramiczny (używany — oczywiście) i koło garncarskie. Koło stoi na razie w sieni, nierozpakowane. Piec w garażu. Wielki jest. Większy, niż myślałam... nie mam gdzie go zamontować.

Ale jeszcze nie czas!

Zaczynam niecierpliwie czekać na lato. Hubert obiecał wpaść. Mailujemy sobie, od sylwestra.

Było tak: drugiego stycznia przyjaciele Mańki zaczęli się zwijać, bo pierwszego — wiadomo, wszyscy odsypiali. Hubert i Panter dłuuuugo, bo ponoć strasznie sobie dali w czub. Późno wstali, koło piętnastej, i chodzili tacy marni. Huberta bolała głowa i nie odzywał się do nikogo. Anusia, ta śliczna od Radka, powiedziała mi, że jak Hubert pił, to wciąż powtarzał moje imię. Potem palił trawkę i smętniał, i znów pił, aż padł.

— Zakochał się nasz Królewicz! — zaśmiała się.

— Taki z niego królewicz jak ze mnie królewna — burknęłam, bo nie lubię, jak facet tak się nadoi przez kobietę. Nawet, jeśli to przeze mnie. To niepoważne.

— Ale on się nazywa Królewicz! Hubert Królewicz.

Królewicz już drugiego rano błysnął uśmiechem, bo głowa go już nie łupała i na odjezdne podarował mi... bukiet róż. Podobno rano pojechał po nie do Szczytna. Że znalazł?!

Wymieniliśmy adresy i cześć! Okazał się moim mailowym przyjacielem. Pisze i pisze.

O, na przykład:

Paulo kochana!

Kończę już jakiś arkusz rozliczeniowy na zaliczenie. Zadanie trudne i wymagające matematyki i logiki, prawa i księgowości. Niestety, nic z tych rzeczy nie przypomina Ciebie, więc robię to niechętnie, choć sprawnie (wcale się nie chwalę). Wolałbym gadać z Tobą na tej Waszej werandzie.

Robimy z kumplem interes życia. Wchodzimy w projektowanie stron internetowych! Co prawda mam konto, ale forsa zarobiona samodzielnie ma inny wymiar, a jak jest to forsa godziwa... Kiedy wreszcie wpadniesz do Warszawy? Obiecujesz i obiecujesz, a ja tu schnę i nawet nie skubię innych dam!

Przyjedź! Zapewnię dostęp do rozrywek i na pewno dobrze ci zrobi zmiana klimatu! Cześć, śliczności!

Hubert

W tym tonie uwodzi mnie już od miesięcy. Maile ma bliźniaczo podobne. Sądzę nawet, że ma trzy wzory i tylko ciut zmienia szyk wyrazów.

Nie mam pojęcia o jego sprawach innych niż zawodowe, studenckie. Kilka słów o meteorologii, czego słucha, pisząc do mnie i już! „Przyjedź", a w domyśle — bzyknąłbym cię. Nic bezpośrednio, bo stale czyta ode mnie, jak to mnie bolą piersi, bo mój mały kaszalocik ssie i ssie. Już prawie pięć miesięcy i ciągle nie chce butli, bo w tajemnicy podtykam ją Broni na wypadek wyjazdu do Warszawy samej.

Kilka dni temu tarłam jej jabłko łyżeczką według zaleceń babci Basi. Rąbie te jabłka i rąbie, i ćmoka smakowicie na sam widok. I jak wyjmowałam z jej buźki łyżeczkę, a ta jak nie brzęknie! Zaglądam w czeluść paszczy, a tam na dziąśle biała centeczka! Ząb! Właśnie wszedł Orko.

— Stój! Słuchaj! — zawołałam.

Wzięłam łyżeczkę raz jeszcze i brzdęk w dziąsełko, jak Jankiel w cymbały. Zagrało. Orest nachylił się i dotknął policzka Broni. Uśmiechnął się i... nic nie powiedział. Jak to on! Potem jedząc bigos i gapiąc się na nas, powiedział ni z gruchy, ni z pietruchy:

— Krzesło już kończę. Przyszłabyś, bo chciałbym dalej porzeźbić tę ciężarną madonnę. Już cieplej w pracowni.

— Ale ja już nie ciężarna! Myślałam, że dawno ją skończyłeś!

— Poudajesz. Przyjdź, jak mam bez ciebie kończyć?

Ta rzeźba jest naturalnej wielkości. Siedzę tak niedbale, brzuchata taka i mam przechyloną głowę — tak się Orestowi najbardziej podobało — bezmyślnie gapiąca się w okno, podpierająca ręką głowę. Drugą rękę trzymam na brzuchu. Teraz trzeba będzie poduchę...

— A matki karmiącej nie potrzebujesz? — pytam go.

— Jak zacznę tę karmiącą, to zanim skończę, Bronia pójdzie do pierwszej klasy — odburkuje.

W międzyczasie okazało się, że rzeźbił Jezusa wśród zwierząt i dzieci — to jest zasadnicza część ołtarza. Dobry Pasterz. Narzeźbił zwierzaków, dzieci...

Miał zdjęcia. Ale mnie ma *ou naturelle.*

Lubię to jego skupienie. Ma ściągnięte brwi i patrzy sobie na ręce, na drewno, na mnie... Myśli, dłubie, cyzeluje. Ja wtedy gadam. On słucha — nie słucha. Nie wiem. Wydawał mi się nieszczególny, ale właściwie, czego się czepiam? Ma owalną, zgrabną głowę, zawsze króciutkie włosy i zarost kilkudniowy. Niby niestaranny, a jednak zawsze pachnący tym staroświeckim wynalazkiem „Old Spice'em". Moi znajomi mówią, że to jest obciachowy zapach. A na Oreście tak ładnie pachnie!

Ma ładne ręce, chociaż chropowate, ale jak głaszcze Bronię, ona aż oczy mruży. Wystarczy, że Orko ją bierze w ramiona, zanuci *Biały sad*, już jej ślepki uciekają i śpi. Taka z niego niańka.

Marynia coś zamilkła, ogania się. Powinnam ją odwiedzić. Jakoś znaleźć czas dla siebie i dla niej. Tylko, jak nauczyć tego mojego kaszalota pić z butli?

W tym akurat pomógł Orest. Kazał nadoić mleka do flachy i spróbował. Jakoś poszło. Tak właśnie oszukał Małą Mi, kiedy pojechałam na kontrolę do Maślaka. Cztery godziny poza domem! Półtorej w centrum handlowym! Nareszcie! Poczułam luz i ulgę. Odezwała się we mnie dawna Paula. Szmatki, buty. Nie mam butów! Od lata chodzę w jeansach ze szczycieńskiego rynku. Adidasy z epoki Ming. Zaniedbałam się.

Teraz krew mi żywiej krąży i chociaż z kasą cienko, kupiłam buty, dwie pary, i welurowy dres z ekstra haftem (wyprzedaż!!!), żeby nie straszyć, jak chodzę po domu, i sweter, po prostu — super! Oczywiście na wyprzedaży w „Promodzie".

Tęsknię za Stadionem Dziesięciolecia, tam, w „Korei", alejce od Targowej, można było wyczaić cuda za grosze. Końcówki serii z H&M, podróby Cottonfielda, Bennetona... Ma to taki wujcio Bułgar. Ślinił się i mlaskał na nasz widok, ale co tam! Byłam zawsze dobrze ubrana. Na tyłku (małym wówczas) jeansy D&G — oczywiście z ciuchlandu na Powiślu. Torba boska! Od Prady, kupiona na ciuchowiskowej imprezie u koleżanki w Konstancinie. Taka byłam!

Coraz częściej przyglądam się sobie z niedowierzaniem — to ja? Mleczna mamuśka? Kura — kwoka ze wsi? No, nie!

Wracam do domu przez Prejłowo. Tak zawsze wracamy z Gośką. Rzeczywiście, tędy droga cichsza, spokojniejsza, taka do myślenia. Kręci się i jedzie się przez to wolniej, uważniej. Dookoła wiosna, chociaż wciąż chłodno, zazieleniły się pola i wreszcie jakieś kwiatki się pokazały. Zimna w tym roku wyjątkowo zima dała mi się we znaki. Zaczął mnie dopadać jakiś smętek... Może też dlatego, że w domu było tak jakoś cicho. Janusz wpadał jeszcze w styczniu, ale Gosia miała opory, kiedy rozmawiali o byciu razem. Wiem, bo to była głośna rozmowa.

— Janusz, a jaką mam gwarancję, że będzie dobrze? Kilka razy mnie... rzuciłeś, a potem to...

— To nie tak. Wtedy piłem i nie rzucałem ci...ciebie, tylko chciałem dla ciebie zrobić ze sobą porządek!

— Wybacz, inaczej to czułam.

— Źle to interpretowałaś.

— Więc to moja wina?! Posłuchaj siebie! Janusz, sam mi mówiłeś, co czułeś, kiedy Lisowska cię zaniedbywała, jeździła gdzieś, nie mówiąc gdzie, zajmowała się sobą. Co czułeś — pamiętasz? Ja tak się czułam. Dokładnie tak, kiedy ty „zajmowałeś się sobą".

— Przesadzasz.

— Nie wkurzaj mnie! — krzyknęła (też bym tak wrzasnęła. Jeleń. Dupek).

— Masz rację, że jesteś zła o Be...Beatę, ale tamto nie było przeciw to... tobie — próbuje załagodzić.

— Janusz. Ja w ogóle mam rację. Ty nie dorosłeś do związku. Brak ci empatii, odpowiedzialności, współczucia. I... nie przerywaj mi! Pomyliłeś współczucie wobec Beaty z egoistycznym dążeniem pokazania, jaki to ty jesteś wspaniały. Nie rozumiesz tego? Janusz, ty nie umiesz żyć normalnie. Jako osoba wrażliwa i alkoholik emocjonał potrzebujesz wysokich progów pobudzeń. Lisowska i związek z nią powodował u ciebie huśtawkę. Bywałeś niedowartościowany, lekceważony, Olgierd ci mącił w głowie, chociaż ustawiał „od picia". Potem jakieś romansiki, ja... A kiedy zacząłeś normalne życie, takie zwykłe dzień po dniu — nagle ci się zbrzydziło. Znudziło. Potrzebowałeś tego dymu z Beatą, żeby znów poczuć „huśtanie pokładu".

— To nie tak! Wy...wyjeżdżasz mi tu z tą swoją ta...tanią psychologią, a to nie tak!

— To jak?!

— Bo tu, wy wszyscy tacy jesteście do...dobrzy. Święci. Ta...tatko tak o was mówił, że ta...taka rodzina świetna. Tylko ja się tu czu...czułem jak obcy! Taki gość, co jest przy...przydupasem Gosi!

— Zwariowałeś — mówi Gosia cicho. (A ja wiem, że to pomruk nadciągającej burzy).

— Zawsze, jak ktoś przyjeżdżał, tak się czu...czułem! Jak piąte koło u...u... ku...kurwa, no! — wysapał.

— Nikt cię tak nie traktował, to raz. Wszyscy okazywali ci sympatię, to dwa, a ponadto kochałam cię jak wściekła, palancie!!!

Ucichło. Znaczy Janusz już jest w kozim rogu. Mam uszy jak parasole.

— Zacznijmy jakoś wszy...wszystko... — mruczy Janusz ugodowo.

— Od nowa? Sam mówiłeś, że to idiotyzm! Jak niby mamy zaczynać od nowa? Skąd ja mam wiedzieć, że jak będziesz obok, twoje myśli będą tu, a nie przy niej? Wiem, że tęsknisz. Wiem, bo znam cię. Janusz, ja jestem kochającą, zranioną kobietą. Nie chcę, żebyś tu wracał i traktował mnie jak ciocię, co cię pogłaszcze i będzie czekać z rosołem. Wszystko mnie boli. Każde wspomnienie. Dopóki tego nie zrozumiesz, nie odpowiesz na pytanie, kim dla ciebie jestem, nie przychodź tu! Nie będziemy przyjaciółmi. Idź już.

Kiedy wychodził, otworzyłam okno, wyskoczyłam i podbiegłam do niego, kiedy wsiadał do samochodu i wysyczałam:

— Jesteś tępy jak obuch siekiery!

Patrzył na mnie pełen zdziwienia i gniewu, a ja dokończyłam:

— My tu wszyscy jesteśmy rodziną. Byłeś jej częścią, tylko nie chciałeś tego poczuć. Może nie znałeś tego uczucia. Ja też nie, ale wsiąkłam, nauczyłam się, że tu „jesteśmy", a nie „jestem". A po drugie — pomyśl wreszcie nie sobą, a nią. Jest kobietą. Dała ci całą siebie, nie wstydziła się swoich uczuć, jeździła do ciebie, była jak panienka, a ty traktujesz ją jak... mamusię! Że wszystko zrozumie, że wybaczy, wytrze nosek i łezki, kolanko zaklei... Ty masz jej wycierać łzy! A jak nie, żyj sam! Ona zasługuje na kogoś lepszego i zaraz się taki znajdzie!

— Nigdy mnie nie lubiłaś — powiedział, mrużąc oczy.

— Widzisz? Niczego się nie nauczyłeś. Tylko ty się liczysz, twoje uczucia — czy ktoś cię lubi czy nie. Ona jest tematem! Rozumiesz? Ona! Przerób tę lekcję. Aha! I to nieprawda! Na początku nawet podobałeś mi się jako facet... Masz taki wdzięk, chłopięcy urok — oczywiście mówię już teraz obiektywnie i bez emocji. Jesteś przystojny i o tym wiesz. Gosia mnie nauczyła, że nie wyciąga się ręki po faceta będącego w związku, więc przestałam cię traktować jak kobieta, choć początkowo chodziło mi to po głowie. Więc nie pierdol mi tu, że cię nie lubię. Jestem na ciebie zła, a to co innego. Złość mija.

Uśmiecha się mimowolnie i patrzy na mnie, analizując to, co usłyszał.

— Jej też może mi...minąć? — (O! Świta coś!)

— Popracuj nad tym, jak ci zależy, to minie.

— Ale... jak?

— Zwyczajnie. Uwodź, jakbyś ją widział pierwszy raz. Zaczynaj wszystko od nowa, tylko o tym nie mów. Bądź szczery. Zdobywaj ją, rozpalaj. To tak, jakbyś rozpalał ognisko zalane wodą. Wybudzał pacjenta z narkozy. Podwójna robota, ale jak masz motywację — poradzisz sobie. A! I jak mówią poeci: „dopóki jest choć iskra...".

Patrzył i widziałam po brwiach, jak mu móżdżek pracuje.

— Dzięki, ale nie wiem, czy to wy...wypali — szepnął i szybko wsiadł do samochodu.

Wróciłam normalnie, drzwiami. Gosia w kuchni popatrzyła na mnie zdziwiona.

— Wtrąciłaś się? — spytała surowo.

— Przepraszam, ale im potrzebna łopatologia.

— Nie wiem, czy chciałam adwokata. (Chyba ją uraziłam).

— Jeszcze raz przepraszam, Gosiu. Nie gniewaj się.

Ups! Chyba rzeczywiście przegięłam. Po co ja się wtrącam?

To wszystko było jakoś tak, w lutym. Potem Janusz nie pojawił się szybko, a u nas zrobiło się gorąco, bo Bronię męczyły kolki i po posiłkach płakała, a później miała katar i dostała plam. (Okazało się, że pralka ma zatkany odpływ i źle płukała ciuchy). Nosiłyśmy więc ją i głaskałyśmy po brzuszku, smarowałyśmy plamki i robiłyśmy syrop z cebuli na ten katar. Nawet pieśni Oresta nie były ukojeniem. Babcia Basia i Tomasz wyjechali do sanatorium, tym razem już leczyć dość konkretnie Tomkowe serce. Orko chodził do nich palić w piecu i karmić Bobka, miał mnóstwo zaległości w pracowni i naszą Kluseczką zajmowałyśmy się my — Gosia i ja. Każda z nas ma swoje godziny pracy. Gosia od obiadu do wieczora, ja raczej nocą i z doskoku.

Do pomieszczenia z krosnami wstawiam kosz z Broneczką i tkam! Albo szyję pościel. Patrzymy na siebie, bo ona ma już konkretne spojrzenie na świat. Ogląda sobie paluszki, żuje ucho zająca albo gumowej łasicy. Kocha ją! Łasica ma taki miękki ogon, wprost wymarzony do lizania, pocierania dziąseł albo wywijania nim. Korpus akurat mieści się w rączce, która uczy się chwytać.

Wczoraj podsłuchałam, jak Orko zabawiał moją pannę tą łasiczką:

— Kyc! Kyc! Łaska bieżyt! Łaska, łasiczka tak jak ty! Mustella po łacinie. Wujek Oreś będzie do ciebie mówił Mustella, Musia, Musieńka.

Tak moja córka Bronisława została Musią.

Wracam obładowana tymi nowymi ciuchami. Robi się powoli coraz cieplej. Wróciłam, co prawda, do wagi, ale tak nie do końca. Muszę mieć trochę nowości, bo biust mam już całkiem inny niż kiedyś! Kwiecień — plecień. Powinno być jeszcze cieplej!

W komputerze mail od Huberta:

Cześć, śliczna!

Zaliczam wszystko ekspresowo i przed terminami, bo mam nadzieję, że wkrótce się zobaczymy. Jeśli pozwolisz, wpadnę nad rozlewisko w maju na długi weekend. Zaraziłaś mnie tą wiejskością. Muszę przyznać, że do twarzy Ci z nią, chociaż gdy zamknę oczy, widzę Cię też w innym entourage'u.

Dzięki za ostatnie fotki. Pięknie wyglądacie na tle rozlewiska. Kto robił zdjęcia? Naprawdę wystudiowane. Portretówka Małej z tym szczurem, którego nazywasz łasicą — takie... bennetonowskie w stylu. Twój czarno-biały portret na tle rozlewiska — dobry! Z klimatem. Dobry fotograf!

Przyjeżdża grupa taneczna Gaelforce Dance. Mam kupić bilety? Chyba mogłabyś wpaść na dwa dni? Pozdrawiam. H.

Mimo kosza zaliczonego w sylwestra jest miły. Krew mi żywiej krąży, gdy ktoś okazuje mi zainteresowanie jako kobiecie. Sądziłam, że nie mogąc skorzystać z dobrodziejstw mojego ciała, znajdzie sobie inny, łatwiejszy kąsek. Laseczkę jakąś wolną i chętną. A on deklaruje, że poczeka i „zobaczysz, będzie miło". Twierdzi, że wyczekane smakuje lepiej... No, może? Tylko czy ja mam ochotę?

Na pewno mam kolosalną chęć wyrwać się na kilka dni do Warszawy.

Uwielbiam moją Musię (przyjęło się!). Kocham ją jako matka, ale duszę się już w pampersach, śliniakach, kupach i wiecznie wezbranym cycku. Dwóch.

Chcę znów kołysać biodrami, idąc na szpilach po Krakowskim Przedmieściu. Wpaść na piwo, tu i ówdzie trafiając na starych znajomych, nawet... zapalić trawkę dla luzu. Taaak!!! Co w tym złego? Gosia mnie zdemaskowała:

— Nosi cię? — spytała jakoś przy kolacji.

— No. Skąd wiesz?

— Widzę i sama tak miałam. Może w mniejszym stopniu, ale pamiętam kryzys. Tylko u mnie był jakoś później. Zosia proponowała mi urlop od dziecka i wyjazd gdzieś z Konradem, alc ja nie chciałam. Nie chciałam jej mówić, że wolałabym bez Konrada. Sama w góry czy jak? Odetchnąć, spotkać samą siebie. Pomilczeć. Nam kobietom też potrzeba czasem takiego oderwania się. Ustalmy termin i wio! Ja się wszystkim zajmę. Janusza nie ma... I na razie nie będzie.

— Znów żeście się pożarli?!

— Nie. W mieście go nie ma. Telefon milczy. Nie wiem, co jest. Cisza.

— Pytałaś Elwiry?

— Pytałam. Nie wie. Ania Wrona tam zagląda i sprząta, to ją spytam, chociaż mi głupio.

Wieczorem już wiedziałyśmy, bo przyszła. Janusz prosił ją o dyskrecję, ale Ania ma swoje widzenie świata i wszystko Gosi wyśpiewała:

— Pani i pani Basia takie dla mnie dobre, że gdzie ja będę pana Janusza słuchać? Nie on mi życie ratował! Zapił, pani Gosiu. Zapił okropnie. I popijał ostatnio. Zaczął już w lutym, ale milczałam. To już nie pani sprawa — nie? Teraz znów tydzień się zalewał w trupa jak mój. W końcu jak przetrzeźwiał to ja mimo jego prośby do Adamczewskiej po wódkę nie poszłam! Tylko nawrzeszczałam na niego, bo mię zdrzaźnił. Chudy, blady... Następnego dnia już tylko kefir pił i kazał sobie ryżu ugotować, bo w nocy był ten Mariusz, jego kolega, ten, wie Pani, od protez, i kroplówkę mu zrobił i mówił z nim tak jakoś po męsku, ostro. Od chujów wyzywał i walił w stół. A potem to pan Janusz się spakował, bo dzwonił dokądś, i pojechał i pani kazał nic nie mówić.

— Ale dokąd, pani Aniu?

— Coś mówił, że na odwyk, i że to w Bieszczadach jest i że tam też są zajęcia z tym, no... psychologiem, i że to lepsze od spowiedzi, mówił. Lepsze?! Pani powie?

— Ano, nie wiem, pani Aniu. Czasem lepsze...

— No, tak — Ania wyraźnie nie umiała zająć stanowiska — musi lepsze dla takich jak pani i Janusz, bo wy do kościoła nie chodzicie — wytłumaczyła sobie.

— No, tak — powiedziała Gosia i zamilkła.

— Zajrzę do pensjonatu, czy tam myszy zanadto nie buszują, kurze pościeram i pójdę, to w maju dopiero goście będą, w ten długi weekend — westchnęła Ania i poszła.

Mail od Huberta:

Śniłaś mi się. Że byłaś wściekła i rzucałaś we mnie jabłkami. Wcale nie czułem ich uderzeń. I potem, że się popłakałaś. Tak mi cię było żal! Czemu płakałaś? Co u Ciebie? Jak w maju? Miałaś napisać, czy masz dla mnie wolny pokój i czy idziesz ze mną na tych Irlandczyków? Zapomniałaś?

Całus. H.

Fakt. Nie odpisałam, ale już wiem, że pojadę. Gośka mnie zastąpi, a Bronia wybaczy. Ja muszę!

Było super, gdyby nie Marynia. Nocowałam najpierw u niej, bo miałyśmy poplotkować i pobyć razem, a dopiero następnego dnia wypad w regały i wieczorem koncert.

Zaszokowała mnie kompletnie. Jakaś taka dziwna była i przy kolacji, jak już pan Konrad, też milczący, poszedł do siebie, spytałam:

— Co jest? Zawsze był dziwny, bo mnie nie lubił, a teraz prawie się nie odzywa, taki... zasznurowany? No?

— To przeze mnie — powiedziała Mania, nalewając nam po kieliszku wina.

— Coś nawywijała?

Milczała i gapiła się w ten kieliszek, jakby w nim szukała odpowiedzi.

— Puściłam w trąbę Adasia i sama się puściłam...

— Żartujesz! — szepnęłam naprawdę zaskoczona. No, bo kto jak kto, ale Mania?!

Tak dowiedziałam się o kobiecych hormonach czy też raczej o feromonach. Męskich, których głównym składnikiem jest samochodowy smar...

— Paula, tylko proszę cię! — Marynia miała proszący wyraz twarzy.

— Mam nie komentować? Spoko.

Westchnęła i zaczęła:

— Zerwałam z Adasiem. Nie pytaj. Sama powiem. Wiesz, nie jestem gotowa do takiej stagnacji. Z Kubą prawie poleciałam do ołtarza. Z Adasiem było upojnie na początku. Potem zrobiło się... nudno. Jest miły, ale przewidywalny do bólu. Przestraszyłam się. Tak krótka euforia i cześć. Pianka opadła. Ile można o muzyce? Ile można w łóżku? A on innych tematów nie uznaje, za to może baraszkować w łóżku w opór. Nie umie żyć czym innym, nie interesuje go prawie nic innego. Taki jest... jak za szybą. Jak android — słodka, cudna muzyczno-erotyczna zabawka. Jak trzeba coś innego — zakupy, zmywanie, dom, nawet kino — nie ma go. Nie chciał ze mną mieszkać — wiem dlaczego. Mieszka z kumplem, ale jak tam byłam, Paula... Stajnia. Taki syf! „On nie cierpi narzuconej mu dyscypliny". Ciuchy miał zawsze dość pomięte, sądziłam — taki styl. Ale nie, on nie prasuje sobie niczego... Pierze z musu, jak ma stertę brudów, a jego współlokator wozi do... mamusi! Po jakimś czasie mi to zbrzydło, a on stary gnat, przecież idzie mu pod trzydziechę, wieczny Piotruś Pan. Niuńcio.

— Może i racja, po co ci pajac? Musiałabyś go obsługiwać! A... Jest coś, o czym nie wiem? — spytałam Mani po macierzyńsku.

Westchnęła, uśmiechnęła się i zaczęła:

— Pojechałam na przegląd. Tu niedaleko. Paula! Jaki czad! Wiesz co? Ten nasz hydraulik na eksport to małe miki w porównaniu z Markiem. Jezu! Jak wyszedł do mnie, bo szef go wysłał, żeby obejrzał, czemu mi jedynka ciężko wchodziła, to zamarłam. Wielki, tylko w podkoszulku, a zimno było, i w takich ogrodniczkach roboczych. Ciemny blondyn z kitą z tyłu i z oczami jak palniki. Klata szeroka i mrukliwy cichy głos. Popaprany smarem na policzku!

— Zwariowałaś — osądziłam ją.

— Żebyś wiedziała, ale jeszcze nie wtedy. Ciągle myślałam, jak na mnie patrzył, jak mówił, jak się uśmiechał. Zresztą było z czego się śmiać, bo w tę gumę, dziurę w tej gumie, co tam w niej jest ta rączka do zmiany biegów, wpadła mi szminka, znaczy błyszczyk w takim pudełeczku i on blokował tę jedynkę.

— I co umówiłaś się z nim?

— No coś ty! Jeszcze nie. Ale jak nie mogłam spokojnie spać przez niego, to zepsułam wycieraczkę i pojechałam. Jak pogadaliśmy tak o niczym, okazało się, że żaden prymityw. Inteligentny, bystry i z wiedzą o świecie. A jak pachnie...

— To co robi w warsztacie?

— Robi to, co kocha. Od małego tak chciał, ale ambitny tatuś zabraniał. Wywiózł do Austrii i kazał się uczyć.

— Podły cham! Jak mógł! — zakpiłam.

— Przestań! Skończył, co trzeba, i wrócił tu, do kraju. Pracuje, żeby zobaczyć, czy da radę sam poprowadzić taki warsztat. Tatunio powiedział, że jak popracuje jako robol przez rok i nie pęknie, pożyczy mu kasę na jego własny interes, ale on nie chce.

— Do czasu! — powiedziałam. — Dobrze, a szczegóły?

— No, zepsułam jeszcze antenę i zrobiłam dziurę w wydechu.

— Wariatka! I...?

— I poszliśmy do kina.

— I...?

— I do mnie. I tato się obraził, bo Marek rano, w samych gaciach, robił mi śniadanie i tatko wszedł do kuchni, dobrze, że przed Adą.

— Ada tak już na stałe?

— Właściwie tak. No, często, bo już się nie gniewamy. Nalać ci? Daj kieliszek. No i później Ada właśnie przysmrodziła mi, „żebym się zastanowiła".

— I...?

— Zastanowiłam się i zerwałam z Adasiem!

— Teraz Marek na tapecie? — zgadłam.

— Całkowicie. Słuchaj, zrozum mnie jak kobieta kobietę! Kiedy on wraca z warsztatu, to rwie się do łazienki, bo straszny z niego czyścioch, to ja wieszam mu się na szyi, bo mnie tak kręci zapach jego potu, smar samochodowy i... on cały!

— Czemu go tu nie ma?

— Bo jesteś ty! I on ma własne mieszkanie, ale mieszka z bratem. U mnie bywa.

— No, to poszłaś po bandzie — mruknęłam, dopijając wino.

— Paula, a teraz gadaj, co u ciebie? Co cię przygnało, mamusiu?

Widzę, że Marynia coś węszy. Insynuuje. Powiem jej. Zawsze wszystko sobie mówimy.

— W zasadzie jutro jestem umówiona z moim Królewiczem.

— Facet? — domyśla się. — Ale kto to?

— Przecież mówiłam, Królewicz.

— Nasz?! Nasz Hubert?! Z nim masz randkę? No, coś ty?

— Nic. Tak, tylko idziemy na jakąś imprę do jego znajomych i na Gaelforce Dance i proszę cię, nie komentuj! Nie spałam z nim! — mówię obojętnie, bo na razie wszystko jest mi obojętne, byle z dala od pampersów, karmienia, wstawania w nocy i tych kolek Musi.

— Musia — tłumaczę Maryni — tak teraz na nią mówimy. Orest to wymyślił. Od „mustella" — łasiczka.

— A na Oreście nie zawiesiłaś oka? Fajny!

— Może na wujcia. To mruk. Samotnik. Przestań!

— No, może wy go nie asymilujecie? Z nami gadał całkiem otwarcie. Ma, skubany, wiedzę i erudycję. Ładnie mówi po polsku. To po babce! Mówił ci? Uczyła w szkole. I na tajnych kompletach. Babka Urszula Bylewicz. Mądra, ze starej polskiej szlachty... Mówił czy nie?

— Jakoś się nie zgadało. Billewicz? Jak Oleńka? — byłam zdziwiona wiedzą Maryni.

— Nie. Bylewicz. Pewnie pozmieniało się w szarudze historii, ale zapewne od Billewiczów.

Plotłyśmy te nasze babskie gadki do późna i butelka wina pękła. Zawsze nam się dobrze gada. Dowiedziałam się jeszcze kilku szczegółów o Marku-mechaniku — jak się uśmiecha, jakie ma dłonie i że kocha futbol. No, mówiłam — intelektualista! Wreszcie poszłam spać. No, moja Marynia to „cicha woda"!

Królewicz czekał na mnie następnego dnia po pracy (jego pracy!), pachnący i z kwiatem. Ale wykosztował się. Kwiat olbrzym jak parasol. Badylek, wstążka i kokarda z papieru. Bogato i z gestem, chociaż ja żadna tam narzeczona. Ledwie zdobycz. Powłóczyliśmy się krótko po Krakowskim, bo jakoś tak stęskniłam się za takimi powłóczynami. Zniósł to dzielnie i prawił komplementy.

— Ty, Paula, jesteś z innej bajki niż moje koleżanki — zaczął nawet bez wysiłku.

Naturalnie jest to stary jak świat tekścik do kobiety: „Jesteś wyjątkowa". Kolejna kompilacja. Słucham, co wymyśli dalej.

— Jesteś wizualnie taka... nowoczesna, ostra, no, wiesz, ubierasz się ekstra i w ogóle... (No, nie! Powiedz coś sensownego. Coś, co by odbiegło od schematu, *please*!) I wiesz co? — kontynuuje biedak. — To kompletnie nie konweniuje (O, jakie wyrazy zna!) z tą twoją macierzyńskością!

— Macierzyństwem — poprawiam go mimo woli.

— Nnno, w sensie, że to niesamowite, że masz dziecko. (Uff! To koniec? Zaskakujące!)

— Mam! I to jest niezbywalny fakt. Mam nadzieję, że ci to nie przeszkadza?

— Nie. W jakiś sposób podniecа, ja wiem? Podbija twoją wartość? Jakoś tak. Moje koleżanki myślą wygodnie i pragmatycznie. Wszystko mają skalkulowane, kalorie, faceta i jego przydatność, majątek, stan cywilny i perspektywy. Nie każdej się dziecko komponuje z pomysłem na życie. Wierz mi. Każda gada, że: „Oczywiście, kiedyś, jak już się ustawi". Mąż, mieszkanie, kariera... I tu zaczynają się schody, bo w karierę nie jest wkalkulowane dziecko.

— I...?

— Bieda! Nie ma miejsca na dziecko. Mam znajomych starszych niż my i u nich jest wieczny dylemat, kiedy i czyim kosztem?

— Jak to czyim?

— No, każde się uwikłało w karierę i żadne nie popuści. Kłótnie — kto ma urodzić — ona czy on, kto ile ma być na urlopie i czy dziadkowie pomogą. Wychodzi na to, że dziecko to taki pryszcz na dupie. Sorry.

— A może modny gadżet, tylko kłopotliwy? Wypada je mieć, a nie wiadomo, kto ma się o to zatroszczyć, i wiadomo, że jednak kobieta płaci wyższą cenę — ciąża, rezygnacja z pracy — wymądrzam się, chociaż sama szukałam skrobacza i wyłam z wściekłości, widząc na teście różowy pasek.

— ...bo trzeba mieć odwagę, żeby zdecydować się na ciążę w twoim wieku i sytuacji — mówił dalej mój mądrasek.

— Że co? — pytam zdumiona. — Że panna? To coś niehalo?

— Nie. Że taka zdolna dziewczyna, z takimi perspektywami, jednak przedkłada macierzyństwo nad karierę. To rzadkie dziś.

A! Tu cię mam! Jednak tkwi w facetach pradawna chęć do oceniania kobiety z punktu widzenia płodności. Sądziłam, że mu przeszkadza mój status, że wolałby wyzwoloną laskę bez pomysłu na dziecko. Jakże się myliłam!

— Kiedy odchowam Bronię, wrócę do pomysłu na życie.

— Wiem od Marysi, że miałaś propozycję studiowania etnografii. Super! Są z tego jakieś pieniądze?

— Z etnografii? Żadnych. Jest baza.

— Mmmm — odparł, udając, że rozumie.

Zawróciliśmy w kierunku Starówki, bo Hubert był głodny.

Kolacja na Starówce, zamówiona wcześniej, mile mnie zaskoczyła i mimo uwielbienia dla prostej kuchni nad rozlewiskiem jadłam palcami frutti di mare, a masełko czosnkowe spływało z grzbietów wielkich krewetek prosto na mój spragniony język. Skorupy wylizywałam tak, że Hubert spojrzał poważnie i powiedział:

— Uważaj! Owoce morza to afrodyzjaki, a to, co robisz, to prowokacja w wielkim stylu. Masz plamę na piersi.

Jasna cholera! To nie masło. Przesiąkłam!

— Masło mi skapnęło — skłamałam i zaśmiałam się lekko i lekko się czułam. Cudownie! Jak dawniej.

Oczywiście szampan dopełnił zabiegów Huberta, więc nagrodziłam te jego gruchania soczystym seksem, w jego bajecznym apartamencie. Byłam szczodra i chętna. Głośna. No, nie jak Meg Ryan w tamtej scenie knajpianej, ale wiem, co lubi facet tak mieszkający! Nie myliłam się. Mruknął zadowolony coś o tym, jaka ze mnie burza. No... nie wyprowadzałam go z błędu. Niech się pręży! Nie mówię, że to był jakiś megaorgazm, ale starał się.

Ma fantastyczne mieszkanie na ostatnim piętrze wysokościowca. Niezły standard i wszystko nowoczesne i czyste.

— Sam sprzątasz? — spytałam, jak już wrócił nam oddech i spokój.

— No coś ty! Mam mało czasu. To pani Czesia. Chcesz coś zimnego?

Zaradny! Stać go na panią Czesię...

Następnego dnia w Kongresowej znów się poczułam jak ryba w wodzie. Dobrze ubrana, z przystojnym facetem. Koncert, właściwie występ irlandzkich tancerzy, rozgrzał mnie i rozkołysał. Wiem, że ich stepowanie jest już współczesne, że to balet, a nie ludyczność, ale i tak maestria, tempo i wielki profesjonalizm zaczarowały mnie.

Po występach pojechaliśmy na imprezę do jakichś znajomych Huberta do Chylic. Dom oszołomiłby nawet Kristel Carrington. Wybajerowany w opór za grube pieniądze. Marmury, poręcze kute na zamówienie, doskonale wysmakowane wnętrze, urządzone starymi meblami w stołowym, a także w gabinecie i salonie. Drugi salon, wychodzący na ogród z basenem — nowoczesny, estetyczny bez zarzutu.

— O! Hubert! — właściciele Carringtonówki podeszli do nas.

— Gratuluję smaku — powiedziałam do pani domu, witając się. — Rzadko spotykany gust i harmonia! (To już dorzuciłam w ramach bonusu za zaproszenie).

Kobieta młoda, trzydziestolatka, wypielęgnowana wielce, rzuciła coś w rodzaju: „A! Tak, dziękuję” i nie dosłyszawszy mojego imienia, poszła do wartościowszych gości niż my. Za to jej mąż był rozmowniejszy. Zaprowadził nas do winopoju i gadał dużo i w miarę serdecznie. Do Huberta. Na mnie popatrywał badawczo. Dam sobie łeb urwać, że po cichu spytał go: „Pukasz ją?”.

Wystrojony w nienaganne stalowoszare spodnie i bieluchną koszulę od Gucciego, wydawał się banalnym, podmiejskim posiadaczem dóbr.

Wieczór był... ciekawy. Było trochę znanych nazwisk, pań i panów metroseksualnych, opalonych w solariach natryskowych, wysportowanych w miejscowym fitnessie i mających świetne samopoczucie. Gdybym miała ich karty kredytowe, też miałabym ten luz.

— Co oni robią, że mają tyle kasy? — pytam Królewicza, huśtając się na ogrodowej bujawce.

— Jedni kombinują, inni się dorobili na stadionie i udało się im tego nie spieprzyć, a nawet pomnożyć, jak nasz gospodarz, jeszcze inni udają...

— Na czym on się dorobił?

— Mówiłem, na stadionie. Rajstopy, tani szmelc z Chin, a później wszedł do Damisu. Teraz od lat handluje używkami dla pakerów, sprzętem do fitnessu, samochodami i chyba coś jeszcze przędzie, ale o tym to nawet jego magnifica nie wie!

— A ona?

— Jest szefową trzech fitness-clubów, a to oznacza, że w piątki i soboty wieczorem bywa tam, na sali wypoczynkowej, gdzie pije się wodę Evian i piwo light, chłodnego szampana i koniak. Perli dowcipem i tworzy miłą atmosferę. A w poniedziałki, kiedy rozlicza personel, jest już ciut inna. Wiesz, Paula, w interesach nie ma sentymentów.

Rozmowy były głównie o interesach, o innych, co nie przyszli — jakie planują podróże albo co sobie kupili. Takie tam obrabianie tyłków, tylko w rękawiczkach. Zaliczyłam kilka łapczywych spojrzeń, kilka komplementów i nawet pani aktorka dłużej pogadała ze mną o moim dziecku, bo też ma małe. Była miła i zazdrościła mi bycia na wsi. Wspomniała wakacje u dziadków i rozmowa się nam urwała...

Umierałam z nudów, więc dość szybko „wydaliliśmy się". Do Hubertowego łóżka — oczywiście. Był bardzo chętny. Poszło nam technicznie sprawnie i bez zarzutu. Zasypiając, czułam się jednak jak „nie na tym weselu, na które mnie zaproszono" i zatęskniłam do Brońci, do mojego własnego łóżka. Coś mi się potrzeby seksualne cofnęły, skuliły...

Eeee! Wrócą!

Jutro jadę! Na razie dość wrażeń!

Ten wyjazd mi się przydał. Wracałam inna. Zadowolona, błyszcząca i dowartościowana. Znów złapałam kontakt z Marynią, bo rozumiałam rozterki jej duszy i te Markowe feromony ze smarem. W końcu ma jeszcze czas na ołtarz! Ze zdjęcia, które mi pokazała, patrzył na mnie naprawdę męski typ. Tylko czy on Manię traktuje poważnie? Poznam go, to ocenię. Mam nosa do takich facetów.

Jechałam gdańszczanką. Było mi bosko na duszy! Włączyłam radio na pełen gwizdek i wyłam razem z Metallicą *Nothing Else Matters*. Głośno i wściekle. Metalowo! O, i już Nidzica — jak szybko!

Wszystko byłoby super, gdyby w lesie za Jedwabnem nie zatrzymał mnie radiowóz. Cholera!

— No, dokąd to się pani tak spieszy? — spytał, salutując miły pan. — Nielekko było panią dogonić!

— Goniliście mnie?! A po co?

— Bo się pani nie zatrzymała przed stopem na krzyżówce. Dowód, proszę, i prawo jazdy. No, to co panią tak gna?

Wtedy spróbowałam mojego starego numeru:

— Wie pan. Ja tu blisko mieszkam. Za Pasymiem. Wracam z Warszawy i spieszę się do dziecka, więc się nie zatrzymywałam, a sporo piję wody mineralnej, bo karmię jeszcze i się odchudzam i strrrrasznie mi się chce siusiu!

Oczy mam wielkie i trzepię to wszystko jednym tchem.

Podniósł na mnie wzrok, a jego kolega odwrócił się, żeby się pośmiać z idiotki.

— Taaak. Lasy dookoła przecież.

— No, tak, ale jesteśmy w Unii i nie można w lesie...

— Kochana. Odbieram trzy punkty i karzę panią mandatem...

— Błagam! Tylko nie to! Wszystko wydałam w Warszawie na szmatki.

I tak stary się wścieknie. A jeszcze mandat? Będzie ględził i ględził, a sam jeździ jak wariat. W ogóle mi nie daje samochodu, bo mówi, że nie umiem jeździć.

— No, z tym akurat bym się nie zgodził. Dobrze, pani Paulino, ale to ostatni raz. Daję pani upomnienie. Niech się pani zatrzyma przy jakimś krzaczku i jedzie spokojnie! Kupiła pani coś mężowi w tej Warszawie? — woła, jak już odjeżdżam.

— Tak! Krawat i płytę Dody!

Udało się. Boże! Nie zauważyłam ich! Na której krzyżówce stali?! Sierotki. Musieli mnie gonić! Tym biednym kaszalotem! Mało silnika nie wypruli. Dałby im naczelnik!

Jadę grzecznie. Znów mam plamę na cycku! Cholera! Pora karmienia. Do Brońci, do domu! Jeść mi się chce!

Trochę się zdziwiłam, ale w domu, w naszym domu nad rozlewiskiem zastałam... pana Konrada. Naturalnie zaraz podbiegłam do wózka z Bronią.

— Moja maleńka! Moja! — Tuliłam do siebie tłumoczek pachnący mlekiem.

O tak, zdecydowanie obie tęskniłyśmy, bo paszczak się ożywił i „miział" o mój policzek. Ząb w dolnym dziąśle już wystaje!

— Panie Konradzie, pan już poznał Bronię? Zabieram ją do pokoju i nie przeszkadzam!

Tatko Marysi uniósł się na krześle i był zbity z pantałyku. Niezgrabnie jakoś wyciągnął dłoń, sądząc, że mój gest to właśnie podanie ręki, a tymczasem sięgałam po śliniak. Pierwszy raz pocałował mnie w rękę! Muszę o tym napisać Mani. Konrad, jej tato, jest z tego pokolenia, co to całuje w rękę damę będącą matką. Czad! Jestem damą!

Wszystko, co robiłyśmy z Bronią w pokoju, było udawane, bo uszy miałam jak afrykański słoń. Przewijanie, karmienie i sprzątanie z uchem-radarem przy drzwiach niedomkniętych. Zresztą. Słychać było:

— Gosiu, tego nie można tak zostawić!

— Konrad, ale to dorosła panna! Mam jej dyktować, co ma robić i z kim?

— No, ty zawsze tak trywializujesz! Ona zerwała z Kubą po zaręczynach — dobrze, trudno. Tego Adama sprowadzała do domu na noce, sama też z nim jeździła po Polsce z tymi tam... koncertami i nocowali Bóg wie gdzie. Nic nie mówiłem. Nawet jego rodziców nie poznaliśmy.

— Bo mieszkają w Kaliszu. Chyba — przerwała Gosia.

— No! No, widzisz? „Chyba". Tyle wiesz!

— No ale, Konrad, po co mi wiedzieć, gdzie mieszkają jego rodzice, skoro zerwali?

— Ty posłuchaj siebie! — uniósł się pan Konrad. — Jest ci wszystko jedno, co robi twoja córka?!

— Nnie. Nie mówię, że wszystko jedno, ale szuka. Nie chce popełnić błędu...

— Jak ty? Tak? To chcesz powiedzieć? To niech szuka! Ile według ciebie ma wytrzeć łóżek, żeby znaleźć tego księcia?

— Konrad! Nie bądź niesprawiedliwy! To nie tak. Oczywiście źle, że tak szybko to poszło, ale co, mam pojechać do Warszawy i zabronić jej? Jak? — plątała się ewidentnie.

— Porozmawiaj z nią, jeśli ci jeszcze zależy! To jakiś mechanik! Jak była z tym flecistą, to dużo grali, koncertowali i jeszcze zmieniła studia, i tak się bałem, że je zawali przez to granie. Wiesz, tę angielską ścieżkę. No, Gosiu, to trudne studia!

— Klarnecistą. A ty rozmawiałeś z nią?

— Ja?! Wiesz, kochanie, że ja nigdy nie rozmawiałem z nią o tym... no, o jej sprawach sercowych.

— Łóżkowych.

— A to nie to samo?! Gosiu, na miłość boską? O czym ty mówisz? To ty zazwyczaj trzymałaś pieczę nad tymi... sprawami. Ja rozmawiałem z nią o tych studiach na ścieżce angielskiej, o zawodzie, perspektywach... Niech ona skupi się na tym! Po co jej ten mechanik? To żadna miłość!

— Konrad. To jak Niagara, nie powstrzymasz. Dobrze, porozmawiam. Ale nie daję głowy, że cokolwiek to zmieni. To hormony, uczucia, seks...

— Z tobą się nie da rozmawiać. Seksem tłumaczysz brak rozwagi naszej córki... Nie rozumiem cię!

— Konrad, ja nie wiem jeszcze, co ją ujęło w tym chłopaku, ale wiem, że bez miłości nie da się żyć, a w jej wieku to takie ważne! Najważniejsze.

Rozmawiali długo. Pierwszy raz słyszałam rodziców rozmawiających o dorosłym dziecku. Drażniło mnie to, ale i ujmowało. Pan Konrad naprawdę był zmartwiony! Przyjechał tu w sprawie mechanika Marka! No coś takiego! Kogo ja obchodziłam? Moja matka była kompletnie pochłonięta swoimi miłościami i tak jest do dzisiaj. To raczej ja się denerwowałam tą paryską histerią i jej kolejnymi wyskokami... I jak on to sobie wyobraża? Powie: „Maryniu, to chłopiec nie dla ciebie!" i Marynię przestanie rajcować usmarowany smarem Marko?

Nie wiem, na czym stanęło. Pan Konrad nie został na obiedzie. Dzikus. Pojechał, bo podobno spieszył się do Warszawy. Martwi się, że Mania kocha się w mechaniku? Ponoć wykształcony i inteligentny... I o co szum? Ach, rodzice!

— A jak Bronia pójdzie w tango z jakimś mechanikiem? Co zrobisz? — Gosia zadała mi to pytanie, nalewając barszczu. — Przyjdzie taki i ci ją zabierze! Zobaczysz!

Spojrzałam na nią i powiedziałam najspokojniej na świecie:

— Nie dam. Żadne łapy czarne od smaru nie tkną Musi! Tak? — popatrzyłam na moją Rudą, która majtała nóżką, rozkołysując w ten sposób leżaczek. Bardzo ją to bawiło! Zanosiła się od chichotu.

Gosia ciągnęła poważnie:

— Ją bawi to, co gadasz. Zobaczysz, przyjdzie mechanik i zabierze Musię. Tak? Tak? A teraz otwieraj paszczę, bo leci serek! Am!

Czasem, jak nie chcemy ze sobą gadać, gadamy przez Bronię. Tak jak teraz.

Lato. Lato tuż-tuż!

Ania Wrona uwija się w pensjonacie. Od kiedy Gosia jest babcią mojej Broni więcej czasu spędza w domu. Babcią! Młoda, piękna i sama jeszcze mogłaby... nie, nie, już nie mogłaby biologicznie, ale mentalnie mogłaby mieć małe.

Ania stała się mocną i zdecydowaną szefową. Do niej latają letnicy z każdym pytaniem. Ona zaś jest surowa, kompetentna, ale się nie mizdrzy, więc nie ma rodzinnej atmosferki i „tykania", gadania na każdym kroku o kręgosłupie, wrzodach żony czy wnuczce, która nie zaliczyła szóstej klasy, bo kolega dawał jej proszki. No, nie od bólu głowy, bynajmniej! Dziwiłam się rok temu, że Gosia tak dzielnie to znosi. Jak fryzjerka, co przy czesaniu musi wysłuchać historii z życia klientek. Gosia była miła i familijna atmosfera zaraz przeradzała się w zasypywanie jej intymnymi doniesieniami z życia i pożycia letników. Jakiś absurd!

— Bądź bardziej asertywna — tłumaczyłam jej, jak już wieczorem miała autentycznie dość. — To już nie te czasy, kiedy bywali tu u babci Basi znajomi, jak rodzina. Teraz rządzą twarde prawa rynku i troska o siebie! Gosiu, proszę cię!

Teraz Bronia rozwiązała sprawę. Gosia rzadziej bywa u letników w jadalni, rzadziej daje się wciągać w rozmowy. Zajmuje się swoją pracą i Bronką. I tak ma być!

Ja wiem, że uleciała w kosmos dawna atmosfera, że kiedyś było inaczej. Tak. Było inaczej! I już!

Obie dużo pracujemy. Gosia musi jednak pilnować swoich spraw wydawniczych, bo pół etatu to też czas i praca. Ja mam zamówienia na „gobeliny" — jak mówi Jadwiga — właścicielka galerii, w której sprzedaje te moje tkackie cuda. Idą świetnie i „musi pani, pani Paulino, trzymać się tej linii estetycznej". Się trzymam! Koński szczaw i łopiany tkam prawie z zamkniętymi powiekami. Rutyniara ze mnie.

Chodzi mi po głowie ceramika! Mam takie pomysły, że chybaby chwyciło! Tylko, jak ją wypalać? W ziemnym palenisku? Zbudować staroświecki piec wiejski, jaki widziałam we Francji? Pomyślę.

Janusz bywa...

Coraz częściej przyjeżdża i zachowuje się, jak gdyby nic się nie stało.

Pomaga przy obiedzie, niańczy Muśkę, gada z Gosią i Orestem. Jak kumple. Wiem, że jak kumple, bo jednak odjeżdża na wieczór. Jeszcze się nie poprawiło między nimi na tyle, żeby ze sobą sypiali... No, no...

Nie osądzam. Mają swoje rozumy, a Gosia nie chce, żebym się wtrącała.

Kiepsko śpię. Myślę i myślę, co mam w życiu robić? Siadam wtedy na werandzie i kombinuję albo idę na kładkę. Ciepła, majowa noc tu, nad rozlewiskiem to najpiękniejsza noc świata! Gwiazdy jakby wiszą tuż nad głową, mnóstwo ich, bo w wodzie się dublują. Jak leżę na brzuchu, na kładce, nie wiem w końcu, gdzie jest góra, a gdzie dół. Dwa nieba, dwa księżyce...

W lesie hałas. Na łące hałas. Wszyscy zajęci są zakładaniem gniazd. Już są poparowani, kokoszą się i przytulają. Tylko ja nie mam się do kogo przytulać. Hubert nie jest taki przytulaśny jak Sławek. Obaj kochankowie wielce sprawni, a jakże! Tylko do żeniaczki i gniazdowania niechętni...

Chodzę po tym nocnym lęgowisku tylko w klapkach i koszuli nocnej i myślę po ostatnim mailu mamy:

Paulina!

Zastanów się, czy nie zechciałabyś wrócić do rozmowy na temat sprzedaży Chomiczówki? Po co ci ten ciężar? Tu, w Reims, żyje się spokojnie i dość dostatnio. Znalazłaby się dla ciebie praca i może wydałabym Cię za mąż? Jest kilku naprawdę atrakcyjnych panów. Rzuć to wszystko! Dziecko nie może rozwijać się na takim zadupiu! A Ty? Nie dusisz się tam? Ja rozumiem, ciąża, czułaś się samotna, ale teraz? Nie powinna się Twoja córka wychowywać z wujem? André jest taki spragniony rodzeństwa! Przemyśl to. Polska jest w Unii — chcesz pozostać w zaścianku?

To miłe ze strony tej Gosi, że Cię trzyma, ale daj już spokój kontestacji! Masz matkę w Europie! Czekamy tu na Ciebie — Serge, André i ja!

Zatkało mnie. Już zaczęłam o niej ciepło myśleć, a ona mi tu wyskakuje z tymi zaściankami! Cholera! Cały czas traktuje mnie jak niesforną smarkulę, która jej robi na złość, a ja jestem przecież dorosłą kobietą!

Kiedy tak wracałam ścieżką, zobaczyłam w świetle księżyca kropelki rosy na liściach i trawie. Jaki kicz! I jak ja go lubię! I jak mi w nim dobrze!

Tak? Na pewno? — dobrał się do mnie diabeł. Podkusza.

W Warszawie mam mnóstwo znajomych. Są inne galerie, bo te z Trójmiasta już się skończyły. Dawno nic nie uszyłam i nawet nie dzwoniłam.

Kasy mało, tylko z wynajmu i z gobelinów. Fura obowiązków przy małej i zero kreacji, postępu, rozwoju... No. Byłoby łatwiej być tu — w centrum wydarzeń. Hubert pomógłby mi na pewno. Przy jego kontaktach!

A Reims? Może to ma sens, tylko za nic na świecie nie mieszkać razem! Zakotwiczyć się tam. W końcu to też cywilizowane miasto, kupa turystów i artyści też się tam spełniają! Powinnam pojechać i na spokojnie spenetrować wszystko! W końcu to tylko Europa!

Wróciłam do łóżka z gotowym planem. Rozpatrzeć wszystkie możliwości! Warszawę i Reims! Tylko zapytam Gosi, czy mogłaby zająć się Brońcią, bo z nią przecież nie pojadę. Mała Mi jest dzielna, ale za mała na koczownicze życie. No i Hubert by się wściekł!

Bronia ma takie dwie fajne babcie, dziadka Tomka, wujcia Orka i Janusza — poradzi sobie! Tylko czy oni się zgodzą?

Jeszcze tej nocy wysłałam maila do Huberta:

Skarbie!

Chciałeś — to masz! Otworzyłeś puszkę z Pandorą; i ona Ci teraz skacze do gardła z taką propozycją:

Owszem, spenetruję warszawskie możliwości, ale też biorę pod uwagę zaproszenie mamy do Reims. Tak! Tak! Mówiłam, że jest okropna, nieodpowiedzialna, że skaczemy sobie do gardeł i najchętniej zamordowałabym ją. To wszystko prawda, ale jakoś zmiękła ona i ja. Obieśmy matki i zaczynamy doceniać rodzinność. Ona jeszcze nie do końca zdaje sobie sprawę z tego, ale już blisko, blisko! Proponuje mi mieszkanie w mieście, nie u niej, więc możemy się mijać albo i obrażać na siebie! Ona prowadzi tam małe biuro podróży z Serge'em i jego siostrą. Druga siostra Serge'a — cioteczna, prowadzi wielki salon „Rzeczy ładnych" (tak to się nazywa — ładnie!). Jest też marszandką, znawczynią sztuki. Wysłałam jej już mailem zdjęcia tego, co robię, i jest wstępnie zainteresowana.

Hubo! To może się udać! Mam tylko śliczną prośbę — pojechałbyś ze mną?

Będzie raźniej! Całusek. Paula

To oznacza, że podjęłam decyzję. Jeszcze tylko rozmowa z babcią i Gosią. Oresta też powinnam jakoś uprzedzić... Nie mogę go traktować jak powietrza. Wpakował w moją Bronię mnóstwo uczucia. Należy mu się wyjaśnienie.

Teraz poczułam się dobrze. Tak! Podjęłam mądrą decyzję. Taką dojrzałą, jak wtedy, kiedy dopuściłam do siebie fakt istnienia ciąży. Porozmawiam jak dojrzały człowiek, z wszystkimi — Gośką, Orkiem, babcią, i pojadę sprawdzić, czy uda mi się Francja? Kariera (karierka) jakaś malutka? Życie? Jak nie, to może Warszawa? Odnowię kontakty, jakoś to będzie. Mam taki ciąg do ludzi, wiru, życia, hałasu! Muszę coś zrobić, żeby nie zaśniedzieć, nie zapaść się. Oni wszyscy — warszawska moja brać, poszli zupełnie inną drogą i ja, żeby ich dogonić, muszę biec, bo inaczej odstanę!

Robią studia doktoranckie, żenią się, pracują, spotykają na imprezach. A ja? Ja?! Śpię snem zimowym na rozlewisku, zakopana w stertę pampersów. To co, że moja Mała Mi jest śliczna, najpiękniejsza i najukochańsza? Ja więdnę! Usycham tu!

Tak nakręcona zwołałam naradę domową. Na jutro.

Zostałam wysłuchana.

Więcej, zgodzono się, żebym zostawiła Bronię i spenetrowała Reims i tamtejsze możliwości.

Który to już raz?

Może mama wydoroślała, może Serge — dojrzalszy, mimo że młodszy, okiełznał tę moją rozedrganą matkę? Może racja, że dla mnie za wcześnie na życie na wsi? Że siedzenie tu spowalnia, a właściwie blokuje mój rozwój?

Nie jestem Gosią, jestem Paulą — kimś zupełnie innym, niespełnionym jeszcze, nie zrealizowanym w żaden sposób.

Rozlewisko to mój przystanek zaledwie, ale nie cel...

— Wcale to nie brzmi głupio, Paulineczko — pierwsza odezwała się Gosia. — Nie musisz się bronić, udowadniać nam. Prawda?

— Kochanie. Nikt ci nie rzuca kłód, ale najpierw porozglądaj się, zarzuć gdzieś kotwicę — babcia mówiła spokojnie, bez emocji. — A wtedy weźmiesz Broneczkę.

— Nie — żachnęłam się.

— OK. Zrobisz, jak uważasz, ale pomyśl — Gosia westchnęła i uśmiechnęła się bezradnie — nie szkoda ci telepać się z małą w nieznane? Tyle razy się już próbowałaś dogadać z mamą. Zazwyczaj trzaskałaś drzwiami i wracałaś. Ja wiem, że może wreszcie coś się zmieni, ale...

— No, dobrze — byłam już lekko pobudzona, bo to niweczyło, no, zmieniało moje plany. — Może faktycznie spenetruję możliwości. Ale muszę. Muszę. Porozglądam się też w Warszawie, pogadam z Hubertem. Może z tego coś wyjdzie?

Czułam się dziwnie. Zupełnie tak, jakbym robiła coś złego, a przecież tylko szukam siebie. Nad rozlewiskiem to był tylko przystanek. Nie chcę tu spędzić reszty życia. Nie ja. Jakoś... nie widzę tu dla siebie szans. Owszem, mogłam dziergać i wyszywać moje pościele, ale popyt coraz mniejszy, a wysiłek coraz większy. Muszę porozglądać się po świecie, może tam będzie mi lepiej, wygodniej, ciekawiej?

Uff. Jakie to trudne. Wszyscy tu byli dla nas — mnie i Broneczki, tacy opiekuńczy, bliscy. A ja, jakbym uciekała.

— OK. Podjęłam decyzję i ona jest nieodwołalna. Jadę. Wrócę po córkę, jak się urządzę. Jak najprędzej.

Żegnana i całowana, wyjechałam.

Mijam Szczytno i jadę dalej, najpierw do Warszawy. Pamiętam, jak byłam w Szczytnie pierwszy raz. Nieznane mi miasto, kolorowy rynek pełen warzyw i owoców, jajek z Dębówka. Drogę ze Szczytna na Warszawę znam dobrze. Jadę pełna radości i spokoju. Szymany, później Wielbark, znajome lasy, pola, budynki... Myśli tłoczą mi się w głowie. Wyjeżdżam!

Nie mam pojęcia, gdzie i co znajdę, ale moja córeczka będzie ze mną.

Nie wiem, czy będzie to Reims, może Warszawa, Kraków? Może Bretania, Irlandia — nie wiem! Może Hubert, a może ktoś inny, a może będę dzieciatą singielką?

Mam tu, nad rozlewiskiem najlepszą rodzinę, która dała mi siłę i wsparcie, kiedy tego potrzebowałam, ale teraz pora już znaleźć swój własny ląd i sposób na życie. Najważniejsze, że mam dokąd wracać!

Życie gna, a moje?

Paulę ogarnęły wątpliwości. Co ma robić? Jechać do Warszawy, a może do Reims? Jasne. Jej prawo. Chce się zebrać za tydzień.

Rozumiem ją, bo sama też to miałam. I mama to rozumie, bo też to przeszła.

— Pojechała? — spytała, wchodząc w południe do kuchni w pensjonacie.

— Pojechała — odpowiedziałam, mieszając sos do spaghetti.

— A Bronia, z kim jest?

— Z Orestem, a z kimże?

— No tak... Gosieńko, czy ona nie cierpi na samotność?

— Mamo! Ma nas tu wszystkich, ten Hubert się nią interesuje...

— Eeee, zalotnik. Czy ma się przytulić do kogo? Oprócz nas? Wiesz, pytam, bo wspomniała, że w razie czego będzie pogodną singielką, a to... taki wykręt.

Nie rozumiem tej mody na singlizm. To naciągane teoryjki. Młodzi powinni się łączyć w pary, a jeśli nie, tylko ostentacyjnie wołają, że są singlami z wyboru, to mnie to pachnie... desperacją, jakimś ukrywaniem rozczarowania pod modnym pojęciem. To oznacza, że się nie znalazło. Jak takie dziecko w przedszkolu, które nie bardzo zasymilowała grupa i stoi w kąciku naburmuszone i mówi „Ja siam, ja siam!", ale oczka ma pełne łez...

— Nie wiem, mamo. Chyba coś w tym jest, bo ja jako singielka czuję się paskudnie. Łazimy z Januszem jak ten żuraw i czapla. Raz jego coś nosi, raz mnie... jakoś nie możemy... Może ja nie umiem wybaczyć? A on niedostatecznie walczy?

— Wiem, kochanie. Obserwuję was i serce mi pęka, bo wy chyba jakoś nie umiecie przełamać impasu. Janusz tu bywa, Gosiu. To wiele znaczy!

— Tak, ale nie mam siły, odwagi, może honoru, zatrzymać go i powiedzieć, że... No właśnie, nie wiem, co bym mu miała powiedzieć?

— Prawdę...

— Mamo, to głupie, on zna prawdę! Wie, że nie skreśliłam go, nas...

— Ale jest między wami jakaś ściana niedomówień, skoro jest, jak jest.

— Sama mówiłaś „nic na siłę".

— Mówiłam, mówiłam, a co to ja jakaś nieomylna dalajlama jestem?

Mama naburmuszyła się i zrobiła minę gnoma.

Zawsze mnie tym rozbraja!

— Gosiaczku, jesteś kobietą, wiesz, co dobre, a co złe, co warta jest wasza miłość i czy ona trwa czy nie. Osądź, a jak już osądzisz, zrób coś pierwsza, bo on się ciebie boi!

— Biedny mały miś!

— OK, nie wtrącam się.

— Wtrącaj!

— Nie, bo ty „wiesz lepiej"!

— Wtrącaj wtrącaj wtrącaj! Bo... może masz rację?

Przegotowałyśmy makaron... Wcale nie jest al dente. Ja też nie.

W domu, wieczorem napisałam do Janusza maila, który zawierał tylko wiersz pt. *Żuraw i czapla*.

Przykro było żurawiowi,
Że samotnie ryby łowi.

Patrzy — czapla na wysepce
Wdzięcznie z błota wodę chłepce.

Rzecze do niej zachwycony:
„Piękna czaplo, szukam żony,

Będę kochał ciebie, wierz mi,
Więc czym prędzej się pobierzmy".

Czapla piórka swe poprawia.
„Nie chcę męża mieć żurawia!"

Poszedł żuraw obrażony:
„Trudno. Będę żył bez żony".

A już czapla myśli sobie:
„Czy właściwie dobrze robię?

Skoro żuraw tak namawia,
Chyba wyjdę za żurawia!"

Pomyślała, poczłapała,
Do żurawia zapukała.

Żuraw łykał żurawinę,
Więc miał bardzo kwaśną minę.

„Przyszłam spełnić twe życzenie".
„Teraz ja się nie ożenię,

Niepotrzebnie pani papla,
Żegnam panią, pani czapla!"
Poszła czapla obrażona.
Żuraw myśli: „Co za żona!

Chyba pójdę i przeproszę..."
Włożył czapkę, wdział kalosze

I do czapli znowu puka.
„Czego pan tu u mnie szuka?"

„Chcę się żenić". „Pan na męża?
Po co pan się nadweręża?

Szkoda było pańskiej drogi,
Drogi panie laskonogi!"

Poszedł żuraw obrażony,
„Trudno. Będę żył bez żony".

A już czapla myśli: „Szkoda,
Wszak nie jestem taka młoda,

Żuraw prośby wciąż ponawia,
Chyba wyjdę za żurawia!"

W piękne piórka się przybrała,
Do żurawia poczłapała.

Tak już chodzą lata długie,
Jedno chce — to nie chce drugie,

Chodzą wciąż tą samą drogą,
Ale pobrać się nie mogą.

Jan Brzechwa

Kiedy następnego dnia szłam do samochodu, zajechał Janusz. Koniecznie chciał ze mną porozmawiać, więc zabrał się ze mną do Szczytna.

Coś opowiadałam o Pauli, o Broneczce, o wczorajszym makaronie... takie tam, żeby tylko ukryć uczucie niepewności, które mam w sobie.

On słuchał i uśmiechał się, rozparty na przednim siedzeniu.

Jak dawniej...

W Szczytnie pomógł mi z pościelą, a potem zaprosił na kawę z szarlotką i lodami do „Filip's Cafe". To najfajniejsza knajpa w naszym Szczytnie!

— Gosiu, po...posłuchaj. Nie chcę tak. Nawywijałem, wiem. Błagam, da...daj nam szansę. Brzechwa ma rację!

— Janusz, przestań. Ja nie chcę naciskać!

— Ale później może się ro...rozejść po kościach albo mi cię ktoś sprzątnie.

— I dobrze! — roześmiałam się nie bez złośliwości.

Patrzyłam, jak się spina, stara. Tak w ogóle, to mogłabym go przytulić już tu, ale nie wypada. Jeszcze mam w sobie resztki żalu. Ale nienawidzić go — nie umiem i już!

Milczy, pije kawę i patrzy na mnie z uśmiechem. Mięknę. Lubię ten jego wyraz twarzy, ten uśmiech.

— Małgoś — zaczął dziwnie — nie chcę być debilem ca...całe życie.

— To nie bądź! — odpowiadam zadziornie i uśmiecham się.

Zielone oczy patrzą czujnie. Teraz są smutne — znam ten smutek. Jest teraz taki „po całości", jak wtedy, kiedy się rozwodził, kiedy się żarli o jakieś dyrdymały i majątek... To go wyniszczyło psychicznie, bo on jest... słaby, po prostu. To nie Kamil, co wziął „życie za gardło", to raczej życie wzięło i przerosło mojego Janusza.

Nagle zobaczyłam kątem oka, że do kawiarni wchodzi... Lady Karolina z synem i z kimś jeszcze. Rozbawiona, przymilna, nagle zlokalizowała nas, zwęziła oczy i patrzy. Natychmiast wzięłam Janusza za rękę i uśmiechnęłam się szeroko, skinąwszy głową. Ksiądz i jego matka odkłonili się i wycofali. Przenieśli się do części restauracyjnej — widocznie nie chcieli mieć nas na widoku, a może chcieli coś zjeść, choć to dziwne. Nie u nich, na plebanii?

Moja dłoń została już w dłoni Janusza.

— Małgoś — zaczął znów — wyjedźmy, proszę.

— Janusz...

Nie miałam pojęcia, jak zareagować. Wyjechać? Teraz?! Do Krakowa, w podróż sentymentalną?

— Masz teraz sezon, nie możesz, wiem, ale ja poczekam — miał proszące oczy i sięgnął do kieszeni. — Patrz. Twoje marzenie. Uskładałem, jedźmy, jak tylko sezon się skończy!

Położył folder. „Mauritius" — przeczytałam.

O, tak! Niegdysiejsze moje marzenie. Wydawało mi się całkiem nierealne, niedościgłe. Odległe. Piękny Mauritius — rajska wyspa.

Chcę?! A, prawda, chciałam! Mówiłam mu o tym, a on uskładał.

— Janusz, na pewno my? Może to był projekt dla Beaty?

Ścisnął mi palce do bólu.

— Wiem, że masz prawo mi wypominać mo...moją głupotę, ale to nie... To dla ciebie. Wczoraj byłem w Olsztynie w biu...biurze podróży. Dla ciebie! Może we wrześniu? Naprawdę. Pamiętasz, mó...mówiłem ci, że zbieram na wielką podróż. Nigdy nie byłem w cie...ciepłych krajach.

— Nigdy? Nawet... w Bułgarii?

— Nigdy — powtórzył.

Oszaleje, jak zobaczy to morze, te plaże, ten luksus. Wreszcie go stać, skoro się dowiedział, uzbierał.

Mówił z uśmiechem:

— To z wynajmu gabinetu w Na...Nartach, chciałem cię obsypać czymś lu...luksusowym.

— Przekupić — wyrwało mi się, a on popatrzył jakoś tak boleśnie.

— Przepraszam — powiedziałam. — To było głupie. Przepraszam!

Przechylił się i pocałował mnie w usta jak kiedyś.

— Janusz... — szepnęłam, bo nagle wszystko gdzieś przepadło. Moje fochy i cała ta... obraza majestatu. Wzięłam jego twarz w dłonie i całowałam, całowałam...

— Hmmm — usłyszeliśmy nad głowami. Nad nami stał Tomasz.

— Radziłbym wam tego nie spieprzyć po raz drugi!

Zaśmiałam się i chyba spurpurowiałam.

— Co to? — spytał, biorąc do rąk folder.

— To... Janusz ma taką przepraszajko-propozycję, ale teraz jest sezon i nie bardzo, więc może... — trajkotałam, żeby Janusz już nie musiał, boby się zająkał, tłumacząc Tomaszowi.

Tomasz popatrzył i uścisnął Januszową grabę bez słów. Zdaje się, że faceci potrzebują ich znacznie mniej.

Potem chwilkę pogadaliśmy i rozeszliśmy się do samochodów.

Wracałam już inna. Odczarowana. Jak ta królewna, co przespała wieki. Miałam wrażenie, że zwariuję z radości. Nareszcie! Zły czas minął. We wrześniu Mauritius. Koniecznie i... pokażę Januszowi, jak ważny jest dla mnie, i już nigdy nie będzie się czuł jak piąte koło!

Na podwórku minęła nas Ania Wrona. Rzuciła okiem w naszą stronę z takim lekko kpiącym uśmiechem. Czy mi się zdawało?

— Do widzenia, pani Aniu! — pożegnałam ją.

— Z Bogiem! — usłyszałam.

— Dziwne, zazwyczaj mówi „do widzenia"?

— Może warto to zinterpretować? — Janusz się uśmiechnął.

Mama wyszła z pensjonatu. Rozbawiona i wesoła.

— O! Dobry wieczór państwu! Sio! Nie macie, czego tam szukać, dzisiaj będzie ostro i alkoholowo, bo są urodziny pani Domańskiej. Zapowiedzieli, że będzie full kultura i sami posprzątają. Tomasz już na mnie czeka, pa!

I minąwszy nas, mama poszła do samochodu Tomasza.

Janusz stał, trzymając mnie za rękę, więc pociągnęłam go i spytałam:

— A ty jutro, na którą?

— Mam gabinet od po...południa, ale o jedenastej ma być Ma...Mariusz.

— OK. To co? Kolacja?

Paula przewróciła oczami, gdy nas zobaczyła w kuchni, i pokręciła głową.

— Nic nie mówię! — zawołała, gdy jej przyłożyłam klapsa na tyłek, i poszła, wykręcając się karmieniem i kąpielą Musi.

— Pomóc ci?! — zawołałam za nią.

— Niee, same się kąpiemy! — Puściła do mnie oko.

Po kolacji Janusz zachowywał pozory, a z pewnością był równie podekscytowany jak ja, ale ukrywał to pod maską spokoju, pomagając mi sprzątać ze stołu. Wyglądało, jakby się zbierał do domu, na to ja powiedziałam tylko:

— Ja dokończę, idź pierwszy do łazienki.

Czekał na mnie, jak kiedyś.

Zapalił małą świeczkę w świeczniku koło lusterka na komodzie.

Leżałam w jego ramionach cicho, bez ruchu, żeby zapamiętać tę chwilę, bo była taka bajeczna. Opadł na nas spokój i wzruszenie. Nie chcieliśmy go psuć pośpiesznym seksem. Teraz łączy nas coś więcej niż pożądanie, pragnienie bycia razem.

Gładzi mnie po włosach i milczy, tuli. A ja nie mam w sobie tej fali erotyzmu, o jakim sądziłam, że przyjdzie. Zamiast oszalałych zmysłów — ocean spokoju. Jestem senna i spokojna, jak dawno już nie byłam. I... kompletnie aseksualna.

— Janusz? Jakoś...

— Ciiicho. Nic nie musimy. Ważne, że jesteś. Zaśnij.

I zasnęłam.

Obudziłam się, bo nie spuściłam rolet, a ciekawskie słońce pomacało mnie po powiekach dość bezczelnie. Otworzyłam oczy. Janusz spał.

— Patrz — szepnęłam — jakie słońce! Nie zasunęłam rolet, przepraszam.

W odpowiedzi tylko mruknął „Uhumm" i uśmiechnął się do mnie przez sen. Dotknęłam jego twarzy i dopiero wtedy zobaczyłam, że na serdecznym palcu mam... pierścionek. Taki, o jakim marzyłam — z prostokątnym, szmaragdowym oczkiem, a dookoła cyrkonie. Patrzyłam, zastanawiając się, czy śnię czy już nie i o co chodzi? Janusz spod rzęs rzucił kontrolnie okiem — przyłapałam go!

— Podoba ci się? — zapytał, bo mnie odebrało mowę. (Jak mi go wsunął na palec, że nie poczułam?)

— Skąd wiedziałeś?!

— Przyznam się, bo i tak się do...dowiesz. Od młodszej wiedźmy.

— Od Mani?! Spiskowałeś? Z Marysią?

— ...śmy!

Jest z siebie taki dumny! Zielone oczy w tym słońcu porannym lśnią jak ten szmaragd. Oglądam go, ładny jest. Całuję Januszowe piersi.

— Dziękuję ci — mruczę. — To... na zgodę?

— Nie — mówi Janusz i kładzie się na boku. Podpiera się na łokciu i patrzy na mnie. Poważnieje. Kąciki ust drgają mu delikatnie. Zawsze gdy się wzruszy. — Wyjdź za mnie...? — prosi.

Łzy kapią mi, bo mam wbudowaną fontannę. Kiedy naciskam guzik z napisem „wzruszenie", uruchamia się wodotrysk. Beczę. Przytulam się i beczę sobie po babsku.

— Zwariować można z ba...babami. Znaczy, co ja mam teraz myśleć? — pyta, udając złość.

— Co chcesz.

— Ale, że tak...?

— Tak!

Wzdycha i obejmuje mnie mocno. Poranek w jego ramionach. A niech sobie będzie i szósta! To dziwna pora na oświadczyny, ale dobra jak każda.

Przyjęłam. Nie wiem, czy dobrze zrobiłam, ale zaraz przypomniałam sobie, że mama już dawno przyjęła od Tomasza pierścionek, a ślubu nie mają... Oni są taką parą, która żadnych papierów nie potrzebuje. A nam? Nie chce mi się o tym teraz myśleć!

Leżeliśmy jeszcze jakiś czas, ale niestety poranne obowiązki wzywają.

— Mogę dospać? — Janusz spytał nieśmiało.

— Dosypiaj! — pocałowałam go w grzywkę i rześka jak już dawno nie byłam, wstałam.

Poszłam do pensjonatu. W kuchni Ania już nastawiła wodę w czajniku i gotowała jajka na twardo do pasty jajecznej.

— Sądziłam... — zaczęła, ale zrezygnowała. I dodała „z innej beczki": — Ja tam sama mogę rano nakrywać. Ileż to roboty ze śniadaniem? A pani by w tym czasie, no... sobą się zajęła!

Wtedy wyciągnęłam dłoń i pokazałam pierścionek Ani, jej pierwszej! Popatrzyła, pokiwała głową i siorbnęła nosem.

— Na szczęście niech będzie — powiedziała jakoś bokiem.

Pocałowałam ją, bo sądziłam, że mnie... nas potępi.

— Oj, no! — fuknęła. — Pani się zajmie mięsem, trzeba wyjąć z lodówki i dosmaczyć. Kotlety mają być te kapuściano-mięsne!

Po południu dzwonię do Elwiry, czy mogę wpaść na manikiur.

W salonie ładnie pachnie, młody fryzjer (!) strzyże jakąś pannę.

— Arek, ja biorę panią do pokoju obok, więc masz zakład na oku! — Elwira wydaje polecenie, a młodzian, uśmiechając się do niej, odpowiada:

— Oczywiście, pani Elwiro!

Zasiadam w pokoiku przeznaczonym do zabiegów kosmetycznych, ale nikogo nie ma, a my potrzebujemy spokoju.

Elwira przynosi małe stanowisko, Arek wnosi za nią zestaw lakierów i narzędzi w ładnym stojaczku i dyskretnie wychodzi.

Elwira zasiada, ujmuje moje palce i patrzy na nie badawczo.

— No! Zaczynaj!

— Ale... co?

— Gosia, nie świruj! Opowiedz wszystko, z klimacikami!

Uśmiecha się pięknie i ma ogniki w oczach jakby... wiedziała. Wiedźma?!

— A... Skąd wiesz, że mam co opowiadać? — droczę się z nią jeszcze.

— No proszę cię! A to co? Kupiłaś sobie na odpuście? — i podnosi moją dłoń, która spoczywała na kolanach, tę uzbrojoną w szmaragdzik. Spostrzegawcza jest jak sroka!

— A to!

— To, to, to, to, to!!! No, spójrz mi w oczy i powiedz, że pojechałaś do Olsztyna i sama se kupiłaś!

Śmieję się i patrzę na nią. Jak ja ją lubię! Za tę jej bezpośredniość, za wiedzę o życiu, za twardy charakter i miękkie, kobiece serce, i za to, że uwierzyła w lalka. Za to, że tak zmiękła przy Andrzeju, i za to, że on ją tak kocha. Za wszystko!

Tutaj ona jest moją najlepszą koleżanką. Dobrze się rozumiemy!

— Elwira, ja wiem, że ci się Janusz nie podoba, ale ja go... — zniżyłam głos do szeptu. — Tak, kocham! Jak chyba nikogo jeszcze.

Wzrok naszej Carmen spoważniał i stał się jakby czulszy, miękki. Zarumieniła się i nie patrzy już na mnie. Poszłam po bandzie, bo mówię rzeczy intymne.

— On, wiesz... Elwira, mnie jest z nim jakoś tak, dobrze, mimo wszystko. I czuję, że już za nami jakieś bagna i Himalaje.

— Ty masz gadane — mówi, piłując mi pazurek. — A... — waha się.

— Co?

— Gosia, bo ja ci podesłałam mojego lalka...

— A no, przecież! Bo cały czas był impas, a jak mu uszyłam podkoszulek z Januszowego podkoszulka, posiedziałam na poduszce i wieczorem gadałam i dawałam buziaka na dobranoc — przełamało się! I jak już pogadaliśmy, to w nocy, ale wiesz — nie kochaliśmy się, tylko tak...

— Oj, nie mów! — Elwira poważnie mnie zgromiła. — To za intymne!

— Przepraszam. Tej nocy, co został, i tylko spałam obok niego, to wtedy on mi założył to na palec i powiedział — mówiąc to, popłynęły mi łzy. Tak mam!

— Szczęściara — Elwira odsuwała skórki patyczkiem bardzo wnikliwie. Dokładnie. — Bo ty sobie umiesz to wyreżyserować... Jak jakaś Holland czy co.

— Elwira, każda może. Musi tylko mieć świadomość twoją, moją, że „samo" to się może jajko stłuc. Każda z nas ma moc. Możliwość takiego poukładania sobie życia, żeby ono było fajne. A kobiety, sama wiesz, jakoś się boją być szczęśliwe.

— Kurczę! Żebyś wiedziała! One strasznie są dumne, jak im się coś spieprzy... Matki Polki — prychnęła. — A najważniejsze, że ci się oko świeci. Nareszcie!

— Nareszcie! — odetchnęłam.

Elwira wyszła wylać wodę i przynieść miednicę do pedikiuru. Arek, ten młody fryzjer, inkasował pieniądze od panny znakomicie ostrzyżonej i uczesanej. Do salonu weszła nasza pani z poczty, Marzena, a za nią listonoszka Ziutka.

— Elwira, zrobisz mi ręce? Jutro mam chrzciny dzieciaka mojej chrzestnej córki. Dzień dobry, pani Gosiu! — widząc mnie, zawołała i szeptem dodała: — Słyszałyście? Anka Wrońskich zawlokła tego swojego na zaszycie...

— Która to? — spytała pani Marzenka.

— Ania Wrona — poinformowałam ją. — Ta od Karolinki.

Siedzę sobie u Elwiry i plotkujemy o znanych nam ludziach, faktach. Arek, zanim usadził panią Marzenkę do mycia głowy, zrobił mnie i Ziutce herbatę, pytając najpierw:

— Czarną, czerwoną czy zieloną? Polecam zieloną, z opuncją!

No? Światowo! I jednocześnie baaardzo intymnie, po naszemu.

Zdjęłam podkolanówki i włożyłam stopy do miednicy z ciepłą wodą i olejkami.

— Gosia, tam jest pilot. Nastaw sobie masaż pleców, zanim ci skórki zmiękną. — Elwira znów uśmiechnęła się pięknie, niosąc ręcznik i jednorazowe klapki. — Paula też wpadnie na pedikiur?

— Nie, pojechała do Warszawy. Dziękuję, nie słodzę, panie Arku. — Odsunęłam cukiernicę. Opuściłam oparcie i włączyłam masaż. Zamknęłam oczy. Jej! Jak mi dobrze!

Dziwny jest ten świat

Zatrzymałam się u Huberta. Mańki nie ma, jest na wakacjach w Międzyzdrojach, gra z chłopakami w Amberbaltiku, więc dom na Saskiej jest obecnie niedostępny, bo króluje tam pani Ada. Nic by się nie stało, nie pogoniłaby mnie — nawet pan Konrad zapraszał — ale byłoby to dla nas krępujące.

Hubert nie ma urlopu, więc po kolacji pobaraszkowaliśmy trochę w łóżku i poszliśmy spać. Ciągle jakoś... Nie jest to żaden cud... Coś ze mną?

Nawet nie wiem, kiedy wstał i wyszedł, bo obudziło mnie warczenie odkurzacza.

Pani Czesia, stosunkowo młoda i o urodzie Doroty Stalińskiej, dumna jak Sala Kongresowa, odkurzała, nie zwracając na mnie uwagi. Była pochłonięta pracą, więc nawet nie załapała, że się próbowałam przywitać. Czułam jednak, że odprowadzała mnie wzrokiem aż do łazienki. Kiedy wyszłam, prasowała, stojąc do mnie tyłem.

Telefon do mamy postawił mnie na baczność.

— Paula?! Ale... Jak ty to sobie wyobrażasz? Teraz? Nie wynajęłam ci nic, a hotele są drogie! Zresztą wyjeżdżamy z André do babci Serge'a, więc owszem, przyjedź, ale jesienią, kotek!

— Mamo, sama mi proponowałaś, namawiałaś...

— No tak, ale hipotetycznie! Że byłby to dobry pomysł, ale to trzeba jakoś urządzić!

Opadły mi ręce.

Mogłam się spodziewać. Wszystko, owszem, ale po jej myśli.

Nie wpadło jej do głowy, żeby powiedzieć: „Przyjedź, kotek, klucze są pod wycieraczką, rozgość się, porozglądaj, język znasz, dasz radę, jak wrócę, to...".

Żadne takie. Znów ma mnie gdzieś. Zmiana planów.

Poczułam się okropnie, nudziłam się w mieszkaniu Huberta, bo pani Czesia wprowadziła tu laboratoryjny porządek. Powinnam fruwać, żeby nie zburzyć jego ładu. Zadzwoniłam do Sławka.

— Cześć.

— Paula?! Cześć! — zdyszany... — Ups...

— Przepraszam, jeśli ja nie w porę...

— No, co ty! Właśnie jest u mnie pani Roma z Rysiem.

— Kto?!

— No... Mama Ilony z jej... z moim synem — dodał cicho. — To już druga wizyta. Opowiem ci! — szepcze.

O matko! Więc Sławkowe serce drgnęło? Rysio jest u niego...W tej gawrze?!

— I... co robicie?

— Właśnie kopiemy piłkę!

— OK, zadzwonię później.

No nie! Wiatr w oczy! Każdy ma jakieś swoje sprawy, a ja dyndam samotna...

Po południu pojechałam do galerii.

Pani Jadwiga przywitała mnie nad wyraz wylewnie.

— Pani Paulino! Ależ ja mam pomysł! Chodziłoby mi o płaszcze tkane na krosnach... Z lekkich wełen, na miękkiej osnowie, ale takie z pejzażami. W stylu marokańskim, z kapuzą, ale z naszą ornamentacją. I z pani stylistyką.

— Ale ja sądziłam...

— O, nie! Że zastój? To chwilowe, przecież pani wie. Pościel, fakt trochę gorzej schodzi, ale na przykład ta dziecięca poszła migiem. Może przez te falbany? A co pani mówiła o ceramice?

Pogadałyśmy o tym, co teraz trendy, o możliwościach moich i jej. Otwiera drugą, Galerię Rzeczy Ładnych, bo tę nazwała Galeria Rzeczy Wyjątkowych.

Ma pomysły! Stawia na meble... O! Jakie ma fajne wyroby z Włoch! Drogie jak diabli, transport podbija cenę. A gdybym tak uruchomiła Sławka i sama poprojektowała? Z nowym pomysłem zajechałam do Huberta.

Ujrzałam jego prawdziwą twarz. Romans — tak, bycie razem — absolutnie nie! No jak? Jego studio (mieszkanie nazywa studiem i chyba tak je traktuje) nie nadaje się do życia rodzinnego, ja nie nadaję się do życia w romansie i z doskoku. Już nie! Nie zafunduję Musi powtórki z mojego życia!

Ale... Moje mieszkanie na Chomiczówce też do niczego się nie nadaje. Musia nie miałaby tu możliwości rozwoju. Powietrze, metraż, smog... Gdzie zmieszczę maszynę do szycia, krosna, piec, wszystko?!

A wózek, jej rzeczy, z czasem zabawki, w ogóle — jej maleńkie, ale wymagające rozwoju — życie?

Z mamą i Francją też nijak mi nie wychodzi...

Z podkulonym ogonem wracałam do Gosi nad rozlewisko.

— Ileż ja tutaj u ciebie mogę siedzieć? — spytałam, wymiatając ogórkową z talerza.

— A, siedź! Czy ja cię wyganiam? Paula, dom spory, oddzielony od pensjonatu i na moich śmieciach gości nie przyjmuję. Orest kończy za pół roku. Pewnie się wyniesie, a dom, jak dla mnie i Janusza, za duży. Siedź, jak ci dobrze, i nie marudź! Powiedz, z matką nic się nie udało.

— Nie. Ona ma takie zrywy, a za godzinę, za tydzień już zapomina i ma fochy. Jest... trudna, histeryczna i nie wiem, jak ten cały Serge to znosi. Ale znosi, a ja nie muszę! Jeszcze raz dałam się nabrać, a poza tym, Gosiu... Chciałabym spróbować ceramiki. Ale Muśka...

— No właśnie! A tak jesteśmy tu, to korzystaj.

— Jest jeszcze coś.

— No?

— Piec...

— I co z nim?

— Mój piec, ten, wiesz, ceramiczny.

— Aaaaa. No, nie wiem, gdzie go ulokować. Może, jak się Orest wyprowadzi?

— OK. I tak na razie będę się oswajać z gliną. Muszę znaleźć dostawcę, powymyślać wzory, pościągać farby. To zajmie trochę czasu. Wiesz? Pani Jadwiga wykazała zainteresowanie. Otwiera drugą galerię!

Gosia uśmiecha się, ale jakoś tak...

— No co? — pytam, bo oczy aż jej się błyszczą. — Co, dobry seks? Janusz wrócił do łoża?

Gosia podstawiła mi pod nos rękę, z pierścionkiem. Takim zwykłym! Zielone oczko i cyrkonie! Cyrkonie! Mamo, żadnego polotu! Patrzę i uśmiecham się, nie chcę zrobić jej przykrości. Więc jednak zmiękła. OK. Nie mnie osądzać, ale ja... No ja, w ogóle bym się za nim nawet nie obejrzała. Jak mówi Elwira: „Minęłabym jak furę z gnojem". Dokładnie tak! No, ale *de gustibus*..., jak mawiają wykształceni.

— I co? — pytam inteligentnie.

— Nico! — Gosia się odwraca i pieści wzrokiem pierścionek. — Zapytał, czy za niego wyjdę.

— A wyjdziesz?!

— Jak poprosi raz jeszcze... Chyba tak.

— I co, sądzisz, że jak... — ugryzłam się w język.

— Paula. Ja wiem, obrączki to nie kajdanki. On ma kiepskie doświadczenie w małżeństwie, dlatego doceniam gest, chęć. Myśl sobie, co chcesz. Jesteśmy razem i już. Wybaczyłam, zapomniałam. OK?

— OK. Gosiaczku... Ja tylko nie chciałabym cię znów widzieć zapłakanej i nieszczęśliwej.

— A ja nie chcę dłużej być bez niego! Paula, doceniam troskę, ale to moje życie. Możesz okadzić mnie i odczynić uroki, ale nie skazuj mnie na samotność, tylko dlatego że ci się wydaje, że powinnam dać mu w łeb i pogonić. My chcemy być razem, jest dobrze, proszę cię. Już koniec. OK?

Zrobiło mi się głupio. Ma rację. Srala mądrala ze mnie. Nie ja będę żyła i spała z Januszem! Nie mój cyrk i małpy nie moje. A swoich... to ja w ogóle nie posiadam!

— Przepraszam. — Podeszłam i przytuliłam się do niej. Podrapała mnie pazurkami po głowie tak, jak ją drapie babcia Basia. Oj! Luuubię!

Moja córka wróciła ze spaceru z Anią Wroną. Wyszłam przed dom pomóc im. Ania lubi chodzić z wózkiem na spacery. Wtedy chyba się wzrusza, myśli...

— Dzień dobry, Paulina — Ania powitała mnie jak zwykle surowo, ale w jej wykonaniu to nie oznacza niczego złego. — Oddaję wam głodomora. O! złego! Jak się ciągnie!

Wyjęła Muśkę z wózka, a ta roześmiała się na mój widok i wyciągnęła łapki. O Boże, jak ja ją kocham! Jak mi brakowało tego tłumoczka w ramionach, małych palusiów, ćmokania na widok butli i gaworzenia.

Rozebrałam ją i przewinęłam szybko, bo rzeczywiście — głodna!

W kuchni rozejrzałam się za butlą, ale Gosia zrobiła minę zwycięzcy i powiedziała:

— Popatrz, matka! — postawiła na stole kubek ze zmiksowaną zupą ogórkową i wzięła łyżeczkę. Muśka już mlaskała i klaskała w łapki.

Otworzyła buziaka i łyżka zupy trafiła do pyszczka głodomora. Oniemiałam.

— Musieńko! Jesz, jak dorosły chłop! Brawo! Kto to wymyślił?

— Ja! — Gosia uśmiechnęła się szeroko. — Przedwczoraj był krupnik ryżowy na skrzydełkach, a Broneczka jakoś kiepsko jadła kaszkę, marudziła, i jakoś jej nie szła. Orest zauważył, że śledzi nas wzrokiem, a krupnik pachniał! Zaczęła mlaskać, wiesz, jak ona to robi? Więc tak, na próbę, wzięłam łyżeczkę zupy z rozduśdanym ziemniaczkiem, ryżem i podałam jej. Żebyś ty widziała, jak ten dzieciak rąbał ten krupnik! Wiesz, Paula, za moich czasów to miksowane zupy z mięsem dawano dzieciom już od czwartego miesiąca życia! Więc teraz, kiedy się moda zmieniła, trochę się baliśmy, że się zezłościsz, ale Orest mi powiedział: „A co tam, mała łyżeczka ryżu na rosołku" i poszło! Patrz! No, patrz!

— A ogórkową można takiemu maluchowi?

— Na cielęcinie, mnóstwo włoszczyzny, domowe ogórki, niesolona dodatkowo. Przecież jadłaś. Patrz, jak ona się ciągnie!

Moja Musia wyciągała ryjek po zupę łapczywie, chętnie.

Nowa zabawa! Moja Broneczka przeszła na inne, dorosłe jedzenie!

Ale super! Nie gotujemy jej jakoś specjalnie, a już w ogóle nie kupuję słoiczkowych zup. Są okropne, jadłam... Bleee. Gotujemy w domu delikatne zupki dla nas wszystkich, ale takie, żeby Broneczka jadła zdrowo. Paćkam jej to w małej miseczce widelcem i podaję do gębusi łyżeczką. Mięsa mało. Ostatnio Gosia zrobiła eksperyment i ugotowała krupniczek koperkowy na kawałku karpia od naszego pana Rybaka. Mięso zmiksowała i chlup, do miseczki. Mnie średnio smakowało, ale młoda jadła bez problemu. Kurczaki przywozi Piernacki, z własnego chowu. Gęsinę mamy od Ani, bo jej się pięknie gęsi rozmnożyły i Ania czasem jakąś przynosi — już sprawioną.

Nasi letnicy bardzo chwalą pomidorówkę na gęsinie, a w sierpniu kwaśne kapuśniaki na gęsim korpusie.

Opisałam Mańce, jak Bronia wchłania dorosłe jedzenie, ale... Nie znalazłam w jej mailu dzikiego entuzjazmu, to znaczy, że jestem ofisiała mateczka! Marynia żyje miłością i muzyką... Na szczęście Gosia i Orest mnie, nas rozumieją w pełni. Dla mnie i Broni nowe jedzenie jest oszałamiające. Zdaje się, że obie dowalimy w biodrach, bo obie mamy apetyt na zupy!

— Zacznie chodzić, to zgubi! — Ania Wrona popatrzyła na Bronię, wytarła łzę wzruszenia dyskretnie rękawem i poszła do pensjonatu.

Hodujemy moją Bronię bardzo zdrowo i po wiejsku, ale kompletnie niezgodnie z nowoczesnymi trendami, które zabraniają wszystkiego, nawet kaszy manny. Tysiące pokoleń się na niej wychowało, a nagle teraz jest niehalo...

Kiedy byłam u Maślaka na kontroli i zagadałam go o tym, powiedział, że to dlatego, żeby napędzać klientów firmom, które produkują mleczne papy w proszku i zupki w słoiczkach... Chyba ma rację. Gosia i Orest są tego samego zdania. Mamy swoją kuchnię — mięsko z kurek-podwórek, własne warzywa, kaszki.

Bronia codziennie je inną!

Gosia porobiła takie słoiczki z kaszkami:

— manna

— manna kukurydziana

— maczek krakowski

— jaglana

— płatki owsiane.

Każdą z osobna zmieliła w młynku do kawy i wsypała do słoiczka. Jest kaszka na każdy dzień tygodnia!

Oprócz tego wcina nasza drobinka owoce — wszystkie, jakie są.

Tarte łyżeczką jabłka, banany, wszystko, co jest. Nawet odważyłam się na truskawki. Nie wysypało jej!

Teraz mamy nową zabawę — jedzenie. Pominę milczeniem zżeraną, dosłownie, skórkę od chleba. Choć dokładniej — zżuwaną. Potrafi taką wielgaśną skórę okrojoną z kromki wielkiego chleba z formy trzymać w łapkach radośnie i ciamkać... mało apetycznie. Ale nie daj Boże, żeby ktoś jej to zabrał!

Raz wypadła skórka chleba z Broninej rączki wprost pod łapki Funia, a ten głupek zjadł ją, chociaż nie jest amatorem pieczywa, ale mama nauczyła go, że trzeba to, co spadnie, pożreć. Afera się zrobiła, bo nowa skórka nie była już tak rozmiękła jak tamta. Płacz... Aż się serce krajało.

Próbujemy nowości. Szpinak i jajo, proszę bardzo! Ziemniaczek z masełkiem, ależ naturalnie! Kefir — bleeeeeee!

Szpinak, to i ja zaczęłam jeść dopiero tu, u Gosi.

Zmiany...

W komputerze zastałam list od mojej Marysi.

Mamo,

Lepiej usiądź. Życie jest takie wykrętne! Fakt — szukam od wyjazdu Kuby mężczyzny mojego życia — jak każda z nas. Adam okazał się nim nie być. Marek... też nie. Chwilowe oszołomienie. Bardzo wielkie, ale opadło jak piana i nie zostało z niego wiele. Zresztą, za obopólną zgodą. On kompletnie nie interesuje się żadnym rodzajem sztuki poza sztuką budowy silników, a dowcip i niezły seks to mało...

Od dawna mężczyzna, z którym mam wspólne pole i feng-shui, jest w pobliżu. Dyskretny, nie narzucał się...

Przyjadę z nim — co? Poznacie się lepiej. To Olek.

I wiesz, że nie spałam z nim jeszcze. Chyba nie chcę na razie zamazać sobie tego, co jest — porozumienia dusz — seksem.

On to rozumie i nie naciska, po prostu zawsze jest gdzieś w pobliżu, kochamy muzykowanie i poza muzyką mamy masę wspólnych tematów. On jest taki oczytany! Razem prowadzimy dom, sprzątamy, gotujemy. Jak kiedyś z Kubą, nigdy z Adamem, o Marku nie wspominając.

To takie... fajne!

Naturalnie Ada jest cała na NIE, „bo Olek pali", poza tym czuję, że ją drażni i niepokoi ktoś, kto nie ma rodziców, pochodzi z bidula i jest taki... jak Olo. Dobry, wrażliwy, ale też twardy i stanowczy.

Ada posunęła się za daleko, bo zasugerowała, że Olo po prostu chce się wżenić w ten dom. Mamo, jak tak można? Naturalnie spyskowałam się z nią!

Ojciec akceptuje nas. Wyobrażasz sobie?! Mają z Olem jakieś wspólne tematy, a poza tym ojciec ma do Ola zaufanie. Spokojnie zostawia mu dom i mnie na głowie. Jak kiedyś — Kubie, choć Kuby do końca nie zaakceptował jako mojego chłopaka, takiego, wiesz, „po całości".

Jak nie ma Ady, zawsze nam towarzyszy, obaj śmieją się i żartują. Jak jest Ada — tatko wskakuje pod jej pantofel, widać to lubi. A może jestem niesprawiedliwa? Może kocha ją na swój sposób?

Jak chcesz, wpadnij, ale zaraz się wykręcisz nawałem pracy...

Buziak, Mania

Nie nadążam. Kuba! Adaś, Marek... teraz Olo.

Moja córka szuka. Studia idą jej lekko, gra swoją ukochaną muzykę z chłopakami, których zna od lat... Ma dom i kochających rodziców. Żyjących osobno, ale przecież kochamy ją bardzo, więc teraz sama szuka spełnienia w życiowym związku. Olo. Może Olo będzie jej przystanią? Ważne, że mają wspólne zainteresowania, hobby. Nie mogę sterować jej życiem, bo to już jej życie, jej wybory. Mogę rozmawiać, przestrzegać, ale przecież sama popełniam rzeczy, które inni odbierają jako błędy, ja — jako doświadczenie.

Nie wybieram mężczyzny według jego stanu konta, karty zdrowia, tego, czy jest porządny i rzetelny. Już z takim byłam... ponad dwadzieścia lat. Wiem, że potrzeba wiele, żeby być razem, ale najważniejsza jest ta mało wytłumaczalna miłość.

Kiedy patrzę na mamę i Tomasza, mam ją jak na dłoni. W czystym wydaniu! Tak, Tomasz nie jest alkoholikiem, ale potrafi się urżnąć! Kiedy pracował w leśnictwie i jeździł na te męskie wyprawy, mama nie raz się chmurzyła, że pije tam na umór, ale wtedy Tomasz nie pokazywał się w domu u Baśki, za nic w świecie. Teraz poluzował. Potrafią się nieźle pokłócić. Oj, słyszałam! Mama też nie jest od tego, żeby nie dawać mu odporu, gdy wyraża swoje zdanie na jakiś temat głośno i dobitnie. Strasznie wtedy klnie!

I co? I żyją, i mają się dobrze.

Może to nasze potknięcie z Januszem zbliży nas do siebie?

Od zimy był zawsze jakoś blisko. „Niemacalnie", ale pokazał, że tylko ja i już.

Nie mogę całe życie wypominać mu, że kiedyś wlazł w błoto. No tak? Ważne, że wylazł i przeprosił. Już słyszę Lady Karolinę, która wyświdrowałaby dziurę w kamieniu wątpliwościami i wiecznym podejrzeniem „przeprosił, ale jak drugi raz wdepnie...".

Piekło mu i potępienie wieczne? Totalny brak zaufania? Przecież sama jestem nie bez win... To jakie ja mam prawo? Mam sobie spaprać całe życie podejrzeniami?! Eeee.

Tomasz powiedział mi:

— Zwariowałbym, podejrzewając podłość na każdym kroku. Lepiej od razu strzelić sobie w kolano! Gośka, dał pierścionek, zadeklarował się, znaczy chce łeb wsadzić w kolczatkę z własnej woli!

— Czemu „w kolczatkę"?

— Oj, tak mi się powiedziało. W obrożę. Tłumaczyłem ci to kiedyś. My — faceci rozwiedzeni i po przejściach pójdziemy za porządną fajną kobietą — w ogień. Przecież ja też od Baśki uciekłem, posądziłem ją o zdradę, a sam nie byłem aniołkiem. Musieliśmy przerobić tę lekcję, żeby siebie docenić i, Gośka, jak ja ci dziękuję, że mam Bachnę u siebie!

Po tak rozległych rodzinnych konsultacjach wiem, że chcę być z moim Zielonookim Potworem. A dzisiaj moja Marysia wie, że odkryła Olka dla siebie.

Córeńko,

Racja, nie przyjadę, bo mam pełne obłożenie. Gdyby nie było Broneczki, to jeszcze, ale staram się, żeby Paula też miała czasem oddech. To dla niej niełatwe tak nagle stać się samotną matką. Wiem, dzięki nam nie jest samotna, ale jednak jest. Młoda, więc niech czasem sobie bryknie. Wtedy ja zajmuję się Musią, bo Ania ma dużo pracy przy gościach i w ogrodzie, a Orest nadgania. Przepięknie Mu wyszła ta ciężarna madonna, co to Mu Paula pozowała!

Mysiu, moja zakochana! Bywa tak, że trzeba tuzin przerzucić, zanim trafisz na to swoje pół. Jeśli to Olek — OK, z przyjemnością poznamy się bliżej. Córko, czy mi się zdaje, czy Kuba pozostawił po sobie jakieś trwałe koleiny? Macie kontakt? On w Stanach został — tak?

Jaki jest Olo, opisz mi go, zapoznaj mnie z nim listownie. Ciekawa jestem, kto zawrócił w głowie mojej Mysi. Musi być ciekawym chłopcem, skoro ma taki niebanalny życiorys. Na fotografii wygląda bardzo mile.

To takie ważne kochać, ale lubić się i zwyczajnie ze sobą być w codzienności. Życzę Ci spełnienia i spokoju, Myszeczko, Maryniu moja kochana.

Maniu. Dostałam od Janusza pierścionek i deklarację. Wiedziałaś! Nie puściłaś farby! Oj, Wy spiskowcy! Czyli — akceptujesz? Zgadzasz się?

Nie martw się o mnie, jest OK. Świat jest lepszy, gdy się go z kimś dzieli. Resztę opiszę później, bo muszę do kuchni.

Buziaki, moja Maleńka. Mama.

Klik! I poszło do Maryni.

Co za rok! Co za wysyp zdarzeń!

Najpierw sądziłam, że to był nieznośny rechot druhny Anny, Lady Karoliny, ale dzisiaj wiem, że to tak już jest — piękno musi się przepleść z brzydotą, dobro ze złem, zdrowie z chorobą, życie ze śmiercią, żeby nie było jednostajnie i nudno. Nie, żebym uznała śmierć czy zdradę za rozrywkę, ale to składniki tego, co się pojawia w dorosłym życiu — pełnia.

Ważne, żeby iść w kierunku dobra, wybierać je jak dojrzałe owoce i nie zawracać sobie głowy robaczywymi i nadgniłymi, te odrzucać jak najdalej. „Wiśta wio..."? No jasne! Tym się zajmuje teoretycznie filozofia, psychologia i każdy z nas — praktycznie.

Mimo wszystko to dobry rok. Wczoraj najważniejsza była kontrola z Sanepidu. Na plus! To zasługa Ani, bo ona szoruje i myje wszystko jak oszalała. Także nasze wyposażenie kupione od... Beaty, te stale nierdzewne, mimo że z demobilu służą i są łatwe w utrzymaniu. Urzędnicy nie wiedzą naturalnie o ziemiance, bo nie wolno mi używać przetworów tak przechowywanych. Muszą być kupowane świeże non stop, ale ziemniaki i warzywa od tysiącleci tak się przechowuje! Nic mnie to nie obchodzi.

Jeszcze tylko niepokoi mnie Paula.

Miota się, gdzie ma żyć, gdzie najlepiej będzie Musi, gdzie ona wyląduje? Te pomysły z Francją są głupie, ale przecież nie mogę jej tego mówić. Może ta jej matka... To matka w końcu!

To naturalne, że Paulę ciągnie do ludzi, do miasta. Tylko, jak ona sobie poradzi sama z dzieckiem? Wróciła lekko zniechęcona, ale na jak długo?

Pomijam już fakt, że wszyscy bardzo kochamy Bronię. Przecież to nasze wspólne dziecko! Urodziliśmy ją razem w Wigilię i nie wyobrażam sobie, żeby ona „osiadła" gdzieś daleko! Nie mogę Pauli tym obciążać, ale to prawda. Nasz dom nabrał takiego ducha, życia!

Janusz też. Gdy bierze małą na ręce, podchodzi do okna i gwarzy z nią, jest taki... Spokojny! Wujcio!

Gdzie jej będzie lepiej! Tylko — jest tu mimo wszystko sama... wszystko byłoby w porządku, gdyby spotkała dobrego, czułego faceta! Ona ładna, mądra, ciepła, ale jaki ją zechce z dzieckiem?

— Gosiaczku — Janusz wszedł w środek moich rozważań — rozmawiałem z Ba...Basią.

— I...?

— Daje nam urlop od września. Ja teraz po...ponadganiam w pracy. Mamy sporo za...zamówień. I zaraz rezerwuję nam wyjazd. Tak?

Moje kochane zielone oczy! Tak! Wieszam mu się na szyi.

— Tak. W niedzielę pojedziemy do centrum handlowego w Olsztynie i kupimy pianki do nurkowania. Są już letnie przeceny, chyba. A jak nie, to poczekamy. I wiesz co? Poopalać się powinnam, taka biała mam jechać?

— Wariatka — śmieje się ze mnie. — Tam jest me...megasolarium! Kobieto! Co dziś na kolację? Ania smażyła racuchy z ja...jabłkiem! Wiem, bo byłem w kuchni!

— Ty w pensjonacie? OK, zaraz pójdę i poproszę dla ciebie. Daj buziaka, pampuchowy potworze! Poczekaj, Paula dzwoni.

Różne niespodziewajki

Gośka na werandzie przebierała i przekrawała śliwki na placek. Ostrym nożykiem, ciach! Zjada ich też masę, bo lubi węgierki.

Siadłam obok i też zaczęłam je jeść. Jest ich cały kosz.

— To z naszego sadziku? — zdumiałam się.

— Nie. Z bazaru, bo u nas są jeszcze za mało dojrzałe. Mnie się wydaje, że najprawdziwsze są tylko tu, u mamy. Zobaczysz jesienią! Rewelacja! Jedz, jedz, są znakomite na... przemianę materii.

— Nie mam problemów z zaparciami, jeśli ten eufemizm tego dotyczy. Gosiu... Nie wiesz, co z Orestem?

— A co? — Gosia podnosi na mnie badawczy wzrok, odgarnia wierzchem dłoni kosmyk włosów. Patrzy poważnie.

— Bo... od mojego powrotu teraz z Warszawy, jakby mnie unikał. Zapracowany?!

— Paula... — Gosia odkłada nóż i zawiesza głos. Oj, chyba niepotrzebnie zaczęłam. — Paula, ty naprawdę nie wiesz, nie widzisz, czy nie chcesz wiedzieć?

— Ale co? — Naprawdę nie wiem albo... nie chcę wiedzieć!

— Paula — Gosia jeszcze raz powoli powtarza moje imię i zaczyna: — Ty jakbyś nie chciała dostrzec prawdy. Orest cię kocha. Całym swoim męskim, dojrzałym sercem. I dziwię się, że tego nie dostrzegasz, albo... nie chcesz.

— Ale ja nigdy, nawet najdrobniejszym, Gosiu, ja nigdy... — jestem zażenowana, zawstydzona, jakby to była moja wina.

— On jest bardzo skromny i zamknięty w sobie. Ale czasem gadamy. Jest po rozstaniu... ale przeżyli ze sobą ileś tam lat i ona wyszła za mąż za jakąś wielką kasę. Piękna. Pokazywał mi zdjęcie. Od tamtej pory żyje sam, ale tu poznał ciebie i wierz mi, kocha. Dramatycznie, bo wie, że z twojej strony nic. Chyba się nie mylę?

— Nie mylisz się. Ja go lubię i jestem mu wdzięczna, ale nie. Nie pokocham go.

— Nikt ci nie każe. Tłumaczę ci tylko, jakbyś tego nie spostrzegła. Postępuj roztropnie. On wie, że pojechałaś do Huberta, i bardzo to przeżywa. Huberta nie akceptuje. Mówi, że taki ktoś cię unieszczęśliwi i małej nie pokocha.

— Nie uszczęśliwi, Gosiu. Wiem. Z matką się nie dogadam, mimo wielu prób, to też wiem i wiem, że jestem sama, sama, sama.

— Ale nie będziesz. Jesteś...

— Tak, tak, tak, „młoda i sratatata".

— Nie kpij, Paula. Nic na siłę. Poczekaj!

— Wiem, Gosiu. Pobędę jeszcze tu z wami, co? Wyjazd mi nie wyszedł, Bronia za mała na eksperymenty, za wielki oddech wzięłam. Zniesiesz tu nas jeszcze?

— Zniosę, wariatko jedna! I małej nam nie zabieraj, bo to jest nasza miłość! Sławek był. Wracał od Karolaków i zajechał. Pytał o ciebie.

— Aha — odpowiedziałam tylko, bo co? No, pytał. Teraz ma swój pasztet.

O mój Boże! Westchnęłam, prężąc się na krześle. Czułam. Orest taki miękki, dobrotliwy, niesamowity trochę z tymi swoimi umiejętnościami. Dobry człowiek, to dzisiaj taka rzadkość — dobry, czuły, wrażliwy, ale zupełnie nic do niego nie czuję. Za odległy mi emocjonalnie i nic do niego nie czuję. Sorry, Gregory. Nie zmuszę się, tylko dlatego że to znakomity materiał na ojca dla Broni. Nie pójdę z nim do ołtarza, tylko po to. Muszę być z mężczyzną, do którego czuję to coś, czego nie umiem zdefiniować, bo po Jeanie Philippie nie wiem, czy kogokolwiek pokocham, ale żeby przynajmniej było jakieś coś. Małe wystarczy. Kurczę, żartowałam z tego gniazdowania, a ja... naprawdę gniazduję! Kręcę się na życiowej gałązce, a w dziobie mam patyczki na gniazdko, bo jajko zniosłam przed czasem!

Zadzwonił Sławek.

— Paula, pogadaj ze mną, jestem taki skołowany! Wiem, że już wróciłaś — brzmi kiepsko, ma smętny głos. Takiego Sławka nie znam, oj, bieda mu się dzieje!

— Wpadnę za godzinę. OK?

Byłam u niego przed czasem. W domu, no, porządek, jeśli nie liczyć rozrzuconych na podłodze kolorowej piłki, samochodu straży pożarnej sporej wielkości i klocków z drewna.

— No, no... — pochwaliłam. — Ładnie, tatusiu!

— Przestań. Nie do śmiechu mi jest. Napijesz się? Sam nie cierpię pić, a mam taką ochotę, Paula, proszę!

— OK, poproszę Gosię, to po mnie przyjedzie. Co jest? Nalej i mów.

Siedzi i marszczy czoło. Wzdycha i zaraz chyba dostanie zawału.

— Paula, to mnie przerasta. Ja miałem takie fajne plany, sprzedać udziały kumplowi i pojechać, w cholerę, do Francji! Mamadou mi tam wyszykował miękkie lądowanie.

— Gdzie?

— Na południu, u jego kuzyna, pracuje w wielkiej winnicy.

— Znasz się na winogronach?! Zgłupiałeś całkiem!

— Kobieto! Na drewnie się znam, beczki bym robił, to znaczy prowadziłbym wytwórnię. Wino leżakuje w beczce dwa sezony, potem następne i szlus i potrzeba nowej. Jest co robić! Drewno nie ma przede mną tajemnic. Prosta robota, fajna. Południe, Francja to marzenie!

— Taaaaak? I to taki dla ciebie awans? Życiowy cud?

— No, cholera! — uniósł się lekko. — Mam dość tego siedzenia tu, w tej norze, interesy jakoś idą, ale nie wszystko takie easy! Jakoś... Jaką ja mam szansę na normalne życie, powiedz? No, jaką?!

Wtedy mnie trafiło. Wywaliłam mu, co myślę. Jak wrzeszczę na kogoś, to się miotam. Więc i teraz wypiłam whisky (O mamo, ale szarpnęło! Nie piłam od początków ciąży!). Zaczęłam:

— Bo palant jesteś! A co ty myślisz, że ktoś ci to „normalne życie" przyniesie owinięte w papierek i przewiązane kokardą?! Sławek, nie rozśmieszaj mnie! Ty stale uciekasz, ale jak długo można?

— ...jak to uciekam? Zwariowałaś? Po prostu...

— Z Warszawy uciekłeś, bo cię zostawiła żona i pofrunęła w świat, tu podleczyłeś rany, ale nagle zrozumiałeś, że życie się o ciebie upomina, więc chcesz nawiać znów, i tam, we Francji być u kogoś popychadłem. A tu jesteś panem siebie! Nie rozumiem cię!

— Panem...? Wieczne problemy, kłopoty i stale sam. Sam...

— Sam?! No, a tam się na ciebie rzucą panny i mężatki! Do wyboru, do koloru! To już trzeba było sobie przywieźć, jak ci radziłam z Kazachstanu!

— Daj spokój, za odległa kulturowo.

— A Francuzka to nie? Loda ci zrobi każda Europejka, nie tylko Francuzka... — zakpiłam. — Ale chyba nie tego szukasz, co?

— Paula!

— Co?! Żartowałam, choć nie do końca! Teraz, jak się objawił Rysio, chcesz znowu uciekać? To twoja krew, baranie! Synek!

— No właśnie! — uniósł się, ale lekko, bo Sławek to potęga spokoju, skubany! — Co ja mogę? Paula, to drobiazg taki, cztery latka ma dopiero! Ja nie umiem z dzieciakiem! No... Gdybym to ja miał...

— Co? — kpiłam nadal — „skrzydełka jak gąska"? Co miał, czego nie masz, a potrzebne jest dziecku? Masz te same geny, jesteś ciepłym, dobrym facetem, umiesz zbudować dom... wszystko! — pokrzykiwałam jak nie ja i nagle poczułam w gardle łzy.

Szarpnęła mną wściekłość, że mnie odrzucił, jak go chciałam zainteresować wspólnym gniazdowaniem, teraz sam chciałby, ale mnie jakoś nie dostrzega... Palant! Do Francji ucieknie!

— ...kobietę, gdybym... I to taką, która by się nie wystraszyła budowania, bo dom mam do generalnego remontu, ani że dziecko mam, i żeby nie była głupią cipką, bo chciałbym fajną. Marzenia! — parsknął. — Nie mam takiej! A taka by mogła Rysiowi matkować, to taki mały dzieciaczek, fajny... — zaciął się, a mnie wkurzył na maksa. Wzięłam brudny talerz i wyniosłam do kuchni, żeby go nie palnąć w ten durny, zakuty łeb.

Stałam przy zlewie wściekła i urażona i wycierałam szklankę, kiedy wszedł.

— Paula...

— Sławek — powiedziałam spokojnie. — Po cholerę ja ci tu jestem potrzebna? Żeby... co?

Wtedy on podszedł blisko i objął mnie z tyłu i szepnął prosto w kark, we włosy:

— Żeby mnie nie puścić, zatrzymać...

Obrócił mnie, wyjął z moich rąk ścierkę i pocałował z jakąś niewymowną tkliwością.

— Paula — szepnął. — Przecież ja ci sam, osobiście dałem kosza! Powinnaś mi dokopać, bo jestem fiut! Straszny — szeptał, wodząc ustami po mojej twarzy. Nie powiedziałam nic, bo mnie ten jego pocałunek ruszył. O, tak! Poczułam to, co czułam, jeszcze zanim się we mnie na dobre ukorzeniła Bronia. To, co czułam jako jurna kochanka Sławka. Tak, chcę!

Stanęłam na palcach, zarzuciłam mu ręce na barki i całowałam tak, jak kiedyś, kiedy podniecałam go tymi moimi pocałunkami. Teraz sama byłam już ugotowana.

— Weź mnie natychmiast, bo ci tu eksploduję — szepnęłam gorąca i spragniona. Zaniósł mnie do łóżka. Ciuchy zrywaliśmy z siebie jak w tanim filmie, sapiąc i dysząc śmiesznie. Czułam takie pragnienie jak rzadko. Z przerażeniem tylko przypomniałam sobie, że nie depilowałam się od powrotu z Warszawy, więc zakryłam dłonią mój trójkąt bermudzki z małym jeżykiem, z jakimś głupim „sorry". Nie zrozumiał, zsunął się i całował moje podbrzusze, biodra, ale nie pozwoliłam mu na więcej, bo wziął mnie wstyd za ten brak wyczucia, że nie depiluję się częściej, a poza tym, gdyby dotknął mnie językiem w moje wezbrane wnętrze, szczytowałabym chyba natychmiast. Pociągnęłam go więc w górę, prosząc:

— Chodź...

Sławek dosłownie wbił się we mnie z głośnym sapnięciem i musiał się mocno opanować, żeby nie finiszować prawie natychmiast. Przytrzymałam go udami, sama też czując, że niewiele mi potrzeba, żeby nie skończyć zaraz teraz, bo moje biodra domagały się wręcz rytmicznej lambady... Ale czy dam radę... Poczekam, poczekam... w środku już poczułam znajome lube falowanie... Nie, nie wytrzymam! Rozsunęłam zaciśnięte kolana i wyprężyłam się w Sławkowych ramionach, przyjmując go mocno i głęboko, głośno.

Kilka ruchów i krzyknął jak nigdy. Nigdy ze mną. Widziałam, że było mu bardzo dobrze, więc tylko objęłam go mocno, sama też sapiąc otumaniona, szczęśliwa, spełniona.

— Paula — szepnął cicho, z głębokim westchnieniem gdzieś w moją szyję.

Tak! Jednak moje ciało nie zapomniało. Może tylko inny skrzypek nie potrafił zagrać na moich skrzypcach? Sławek! Oj dobrze mi w jego ramionach! Z nim. Chociaż taki bywa z niego... niedźwiedź!

— Zamieszkam z tobą, zajmę się domem i dziećmi, tylko mi wmuruj specjalny piec ceramiczny do pracowni i pracownia ma być w domu, jakoś wiesz, a nie jak tu u Gosi w garażu, osobno na podwórku! Nie będę do mojej pracowni chodziła po kałużach! — powiedziałam po dłuższej chwili.

— O czym ty mówisz?! — Sławek miał zamknięte oczy i zdaje się kompletnie nie złapał wątku. Nagle doszło do jego pustaczka to, co mówiłam. Obrócił się, wsparł na łokciu i pochylił nade mną:

— Powtórz — poprosił, patrząc na mnie zaniepokojony.

— „Zamieszkam z tobą, zajmę się domem i dziećmi tylko mi wmuruj specjalny piec ceramiczny do pracowni" — przerwałam i dodałam dla wyjaśnienia: — naszymi dziećmi, Rysiem i Muśką!

— Paula, ty... poważnie?!

Zaczęłam terkotać:

— No, a jak? Mam piec, ale nie mam gdzie go wstawić, a mam już zamówienia na ceramikę od pani Jadwigi i wiesz co? Rysiowi potrzeba ciepła i spokoju, musi mieć swój pokój i biureczko, bo za dwa lata szkoła! Tatuńciu! Tak, tak! A Musia też rośnie, więc i pokój dla Musi, no i my, nasza sypialnia, bo masz się ze mną kochać regularnie, to dobrze robi kobietom na cerę, zdrowie i spokój wewnętrzny, no i kuchnia. Nie za wielka, ale fajna i... porobisz meble dla pani Jadwigi? Do jej galerii? Ja zaprojektuję! Cudne, takie... cacka! Sprowadzimy z Litwy albo Ukrainy drewno rozbiórkowe na kredensy... Zobaczysz! Mam to w głowie. A Rysio od razu dostanie też siostrę w pakiecie razem z tatusiem i macoszkę. Jako bonus!

— Paula. Ty to... wariatka jesteś!

Sławek był rozbawiony. Nie podejrzewał, że mówiłam poważnie. Bardzo poważnie, bo ja wszystko nagle zobaczyłam! Może i jestem wariatka, ale to proste! Stworzymy dom! Ja stworzę — jak Gośka i babcia Basia, prababcia Bronia, moja babcia Malwina... Przecież dam radę! Mam to w babskich genach.

— Jutro mnie zawieziesz i pokażesz ten dom, który kupiłeś.

— Dobrze — zgodził się. Ma świetlisty wzrok.

— I żadna Francja! — warknęłam.

— Żadna — potwierdził i westchnął głęboko.

Już ja nam urządzę życie! Mam plan! Tylko zadzwonię do Gośki, że wracam jutro.

* * *

Coś jeszcze?

Życie nad rozlewiskiem potoczy się dalej. Swoim torem, swoim rytmem. A komu i jak się powiedzie, to sprawa każdego z nas — z osobna.

Byle się nie bać zmian, nie zatopić w niechęci i fochach.

Szkoda życia na złość.

A na miłość... aż go za mało.

Spis treści